Joven para siempre

Joven para siempre

La guía máxima del antienvejecimiento para la mujer

Por Bridget Doherty, Julia VanTine y las editoras de *Prevention en Español*

RODALE

Library of Congress Cataloging-in-Publication Data

Doherty, Bridget.
   [Growing younger. Spanish]
   Joven para siempre : la guía máxima del antienvejecimiento para la mujer / por
Bridget Doherty, Julia VanTine y las editoras de Prevention en Español.
       p.   cm.
   Simultaneously published in pbk. ed. under title: Rejuvenezca.
   Includes index.
   ISBN 1–57954–780–X hardcover
   1. Women—Care and hygiene.   2. Longevity.   3. Rejuvenation.   4. Youthfulness.
I. VanTine, Julia.   II. Prevention (Emmaus, Pa.). Spanish.   III. Title.
RA778 .D65418   2003
613'.04244—dc21   2003043102

2 4 6 8 10 9 7 5 3   tapa dura

RODALE

PARA PRODUCTOS E INFORMACIÓN

WWW.RODALESTORE.COM
WWW.PREVENTION.COM

(800) 848-4735

Aviso

Este libro sólo debe utilizarse como volumen de referencia, no como manual de medicina. La información que se ofrece en el mismo tiene el objetivo de ayudarle a tomar decisiones con conocimiento de causa con respecto a su salud. No pretende sustituir ningún tratamiento que su médico le haya indicado. Si sospecha que usted o algún familiar suyo tiene algún problema de salud, la exhortamos a buscar la ayuda de un médico competente.

El hecho de que se mencionen empresas, organizaciones o autoridades particulares en este libro no significa que la editorial las esté promoviendo, ni tampoco que dichas empresas, organizaciones o autoridades aprueben este libro.

Las direcciones de Internet y los números telefónicos que se proporcionan en este libro eran correctos cuando se mandó a la imprenta.

Índice

PRIMERA PARTE
Su plan antienvejecimiento

SEGUNDA PARTE
Luzca 10 años más joven

SEXTA PARTE

Cómo recuperarse de una enfermedad

Sí es posible detener el reloj

"No has cambiado para nada".

"¿Cómo le haces para mantenerte tan joven?"

"¡Definitivamente no aparentas la edad que tienes!"

¿Cuántas veces les ha hecho usted cumplidos de este tipo a sus amigas de muchos años o ex compañeras de trabajo o de la secundaria (preparatoria)? Todas conocemos a mujeres que aparentan menos edad de la que tienen, poseen el porte de una mujer más joven o enfrentan la vida con energía y audacia.

¿Cómo le hacen?

Por supuesto una buena base genética tiene que ver. No obstante, la ciencia ha observado cada vez con mayor frecuencia que la alimentación y ciertos elementos del estilo de vida —como el ejercicio— también contribuyen a determinar quién se ve de la edad que tiene y quién no.

Fíjese en lo que el ejercicio hizo para Filomena Warihay, cuya historia se cuenta en la página 68. A los 40 años de edad, esta madre de cuatro hijos estaba tan fuera de forma que no aguantaba correr ni una milla (1.6 km).

Después de que empezó a hacer ejercicio, las libras (kilos) y los años comenzaron a desprenderse de ella. Actualmente tiene más de 60 años, con frecuencia se le toma por una cuarentona y se siente tan bien como cuando era treintañera. A Warihay no le da pavor ir a la playa; ¡su problema a veces es decidir cuál de sus seis bikinis se va a poner!

A lo largo de las páginas que siguen, usted conocerá a docenas de mujeres que aparentan tener varios años e incluso décadas menos que su edad cronológica. Y leerá los consejos de los expertos basados en los conocimientos sólidos aportados por la ciencia antienvejecimiento, los cuales le mostrarán de qué forma puede retrasar su reloj biológico. Averiguará cómo evitar los indicios externos del envejecimiento como las arrugas y la piel flácida, así como problemas menos visibles como la reducción de la energía o ciertos males que amenazan la vida misma, como las enfermedades cardíacas y el cáncer.

Eche un vistazo a lo que encontrará.

- Descubra los alimentos exquisitos —como las cerezas— que producen las "hormonas de la juventud", las cuales aumentan la energía, fortalecen el sistema inmunitario, favorecen la formación de músculos más fuertes y de huesos más densos y mejoran la audición, la visión y la memoria.

- Averigüe de qué forma los alimentos derivados de la soya, ricos en fitoquímicos, disminuyen el riesgo de sufrir un ataque al corazón así como de padecer cáncer de mama, osteoporosis o sofocos (bochornos, calentones).

- Entérese de la razón por la que sólo 30 minutos diarios de ejercicio estimulan el metabolismo, incrementan la energía, reducen el estrés, favorecen el sueño, liberan el apetito sexual y disminuyen el riesgo de sufrir las enfermedades comunes relacionadas con el envejecimiento.

- Lea acerca de los suplementos antienvejecimiento más importantes que se han descubierto recientemente. Esta generación de antioxidantes es mucho más potente que las vitaminas C y E e incluye la fosfatidilserina, el ácido alfa-lipoico y el picnogenol.

- Deje que las cosmetólogas, las expertas en moda y las asesoras de vestuario le indiquen qué es lo que las actrices, las modelos y otras celebridades hacen para arreglarse en un dos por tres.

- Descubra por qué una fabulosa vida sexual puede restarle hasta siete años a su apariencia.

Sin lugar a dudas, una vez que aplique los consejos y los secretos que este libro contiene, ¡usted será la que reciba los cumplidos acerca de su aspecto juvenil!

Sharon Faelten

Sharon Faelten
Editora ejecutiva

PRIMERA PARTE

Su plan antienvejecimiento

No aceptaremos avejentarnos

A sus 62 años de edad, Deane Feetham compite en —y gana— triatlones. Parece mentira, pero así es. Su apartamento (departamento) en Anchorage, Alaska, está abarrotado de los trofeos y los galones que ha adquirido por sus victorias en esos concursos sudorosos y extenuantes que implican correr un maratón, competir en bicicleta y nadar durante todo el día. Y eso que Deane ya andaba por los 45 años cuando por primera vez decidió poner a prueba sus tenis, trusa y su flamante bicicleta.

Desde luego, Feetham sólo se dedica a esta actividad en su tiempo *libre*. También trabaja a tiempo completo vendiendo productos para una imprenta. Tiene dos hijas adultas que la adoran así como un amplio círculo de amigos, y le encanta el trabajo que hace como voluntaria. (Es la facilitadora de un grupo regional de apoyo para mujeres que padecen cáncer de mama). Además, está cursando la carrera de Ciencias del Ejercicio en la Universidad de Alaska, con la idea de trabajar algún día como entrenadora física para mujeres mayores. Un fuego nutre sus entrañas y una luz especial ilumina sus ojos. A esta mujer no le pega la palabra *"vieja"*.

Un nuevo estilo de envejecimiento

La mayoría de nosotras probablemente no compartamos la pasión de Feetham por correr. No obstante, sí es muy posible que tengamos por lo menos una cosa en común con ella: la convicción de que sumar años no significa hacernos *viejas*.

"Es como si la idea de hacerme vieja simplemente no existiera para mí", afirma Deane.

No es la única que se siente así.

Toda la generación conformada por los aproximadamente 39 millones de mujeres que nacimos entre 1946 y 1964 y que vivimos en los Estados Unidos tenemos una idea muy diferente de lo que significa ser *vieja*, y no nos identificamos con esta palabra. De la misma forma en que una vez redefinimos el paisaje social y político de este país, actualmente estamos redefiniendo la palabra "juventud" como el proceso de "envejecer de forma positiva", o sea, de alargar el tiempo durante el cual gozamos de salud y vitalidad físicas, además de una mentalidad fresca y llena de vigor.

Sin embargo, nuestra idea del envejecimiento no es lo único que ha cambiado. De hecho vivimos por más tiempo. . . y mejor.

"Esta generación de mujeres vivirá por mucho más tiempo después de la menopausia que quienes pertenecieron a generaciones anteriores —señala la Dra. Vivian Pinn, directora adjunta de investigación sobre la salud de la mujer y directora del departamento de Investigación sobre la Salud de la Mujer en los Institutos Nacionales de la Salud en Bethesda, Maryland—. Hemos avanzado muchísimo a lo largo de más de 10 años. Las mujeres disfrutamos ahora de oportunidades sin precedentes para conservar y mejorar nuestra salud".

¿Por qué podemos vivir por más tiempo y mejor que nunca?

Nuestra buena salud como generación se debe, por lo menos en parte, a una especie de suerte histórica. Simplemente, hemos tenido la dicha de haber nacido en un tiempo que se caracteriza por sus constantes descubrimientos y avances médicos.

Tan sólo en el siglo XIX, la expectativa de vida de la mujer aumentó en 31 años (la del hombre, en 28). La mujer promedio vive hasta los 79 años; el hombre promedio, hasta los 74. Además, ha tenido lugar un enorme descenso en el índice de discapacidades entre las personas mayores, muy probablemente a causa de los descubrimientos médicos, la mejoría en la nutrición y la disminución en el consumo del cigarrillo.

ALARGAVIDA
Disfrute el dulce y viva por más tiempo

Una vida más larga muchas veces también es una vida más dulce, de acuerdo con un estudio científico llevado a cabo por la Escuela de Salud Pública de Harvard.

Unos investigadores rastrearon la salud y el estilo de vida de 7,841 hombres que ingresaron a Harvard entre 1916 y 1950. Descubrieron que quienes ocasionalmente se daban el gusto de disfrutar algo dulce vivían por casi un año más que los hombres que no comían dulces.

No obstante, al igual que en todo, la moderación es la clave. Los amantes de los dulces que se los permitían de una a tres veces al mes vivían por más tiempo que quienes los devoraban tres veces o más por semana. "Si bien nuestra investigación sólo abarcó a hombres, es probable que los mismos procesos biológicos actúen en las mujeres —afirma el director del estudio, el Dr. I-Min Lee, profesor adjunto de Epidemiología en la Escuela de Salud Pública de Harvard—. Por lo tanto, debe ser posible aplicarles las conclusiones también a ellas".

Asimismo nos podremos beneficiar por el gran incremento que se ha dado recientemente en el número de investigaciones acerca de la salud de la mujer, particularmente sobre la salud de la mujer de edad madura.

La Iniciativa para la Salud de la Mujer (o *WHI* por sus siglas en inglés), un estudio de salud a largo plazo que se está llevando a cabo a nivel nacional con respecto a las enfermedades cardíacas, el cáncer, el derrame cerebral y la osteoporosis y que abarca a unas 160,000 mujeres mayores de 50 años, es una de las investigaciones con fines de prevención más amplias de su tipo. Se concentra en los efectos de la terapia de reposición hormonal (o *HRT* por sus siglas en inglés) en cuanto a la prevención de las enfermedades cardíacas, la osteoporosis y el cáncer de mama y uterino; en la alimentación saludable y su poder para prevenir las enfermedades cardíacas y el cáncer de mama y colorrectal; y en los suplementos de calcio y de vitamina D y sus efectos en cuanto a la prevención de la osteoporosis y el cáncer colorrectal.

En el campo de la biología de género, el cual apenas se está definiendo y se dedica a examinar las diferencias biológicas y fisiológicas entre las mujeres y los hombres, ya se han producido descubrimientos que posiblemente tengan implicaciones de salud a largo plazo. De acuerdo con la Sociedad para la Investigación sobre la Salud de la Mujer, ahora se sabe que las mujeres que fuman tienen entre un 20 y un 70 por ciento más probabilidades de contraer cáncer del pulmón que los hombres que consumen el mismo número de cigarrillos. En comparación con los hombres, las mujeres enfrentamos una mayor posibilidad de sufrir un segundo infarto dentro de un plazo de un año después del primero. Y es posible que nuestro metabolismo procese los medicamentos de forma diferente al de los hombres.

Contamos con acceso a una cantidad inconcebible de información sobre la salud, según indica la Dra. Florence Haseltine, fundadora de la Sociedad para la Investigación sobre la Salud de la Mujer y actual directora del Centro para la Investigación Poblacional en los Institutos Nacionales de Salud en Washington, D.C. Desde los noticiarios matutinos hasta Internet, se habla más de la salud de la mujer de lo que nunca se ha hecho antes. Esta mayor cantidad de información nos permite tomar decisiones mejor fundamentadas con respecto a nuestra

LOS DONES QUE NOS BRINDA EL PASO DE LOS AÑOS

Quizá ya no tengamos el mismo cuerpo que a los 20 años, pero envejecer (aunque no lo crea) brinda sus propias ventajas, en opinión de Sue Patton Thoele, una psicoterapeuta de Boulder, Colorado. A continuación reproducimos su lista de los 10 dones más importantes que ofrece la edad.

Podemos portarnos de manera "vergonzosa". "Para mí esto significa reírse a carcajadas en público, abrazar con ímpetu a una gran amiga a la que no se ha visto en mucho tiempo o utilizar alguna palabra picante para dejar claro lo que se quiere decir. Somos libres de encender nuestra parte fogosa".

Podemos cuidar de nosotras mismas. . . y lo sabemos perfectamente. "Para mí, una de las ventajas de la edad es la confianza profunda y ganada a pulso en mi capacidad para recuperar el equilibrio cuando algo me desquicia".

Podemos decir que no y punto. "Poder pronunciar esta palabra maravillosamente firme y enérgica sin sentirnos culpables, dar explicaciones o tener remordimientos significa liberarse de la prisión de las obligaciones. A nuestra edad definitivamente nos hemos ganado este privilegio".

Disponemos de más tiempo para dar rienda suelta a nuestra capacidad creativa. "La mayoría de nosotras disponemos de más tiempo libre al envejecer, de modo que podemos desarrollar nuestra creatividad de manera más

salud e influir, de esta manera, en la duración y la calidad de nuestras vidas.

Por último, las mujeres de nuestra generación nos acercamos a los servicios de salud de manera exigente y con una opinión propia. En los años 70 enfrentamos al sector médico en relación con cuestiones de salud reproductora como el acceso a los métodos anticonceptivos y el aborto. Al llegar a la menopausia seguimos desafiando los conocimientos médicos convencionales. De hecho, se le ha adjudicado a nuestra generación de mujeres el mérito de fomentar el

plena. Y puesto que no necesitamos probarnos a nosotras mismas, nos inclinamos más a intentar lo que sea".

El sexo se vuelve más espiritual. "Existe una profundidad de sentimiento entre una y su compañero que vuelve menos importante el rendimiento en el sexo y le inyecta más un significado de ternura y de compartir".

No tenemos que cocinar si no queremos hacerlo. "Actualmente hay muchas ocasiones en las que me concedo la libertad de poner en práctica mi credo de no cocinar: 'Búscate algo, compra algo para llevar o llévame a comer a la calle'".

Podemos echarnos un sueñito a gusto. "Las mascotas son excelentes para las siestas, capaces de dormirse cada vez que les da la gana. Ahora disponemos del tiempo necesario para seguir su ejemplo".

Podemos olvidarnos de la culpabilidad. "Hay un dicho que dice: 'Muéstrame a una mujer sin culpabilidad y te mostraré a un hombre'. Es hora de desprendernos de la culpabilidad".

Aprendemos a aceptar las cosas tal como son. "Una de las alegrías de la madurez es darnos cuenta de que está muy bien abandonar el intento de controlarlo todo y aceptar las cosas como son. Cuánto alivio".

Nuestra "glándula de la sabiduría" entra en acción. "Nuestra rica experiencia nos otorga una perspectiva más amplia, una comprensión más profunda de lo que es *realmente* importante en nuestras vidas".

interés en la medicina alternativa. Un estudio descubrió que en 1997, 4 de cada 10 personas radicadas en los Estados Unidos recurrieron a terapias alternativas; de estas personas, más de la mitad tenían entre 30 y 50 años de edad.

Nuestra nueva estrategia de salud: la defensa

Cuando nuestras mamás fueron jóvenes, a las personas que comían más verduras que carne, hacían ejercicio con regularidad y tomaban vitaminas se les consideraba un poco extrañas, por decirlo de alguna manera. El estilo típico de envejecer implicaba aceptar que uno se enfermaría —a todos los "viejos" les pasaba— y que un médico sabio tomaría todas las decisiones médicas por uno.

Ya no es así. Nuestra generación tiene una nueva meta: prevenir las enfermedades que están relacionadas con el envejecimiento antes de que afecten nuestras vidas. "Las mujeres están diciendo: 'Bien. Pues vivimos por más tiempo. Ahora queremos saber más acerca de cómo prevenir las enfermedades que podrían impedirnos disfrutar esos años adicionales de vida' ", comenta la Dra. Pinn.

Desde hace mucho tiempo se sabe que una alimentación saludable y el ejercicio hecho con regularidad ayudan a prevenir muchas de las enfermedades relacionadas con el envejecimiento, como el cáncer, la diabetes y de manera particular las enfermedades cardiovasculares, mismas que matan a más mujeres que todos los tipos de cáncer en conjunto.

No obstante, lo novedoso son las pruebas cada vez más numerosas de que los antioxidantes y las sustancias químicas típicas de las plantas (los fitoquímicos) que se encuentran en las frutas y las verduras posiblemente también eviten las enfermedades relacionadas con el envejecimiento, como la diabetes, la degeneración macular y el cáncer de mama. Los antioxidantes, que no sólo se encuentran en las frutas y las verduras sino también en nuestros cuerpos, sirven para neutralizar los radicales libres, unas moléculas de oxígeno "lisiadas" que les roban electrones a las células saludables y producen los síntomas del envejecimiento y las enfermedades.

Los alimentos de soya como el *tofu* y la leche de soya, por ejemplo, son ricos en fitoestrógenos, unas sustancias naturales de los frijoles (habichuelas) de soya *(soybeans)* que prometen mucho en cuanto a la prevención del cáncer de mama, de la osteoporosis y de los sofocos (bochornos, calentones) de la menopausia. Asimismo, un estudio sueco de mujeres mayores de 50 años encontró que quienes consumían diariamente la cantidad del nutriente betacaroteno contenida en media zanahoria corrían hasta un 68 por ciento menos riesgo de sufrir cáncer de mama que las mujeres que consumían la menor cantidad de betacaroteno.

En cuanto al ejercicio, "es la mejor medicina antienvejecimiento del mundo", según afirma Andrea Z. LaCroix, Ph.D., profesora de Epidemiología en la Cooperativa de Salud de Grupo de Puget Sound en Seattle. Es posible que la costumbre de hacer ejercicio durante toda la vida agregue hasta 7 años a la misma. Diversos estudios sugieren que el ejercicio hecho con regularidad incrementa el nivel de antioxidantes en nuestros cuerpos, lo cual les impediría a los radicales libres causar los daños que nos joroban todo.

PREGUNTAS Y RESPUESTAS

¿Por qué las mujeres vivimos por más tiempo que los hombres?

Existen muchas explicaciones posibles. No obstante, las pruebas disponibles indican que intervienen diferencias biológicas, de comportamiento, sociales y psicológicas entre los hombres y las mujeres. Los tres factores más importantes parecen estar relacionados con el comportamiento, el riesgo de sufrir una enfermedad cardiovascular y los cromosomas.

Un mayor número de hombres —de la edad que sea— tienden a morir a causa de factores relacionados con un comportamiento imprudente o con la violencia. En los hombres entre los 55 y los 64 años, por ejemplo, las muertes ocasionadas por el comportamiento —por accidentes automovilísticos, caídas, ahogamientos, homicidios y suicidios— figuran entre las causas más comunes de muerte y son mucho más frecuentes que entre las mujeres.

Las enfermedades cardiovasculares afectan a los hombres a una edad más temprana que a las mujeres. Fumar es un enorme factor de riesgo para las enfermedades cardíacas y los hombres siguen fumando más que las mujeres. El riesgo de sufrir una enfermedad cardíaca se dispara en los hombres a los 40 años. En las mujeres, el riesgo no se eleva hasta que comienza la menopausia. Es posible que las hormonas sexuales tengan que ver en esto. Se sabe que la hormona sexual

Libres por fin

Uno de los "avances" más importantes en cuanto a la salud de la mujer es el enfoque totalmente diferente que nuestra generación tiene de la menopausia. "El movimiento de salud de la mujer ha sacado a la menopausia del armario —comenta la Dra. Pinn—. Las mujeres ya no le tememos. Comprendemos que se trata de un aspecto natural de nuestro desarrollo, el cual

marca el principio del resto de nuestras vidas".

Una encuesta de 750 mujeres entre los 45 y los 60 años de edad encontró que para el 52 por ciento de ellas la menopausia representa una etapa nueva y satisfactoria en sus vidas; el 60 por ciento opinan que no las ha hecho menos atractivas; y el 80 por ciento afirman sentir alivio por ya no estar menstruando.

En la época de nuestras madres las mujeres cuando mucho llegaban a murmurar a escondi-

masculina, la testosterona, eleva los niveles del colesterol lipoproteínico de baja densidad que tapa las arterias (o *LDL* por sus siglas en inglés) y disminuye los niveles del colesterol lipoproteínico beneficioso de alta densidad (o *HDL* por sus siglas en inglés). El estrógeno, la principal hormona sexual femenina, hace que disminuya el LDL y aumente el HDL.

También es posible que el hecho de que las mujeres contemos con dos cromosomas X, mientras que los hombres sólo tienen uno, sirva para explicar nuestra ventaja en cuanto a longevidad. Las investigaciones recientes indican que el cromosoma X quizá determine la duración de la vida de manera directa. Uno de los dos cromosomas X de la mujer se desactiva a una edad temprana. No obstante, el segundo al parecer entra en acción conforme envejecemos, de modo que compensa por los genes perdidos o dañados del primer X. Por lo tanto, desde el punto de vista genético es posible que las mujeres simplemente seamos más sanas de entrada.

Sin duda las investigaciones sobre las causas entre las diferencias de longevidad encontrarán pistas acerca de cómo tanto los hombres como las mujeres podremos llevar vidas más largas y sanas.

Información proporcionada por la experta
La Dra. Ruth C. Fretts
Profesora adjunta de Obstetricia, Ginecología y Biología Reproductora
Escuela de Medicina de Harvard

das acerca del "cambio". Por el contrario, actualmente formamos grupos de apoyo para la menopausia y nos ponemos a buscar información acerca de esta etapa o sobre la terapia de reposición hormonal. Nuestro papel en lo que se refiere al cuidado de nuestra salud a esta edad es mucho más activo que en el caso de nuestras madres. "Existe un grupo bien informado de mujeres que van a ver a sus médicos con una lista de cosas sobre las que desean información, sobre

todo la terapia de reposición hormonal", explica la Dra. Ruth C. Fretts, profesora adjunta de Obstetricia, Ginecología y Biología Reproductora en la Escuela de Medicina de Harvard.

Sentimos calor. . . y no es por los sofocos

A fines de los años 60 surgió una actitud diferente hacia el sexo, el "amor libre" que predicaba que se debía hacer todo lo que se sintiera bien, pero no todas nos entregamos a este movimiento. De todas formas, muchas de nosotras conservamos un saludable interés en el sexo. De hecho, un amplio estudio llevado a cabo a nivel nacional informa que las mujeres de entre 40 y 60 años de edad afirmaron tener más orgasmos que las que apenas pasan de los 20.

En parte, la mayor satisfacción sexual se debe al hecho de contar con más tiempo libre. "Al madurar hay menos prisas y corremos menos. Esta actitud se traslada maravillosamente a la sexualidad", afirma Sue Patton Thoele, una psicoterapeuta de Boulder, Colorado. También tiene que ver que los hijos ya no estén en casa y que no tengamos que preocuparnos por un embarazo no planeado, agrega la experta.

Debido a que sabemos más acerca de nuestros cuerpos que nuestras madres, también comprendemos mejor cómo hacerles frente a los cambios físicos naturales que pueden afectar nuestra sexualidad. La sequedad vaginal, por ejemplo, se remedia fácilmente con lubricantes. Y si bien tardamos más en excitarnos físicamente —unos 5 minutos, en comparación con los 10 a 15 segundos de las mujeres premenopáusicas—, hasta eso tiene sus ventajas. Nuestros compañeros también tardan más en excitarse. ¿Y acaso no deseábamos siempre que se tomaran su tiempo?

Ahora nos toca el turno a nosotras

Fueron pocas las mujeres que salieron a quemar sus sostenes (brasieres) en los años 70, pero aquella primera avanzada del feminismo fue la que en gran medida nos ganó las libertades y las oportunidades que nos ayudan a mantenernos jóvenes ahora.

Con una actitud joven, es decir.

Diversos estudios sobre la mujer mayor han encontrado que para muchas de nosotras la edad madura y lo que le sigue se traduce en un mayor número de opciones y oportunidades y en más libertad, beneficios más bien escasos cuando éramos más jóvenes. En lugar de aposentarnos en el sillón reclinable (butacón, reposet) estamos regresando a estudiar o a trabajar, desarrollamos nuestras carreras profesionales, encontramos nuevos intereses y descubrimos o redescubrimos nuestros talentos.

"Mis investigaciones indican en gran medida que las mujeres se sienten más felices y realizadas al paso de los años. Muchas opinan que se trata de la mejor etapa de sus vidas", afirma Mary Guindon, Ph.D., profesora adjunta de Asesoría en el departamento de posgrado de la Universidad Rider en Lawrenceville, Nueva Jersey.

Libres ya de las obligaciones del hogar y la familia, las mujeres maduras cuentan con oportunidades excelentes para desarrollarse de la forma que deseen, según señala la Dra. Guindon. Muchas deciden volver a la escuela.

De hecho la educación es uno de los factores que influyen en que el proceso del envejecimiento resulte positivo. Un estudio realizado por la Fundación para la Salud Pública de California en Berkeley encontró que las personas con 12 o más años de educación son más sanas durante sus años de madurez que quienes tienen una escolaridad menor.

Muchas de nosotras descubrimos o redescubrimos nuestros talentos creativos, que abarcan todo desde cocinar hasta cuidar el jardín o dedicarnos a alguna de las artes. También hay quien aporta su creatividad al trabajo como voluntaria, otra actividad que de acuerdo con las investigaciones aumenta la felicidad y mejora la salud.

"Una de mis amigas aprovechó su capacidad creativa para diseñar un plan para llevar alimentos y provisiones a una reserva de indios norteamericanos a unas 10 horas de donde vivimos —cuenta Thoele—. El año pasado esta mujer decía: 'Sé que existo por una razón. Simplemente no sé cuál es'. Ahora lo sabe y está llena de pasión".

Llega un momento en que las mujeres se apoderan de sus vidas, según señala la Dra. Guindon. "Una mujer de 52 años de mi investigación afirmó: 'Antes pensaba que la gente de 50 ó 60 años era vieja. Pero me siento llena de energía. Estamos vivas. Inmersas en la vida. Necesitamos hacer planes para un futuro largo porque vamos a vivir por muchísimo tiempo'".

El menú de la juventud

Pablo Picasso dijo una vez: "Se requiere mucho tiempo para volverse joven". Fácilmente hubiera podido agregar: "Y mucha comida".

Sí, comida.

Ya no existe la menor duda de que consumir los alimentos adecuados representa una de las claves —si no es que la más importante— para prevenir las enfermedades cardíacas, el cáncer y otros males relacionados con el envejecimiento. Por otra parte, también contamos actualmente con pruebas científicas de que una alimentación saludable de hecho llega a retrasar —y en algunos casos incluso a revertir— el proceso mismo del envejecimiento. Qué maravilla, ¿no le parece?

La alimentación correcta puede estimular al cuerpo a producir las "hormonas de la juventud" que controlan el funcionamiento de los mecanismos antienvejecimiento, según indica el Dr. Vincent C. Giampapa, presidente del Consejo Estadounidense de Medicina Antienvejecimiento así como del Longevity Institute International, una empresa con sede en Montclair, Nueva Jersey, que proporciona programas personalizados de antienvejecimiento a través de sus médicos miembros. Los resultados son más energía, mayor inmunidad, una mejoría en la memoria, la visión y la audición, mayor masa muscular y huesos más densos.

La alimentación correcta también les ayuda a las células a repararse y reemplazarse más rápidamente, a transportar energía y a deshacerse de manera más eficiente de los desechos y las toxinas. De forma igualmente importante, la alimentación puede ayudar a proteger el ADN, el plano genético que les indica cómo hacer su trabajo a los entre 50 y 60 billones de células del cuerpo.

Enfrente el envejecimiento

De acuerdo con el Dr. Giampapa, la meta de una "alimentación para la longevidad" es devolverle su eficiencia juvenil al cuerpo. Se logra de tres maneras.

Estimular nuestras hormonas de la juventud. Las hormonas más importantes para mantenernos jóvenes son la hormona del crecimiento humano (o *hGH* por sus siglas en inglés), la cual es liberada por la glándula pituitaria y en el hígado se convierte en otra hormona antienvejecimiento, el factor de crecimiento símil insulina tipo 1 (o *IGF-1* por sus siglas en inglés); y la dehidroepiandrosterona (o *DHEA* por sus siglas en inglés), producida por las glándulas suprarrenales.

Desde que somos veinteañeras, nuestros cuerpos reducen la producción de estas hormonas en aproximadamente un 10 por ciento por década. A los 65 años producimos sólo del 15 al 20 por ciento de la hGH y del 10 al 20 por ciento de la DHEA que fabricábamos entre los 20 y los 30 años de edad.

Al existir menos hormonas de la juventud, según señala el Dr. Giampapa, los mensajes químicos no van y vienen con la misma eficiencia, lo cual disminuye la capacidad de nuestras células y órganos para mantenerse y repararse. Perdemos masa muscular y densidad ósea, se reduce nuestra inmunidad y padecemos más enfermedades, entre ellas diabetes y cáncer.

¿Una situación desesperada? No del todo.

"Incrementar la producción de estas hormonas por el cuerpo puede hacer mucho más lento el proceso del envejecimiento —indica el Dr. Giampapa—. Y esto se logra principalmente a través de la alimentación".

Detenga los daños de los radicales libres. Las células utilizan el oxígeno para producir energía. Al hacerlo generan radicales libres, unas moléculas inestables de oxígeno que dañan las células y el ADN. Otros factores que influyen en la formación de radicales libres son la contaminación ambiental, los pesticidas en los alimentos y una alimentación que incluye muchos aditivos químicos, féculas y azúcares refinadas, la grasa saturada de la carne —que tapa las arte-

ALARGAVIDA
El hongo mágico

El emperador romano Nerón decía que los hongos eran el alimento de los inmortales. Durante miles de años los médicos chinos y japoneses han tenido en gran estima una variedad en particular, el *maitake*, convencidos de que guarda el secreto de la longevidad y la inmortalidad.

¿Tendrá algo de verdad esta creencia?

De acuerdo con la ciencia moderna, es muy posible que sí. Las investigaciones indican que el suculento *maitake* posiblemente alargue nuestras vidas al prevenir o tratar varias enfermedades relacionadas con la edad.

La fracción D del *maitake*, un extracto del hongo desarrollado por investigadores japoneses, al parecer activa ciertas células de nuestro sistema inmunitario (las células T) que posiblemente ayuden a combatir las células cancerosas. Los investigadores han encontrado pruebas de que la fracción D del *maitake* tal vez contribuya a prevenir el crecimiento de tumores, impida que el cáncer se pase de una parte del cuerpo a otra y evite que las células normales se muten en células cancerosas.

El hongo *maitake* también contiene unos compuestos conocidos como fracciones ES y X, las cuales quizá ayuden a

rias—, productos lácteos de leche entera, aceites tropicales y alimentos como galletitas *(cookies)* o galletas *(crackers)* que contienen aceites hidrogenados o parcialmente hidrogenados.

Nuestros cuerpos rechazan los radicales libres con facilidad cuando somos jóvenes. No obstante, conforme pasan los años empezamos a sufrir derrotas parciales en esta lucha y los daños provocados por el largo tiempo de exposición a sus efectos comienzan a hacerse notar. Empezamos a requerir la ayuda de nutrientes antioxidantes como las vitaminas C y E, los minerales cinc y selenio y las sustancias químicas de las plantas (fitoquímicos) que se encuentran en muchas

bajar los niveles de glucosa y grasa en la sangre, de acuerdo con estudios científicos recientes llevados a cabo por la Universidad de Georgetown. En un estudio japonés de laboratorio, los alimentos enriquecidos con *maitake* hicieron bajar de manera significativa los niveles de glucosa y triglicéridos en sangre después de 8 semanas.

A fin de aprovechar el *maitake* al máximo, consuma la fracción D (disponible en cápsulas y tinturas), su presentación más poderosa y activa, indica Shari Lieberman, Ph.D., una investigadora en nutrición y fisióloga del ejercicio de la ciudad de Nueva York. El *maitake* también se vende en forma de infusión. Las diferentes presentaciones de *maitake* se pueden comprar en las tiendas *gourmet* y en las de productos naturales. El hongo *maitake* natural se considera el más sabroso de los hongos medicinales.

La fracción D del *maitake* se disuelve en agua caliente. Si usted piensa preparar el hongo natural al vapor o hervido, la Dra. Lieberman sugiere que se tome el líquido en el que los coció o lo utilice en sopas, caldos o salsas. No prepare los hongos *maitake* fritos y revueltos al estilo asiático. Los compuestos que se encargan de bajar un nivel alto de glucosa en sangre así como la presión arterial alta (hipertensión) se pierden en el aceite para cocinar.

frutas y verduras, todaos los cuales unen sus fuerzas a los sistemas de defensa interna de nuestros cuerpos.

Renovemos nuestro "caldo celular". Cada una de nuestras células contiene una sustancia llamada citoplasma, que es como si fuera un caldo, dado que está compuesto de una mezcolanza de sustancias. Entre estas cosas están líquido, nutrientes y otros materiales que ayudan a producir energía y a combatir los daños causados por los radicales libres, según explica el Dr. Israel Kogan, director del Centro Médico Antienvejecimiento en Washington, D.C.

La alimentación estadounidense típica está plagada de aditivos químicos, pesticidas y fertilizantes así como de otras sustancias tóxicas. Todas fomentan la formación de radicales libres, indica el Dr. Kogan. Cuando nuestra alimentación se encuentra libre de tales toxinas, estamos protegiendo nuestras células contra los daños causados por los radicales libres, le brindamos al citoplasma los nutrientes que requiere y les ayudamos a nuestras células a funcionar de la mejor manera posible.

Una alimentación "limpia" también ayuda a devolver al cuerpo el nivel correcto de acidez (pH), lo cual resulta sumamente importante a la hora de preparar el caldo celular, según afirma el Dr. Giampapa. Esto se debe al hecho de que con un pH neutro el cuerpo fabrica las hormonas, repara las células y en términos generales trabaja de manera más eficaz.

Investigue el índice

¿Y cómo le hacemos para estimular la producción de las hormonas de la juventud o para conservar las que ya tenemos? Para empezar debemos olvidarnos de comer ese *Danish* de cerezas con queso y disfrutar las cerezas solas. Se trata de un consejo bueno por todas las razones evidentes, pero también por una no tan obvia: los pastelillos dulces como el *Danish* de cerezas con queso cuentan con algo que se conoce como un alto índice glucémico. El índice glucémico mide la velocidad con la que un alimento eleva el nivel de azúcar en sangre después de haberlo consumido, así como la rapidez con la que este nivel vuelve a la normalidad.

Los alimentos con un índice glucémico bajo, como las cerezas y la mayoría de las frutas, verduras y cereales integrales, promueven niveles

Una vegetariana que lo hizo todo mal

Cheryl, un ama de casa de 42 años, sabía desde hacía mucho tiempo que la comida rápida, el café y tratar de ser una supermamá no eran los elementos indicados para armar un estilo de vida saludable. Sin embargo, lo que vio en el espejo un día por la mañana la sobresaltó. Su cutis y sus ojos se veían cetrinos y sin vida, un reflejo exacto de cómo se sentía: vieja. Tomó al instante la decisión de transformar su vida. Sabía por dónde empezar: eliminar los alimentos altos en grasa y comenzar con un programa de ejercicio. Como no solía hacer las cosas a medias, se volvió vegetariana y empezó a llenar su plato con carbohidratos como macarrones y papas, a fin de "aumentar su energía". También empezó con un programa vigoroso de ejercicios con pesas. No obstante, se siente y se ve más ojerosa que nunca ahora, después de muchas semanas de llevar a cabo su programa casero de rejuvenecimiento. Para empeorar las cosas parece haber subido de peso. ¿Qué debe hacer?

Si bien es posible que Cheryl esté sorprendida por su aspecto ojeroso y aumento de peso, encontramos dos razones que no sorprenden mucho: una alimentación no equilibrada y posiblemente un programa demasiado vigoroso de ejercicios con pesas.

Primero, tratemos la alimentación de Cheryl. La alimentación vegetariana no es saludable automáticamente. Al igual que muchos novatos del vegetarianismo, Cheryl no tiene una alimentación equilibrada. Tal vez le encanten los macarrones, las papas y otros alimentos feculentos, pero por sí solos no pueden brindarle a su cuerpo los nutrientes que necesita para estar sano. Incluso es posible que la hagan subir de peso.

Si Cheryl realmente quiere aumentar su energía —y mejorar su salud— necesita comer una amplia variedad de alimentos derivados de las plantas, entre ellos cereales integrales, legumbres y frutas y verduras frescas. Las legumbres y los cereales integrales deben ser el eje central de su alimentación. Si Cheryl va a ser una vegetariana que también consume productos lácteos (una lactovegetariana), debe elegir leche y yogur semidescremados al 1 por ciento (*low-fat*) en lugar de sus homólogos de grasa entera.

A partir de estas reglas básicas, Cheryl puede desayunar un plato de cereal integral o avena acompañado de un plátano amarillo (guineo, banana) picado en rodajas y una pequeña cantidad de

juveniles de la hGH y el IGF-1, según explica el Dr. Giampapa.

Este tipo de alimentos avanzan despacio por el sistema digestivo, de modo que el azúcar que contienen se introduce al torrente sanguíneo poco a poco, afirma Shari Lieberman, Ph.D., una investigadora en nutrición y fisióloga del ejercicio de la ciudad de Nueva York. Este aumento lento y continuo del azúcar en sangre favorece la liberación nivelada de insulina, la hormona que transporta la energía (glucosa) de la sangre a las células. Esto resulta ser clave.

Cuando el nivel de insulina se mantiene estable el cuerpo produce menos cortisol, hormona a la que con frecuencia se le llama la hormona del estrés, indica el Dr. Giampapa. Eso es bueno. Un nivel bajo de cortisol estimula al cuerpo a producir DHEA así como las hormonas derivadas de esta.

Por el contrario, los alimentos con un alto índice glucémico, como los *cornflakes*, las tortitas de arroz, las papas blancas y el arroz blanco, se

leche descremada o de soya. A la hora del almuerzo puede optar por una hamburguesa vegetariana en un panecillo integral con lechuga, tomate (jitomate) y mostaza o por una sustanciosa sopa de lentejas con una rebanada de pan integral. Su cena puede consistir en verduras fritas y revueltas constantemente al estilo asiático con arroz o pasta integrales.

Entre las comidas puede tomar una merienda (refrigerio, tentempié) de fruta fresca, una rebanada de pan integral con mantequilla de almendra o una taza de yogur natural semidescremado al 1 por ciento con fruta fresca.

Consumir una amplia variedad de alimentos derivados de las plantas también le asegurará a Cheryl obtener las cantidades adecuadas de proteínas. Las legumbres, como los garbanzos y los frijoles (habichuelas) negros, son una fuente excelente de proteínas, al igual que los cereales, los frutos secos y las semillas. Si las semillas y los cereales no le gustan tanto puede obtener proteínas de alimentos más comunes como las papas y el brócoli.

Por último, Cheryl debe considerar un suplemento multivitamínico y de minerales de gran potencia. Le servirá de "seguro" contra la carencia de vitaminas y minerales esenciales.

El aumento de peso de Cheryl probablemente se deba a la combinación de su programa vigoroso de ejercicios con pesas y la gran cantidad de carbohidratos en su alimentación. En realidad es normal subir de peso un poco cuando se levantan pesas: los músculos pesan más que la grasa, de modo que si desarrolla sus músculos la aguja de la pesa (báscula) tiene que subir. Por otra parte, es posible que debido a su alimentación esté acumulando más grasa además de masa muscular.

A fin de perder la grasa a la vez que conserve sus músculos, Cheryl debe cuidar su consumo de dulces y otros alimentos altos en grasa, aunque deriven de las plantas. También debe pensar en agregar ejercicios aeróbicos a su programa, los cuales quemarán calorías y le ayudarán a deshacerse del exceso de peso.

Información proporcionada por el experto
El Dr. Michael Janson
Presidente
Colegio Estadounidense para el Progreso de la Medicina
Barnstable, Massachusetts

digieren más pronto. Como consecuencia de ello, el azúcar en sangre se eleva rápidamente y desencadena un diluvio de cortisol. Un nivel alto de insulina y de cortisol reduce la producción de DHEA así como de las hormonas derivadas de ella.

De acuerdo con el Dr. Giampapa podemos desalentar estas elevaciones repentinas de insulina y de cortisol que nos roban la juventud al consumir principalmente alimentos con un índice glucémico entre bajo y mediano.

Cómo comer a lo complejo

Con toda probabilidad ya habrá adivinado que los alimentos con un índice glucémico bajo tienden a contener mucha fibra y carbohidratos complejos, mientras que los alimentos con un índice glucémico alto prácticamente carecen por completo de ambos elementos. A continuación le daremos varias estrategias para hacer más "compleja" su alimentación.

Prefiera el pan pesado. Compre un pan

ALARGAVIDA

Coma menos y viva más

Hay cada vez más pruebas de que posiblemente podamos alargar nuestras vidas por el simple hecho de comer menos.

Varios estudios realizados con ratones y ratas han demostrado que ambas especies viven un 30 por ciento más tiempo cuando consumen un 30 por ciento menos de calorías. Otras investigaciones de laboratorio más recientes llevadas a cabo por la Universidad Johns Hopkins indican que una alimentación baja en calorías y en grasa ayuda a mantener niveles más altos de dehidroepiandrosterona (DHEA), una "hormona de la juventud" producida por nuestros cuerpos.

Los expertos no están seguros de la razón por la que comer menos parece retardar el envejecimiento. No obstante, un cúmulo creciente de pruebas señalan que reducir las calorías también hace que disminuya la producción de radicales libres por el cuerpo, los cuales aceleran el proceso del envejecimiento.

multigrano integral que contenga por lo menos 3 gramos de fibra dietética por rebanada, sugiere la Dra. Lieberman. Su índice glucémico será mucho más bajo que el del pan blanco o incluso del pan de trigo integral bajo en calorías.

Como regla general acuérdese de que entre más pesado el pan, mejor. "El tipo de pan que como yo se puede comer o se puede usar como pisapapeles", señala la Dra. Lieberman. (Si bien el pan compacto contiene más calorías, también llena el estómago y la dejará más satisfecha).

Sepárese del cereal ligero. El trigo y el arroz inflados así como los *cornflakes* tal vez tengan pocas calorías, pero se trata de alimentos bajos en fibra con un índice glucémico alto, que hacen que el azúcar en sangre se dispare, según afirma la Dra. Lieberman. Escoja un cereal sin edulcorante que contenga por lo menos 3 gra-

mos de fibra por porción, como el *Shredded Wheat* de *Nabisco*.

Favorezca los frijoles. Los frijoles (habichuelas) tienen un índice glucémico bajo y representan una fuente excelente de proteínas, de acuerdo con la Dra. Lieberman. Si bien prácticamente todas las legumbres son una buena fuente de fibra, los triunfadores absolutos son los frijoles de caritas, los garbanzos, los frijoles colorados, las habas blancas *(lima beans)* y los frijoles negros, pues cada ración de ½ taza contiene de 6 a 8 gramos de fibra.

La batata también es buena. La batata dulce (camote) tiene un índice glucémico más bajo que la papa blanca, por lo que le conviene disfrutarla con frecuencia, recomienda la Dra. Lieberman. Sabe riquísima en puré, por ejemplo. También puede prepararla sabrosamente "a la francesa": corte la batata en tiras delgadas, úntelas con una cucharada de aceite de oliva, espolvoréelas con pimentón (paprika) y hornéelas a 400°F (206°C) durante 40 minutos.

Mezcle el menú. Consuma los alimentos con un alto índice glucémico, como el arroz blanco, junto con alguno rico en proteínas, como el pollo. La mezcla de carbohidratos con proteínas evitará que su azúcar en sangre se eleve demasiado rápido, lo cual hará más lenta la liberación de insulina por su cuerpo.

El gusto por la grasa

¿Habrá alguna mujer que no camine más despacio al pasar con su carrito del supermercado frente a unos panecillos recubiertos de mantequilla con azúcar?

Si necesita una buena razón para apretar el paso, hela aquí: reducir el consumo de pastelillos y otros alimentos altos en grasa saturada puede ayudarnos a mantener o a elevar nuestro nivel de hormonas juveniles, según indica el Dr. Giampapa.

Por otra parte, alimentarse de manera constante con grasa saturada impide la producción de la hGH, el IGH-1 y la DHEA. "No sabemos por qué la grasa saturada tiene este efecto, pero así es", afirma el Dr. Kogan.

Es posible estimular la producción de las hormonas de la juventud por el cuerpo al reducir el consumo de grasa saturada a no más del 10 por ciento de la cuota diaria de calorías, según explica el Dr. Giampapa. Dicho de otra manera, si usted consume 1,800 calorías al día, no más de 180 (de 16 a 20 gramos) deben provenir de la grasa saturada.

Al eliminar las grasas saturadas de su alimentación, sustitúyalas por alimentos altos en grasas monoinsaturadas, como los frutos secos, el aguacate (palta) y los aceites de *canola*, oliva y cacahuate (maní), sugiere el Dr. Giampapa.

Las grasas monoinsaturadas tienden a reducir el colesterol lipoproteínico de baja densidad (o *LDL* por sus siglas en inglés) y a aumentar el colesterol lipoproteínico de alta densidad (o *HDL* por sus siglas en inglés). Este tipo de colesterol le conviene al corazón y también es bueno para el nivel de las hormonas de la juventud. Entre más alto el nivel de HDL, mejor equipado estará el cuerpo para producir DHEA, estrógeno y testosterona, afirma el Dr. Giampapa. (Esto se debe a que para fabricar dichas hormonas en particular se utiliza el colesterol como materia prima).

Es probable que el aceite de oliva sea la grasa monoinsaturada mejor conocida, y reducir el colesterol LDL no es el único beneficio que ofrece. Contiene varios compuestos, como los polifenoles, que son poderosos antioxidantes. Estas sustancias evitan que el colesterol LDL presente en el torrente sanguíneo sea dañado por los radicales libres, por lo que hay menos probabilidades de que se pegue a las paredes de las arterias. Otras fuentes de esta grasa benéfica son los frutos secos y el aguacate.

Mastique a lo mediterráneo

Incluir más grasa monoinsaturada en su alimentación mientras disminuye la cantidad de la grasa saturada que consume quizás le parezca un poco difícil, pero no tiene que ser así. De hecho, hay millones de personas que hacen esto a diario y aún disfrutan comidas ricas. Están en el Mediterráneo. Varios estudios han comprobado que las personas de esta región (que abarca España, Italia y Grecia), que se la pasan comiendo frutos secos, pescado, pan con aceite de oliva y tomando vino, deben su salud de hierro a su alimentación. A continuación explicaremos cómo puede usted seguir su ejemplo.

Fíjese en los frutos secos. Los pueblos mediterráneos comen muchos frutos secos, una fuente excelente de grasas monoinsaturadas. Siga su ejemplo y aderece sus ensaladas, platos de arroz o verduras con un pequeño puñado de almendras, nueces o semillas de girasol o de calabaza crudas, sugiere la Dra. Lieberman. Un estudio de 86,016 mujeres entre los 34 y los 59 años de edad que unos investigadores de la Escuela de Salud Pública de Harvard llevaron a cabo a lo largo de 10 años demostró que aquellas que comían 5 onzas (140 g) de frutos secos a la semana tenían un 35 por ciento menos de riesgo de sufrir enfermedades cardíacas, muy probablemente debido a los efectos beneficiosos de este alimento en el colesterol.

Pésquese un pescado. Coma algún pescado, como salmón, atún, bacalao fresco, anón (abadejo, eglefino), arenque, perca (percha) o pargo (huachinango, chillo) una o dos veces a la semana, indica la Dra. Lieberman. Estos pescados se hallan en las aguas más profundas y frías del Atlántico Norte y son ricos en ácidos grasos omega-3, unas sustancias que según se ha demostrado elevan el nivel del colesterol HDL. (Los ácidos omega-3 también ayudan a producir eicosanoides, unas sustancias parecidas a las hormonas que estimulan al cuerpo a producir la hGH, según explica el Dr. Giampapa).

Agasájese con un aguacate. Incluya unos trozos de aguacate (palta) en sus ensaladas o agregue unas cuantas rebanadas a un sándwich (emparedado) en lugar de queso. El aguacate es rico en ácido oleico, la misma grasa monoinsaturada que se encuentra en el aceite de oliva. Sin embargo, en vista de que este fruto contiene muchas calorías y aproximadamente 30 gramos de grasa por pieza, usted debe disfrutarlo con moderación, advierte la Dra. Lieberman.

Proteja el aceite de oliva. Compre pequeños frascos de aceite de oliva con cuellos largos y estrechos. Después de haber usado el aceite, apriete la tapa del frasco muy bien y guárdelo en el refrigerador. "Estos pasos limitan la exposición del aceite al oxígeno, lo cual evitará que se ponga rancio y desalentará la formación de radicales libres", explica Robert Goldman, D.O., Ph.D., cofundador de la Academia Estadounidense de la Medicina Antienvejecimiento.

El aceite de oliva se solidificará en el refrigerador. Cuando esté lista para usarlo, ponga el frasco bajo el chorro del agua caliente por varios minutos. Entonces podrá verter el aceite derretido que habrá aparecido en la superficie.

HAY QUE APROVECHAR EL AJO

Habrá pocas cosas más mortificantes que darse cuenta de repente de que su aliento huele a ajo. No obstante, desde el punto de vista científico apestar a ajo es algo *bueno*.

¿Cómo es eso? Las investigaciones indican que las poderosas sustancias químicas que dan ese desagradable olor al aliento posiblemente también nos ayuden a vivir por más tiempo.

"El ajo tiene muchísimas propiedades antienvejecimiento —afirma Alexander G. Schauss, Ph.D., director de investigación sobre productos naturales y médicos en el Instituto Estadounidense para la Investigación Biosocial en Tacoma, Washington—. Eso se debe a que previene o trata muchas enfermedades que acortan la duración de la vida, como las enfermedades cardíacas y el cáncer".

Se ha observado que el ajo tiene un efecto anticoagulante en la sangre y baja el nivel del colesterol. Ambos beneficios pueden ayudar a evitar los problemas de los vasos sanguíneos que llegan a producir presión arterial alta (hipertensión), enfermedades cardíacas y derrame cerebral, según señala el Dr. Schauss.

Si bien las investigaciones recientes han puesto en duda las capacidades del ajo para combatir el colesterol, los críticos de estos resultados afirman que el ajo en polvo y el aceite de ajo que se utilizó en dichos estudios científicos posiblemente no hayan contenido los compuestos del ajo natural que bajan el colesterol.

Contrólese con la carne

Su mamá tuvo razón al decir que la carne es una fuente excelente de proteínas. Y lo que le hacía bien al crecer le sigue haciendo bien ahora que está envejeciendo.

El cuerpo utiliza las proteínas de la carne y de otros alimentos altos en proteínas para producir los aminoácidos. Estas sustancias le ayudan a fabricar sus propias proteínas, las cuales emplea para regular las hormonas, hacer crecer nuevos

Al parecer el ajo también contribuye a prevenir el cáncer. Diversos estudios de poblaciones enteras han descubierto que en países amantes del ajo como Italia y China las personas tienden a padecer menos cáncer gastrointestinal, es decir, los tipos de cáncer que afectan la boca, el esófago, el estómago, el colon y el recto, afirma el Dr. Schauss.

De dos a cuatro dientes de ajo al día bastan para ayudar a prevenir y tratar las enfermedades, de acuerdo con las investigaciones llevadas a cabo por el Dr. Schauss.

El ajo es tan multifacético que se pueden agregar unos cuantos dientes prácticamente a cualquier plato, desde una salsa para espaguetis, una sopa o un caldo hasta unas verduras fritas y revueltas al estilo asiático. O bien se puede asar, lo cual le da un sabor dulce acaramelado. Simplemente corte una cabeza de ajo para exponer las puntas de los dientes, frótela con un poco de aceite de oliva, envuélvala con papel aluminio y hornéela a 350°F (178°C) durante 45 minutos.

Ojo: Después de picar o machacar el ajo déjelo reposar de 15 a 20 minutos, recomienda el Dr. Schauss. De acuerdo con investigaciones recientes, cocinar el ajo de inmediato después de picarlo o machacarlo puede reducir o eliminar sus propiedades curativas. Al dejarlo reposar, el oxígeno dispone de tiempo suficiente para hacer reacción con las sustancias químicas que el ajo contiene y formar la sustancia terapéutica alicina.

proteínas, señala la Dra. Lieberman. Algunos de ellos, como la soya y la quinua, se consideran proteínas "completas" porque contienen los nueve aminoácidos esenciales que necesitamos para conservar nuestra salud. Sin embargo, el cuerpo es capaz de fabricar sus propias proteínas completas si consumimos una cantidad suficiente de calorías y una variedad de alimentos derivados de las plantas, como frutos secos y semillas, cereales, frutas y verduras.

Pesque las proteínas y arrase con la grasa

¿La verdad del asunto? Está perfectamente bien comer carne, siempre y cuando no consuma todos los días raciones dignas de Pedro Picapiedra y obtenga la mayoría de sus proteínas de las plantas, opina la Dra. Lieberman. A continuación le diremos de dónde sacar las proteínas que necesita sin consumir grasa saturada.

Saboree la soya en un cóctel. Los alimentos derivados de la soya, como la leche de soya y el *tofu*, representan una fuente excelente de proteínas. Si usted no disfruta estos alimentos, tómese uno de los exquisitos batidos (licuados) de soya que se venden en las tiendas de productos naturales, sugiere la Dra. Lieberman. "Son una forma maravillosa de consumir proteínas de alta calidad todos los días o varias veces a la semana".

Antes de seleccionar un batido de soya lea la etiqueta, recomienda el Dr. Gregory Burke, profesor y presidente interino del departamento de Ciencias de la Salud Pública en la Escuela de

tejidos y reparar o reemplazar los tejidos gastados.

Desafortunadamente la carne tiende a contener mucha grasa saturada. Por lo tanto, es posible que se esté preguntando si le faltarán proteínas por comer menos carne. De ninguna manera, afirma el Dr. Giampapa. Podemos obtener todas las proteínas que requerimos de otros alimentos, sin consumir nada de carne.

Una amplia gama de alimentos derivados de las plantas, incluyendo los frijoles (habichuelas) y los cereales, son magníficas fuentes de

Medicina de la Universidad Wake Forest en Winston-Salem, Carolina del Norte. Si bien algunas marcas contienen poca grasa así como edulcorantes naturales, otras están llenas de azúcar y grasa.

Coma quinua. Las semillas de esta planta, que son como bolitas de color de marfil, por lo común se comen de la misma forma que el arroz. Sin embargo, también puede cocinarla en jugo de frutas para el desayuno, usarla para sustituir el arroz en los pudines (budines) o preparar una ensalada fría de quinua, frijoles y verduras picadas. Su textura blanda y sabor algo insípido facilitan agregarla a otros alimentos, como sopas o platos de pasta. Encontrará la quinua en las tiendas de productos naturales.

Calcule las cantidades. Para evitar consumir demasiada carne en una sola comida puede aplicar la regla sencilla establecida por el Dr. Guiampapa: no coma más carne de la que quepa sobre la palma de su mano. Y trate de consumir cuatro puñados de verduras por cada puñado de pescado o carne magra.

Hágalo a lo asiático. Al agregar una pequeña cantidad de bistec o carne de cerdo a unas verduras fritas y revueltas constantemente al estilo asiático, usted podrá disfrutar el sabor de la carne a cambio de sólo una fracción de su grasa saturada y calorías, afirma la Dra. Lieberman.

Adelante los antioxidantes

Los radicales libres asaltan el cuerpo 10,000 veces al día. Estas pequeñas moléculas nos lesionan en serio al literalmente abrir agujeros en las membranas que envuelven las células, que-

PREGUNTAS Y RESPUESTAS

Si el tofu es tan saludable, ¿por qué tiene tan mala reputación?

No se puede negar. El *tofu*, que en inglés se llama *bean curd* o "cuajada de frijoles (habichuelas)", tiene mala fama en los Estados Unidos. Quizá porque la palabra *curd* o "cuajada" evoca la imagen poco apetitosa de leche cortada. Sin embargo, a pesar de las impresiones negativas que inspira este alimento derivado de la soya, los beneficios que ofrece a la salud son muy positivos.

Diversas investigaciones indican, por ejemplo, que la soya es rica en antioxidantes, específicamente en genisteína y daidzeína. Los antioxidantes ayudan a reducir los efectos negativos de los radicales libres, unas moléculas inestables de oxígeno que dañan las células y contribuyen a muchos de los problemas de salud relacionados con el envejecimiento que se dan en los Estados Unidos, como las enfermedades cardíacas y el cáncer. Llama la atención que en el Japón y China las personas —que tienden a consumir una alimentación rica en soya— tienen menos probabilidad de enfermarse de estos males graves. Y a las mujeres que radican

mándolas a fin de penetrar en ellas y vencerlas mejor.

Ante este embate de maleantes maliciosos empeñados en lisiar las células y en causar mutaciones en su ADN, el cuerpo necesita un poco de ayuda. Ahí es donde entran en juego los antioxidantes. Estas vitaminas comunes, como la C y la E, y minerales como el cinc y el selenio neutralizan los radicales libres.

Lo mismo hacen los fitoquímicos, unas sustancias que se encuentran en las frutas y verduras comunes, así como en otros alimentos derivados de las plantas. Al parecer también combaten una plétora de enfermedades relacionadas con el envejecimiento, desde la artritis hasta el cáncer.

en los Estados Unidos puede interesarles saber que las mujeres asiáticas parecen sufrir menos sofocos (bochornos, calentones) durante la menopausia.

El *tofu* es una fuente excelente de proteínas de alta calidad, además de contener una buena cantidad de otros nutrientes beneficiosos, como hierro, calcio y potasio. No obstante, a diferencia de la proteína que se encuentra en la carne y los lácteos, no contiene colesterol y sólo una pequeña cantidad de grasa saturada.

Si bien algunas personas creen que el *tofu* tiene un sabor desagradable, en realidad prácticamente no sabe a nada. Esta insipidez de hecho es una ventaja, pues adopta el sabor del alimento con que se cocina. Por ejemplo, el *tofu* suave se puede esconder en las sopas, las salsas y los postres. Y el *tofu* firme se puede preparar a la parrilla, agregarse a sopas y caldos o freírse con aceite de oliva o de *canola*.

Información proporcionada por el experto
El Dr. John H. Weisburger, Ph.D.
Miembro sénior
Fundación Estadounidense para la Salud
Valhalla, Nueva York

Veamos unos cuantos ejemplos. Es posible que el ácido elágico, un compuesto que se halla en las bayas (la fresa y la zarzamora son las que más contienen), ayude a impedir los cambios celulares que pueden producir cáncer. La luteína se encuentra en las verduras de color verde oscuro como las espinacas y la col rizada y se ha observado que reduce casi a la mitad el riesgo de padecer degeneración macular. El indol-3-carbinol es una sustancia contenida en el brócoli, el repollo (col, *cabbage*) y otras verduras crucíferas y es posible que ayude a evitar el cáncer de mama y el del cuello del útero.

En resumen, cada baya jugosa, cabezuela de brócoli al vapor o ensalada de espinaca que se consume ayuda a envainar el cuerpo en una armadura nutricional que pone freno al daño causado por los radicales libres y ayuda a prevenir las enfermedades relacionadas con el envejecimiento.

Aliados para vencer los radicales

Sin embargo, antes de emplear estas guardaespaldas alimenticias, necesita conocer un poco más acerca de ellas y la mejor forma de almacenar y prepararlas para tomar su revancha contra los radicales libres. A continuación nuestros expertos le ofrecen unos consejos al respecto.

Identifique —y mastique— los mejores. Primero que nada, necesita saber cuáles alimentos deben llenar su carrito cuando vaya al súper (colmado). Por fortuna, los científicos nos han facilitado las compras bastante. Resulta que unos investigadores del Centro Jean Mayer de Investigaciones sobre Nutrición Humana Especializado en el Proceso del Envejecimiento del Departamento de Agricultura de los Estados Unidos en la Universidad de Tufts en Boston, analizaron 22 verduras comunes y luego calcularon la capacidad de cada una de ellas para neutralizar los radicales libres. Entre los ganadores figuraron la col rizada, la remolacha (betabel), el pimiento (ají, pimiento morrón) rojo, las coles (repollitos) de Bruselas, las cabezuelas de brócoli, la papa, la batata dulce (camote) y el maíz (elote, choclo).

Protéjase como Popeye. También valdría la pena imitar a Popeye y comer más espinacas. Y aunque el marinero no solía comer fresas, le hubiera convenido hacerlo. Resulta que es posible que el alto nivel de antioxidantes en ambos alimentos ayude a prevenir o incluso a revertir los efectos de los daños que los radicales libres causan al cerebro, lo cual sirve para mantener la lucidez al envejecer, de acuerdo con otro estudio llevado a cabo por el Centro de Investigaciones sobre Nutrición Humana Especializado en el Proceso del Envejecimiento del Departamento de Agricultura de los Estados Unidos en la Universidad de Tufts en Boston.

Los investigadores alimentaron a 344 animales de laboratorio con extractos de fresa o espinaca, vitamina E o una dieta de control. Después de 8 meses examinaron las memorias de corto y largo plazo de las ratas. Las que habían consumido diariamente el equivalente de una ensalada grande de espinaca se desempeñaron mejor en un laberinto que las que habían recibido una alimentación normal, el extracto de fresa o la vitamina E. No obstante, tanto los extractos de espinaca y de fresa como la dieta de la vitamina E redujeron las señales de envejecimiento en las ratas, según se observó en otras pruebas. Se especula que particularmente el extracto de espinaca protegió diferentes tipos de neuronas en varias partes del cerebro contra los efectos del envejecimiento.

Prefiera la pureza. El aceite de oliva extra virgen, que se prensa en frío, contiene más antioxidantes y fitoquímicos que el aceite de oliva amarillo, afirma la Dra. Lieberman. Esto se debe al hecho de que se extrae literalmente machacando las aceitunas, en lugar de utilizar calor y sustancias químicas para obtenerlo.

No se desanime por el color verdoso de este aceite. "El aceite de oliva

DE MUJER A MUJER
El vegetarianismo despertó la chispa de su juventud

Durante 13 años, Mary Jane Soares probó todo tipo de alimentación habida y por haber a fin de controlar las afecciones que estaban minando su energía juvenil. Ahora, a los 48 años, esta enfermera de Emeryville, California, ha encontrado hábitos alimenticios que han mejorado su salud y le han ayudado a recuperar sus ganas de vivir.

En 1982 empecé a enfermarme al comer ciertos alimentos, sobre todo si contenían azúcar o trigo. Y todo el tiempo me sentía exhausta. La simple tarea de levantarme por la mañana me costaba trabajo. Tenía 31 años y me sentía ancianísima.

Fui a ver a un médico, quien me diagnosticó un problema triple: alergias alimentarias, candidiasis y el síndrome de fatiga crónica. Me recetó varias dietas de eliminación —nada de trigo o azúcar, sólo frutas y verduras, carne y algunos cereales— a fin de descubrir qué alimentos no podía comer.

Comí así y me sentí bien hasta 1984, cuando me mudé de Little Rock, Arkansas, a California. Pensé poder seguir la dieta yo sola. Sin embargo, consumí demasiada azúcar y empecé a enfermarme de nuevo. La verdad es que no me había curado del todo.

Durante los siguientes 10 años probé diversos tratamientos para controlar mis problemas de salud, desde la homeopatía hasta suplementos. Nada me ayudó realmente.

En 1997 encontré a un nuevo médico, quien realizó algunos estudios clínicos y encontró proteínas sin digerir en mi sangre, lo cual significaba que no estaba digiriendo mi comida adecuadamente. Me recetó medicamentos y suplementos. En busca de un tratamiento más natural consulté a una nutrióloga. Me mandó un programa intensivo de desintoxicación y me animó a hacerme vegetariana.

Así que lo hice.

Desde entonces me he sentido mejor que nunca. Desayuno fruta y a media mañana como una merienda (refrigerio, tentempié) de mantequilla orgánica de almendras crudas con unas galletas (*crackers*) de semilla de lino (linaza). El almuerzo por lo común consiste en verduras; mis favoritas son el brócoli, los tirabeques (arvejas mollares) y los espárragos, cuando son de temporada. O bien una sopa de papas con puerro (poro). A la hora de la cena como más verduras y ocasionalmente salmón.

Aunque me siento muy bien me cuesta trabajo no poder comer todo lo que quiera, sobre todo porque soy una adicta al azúcar. Lo que me salvó fue mi amor por la cocina. No iba a comer verduras al vapor, papas al horno y ensaladas durante toda mi vida sin por lo menos intentar hacerlas interesantes y sabrosas. Aprendí a preparar cosas como rollos de *sushi* vegetarianos, sopa de crema de *squash* con *curry* y leche de almendras, y sorbetes (nieves) de fruta fresca congelada. Para calmar mi antojo de dulce hago un puré de *butternut squash* [un tipo de calabaza] y lo espolvoreo con canela y un edulcorante herbario que se llama hierba dulce de Paraguay (*Stevia rebaudiana*).

Desde que prácticamente no como carne obtengo la mayor parte de mis proteínas de los frutos secos y las semillas. Me encantan las almendras y a veces me las como como si fueran *M&Ms*, por puñados. O bien las muelo para hacer un paté que les pongo a mis rollos de *sushi* vegetarianos. Consigo mi calcio principalmente de las verduras verdes y de mi suplemento vitamínico y de minerales. Me acaban de hacer una densitometría ósea el año pasado y mis huesos están fuertes y sanos.

Me siento fuerte y sana también. Mi candidiasis está bajo control, tanto así que una vez al mes puedo darme el gusto de comerme un trozo de pastel (bizcocho, torta, *cake*) de chocolate sin sentirme mal.

Y me sobra energía. Cuando empecé con esta forma de comer podía brincar 2 minutos en mi minicama elástica. Ahora puedo hacerlo de 20 a 30 minutos a buena velocidad. Incluso comencé a practicar el *snowboard*. Simplemente me siento más viva y llena de entusiasmo. Y sí, más joven.

Esta forma de comer me permite vivir la vida como debe de vivirse: al máximo.

amarillo es amarillo porque se le ha procesado y calentado, lo cual elimina todo lo bueno", explica la Dra. Lieberman. Si bien tendrá que pagar más por el aceite extra virgen, es más saludable (y de acuerdo con muchas personas también más sabroso) que las variedades menos caras.

Entre más morado, mejor. Si ve un brócoli tan oscuro que casi es de color púrpura, agréguelo a su carrito de compras. Este color significa que contiene una riquísima veta de betacaroteno. Si está amarillo no lo compre, pues ha perdido sus nutrientes vitales.

Al vapor quedan mejor. Cueza sus verduras al vapor en lugar de hervirlas, recomienda la Dra. Lieberman. "Cocinar al vapor encierra sus antioxidantes y fitonutrientes", afirma la experta. Por el contrario, si las hierve sus sustancias protectoras quedan en el agua.

Simplifique sus ensaladas. ¿No tiene tiempo para pelar y cortar en rodajas o cubos las guarniciones de sus ensaladas? Hágalo una vez por semana, sugiere el Dr. Giampapa. Todos los domingos puede preparar un enorme tazón (recipiente) de lechuga color verde oscura, así como zanahorias, pimientos y otras guarniciones. Guárdelas por separado en bolsas o recipientes de plástico herméticos a fin de limitar su exposición al oxígeno.

¿Acaso hay una toxina en su "caldito"?

Como mencionamos antes, las células están llenas de un caldo llamado citoplasma, el cual se compone de nutrientes y otras sustancias. El caldo es clave, pues es el lugar donde la fábrica celular produce energía, sintetiza las proteínas y desarma a los radicales libres.

De acuerdo con los expertos en la lucha contra el envejecimiento, a las células les resulta difícil obtener el combustible que requieren para llevar a cabo estas importantes tareas a partir de una alimentación estadounidense típica. Los alimentos altos en grasa y azúcar, así como la comida procesada que contiene aditivos y conservantes lanzan radicales libres contra nuestros desafortunados cuerpos. Estas sustancias químicas se van acumulando y poco a poco debilitan a la maquinaria celular.

Es más, los alimentos con grasa, azúcar, conservantes y aditivos tienden a convertirse en ácido en la sangre, lo cual trastorna el delicado equilibrio pH del cuerpo, afirma el Dr. Giampapa. Una alimentación permanente basada en ellos acidifica nuestro caldo celular y hace que las células y los tejidos envejezcan de manera prematura.

De la misma forma en que el motor de un carro funciona con mayor suavidad y limpieza cuando se utiliza un combustible de alto octanaje, nosotros funcionamos mejor con alimentos que no contienen aditivos ni conservantes y que mantienen al cuerpo cerca de un pH neutro, según explica el Dr. Giampapa. Y estos alimentos son —seguramente ya lo adivinó— las frutas y verduras, las legumbres y los cereales integrales.

Rehabilite su alimentación

Entre más limpia y natural sea la alimentación, más nutrientes recibirán las células y con más eficiencia trabajarán, afirma el Dr. Giampapa. Las estrategias que exponemos a continuación le ayudarán a eliminar las toxinas de su alimentación.

Opte por las orgánicas. Compre frutas y verduras orgánicas (las que se cultivan sin sustancias químicas) siempre que tenga la oportunidad, sugiere el Dr. Goldman. Actualmente es más fácil encontrar productos orgánicos que antes, según indica el experto. "Muchos supermercados ofrecen frutas y verduras orgánicas además de las variedades obtenidas en cultivos comerciales, y algunas cadenas de mercados (como *Fresh Fields*, *Bread and Circus* y *Whole Food Markets*) sólo venden comida orgánica". Asegúrese de lavar las frutas y verduras orgánicas a fin de eliminar la mayor cantidad posible de bacterias y tierra.

Cómprelos en caja. Si no encuentra frutas y verduras orgánicas puede optar por otros productos orgánicos, indica la Dra. Lieberman. "Yo compro cereal orgánico, leche orgánica y jugo y huevos orgánicos —explica—. Si logra que tan sólo el 20 por ciento de su alimentación sea orgánica, equivale a un 20 por ciento menos de carga tóxica para su sistema inmunitario".

Apague los antojos de azúcar blanca. Cuando sienta que la está asaltando un antojo prácticamente irresistible de una rebanada de pastel (bizcocho, torta, *cake*) o de algún otro alimento con grasa y azúcar, "coma una batata dulce (camote) fría —recomienda la Dra. Lieberman—. Es posible que su dulzor natural baste para satisfacer su antojo de azúcar blanca". Si este truco le funciona, hornee varias y téngalas a la mano para cuando sienta un antojo.

La soya: aliada alimenticia

La soya es un superalimento —opina Shari Lieberman, Ph.D., una investigadora en nutrición y fisióloga del ejercicio de la ciudad de Nueva York—. Incluso se le puede llamar un alimento de la juventud debido a su gran potencial para evitar los males relacionados con el envejecimiento, desde los síntomas de la menopausia hasta la osteoporosis y el cáncer de mama".

¿Lo duda? Piense en la salud de hierro y la enorme longevidad de los pueblos asiáticos donde la soya es uno de los alimentos principales. En comparación con los habitantes de los Estados Unidos, los asiáticos que tienen una alimentación tradicional rica en soya sufren menos ataques al corazón; tienen menos probabilidad de contraer cáncer de mama, del colon y de próstata y experimentan menos fracturas de la cadera. Las mujeres asiáticas padecen menos sofocos (bochornos, calentones) durante la menopausia. Y el conjunto de la población japonesa disfruta la expectativa de vida más larga del mundo.

Es fácil agregar soya a la alimentación. La nueva generación de alimentos de soya de hecho saben ricos. Ya no queda nada de aquel sabor a frijoles (habichuelas) ni el regusto desagradable que caracterizó los productos de soya de antaño. Su familia nunca sospechará que les está sirviendo soya dentro de esas deliciosas hamburguesas, *hot dogs* o salchichas nuevas, ni que está escondiendo *tofu* o leche de soya en sus platos favoritos. Y usted se sentirá muy bien por haberse regalado —al igual que a su familia— una exquisita ración de buena salud.

Un frijol pequeño brinda beneficios grandes

La soya es una fuente excelente de proteínas de alta calidad con pocas calorías, y necesitamos una mayor cantidad de este nutriente al envejecer. Las proteínas construyen y reparan los tejidos y producen los anticuerpos que combaten las infecciones. No obstante, a diferencia de las que se encuentran en los alimentos de origen animal, como la carne, los huevos y la leche, la proteína de soya no contiene la grasa saturada ni el colesterol que dañan al corazón. Además, la soya está repleta de otros nutrientes que un cuerpo más viejo requiere, como hierro, calcio y vitaminas del grupo B, entre ellas, tiamina, riboflavina y niacina.

Sin embargo, eso no lo es todo. El corazón de los frijoles (habichuelas) de soya alberga unas sustancias llamadas isoflavonas, las cuales forman parte de un grupo de componentes de las plantas que se conocen como fitoquímicos. Las isoflavonas específicas de la soya son los fitoestrógenos y es posible que en ellos radique la clave del poder de la soya para combatir las enfermedades, según afirma el Dr. Gregory Burke, profesor y presidente interino del departamento de Ciencias de la Salud Pública en la Escuela de Medicina de la Universidad Wake Forest en Winston-Salem, Carolina del Norte.

El asiático común consume 50 miligramos de isoflavonas al día, la cantidad contenida en entre 2 y 3 onzas (56 y 84 g) de soya, según dice el Dr. Burke. Consumir estas cantidades minúsculas tal vez le brinde la misma protección que muchos asiáticos disfrutan contra muchas de las enfermedades del envejecimiento. Abajo mencionamos algunas de ellas.

El cáncer. Diversos estudios con animales o bien de tubo de ensayo han demostrado que el fitoestrógeno genisteína hace más lento el crecimiento de las células del cáncer. ¿De qué forma lo hace? Los investigadores no lo saben. Lo que sí saben es que la genisteína y otro fitoestrógeno, la daidzina, funcionan como versiones más débiles del estrógeno que las mujeres producimos de manera natural.

Es bien sabido que el estrógeno puede alimentar el cáncer de mama y del útero, a los que se conoce como dependientes de las hormonas. De acuerdo con el Dr. Burke, es posible que los fitoestrógenos de la soya compitan con el es-

DE MUJER A MUJER

Gracias a la soya la menopausia es pan comido

Linda Townsend, de 46 años, se acaloraba mucho —literalmente— con los síntomas de la menopausia. Esta directora financiera de una empresa constructora en Titusville, Florida, con frecuencia se encontraba en una reunión (junta) importante cuando de súbito sufría un sofoco (bochorno, calentón) debilitante. Sus sofocos la asaltaban de manera tan evidente y frecuente que la gente se detenía a observarla. Sus sudores nocturnos eran tan intensos que se levantaba dos o tres veces durante la noche para cambiarse de ropa. Entonces encontró la solución. Esta es su historia.

Podía estar simplemente sentada y de la nada me ponía colorada.

La sensación de calor empezaba en mi pecho y subía hasta mi cuello y luego a mi cara. La cara se me ponía roja y sudaba como loca. Además de que los sofocos me asaltaban rápidamente y con intensidad, me ocurría todo el tiempo. Llegué al extremo de llevar una camisa adicional al trabajo todos los días, porque sudaba tanto que la camisa que llevaba puesta quedaba empapada. Los sofocos se hicieron tan obvios

trógeno natural en la búsqueda de moléculas sobre las superficies de las células que reconozcan y se liguen con el estrógeno. Si los fitoestrógenos llenan estos receptores, el estrógeno natural más potente no puede hacerlo. De esta forma se ayuda a impedir la formación de cáncer.

El colesterol. Es posible que la soya haga bajar los niveles del colesterol lipoproteínico "malo" de baja densidad (o *LDL* por sus siglas en inglés). También puede ser que disminuya los niveles totales de colesterol. Lo mejor de todo es que aparentemente no reduce el colesterol lipoproteínico "bueno" de alta densidad (o *HDL* por sus siglas en inglés). De acuerdo con un estudio llevado a cabo por la Universidad de Kentucky, el colesterol LDL de las personas que consumían aproximadamente 2 onzas (56 g)

que a veces mi jefe entraba y decía: "Te está dando otro".

Durante 4 meses no dormí bien ni una sola noche. Al menos dos veces por noche tenía que levantarme a cambiar mi camisón y luego tratar de encontrar un lugar seco en la cama.

Lo que mi médico me dio no alivió las molestias. No obstante, conocía el sitio del Dr. Andrew Weil en la red y él recomendaba soya contra los sofocos. Lo pensé durante muchísimo tiempo, pero no me convenció. Hasta la palabra *soya* me sonaba mal. Sin embargo, después de leer cientos de recomendaciones por fin cedí. Empecé con un vaso de leche de soya todos los días y una hamburguesa de soya más o menos cada dos días.

Al cabo de 2 semanas los sofocos desaparecieron. No pude creerlo. Pensé que tal vez no había sido por la soya. Quizá habían desaparecido solos. No obstante, cuando me fui dos semanas de vacaciones a Europa, donde no pude conseguir soya, los sofocos regresaron. Lo primero que hice al llegar a casa fue servirme un vaso de leche de soya.

Me siento fuerte ahora. Antes pensaba que los sofocos eran algo inevitable, pero estaba mal. He aprendido a controlarlos.

traciones de isoflavonas) durante 6 meses incrementaron de manera significativa el grosor de los huesos en la parte inferior de sus columnas vertebrales. Y hay otra razón para "ensoyarse" el cuerpo: las proteínas animales parecen acelerar la excreción de calcio por el cuerpo. Aparentemente la proteína de soya no lo hace, según explica el Dr. Burke.

Los síntomas de la menopausia. En ocasiones las isoflavonas bloquean el abastecimiento natural con estrógeno de la mujer y a veces de hecho lo sustituyen. Esta circunstancia es de gran ayuda para las mujeres menopáusicas, cuando la reducción del nivel del estrógeno y la progesterona puede provocar sofocos (bochornos, calentones) y sudoración nocturna. Un estudio observó que las mujeres que consumían 60 gramos de proteínas de soya al día durante 12 semanas redujeron la frecuencia de sus sofocos en casi la mitad.

de proteínas de soya al día cayó en un 12.9 por ciento, mientras que su nivel total de colesterol bajó en un 9.3 por ciento. Sus niveles del colesterol HDL "bueno" permanecieron estables.

Nadie sabe exactamente cómo es que la soya baja el colesterol. Una teoría plantea que sus fitoestrógenos ayudan a transportar el colesterol LDL del torrente sanguíneo al hígado, donde se descompone y se excreta. También es posible que los fitoestrógenos eviten que el LDL se haga rancio (un proceso conocido como oxidación), lo cual reduce la probabilidad de que recubra las paredes de las arterias.

La osteoporosis. Al parecer los fitoestrógenos de la soya no sólo reparan los huesos sino que incluso los construyen. En un estudio, las mujeres que consumían a diario 40 gramos de proteína de soya (la cual contiene altas concen-

La soya del supermercado

A estas alturas lo más probable es que la revolución de la soya haya llegado a su supermercado. Nunca ha sido más fácil agregar soya a la alimentación habiendo *tofu* en la sección de frutas y verduras, leche de soya en el refrigerador de lácteos y yogur congelado hecho de soya al lado del *Häagen-Dazs*. Sin embargo, si usted aún no se ha unido a esta revolución, siga leyendo para conocer los alimentos de soya más comunes.

Tofu. El padre de todos los alimentos de soya viene en tres presentaciones, todas muy versátiles. El *tofu* firme *(firm tofu)* es sólido, de modo que con frecuencia se agrega a platos fritos y revueltos al estilo asiático, sopas o caldos o bien se prepara a la parrilla. El *tofu* suave *(soft tofu)*, que tiene una consistencia cremosa, y el *tofu* blando *(silken* *tofu),* cuya consistencia se parece a la de una natilla, pueden hacerse puré y agregarse a bebidas batidas (licuadas), *dips,* aliños (aderezos) y pudines (budines). No se deje desanimar por su sabor. Por sí solo el *tofu* es desabrido, pero se adapta a los sabores de los alimentos con que se mezcla.

Tempeh. Este alimento tradicional de Indonesia se prepara con frijoles de soya enteros cocinados y fermentados. El resultado es un pastelillo suave con trozos de frijol y sabor a humo o fruto seco. El *tempeh* es una alternativa sabrosa y baja en grasa para la carne; de hecho muchas mujeres lo adoban (remojan) y lo cocinan a la parrilla, igual que un bistec. También se puede agregar a sopas, cacerolas (guisos) o chile con carne *(chili).*

Leche de soya. Este líquido cremoso se hace con frijoles de soya remojados, molidos finamente y colados. Representa una buena fuente de proteínas y de vitaminas del grupo B, y muchas marcas vienen enriquecidas con calcio. Mucha gente se la sirve con su cereal a la hora del desayuno o bien la utilizan para cocinar. La leche de soya se vende de sabores, entre ellos vainilla o chocolate, por lo que algunas personas se la toman tal cual. Debido a que no se trata de un lácteo, fíjese que la etiqueta diga *"soy beverage"* o *"soy drink"* (bebida de soya) antes de comprarla.

Sume soya a su alimentación

Muchas mujeres han llegado a disfrutar los alimentos de soya. En el caso de otras. . . bueno, es posible que tarden un poco más. Si usted pertenece a esta última categoría adopte la técnica furtiva, la cual implica incluir el alimento en platos familiares sin que se note. Las siguientes ideas le ayudarán a empezar.

Prepárese un pudín. Puede obtener de 30

> ### AVIÉNTESE A LA AVENTURA DE LA SOYA AL PROBAR SUS DERIVADOS
>
> Cuando se trata de comer soya, el *tofu* no es la única posibilidad. Busque las siguientes opciones más exóticas en una tienda de productos naturales o asiáticos.
>
> **Edamamé.** Estos frijoles (habichuelas) de soya (*soy beans*) grandes se cosechan cuando aún están verdes y dulces. Hiérvalos de 15 a 20 minutos y tendrá una merienda (refrigerio, tentempié) o plato principal de verduras rico en soya, libre de colesterol y alto en proteínas y en fibra.
>
> **Okara.** La *okara* es una fibra pastosa, producto secundario de la leche de soya. El sabor se parece al del coco, así que pruebe agregarla a productos panificados como galletitas (*cookies*) o *muffins*, o espolvoréela en su cereal a la hora del desayuno.
>
> **Frijoles de soya (naturales).** Al madurar en su vaina, los

---

a 50 miligramos de isoflavonas al consumir 1 taza de leche de soya o ½ taza de *tofu* o *tempeh.* También puede saborear un cremoso pudín. Los preparados comerciales para pudín deben mezclarse con *tofu* firme. Una marca, Mori-Nu, contiene 30 miligramos de isoflavonas por ½ taza. O simplemente agregue 2 tazas de leche de soya a su preparado comercial favorito para pudín sin grasa.

Saboree un *smoothie*. Para preparar otro postre rápido, mezcle ½ taza de *tofu* blando con ½ taza cada una de bayas frescas, yogur sin grasa y leche descremada *(fat-free milk* o *nonfat milk).* Agregue un chorrito de vainilla o un poco de miel, si usted lo desea.

Pruebe esta pizza. "La soya puede transformar la pizza de la comida 'divertida' favorita de todo mundo en un alimento realmente nutritivo", apunta Patricia Greenberg en su recetario para platos con soya. Comience con una masa hecha en casa que contenga harina de soya, agregue salsa de tomate (jitomate) y queso *mozzarella* de soya rallado y remátela con salchicha

frijoles de soya se ponen duros y secos. Los hay amarillos, negros o color café. Los frijoles de soya enteros son una fuente excelente de proteínas y fibra dietética. Agréguelos cocidos a salsas, caldos y sopas.

"Nueces" de soya (*soy nuts*). Este alimento para merienda, con sabor a nuez, en realidad son frijoles de soya enteros remojados con agua y luego tostados. Las "nueces" de soya contienen mucha proteína, son una fuente concentrada de isoflavonas y su textura y sabor se parecen a los del cacahuate (maní). Las "nueces" de soya se consiguen con diversos sabores, incluso recubiertas de chocolate.

Mantequilla de "nuez" de soya. Si a usted le fascina la crema de cacahuate, pruebe esta pasta con sabor a nuez. La mantequilla de "nuez" de soya se prepara con frijoles de soya enteros tostados y contiene mucha menos grasa que la crema de cacahuate.

re la Dra. Murphy. Tan sólo ½ taza contiene de 30 a 50 miligramos de isoflavonas. Al preparar panes sin levadura y *muffins* sustituya entre un cuarto y un tercio de la cantidad total de harina por harina de soya. Para las recetas con levadura use sólo el 15 por ciento de harina de soya o bien sólo un poco más de ⅛ de taza. (La harina de soya no contiene gluten, de modo que la textura de los panes con levadura resultará más densa).

Encontrará harina de soya en las tiendas de productos naturales. Guárdela en el refrigerador o el congelador, ya que se echa a perder más rápido que la harina blanca procesada.

Juegue a las escondidillas. Si está explorando el sinnúmero de deliciosas formas de preparar el *tofu*, felicidades. Por el contrario, si lo único que quiere es esconderlo, agregue *tofu* picado en cubos a sus sopas, caldos, chile con carne y salsa para espaguetis.

Empólvese. Agregue de 2 a 3 cucharadas de proteínas aisladas de soya en polvo (o *ISP* por sus siglas en inglés) a la leche, el jugo o los batidos saludables, sugiere el Dr. Burke. La ISP está disponible en las tiendas de productos naturales y es una forma sencilla de consumir proteínas de soya e isoflavonas. No obstante, evite los batidos de soya ya hechos. "Suelen contener mucha azúcar y grasa y muchas veces no son tan sanos como uno pensaría", afirma el experto.

Saque la catsup (*ketchup*). Pruebe las nuevas versiones de *hot dogs*, hamburguesas y salchichas de soya (al igual que el queso y el yogur de soya), recomienda el Dr. Burke. Estos productos contienen pocas isoflavonas, a veces ninguna, pero con todo tienen menos grasa saturada y colesterol total que los verdaderos *hot dogs*, hamburguesas, salchichas y queso. "Y eso sigue beneficiándola", comenta el doctor.

de soya desmoronada o con salchichón (chorizo italiano, *pepperoni*) de soya. Deliciosa.

Combínela con el café. Caliente 1 taza de leche de soya de vainilla en el horno de microondas durante 60 segundos y luego agregue 1 cucharadita de café instantáneo. No hay necesidad de ponerle azúcar, pues la leche de soya de vainilla es dulce. Esta bebida elegante contiene la asombrosa cantidad de 30 miligramos de isoflavonas.

Nútrase con nueces. Si a usted le privan los cacahuates (maníes) tostados, pruebe las "nueces" de soya. Se trata de una fuente concentrada de isoflavonas y una alternativa sabrosa y alta en proteínas a otros frutos secos tostados, según afirma Patricia Murphy, Ph.D., profesora del departamento de Ciencias de los Alimentos y Nutrición Humana en la Universidad Estatal de Iowa en Ames. "Saben un poco a cacahuates y son una merienda (refrigerio, tentempié) excelente".

Póngales soya a sus postres. Utilice harina de soya para sus productos panificados, sugie-

Las cápsulas del tiempo

Fosfatidilserina. De plano no parece servir para más que trabar la lengua. Sin embargo, en realidad es una sustancia sumamente prometedora. Este suplemento natural pertenece a la vanguardia de la medicina antienvejecimiento. Se ha demostrado que renueva las células del cerebro y agudiza el rendimiento mental.

¿Y dónde se encuentra algo tan exótico y difícil de pronunciar?

La espera sobre una repisa en la tienda de productos naturales o bien a sólo un clic de distancia en Internet. Y hay otros suplementos antienvejecimiento muy interesantes que figuran entre los descubrimientos más recientes de la ciencia y de los que posiblemente no esté muy enterada todavía. Entre estas llamadas "cápsulas del tiempo" se encuentran el ácido alfa-lipoico, la coenzima Q_{10} y la melatonina, para sólo nombrar unas cuantas.

"Estoy seguro de que estos suplementos parecen algo misteriosos —señala el Dr. Ronald Klatz, D.O., presidente de la Academia Estadounidense de la Medicina Antienvejecimiento, una sociedad de médicos y científicos que creen que envejecer no es inevitable, con sede

en Chicago—. Al fin y al cabo hace 30 años que sabemos del papel que desempeña la vitamina C para la buena salud, y de la vitamina E estamos enterados desde hace más tiempo. Estos son bastante nuevos".

¿Qué hace tan especiales a estos suplementos?

Para empezar, muchos son poderosos antioxidantes, afirma el Dr. Klatz. Sólo los antioxidantes son capaces de neutralizar los radicales libres, las moléculas inestables de oxígeno que abren agujeros en las membranas celulares, destruyen enzimas esenciales, dañan el ADN de las células y en última instancia conducen a las enfermedades de la vejez.

Por otra parte, su poder antioxidante en algunos casos es muchas veces más grande que el de los antioxidantes mejor conocidos, como las vitaminas C y E. Algunos de estos suplementos de hecho reciclan las vitaminas C y E y les otorgan una nueva vida en la guerra sin fin contra los radicales libres. Otros más son solubles tanto en grasa como en agua, lo cual les permite neutralizar los radicales libres dondequiera que se den, tanto en nuestra sangre acuosa como en nuestro cerebro graso.

Las nuevas sustancias poseen el potencial de alargar la vida y de conjurar las enfermedades degenerativas relacionadas con el envejecimiento, afirma el Dr. Klatz. Por lo tanto, bien puede ser que la Fuente de la Juventud no consista en unas aguas mágicas sino en unas pastillitas o líquidos.

Para ayudarle a decidir si estos suplementos pueden beneficiarla, a continuación le proporcionaremos datos fundamentales acerca de algunos de los que han llamado la atención de los expertos en longevidad y los investigadores médicos.

Aceite de semilla de lino

Qué es: Un aceite vegetal poliinsaturado que representa una rica fuente de ácidos grasos omega-3. Diversos estudios han indicado en repetidas ocasiones que los ácidos omega-3 bajan el nivel del colesterol y de los triglicéridos en la sangre y hacen menos pegajosas las plaquetas, lo cual reduce el riesgo de sufrir un infarto o un derrame cerebral. Otras investigaciones han llegado a la conclusión de que estos ácidos elevan el nivel de las lipoproteínas de alta densidad, el colesterol "bueno" que ayuda a eliminar el colesterol "malo", el cual tapa las arterias. Si bien los aceites de pescado son la fuente mejor conocida de ácidos omega-3, el aceite de semilla de lino (aceite de linaza, *flaxseed oil*) contiene dos veces más ácidos que aquellos.

Cómo retarda el envejecimiento: Los investigadores han llevado a cabo numerosos estudios sobre la semilla de lino a fin de explorar su potencial para prevenir y tratar el cáncer, particularmente los de mama y colon. En estudios llevados a cabo con animales se ha observado que la semilla de lino ayuda a evitar el cáncer de mama y retarda el crecimiento de los tumores cancerosos que ya existen.

Las investigaciones indican que los componentes de la semilla de lino que combaten el cáncer son precursores de los lignanos, es decir, se trata de compuestos que el cuerpo convierte en lignanos. Los lignanos son unos compuestos parecidos al estrógeno que posiblemente impidan el desarrollo del cáncer de mama ocupando los receptores de estrógenos en las células del seno, lo cual bloquea al estrógeno más fuerte que causa el cáncer.

Los lignanos también funcionan como antioxidantes y contienen otras sustancias químicas beneficiosas características de las plantas. Las cada vez más numerosas investigaciones al respecto sugieren que tal vez ayuden a proteger contra las afecciones crónicas relacionadas con el envejecimiento, como las enfermedades cardíacas.

Qué encontrará: Se vende una amplia variedad de aceites de semilla de lino, pero no todos aportan los mismos beneficios, según apunta Michael T. Murray, N.D., un profesor de la Universidad Bastyr en Kenmore, Washington, en su libro sobre las grasas y los aceites.

Murray recomienda escoger una marca procesada mediante una técnica llamada empaque atmosférico modificado (o *MAP* por sus siglas en inglés). Este método extrae el aceite de la semilla al exprimirla a bajas temperaturas mientras que la protege contra los efectos dañinos de la luz y del oxígeno. Entre los nombres comerciales del procesamiento MAP figuran *Bio-Electron Process*, utilizado por Barlean's Organic Oils; *SpectraVac Cold-Press*, empleado por Spectrum Naturals; y el proceso *Omegaflo*, que utiliza Omega Nutrition.

En vista de que los precursores de los lignanos sólo se encuentran en la cascarilla de la semilla de lino, muchas marcas de aceite de semilla de lino no contienen estos compuestos beneficiosos. Algunas de las marcas que sí los contienen son *Organic High-Lignan Flaxseed Oil* de Barlean, *High-Lig Flax Oil* de Spectrum Naturals y

No olvide su multivitamínico

"Un suplemento multivitamínico y de minerales es la piedra angular de cualquier régimen inteligente de suplementos", opina Jeffrey Blumberg, Ph.D., jefe del laboratorio para la investigación de los antioxidantes del Departamento de Agricultura de los Estados Unidos en la Universidad Tufts de Boston.

¿Pero cómo saber si un multivitamínico es bueno? Lea la etiqueta. Busque un suplemento multivitamínico que contenga el 100 por ciento de la Cantidad Diaria Recomendada (o *DV* por sus siglas en inglés) de la mayoría de las vitaminas y los minerales esenciales. Ninguno los contiene todos. Además, la etiqueta debe llevar las letras *USP*, lo cual significa *United States Pharmacopeia* o Farmacopea de los Estados Unidos. También revise la fecha de caducidad y no compre más de lo que pueda tomar antes de esa fecha.

Su multivitamínico debe contener los siguientes nutrientes esenciales.

Vitaminas

Nutriente: Vitamina A o provitamina A (betacaroteno)
Cantidad Diaria Recomendada: 5,000 unidades internacionales (o *IU* por sus siglas en inglés)
Para qué sirve: Ayuda a la vista a adaptarse a la luz tenue; conserva la inmunidad; favorece y mantiene la estructura y el funcionamiento normales de las células epiteliales (las cuales actúan como barrera entre el cuerpo y el medio ambiente) en la boca, los ojos, la piel, el cabello, las encías y varias glándulas.

Nutriente: Vitamina B_6
Cantidad Diaria Recomendada: 2 miligramos
Para qué sirve: Ayuda al cuerpo a producir glóbulos rojos, a mantener el sistema inmunitario y a producir la insulina (la hormona que contribuye a convertir el alimento en energía).

Nutriente: Vitamina D
Cantidad Diaria Recomendada: 400 IU
Para qué sirve: Ayuda a los huesos a mineralizarse de manera adecuada al transportar calcio y fósforo —necesarios para reforzarlos— a la sangre y finalmente a los huesos.

Nutriente: Ácido fólico (folato)
Cantidad Diaria Recomendada: 400 microgramos
Para qué sirve: Ayuda a producir AND y ARN, el código genético para la reproducción celular. Hace falta para producir hemoglobina, la cual porta el oxígeno dentro de los glóbulos rojos.

Hi-Lignan Flax Seed Oil de Omega Nutrition. Se pueden adquirir en algunas tiendas de productos naturales o bien por correo.

Un detalle más: Sólo compre las marcas que proporcionen envases opacos de plástico. Cualquier aceite, incluyendo el de semilla de lino, se descompone y se vuelve rancio al ser expuesto a la luz.

Cuánto debe tomar: Tome 1 cucharada por 100 libras (45 kg) de peso corporal al día, sugiere el Dr. Murray.

Guarde el aceite de semilla de lino en el congelador hasta abrirlo. De esta forma sus sustancias beneficiosas se mantendrán intactas. Una vez abierto, consérvelo en el refrigerador. Además, tome el aceite de semilla de lino jun-

MINERALES

Nutriente: Cinc

Cantidad Diaria Recomendada: 15 miligramos

Para qué sirve: Ayuda a mantener fuerte el sistema inmunitario, promueve la reproducción celular y contribuye a curar las heridas. Es fundamental para la producción de esperma y para el desarrollo fetal.

Nutriente: Cobre

Cantidad Diaria Recomendada: 2 miligramos

Para qué sirve: Ayuda al cuerpo a producir hemoglobina, la cual porta el oxígeno dentro de los glóbulos rojos, así como a absorber el hierro.

Nutriente: Cromo

Cantidad Diaria Recomendada: 120 microgramos

Para qué sirve: Ayuda al cuerpo a convertir los carbohidratos y las grasas en energía. Colabora con la insulina para ayudar al cuerpo a aprovechar la glucosa (azúcar en sangre).

Nutriente: Hierro

Cantidad Diaria Recomendada: 18 miligramos

Para qué sirve: Porta el oxígeno en la sangre y elimina el dióxido de carbono, el cual se forma cuando el cuerpo produce energía. Ayuda a proteger contra las infecciones. Las fórmulas de los multivitamínicos se ofrecen normales o bien con poco o nada de hierro. Si sus menstruaciones son abundantes trate de cubrir la DV de hierro. De no ser así, busque un multivitamínico que contenga poco o nada de hierro.

Nutriente: Magnesio

Cantidad Diaria Recomendada: 400 miligramos (lo más que encontrará en un multivitamínico normal son 100 miligramos; agregar más lo haría demasiado grande para ser tragado)

Para qué sirve: Ayuda al cuerpo a producir proteínas; ayuda a mantener las células de los nervios y los músculos; interviene en la mineralización de los huesos y en el funcionamiento del sistema inmunitario.

Nutriente: Selenio

Cantidad Diaria Recomendada: 70 microgramos (La mayoría de los multivitamínicos contienen menos. Busque 10 microgramos como mínimo).

Para qué sirve: Colabora con la vitamina E para proteger las células contra los daños por radicales libres, unas moléculas inestables de oxígeno de las que se piensa que aceleran el proceso de envejecimiento al dañar nuestras células y tejidos.

---

to con comida (mezclado con yogur, por ejemplo). Así, su cuerpo absorberá y utilizará sus ácidos grasos esenciales de manera más eficiente. El calor daña la semilla de lino fácilmente, de modo que el aceite no debe usarse para cocinar.

Ojo: A causa del elevado número de calorías que contiene el aceite de semilla de lino se corre peligro de subir de peso si no se incluye en el cálculo del consumo total diario de calorías.

Ácido alfa-lipoico

Qué es: El ácido alfa-lipoico (o *ALA* por sus siglas en inglés) es un antioxidante fabricado por el cuerpo que también ayuda a descomponer los alimentos para producir la energía que las células requieren. Le ayuda al cuerpo a reciclar y renovar las vitaminas C y E, alargando su vida útil. A diferencia de muchos antioxidantes que son solubles sólo en grasa o sólo en agua, el ALA combate los radicales libres tanto en las partes grasas de las células como en las acuosas y así protege a ambas contra los daños que aquellos pudieran ocasionar. "El ácido lipoico entra y sale volando de cualquier célula del cuerpo, incluso de las del cerebro", afirma Lester Packer, Ph.D., profesor de Biología Molecular y Celular en la Universidad de California en Berkeley.

Cómo retarda el envejecimiento: Los estudios clínicos indican que el ALA tal vez ayude a impedir los daños a los nervios causados por los ataques de los radicales libres que con frecuencia acompañan la diabetes. Un estudio alemán observó una reducción significativa del dolor y el hormigueo en los pies, así como de la sensación de tenerlos dormidos, tras la aplicación intravenosa de ALA a diabéticos.

Qué encontrará: El ALA se vende en forma de cápsulas o tabletas con dosificaciones de entre 50 y 300 mg.

Cuánto debe tomar: La dosis que por lo general se recomienda es de 50 a 100 miligramos diarios. Para tratar la diabetes, la dosis recomendada es de 300 a 600 miligramos diarios, según indica el Dr. Packer.

Ojo: Si usted padece diabetes y se está tratando los síntomas de daños a los nervios, el Dr. Packer sugiere que hable con su médico antes de tomar suplementos de ALA.

CASOS DE LA VIDA REAL

Un desastre casi inevitable

Después de muchos años de trabajar horas extras y los fines de semana en su profesión de programadora de computadoras, Terri, de 39 años, por fin consiguió el puesto de directora de proyectos que tanto deseaba. Para celebrarlo se dará el gusto de una semana en las Bahamas y está decidida a transformarse de una pelirroja de piel marfileña en una bronceada habitante de las playas. Desde luego está enterada de los peligros de exponerse al sol, pero tiene un plan. Primero se llenará de antioxidantes, como el picnogenol, que prometen mantener su piel tersa y juvenil. Luego se pondrá un aceite bronceador artificial. Piensa que si está bronceada para empezar disfrutará de protección natural contra los rayos perjudiciales del Sol y ni siquiera tendrá que usar las lociones antisolares (filtros solares) viscosas que le dan la sensación de haberse bañado en grasa. Además, sólo será por una semana. ¿Cuánto daño podrá hacerle el sol en tan poco tiempo?

Bastante. De hecho, el "plan" de Terri puede hacer a su piel víctima no sólo de las arrugas sino también del cáncer de piel.

Algunos estudios hechos con animales y de tubo de ensayo han observado que ciertos antioxidantes —como las vitaminas C y E y el picnogenol— posiblemente ayuden a prevenir los daños causados por el sol. Si bien no hay muchas pruebas concluyentes de ello en relación con el ser humano, se ha demostrado que la vitamina C de aplicación tópica brinda un poco de protección cuando se usa durante mucho tiempo.

Sin embargo, aunque los antioxidantes efectivamente funcionaran no hay forma de saber qué dosis haría falta para prevenir los daños ocasionados por el sol ni durante cuánto tiempo habría que tomarlos antes de exponerse al sol. Por su parte, los bronceadores artificiales tampoco protegen la piel si no contienen una loción antisolar, sin importar el "bronceado" que produzcan.

Lo mejor que Terri puede hacer para proteger su piel es

evitar el sol entre las 10:00 A.M. y las 4:00 P.M., cuando los rayos son más intensos. Si no quiere hacer eso, puede llevar ropa protectora y un sombrero de ala ancha, ponerse mucha loción antisolar, pasar el mayor tiempo posible debajo de una sombrilla y evitar la exposición al sol por completo durante 15 a 20 minutos de cada hora.

La loción antisolar que Terri elija debe aplicarse ½ hora antes de que se exponga al sol. Puede optar por un producto que contenga un filtro solar físico, como el óxido de cinc (*zinc oxide*). Terri también puede utilizar lo que se llama una loción antisolar de espectro amplio (*broad-spectrum sunscreen*). Un ingrediente activo de este tipo de productos, la avobenzona —también conocida como *Parsol 1789*—, bloquea tanto los rayos UVA como los UVB.

Independientemente del producto que Terri utilice, debe contar con un factor de protección solar (o *SPF* por sus siglas en inglés) de por lo menos 15. Debido a que su piel es tan blanca tiene que ponérselo nuevamente cada 2 horas, más o menos, ya sea que piense necesitarlo o no. Y tiene que recordar que la loción antisolar, si bien ofrece cierta protección, sigue permitiendo que algunos rayos UV penetren en la piel. Durante sus "descansos del sol" debe fijarse si su piel se está poniendo rosada, lo cual indicaría que se está comenzando a quemar y a dañar. Si su piel se pone rosada, debe evitar el sol por completo durante el resto del día.

En cuanto a lo de convertirse en una "bronceada habitante de las playas", un bronceado significa que la piel ya ha sufrido daños y posiblemente mostrará indicios de envejecimiento prematuro y cáncer de piel en algún momento. Si lo que desea Terri en realidad es ese aspecto, puede conseguirlo con el aceite bronceador artificial sin exponerse al sol para nada.

Información proporcionada por la experta
Dra. Karen Keller
Dermatóloga
Burlingame, California

Bioflavonoides

Qué son: Los bioflavonoides son pintores de plantas. Es decir, son pigmentos responsables (en parte) del color de las plantas y las frutas. Algunos bioflavonoides actúan como poderosos antioxidantes y "muchos de ellos son más potentes que los antioxidantes mejor conocidos, como las vitaminas C y E", explica Shari Lieberman, Ph.D., una investigadora en nutrición y fisióloga del ejercicio de la ciudad de Nueva York.

Cómo retardan el envejecimiento: Es posible que los bioflavonoides ayuden a reducir el riesgo de padecer enfermedades cardíacas. En 1996 un estudio finlandés determinó que las mujeres que consumen la mayor cantidad de flavonoides enfrentan un 46 por ciento menos de riesgo de padecer enfermedades cardíacas que quienes consumen menos flavonoides.

Los bioflavonoides evitan que los diminutos disquitos en la sangre (llamados plaquetas), que contribuyen a la coagulación de la misma, formen coágulos que puedan obstruir las arterias. También impiden que el colesterol lipoproteínico peligroso de baja densidad (o *LDL* por sus siglas en inglés) se oxide y se pegue a las paredes de las arterias.

Algunos bioflavonoides pueden ponerle el alto al cáncer antes de que nazca. Diversas investigaciones de tubo de ensayo han encontrado que la quercetina —la cual se halla en las manzanas, las cebollas amarillas y moradas y el té negro— impide el crecimiento de tumores y evita que las células malignas se extiendan. Por su parte, la rutina —que se encuentra en el alforjón (trigo sarraceno)— ayuda a reducir el riesgo de sufrir cáncer gracias a su acción como antioxidante. Y estos son sólo dos ejemplos entre muchos otros bioflavonoides.

Qué encontrará: Puede obtener bioflavonoides ya sea a través del consumo de frutas y verduras o tomándolos en forma de suplemento. Los suplementos contienen un solo bioflavonoide o bien una combinación de varios, según explica el Dr. Michael Janson, presidente del Colegio Estadounidense para el Progreso de la Medicina. Por lo común incluyen extractos de quercetina, hesperidina, rutina y bioflavonoides cítricos y vienen en dosificaciones de 500 ó 1,000 miligramos.

Cuánto debe tomar: El Dr. Janson recomienda tomar 1,000 miligramos una o dos veces al día. Aparte de ser poderosos antioxidantes por sí solos, los bioflavonoides incrementan la absorción de vitamina C.

Ojo: Por lo general se consideran seguros.

Coenzima Q_{10}

Qué es: La coenzima Q_{10} es un antioxidante fabricado por el cuerpo que ayuda a producir trifosfato de adenosina (o *ATP* por sus siglas en inglés), el combustible que les permite a las células hacer su trabajo. Cada célula del cuerpo contiene este antioxidante, pero se concentra más en las del músculo cardíaco, que requieren más combustible. Contamos con mucha coenzima Q_{10} hasta los 40 años. Después de eso su nivel cae en picada.

Cómo retarda el envejecimiento: Es posi-

¿Son seguros los suplementos hormonales?

Algunas de las hormonas antienvejecimiento normalmente producidas por el cuerpo ahora están disponibles en frascos en cualquier tienda de productos naturales. Si bien el gobierno clasifica estas "hormonas embotelladas" como suplementos dietéticos, algunos expertos afirman que no lo debería hacer.

"Estos productos son sustancias poderosas y deben considerarse medicamentos —afirma el Dr. Alan R. Gaby, profesor de Nutrición de la Universidad Bastyr de Kenmore, Washington—. Potencialmente ofrecen muchos beneficios, pero también pueden hacer mucho daño".

Un ejemplo es la DHEA (dehidroepiandrosterona). De acuerdo con algunos estudios hechos con animales, esta hormona masculina (que el cuerpo de la mujer también produce) al parecer fortalece la inmunidad y ayuda a proteger contra la diabetes, las enfermedades cardíacas e incluso el cáncer.

El problema es el siguiente. Nuestros cuerpos convierten

---

ble que la coenzima Q_{10} ayude a prevenir o a tratar muchas enfermedades cardíacas comunes, según indica el Dr. Peter Langsjoen, cardiólogo residente en el Hospital Mother Francis y el Centro Médico del Este de Texas en Tyler. "Produce una mejoría tan espectacular que resulta inconcebible para mí ejercer la medicina sin ella".

Las investigaciones demuestran que las personas afectadas por diversos tipos de enfermedades del corazón tienen una deficiencia de la coenzima Q_{10} y que entre más grave la enfermedad cardíaca, más bajan los niveles de la enzima. Esta sustancia aparentemente mejora la capacidad del corazón para contraerse. Puesto que se trata de un poderoso antioxidante, la coenzima Q_{10} también ayuda a impedir que el colesterol *LDL* "malo" se pegue a las paredes de

la DHEA en estrógeno y testosterona. Por lo tanto, si incluso una pequeña cantidad se transforma en estrógeno en una mujer con antecedentes familiares de cáncer de mama, puede aumentar su riesgo de padecer esta enfermedad, según señala el Dr. Gaby.

La pregnenolona, la hormona precursora de la DHEA, es otra hormona embotellada que se está vendiendo como pan caliente. No obstante, hay pocas investigaciones clínicas al respecto. "Un estudio con animales indica que mejora la memoria, y eso prácticamente lo es todo", explica el Dr. Gaby.

Al ingerirse es posible que la pregnenolona se convierta en DHEA y así aumente la cantidad de estrógeno y testosterona en el cuerpo. El uso de pregnenolona implica posibles peligros, advierte el Dr. Gaby. No se ha utilizado por suficiente tiempo como para determinar si es segura.

En pocas palabras, no se autorrecete suplementos hormonales, indica el Dr. Gaby. Consulte a un médico, que le dirá si los suplementos hormonales son convenientes, se los recetará en la dosis apropiada (de ser necesario) y vigilará su estado de salud.

las arterias y obstruya los vasos sanguíneos.

La coenzima Q_{10} se utiliza para tratar diversos males del corazón, desde el dolor del corazón (angina) hasta la cardiomiopatía (cualquier enfermedad no inflamatoria de los músculos del corazón). Algunos estudios sugieren que este antioxidante contribuye a tratar la angina al permitirles a las células del músculo cardíaco aprovechar el oxígeno de manera más eficiente. En una pequeña investigación llevada a cabo por el Dr. Langsjoen entre 19 personas con cardiomiopatía, les fue mucho mejor a quienes tomaron 100 miligramos de coenzima Q_{10} al día además de su terapia convencional que a los que recibieron la terapia convencional y un placebo.

La coenzima Q_{10} también ayuda a tratar la insuficiencia cardíaca por congestión venosa, que ocurre cuando el corazón está demasiado débil para bombear la sangre por todo el cuerpo. Un amplio estudio dirigido por el Dr. Langsjoen observó que el 58 por ciento de las personas que tomaban la coenzima Q_{10} mejoraron en una clasificación de la Asociación Cardíaca de Nueva York (la norma que utilizan los médicos para evaluar la condición de los enfermos del corazón), el 28 por ciento mejoró en dos clasificaciones y el 43 por ciento dejó de tomar uno o más medicamentos.

Qué encontrará: La coenzima Q_{10} viene en cápsulas de 10 a 200 miligramos. El Dr. Langsjoen prefiere los suplementos de gel blando preparados con aceite porque el cuerpo los absorbe mejor.

Cuánta debe tomar: Como medida preventiva tome de 30 a 60 miligramos diarios, recomienda el Dr. Langsjoen. Les receta dosis más altas —de 120 a 360 miligramos— a personas con problemas del corazón.

Este nutriente sólo se disuelve en presencia de grasa. Por lo tanto, si decide tomar suplementos de coenzima Q_{10} que no vienen en forma de gel, ingiéralos junto con una comida o merienda (refrigerio, tentempié) que contenga una pequeña cantidad de grasa, sugiere el Dr. Langsjoen.

Ojo: Algunos medicamentos agotan la existencia de la coenzima Q_{10} en el cuerpo. Entre ellos figuran los que bajan el colesterol, como el lovastatin *(Mevacor)*. En casos aislados se ha observado una ligera disminución en la eficacia de warfarin *(Coumadin)*, un anticoagulante. Además, si está enferma del corazón debe consultar a su médico antes de tomar la coenzima Q_{10}, advierte el Dr. Langsjoen.

ALARGAVIDA

Evite el cáncer día a día

El cáncer de colon es el tercer tipo de cáncer más común en las mujeres. Mata a 24,900 todos los años. No obstante, tomar diariamente un suplemento multivitamínico y de minerales o uno de vitamina E posiblemente reduzca el peligro de sufrir esta enfermedad, según lo indica un estudio llevado a cabo por el Centro Fred Hutchinson de Investigación del Cáncer en Seattle.

Los investigadores responsables analizaron el consumo de vitaminas por parte de 444 hombres y mujeres con cáncer de colon, concentrándose en un período de 10 años que finalizó 2 años antes de que se les hiciera el diagnóstico. Luego compararon el consumo de vitaminas por parte de este grupo con el de 426 personas que no tenían cáncer. Los científicos descubrieron que las personas que habían tomado un suplemento multivitamínico de manera regular durante 10 años reducían su riesgo de padecer cáncer de colon en un 51 por ciento, mientras que quienes tomaban vitamina E aparentemente bajaban este riesgo en un 57 por ciento.

Esto no significa necesariamente que los suplementos vitamínicos sean la mejor protección contra el cáncer. De acuerdo con los investigadores, ingerir muchas frutas y verduras sigue siendo la mejor recomendación, ya que la combinación de vitaminas que contienen posee el equilibrio perfecto.

Fosfatidilserina

Qué es: Esta sustancia es un fosfolípido, un tipo de grasa que se concentra en las neuronas del cerebro. En las personas mayores un nivel bajo de fosfatidilserina se ha relacionado con problemas de funcionamiento mental y depresión.

Cómo retarda el envejecimiento: La fosfatidilserina mejora la memoria y los cambios cerebrales relacionados con el envejecimiento, afirma el Dr. Timothy Smith, un experto en medicina antienvejecimiento de Sebastopol, California. Asimismo ayuda a regenerar las células nerviosas dañadas para que puedan enviar y recibir sus "mensajes" de manera más eficaz.

Algunos investigadores de la Universidad de Stanford así como de la de Vanderbilt en Nashville estudiaron los efectos de la fosfatidilserina en 149 personas entre los 50 y los 75 años de edad que experimentaban una pérdida "normal" de la memoria para su edad. Las personas en quienes la memoria se había perjudicado más revirtieron el deterioro que venían sufriendo a lo largo de más o menos 12 años. Dicho de otra manera, los resultados promedio obtenidos por personas de 64 años de edad se elevaron para igualar a los resultados promedio de las personas de 52 años.

Qué encontrará: Los suplementos de fosfatidilserina se hacen a partir de la lecitina, un derivado de la soya. En los Estados Unidos está disponible en cápsulas y tabletas de 20 a 100 miligramos.

Cuánta debe tomar: El Dr. Smith recomienda tomar 100 miligramos de fosfatidilserina dos o tres veces al día. Después de un mes, afirma, cambie a la dosis de mantenimiento de entre 100 y 200 miligramos al día.

Ojo: La fosfatidilserina aparentemente es segura y no provoca efectos secundarios graves, apunta el Dr. Smith.

Ginkgo

Qué es: El *ginkgo* es una hierba que se extrae de las hojas correosas con forma de abanico del árbol del *ginkgo*.

Cómo retarda el envejecimiento: Esta hierba le ayuda al cerebro a funcionar de forma más eficaz. En Alemania ya se utiliza para tratar la demencia. El *ginkgo* aumenta la circulación de la sangre, de modo que una mayor cantidad de nutrientes llegan a las células del cerebro, lo cual les permite trabajar de modo más eficiente. Varios estudios europeos han encontrado que el *ginkgo* mejora el rendimiento mental y la memoria de corto plazo.

Si bien aún no hay pruebas de que tomar *ginkgo* con anticipación sirva para evitar la enfermedad de Alzheimer más adelante, un creciente cuerpo de investigaciones indica que el extracto concentrado de esta hierba mejora el funcionamiento mental de las personas que ya padecen de esta enfermedad.

En uno de los estudios más amplios realizados al respecto, los investigadores encontraron que entre las personas afectadas por una demencia del tipo del Alzheimer, así como en aquellos cuya demencia ha sido causada por una enfermedad de los vasos sanguíneos del cerebro, quienes toman *ginkgo* pueden pensar e interactuar mejor con los demás que quienes toman un placebo.

Qué encontrará: El *ginkgo* por lo general se vende en cápsulas de 40, 60 ó 120 miligramos.

Cuánto debe tomar: Tome de 120 a 240 miligramos al día por separado en dos o tres dosis, recomienda Varro E. Tyler, Ph.D., Sc.D., profesor emérito en la Escuela de Química Farmacéutica de la Universidad Purdue. El suplemento que compre debe contener por lo menos un 24 por ciento de glicósidos de flavona *(flavone glycosides)* y un 6 por ciento de terpenos *(terpenes)*, explica el Dr. Tyler. (Quizá vea "24/6" en la etiqueta).

Ojo: De acuerdo con el Dr. Tyler, debe tener cuidado con el *ginkgo* si toma hierbas que contribuyen a impedir que la sangre se coagule, como el ajo, el jengibre y la matricaria (margaza, *feverfew*).

Asimismo, no lo tome si está ingiriendo aspirina, warfarin (Coumadin) o un medicamento para inhibir la MAO.

Melatonina

Qué es: La melatonina es una hormona segregada por una glándula del tamaño de un chícharo (guisante, arveja), la glándula pineal. Esta hormona ayuda a regular los patrones de sueño. Se llega al punto más alto en el nivel de melatonina a los 3 años de edad y se conserva este nivel alto hasta después de la mediana edad.

Cómo retarda el envejecimiento: La melatonina es un poderoso antioxidante, afirma Russel J. Reiter, Ph.D., un biólogo celular del Centro para Ciencias de la Salud de la Universidad de Texas en San Antonio.

"La melatonina es uno de los antioxidantes más poderosos que existen", señala el Dr. Reiter. Como tal protege contra las enfermedades relacionadas con el envejecimiento como las cardiovasculares y el cáncer, que pueden asociarse con daños causados por los radicales libres.

Sin embargo, hay más. A diferencia de otros muchos antioxidantes, la melatonina es capaz de atravesar lo que se llama la "barrera sangrecerebro", lo cual significa que penetra en el cerebro más fácilmente que otros antioxidantes, dice el Dr. Reiter. Por lo tanto, es mejor para combatir los daños por los radicales libres en el cerebro.

Las pruebas recientes sugieren que la melatonina posiblemente también retarde el avance de la enfermedad de Alzheimer. "Gran parte de la demencia asociada con el envejecimiento, incluyendo la enfermedad de Alzheimer, se debe a la pérdida de neuronas por resultado de los daños ocasionados por los radicales libres —comenta el Dr. Reiter—. Si bien unas dosis muy altas de vitamina E, un conocido antioxidante, administradas durante largos períodos de tiempo, pueden retrasar el Alzheimer un poco, un estudio reciente llevado a cabo con un par de gemelos idénticos encontró que tan sólo 6 miligramos de melatonina tomada todos los días durante 3 años reduce de manera importante el avance de la enfermedad de Alzheimer".

Algunos estudios de laboratorio han determinado que la melatonina también impide el crecimiento de las células cancerosas y retarda el de algunos tumores.

Qué encontrará: La melatonina normalmente viene en cápsulas y tabletas de 3 miligramos. Si bien es menos común, también puede encontrarla en dosificaciones de 1 miligramo y de 0.5 miligramos (o 500 microgramos). Evite los suplementos de melatonina supuestamente naturales que rara vez contienen la suficiente para ser eficaces, opina el Dr. Reiter. La variedad sintética, que seguramente es la que usted conseguirá, está muy bien.

Cuánta debe tomar: Ingerirá menos de lo que se imagina. A pesar de que la dosis que por lo general se recomienda es de 1 miligramo, el Dr. Reiter toma 0.5 miligramos al día. "Y cuento con el nivel de melatonina de un joven".

Además, siempre tome la melatonina antes de acostarse, recomienda el Dr. Reiter. Y mantenga oscura su habitación: la oscuridad estimula la producción de melatonina.

Ojo: En vista de que la melatonina causa somnolencia, no maneje un carro ni realice ninguna actividad que requiera estar alerta después de habérsela tomado, indica el Dr. Reiter. Antes de que empiece a tomar melatonina, hable con su médico. Si bien es raro el caso, se llegan a dar interacciones con los medicamentos de receta.

Picnogenol

Qué es: Este suplemento cuyo nombre ha sido registrado se obtiene de la corteza del pino marítimo francés. El picnogenol contiene unos 40 bioflavonoides con poderes antioxidantes. Sus ingredientes activos —una clase de flavonoides llamados proantocianidinas que también se hallan en las semillas de la uva— lo convierten en un fuerte antioxidante. El picnogenol también recicla la vitamina C y de manera directa la vitamina E, restituyéndoles su eficacia, señala el Dr. Packer.

Cómo retarda el envejecimiento: El picnogenol reduce el riesgo de sufrir enfermedades cardíacas manteniendo sueltas las plaquetas, de modo que no pueden adherirse a las paredes de las arterias. Asimismo evita que el colesterol LDL se oxide, comenta el Dr. Packer.

El picnogenol también fortalece los vasos sanguíneos más pequeños del cuerpo, llamados capilares, e impide que los radicales libres dañen los vasos sanguíneos en general. Además, suprime la sobreproducción de óxido nítrico por las células del sistema inmunitario, fenómeno que se ha asociado con la artritis reumatoide y la enfermedad de Alzheimer, afirma el Dr. Packer.

Qué encontrará: El picnogenol viene en tabletas o cápsulas con dosificaciones de 20 a 100 miligramos.

Cuánto debe tomar: La dosis que por lo general se recomienda es de 50 a 100 miligramos al día, señala el Dr. Packer.

Vitamina C

Qué es: La vitamina C es un nutriente antioxidante que se encuentra en los cítricos, las fresas, el brócoli, el kiwi y otras frutas y verduras.

Cómo retarda el envejecimiento: Diversos estudios indican que las personas que tienen una alimentación alta en vitamina C muestran un índice más bajo de cáncer, enfermedades cardíacas y presión arterial alta (hipertensión). También hay pruebas de que los suplementos de vitamina C posiblemente ayuden a evitar las cataratas y a fortalecer los huesos durante los primeros años posmenopáusicos así como en las mujeres que no se han sometido a la terapia de reposición hormonal del estrógeno.

Qué encontrará: Los suplementos de vitamina C se venden en tabletas y cápsulas con una dosificación de 250, 500 ó 1,000 miligramos e incluso de más, y también en forma de un polvo que puede mezclarse con agua o jugo.

Independientemente de la presentación de vitamina C que elija, no malgaste su dinero en suplementos naturales. "No hay diferencia alguna entre la vitamina C sintética y la natural: la molécula es exactamente la misma", afirma Jeffrey Blumberg, Ph.D., jefe del laboratorio de investigación sobre antioxidantes en el Centro de Investigaciones sobre Nutrición Humana Especializado en el Proceso del Envejecimiento del Departamento de Agricultura de los Estados Unidos en la Universidad de Tufts en Boston.

Cuánta debe tomar: La Cantidad Diaria Recomendada (o *DV* por sus siglas en inglés) es de 60 miligramos, pero actualmente los investigadores admiten que es muy poco para prevenir las enfermedades. Trate de tomar entre 200 y 500 miligramos diarios, sugiere el Dr. Blumberg.

Ojo: Una dosis mayor que 1,000 miligramos de vitamina C al día les puede causar diarrea a algunas personas. Si así le sucede, suspenda el uso del suplemento de inmediato. Si quiere tomar más de 1,000 miligramos, empiece con 250 miligramos y vaya aumentando la dosis a intervalos de unos cuantos días, conforme se incremente su tolerancia, recomienda el Dr. Blumberg.

Vitamina E

Qué es: La vitamina E es un nutriente antioxidante que se encuentra en los frutos secos, las semillas y los aceites vegetales.

Cómo retarda el envejecimiento: Diversas investigaciones indican que el poder antioxidante de la vitamina E posiblemente ayude a prevenir las enfermedades cardíacas y el cáncer, a fortalecer el sistema inmunitario y posiblemente a normalizar los niveles de azúcar en sangre en los diabéticos.

Además, al parecer la vitamina E retarda el avance de la enfermedad de Alzheimer. Un grupo de científicos de la Universidad Columbia así como de otros centros de investigación les dieron 2,000 unidades internacionales (UI) de vitamina E diariamente durante 2 años a 341 personas con casos moderadamente graves de la enfermedad de Alzheimer. Al finalizar el estudio los investigadores llegaron a la conclusión de que la vitamina E había reducido el deterioro mental de estas personas más o menos en un 25 por ciento, lo cual se manifestó principalmente en su capacidad para llevar a cabo tareas cotidianas como vestirse, ir al baño y comer.

Qué encontrará: La vitamina E se vende en cápsulas de 100, 200 ó 400 UI. También está disponible en forma líquida.

Algunos estudios recientes han determinado que el cuerpo absorbe la forma natural de la vitamina E (d-alfa tocoferol) de manera más eficaz que la sintética (dl-alfa tocoferol). No obstante, usted tendrá que pagar más por la variedad natural.

Cuánta debe tomar: Ciertas investigaciones indican que la DV de 30 UI no basta para evitar las enfermedades cardíacas y otros males. Tome entre 100 y 400 UI, recomienda el Dr. Blumberg, junto con una comida que contenga una pequeña cantidad de grasa. Absorberá mejor la vitamina.

Ojo: De acuerdo con el Dr. Blumberg, si está tomando medicamentos anticoagulantes la vitamina E sólo debe administrarse bajo supervisión médica.

El agua: la Fuente de la Juventud

El explorador español Juan Ponce de León recorrió la mitad del mundo en busca de la fuente de la juventud. A pesar de todos sus esfuerzos, nunca la encontró. Sin embargo, nosotras podemos hacer que aparezca al instante con sólo abrir la llave (grifo, canilla, pila) del fregadero (lavaplatos).

¿Suena como un acto de magia? En realidad no lo es. Actualmente sabemos algo que Ponce de León desconocía: el poder de aquella fuente se encuentra en el agua simple, fresca y limpia.

El cuerpo necesita agua para llevar a cabo los procesos básicos de la vida, entre los que se incluye todo desde transportar los nutrientes hasta regular la temperatura interior. Sin embargo, si usted toma mucha agua —por lo menos 8 vasos de 8 onzas (240 ml) al día— también obtendrá otros beneficios adicionales a los básicos. El agua puede contribuir a mantener una piel sana de aspecto más joven y a evitarle ciertas enfermedades y males que la harían sentirse mucho más vieja de lo que corresponde a su edad. Es así de sencillo y perfectamente natural. Además, resulta ser muy económico.

Agua para las arrugas

La naturaleza imparte esta lección de manera obvia: cuando se seca una uva se obtiene una pasa. Cuando se seca una ciruela el resultado es una ciruela seca. Arrugas, arrugas. . . y más arrugas.

Por otra parte, para eliminar las arrugas de una camisa de algodón al plancharla se le humedece con vapor. Y si se quiere evitar que unas rosas se marchiten se ponen en un florero con agua.

Lo mismo pasa con la piel. Si desea mantenerla tersa, suave y radiante, el agua es uno de los secretos que anda buscando. "Una piel sana consiste en entre un 10 y un 20 por ciento de agua", afirma la Dra. Diana Bihova, una dermatóloga de la ciudad de Nueva York. Si la piel pierde más de la mitad de su humedad se reseca y empieza a despellejarse. Incluso las líneas finas se vuelven más pronunciadas. Y con el paso del tiempo la piel reseca puede envejecer más pronto.

Una forma de combatir el proceso es por medio de humectantes. Al humectar la piel, esta se "remoja" y se ve más tersa, y las líneas finas parecen desvanecerse.

El problema es que con el tiempo el proceso se vuelve más difícil. La piel se reseca cada vez más conforme envejecemos. Alrededor de los 30 años, las glándulas de grasa y de sudor disminuyen su producción y la piel se vuelve menos capaz de retener la humedad, explica la Dra. Bihova. Conforme nos acercamos a la menopausia y se reduce nuestro nivel de estrógeno, es posible que se reseque más todavía.

Ahí es donde entra el agua. Tomar mucha agua es importante. Ya sea que la beba o que se remoje en ella, el agua humecta la piel. Sin embargo, no es lo único que debe hacer. "Beber un océano de agua por sí mismo no compondrá la piel reseca", declara la Dra. Bihova. Ni tampoco resolverá su problema de piel reseca untándose grandes cantidades de crema líquida. A continuación la Dra. Bihova comparte algunos secretos que le permitirán aprovechar la humedad al máximo.

Controle el calor. Si lava los platos (trastes) con agua caliente, sus manos estarán resecas y arrugadas para cuando enjuague el último. De la misma forma es posible que un baño o una ducha con agua tan caliente que echa vapor la haga anhelar su crema líquida horas más tarde. Eso se debe a que el agua caliente puede resecar la piel. A fin de evitar este efecto, báñese o dése una ducha con agua tibia en lugar de caliente.

Investigue los ingredientes del jabón. Bañarse con jabones fuertes puede hacer que la piel se sienta como papel de lija, así que limítese

---

CANCELE LA COLA PARA SALVAR SUS HUESOS

Para muchas de las mujeres que cuidamos nuestras figuras, no hay palabras que se vean más atractivas juntas que "refresco (soda)" y "de dieta". Desafortunadamente es posible que lo que deleita el paladar destruya los huesos.

"Si toma cuatro o más latas de refresco de cola al día está corriendo el riesgo de que le dé osteoporosis incluso antes de la menopausia", según explica la Dra. Elizabeth Lee Vliet, directora médica de los centros de salud para la mujer HER Place Women's Centers en Tucson, Arizona, y Dallas-Fort Worth.

Los refrescos de cola —tanto el normal como el de dieta— extraen el calcio del cuerpo de varias formas. En primer lugar contienen una alta cantidad de fósforo. Cuando este mineral se acumula en el cuerpo puede interferir con la absorción del calcio y retardar el proceso natural de reestructuración ósea, explica la Dra. Vliet.

En segundo lugar, las bebidas de cola son muy ácidas. El cuerpo neutraliza el ácido extrayendo bicarbonato y calcio de los huesos.

Por último, la cafeína de la cola impide que los riñones aprovechen el calcio correctamente. Por lo tanto, el calcio se pierde a través de la orina antes de que el cuerpo pueda absorberlo.

Además, el refresco causa otro problema: si alguien toma media docena de latas al día, lo más probable es que no esté tomando leche rica en calcio. Para conservar los huesos, una mejor estrategia sería reducir la cantidad de cola y asegurarse de obtener suficiente calcio a través de la alimentación y los suplementos, recomienda la Dra. Vliet.

---

a limpiadores suaves como *Cetaphil*. Este tipo de productos limpian la piel sin irritarla y la recubren con una capa humectante. Compre limpiadores con ingredientes como agua, glicerina, lauril sulfato de sodio, alcohol cetílico y estearil alcohol.

Séllela bien. El mejor momento para humectar la piel es enseguida de la ducha o del baño, cuando aún está mojada y es posible sellar la humedad.

Cuídese contra el aire. El aire seco del invierno extrae la humedad de la piel y la deja opaca y reseca. El uso de un humidificador aumenta la humedad en el aire e impide la pérdida de agua a través de los poros.

Brinde por su salud

Además de humedecer la piel, el agua asegura el buen funcionamiento de todo dentro de su cuerpo. "La mayoría de las personas están un poco deshidratadas, lo cual puede afectar prácticamente todo lo que hacen", afirma Felicia Busch, R.D., una dietista de St. Paul, Minnesota, y portavoz para la Asociación Dietética de los Estados Unidos. Es posible perder entre el 1 y el 2 por ciento del peso corporal en agua sin sentir sed. Y una vez que se ha perdido esta cantidad de agua, el cuerpo deja de funcionar de la mejor manera y una empieza a sentirse cansada, confusa, débil y más lenta. Incluso puede dar dolor de cabeza. Todas estas cosas hacen que una se sienta aletargada y más vieja de lo que es.

Un cuerpo que recibe suficiente agua tiene lo que necesita para mantenerse joven y sano. He aquí algunos beneficios del agua que le ayudarán a sentirse lo mejor posible.

Cuida el colon. Tomar los 8 vasos diarios de rigor posiblemente disminuya el riesgo de sufrir cáncer de colon. Los investigadores han observado que en las mujeres que toman más de 5 vasos de agua al día se reduce más o menos a la mitad el riesgo de sufrir cáncer de colon, en comparación con las que toman 2 vasos o menos.

Previene el estreñimiento. Las personas

ALARGAVIDA

El té verde: un elíxir que otorga años

Cambiar la cafetera por una tetera podría agregar años a su vida. Las investigaciones demuestran que el consumo de té verde posiblemente ofrezca un montón de beneficios, desde ayudar a bajar el nivel de colesterol y la presión arterial hasta reducir el riesgo de sufrir un infarto o derrame cerebral. Este tesoro chino también ayuda a proteger el sistema inmunitario, favorece la digestión y previene la caries dental y la gingivitis. No obstante, algún día tal vez descubramos que el beneficio "alargavidas" más impresionante del té verde deriva de unos antioxidantes que combaten el cáncer y se llaman polifenoles.

Diversos estudios realizados con animales demuestran que ciertas sustancias contenidas en el té verde posiblemente protejan contra varios tipos de cáncer, entre ellos los tumores de piel, mama, estómago, colon, hígado, pulmón y

---

mayores tienen cinco veces más probabilidad de estreñirse que las jóvenes. Y el estreñimiento crónico puede provocar males incómodos y dolorosos como las hemorroides o la diverticulitis.

Sin embargo, al proveer a sus intestinos de agua suficiente puede evitar o aliviar el estreñimiento, sobre todo si tiene una alimentación alta en fibra. El agua suaviza el excremento de modo que avanza más fácilmente.

Ayuda a adelgazar. Tomar mucha agua la mantendrá delgada. En primer lugar, ayuda a quemar la grasa de manera más eficiente. En segundo lugar, si se toma justo antes de las comidas llena el estómago y se come menos.

Inhiba las infecciones de las vías urinarias. Casi la mitad de las 16,000 mujeres encuestadas hace algunos años por la revista *Prevention* y la Asociación Estadounidense de Mujeres Médicas habían sufrido una infección de las vías urinarias e intentado tratarla tomando mucha agua.

páncreas. Las investigaciones basadas en el ser humano han dado resultados menos contundentes, pero indican que el consumo de té verde tal vez reduzca el riesgo de padecer ciertos tipos de cáncer, como el del estómago, el colorrectal y el pancreático. Un estudio que abarcó a más de 35,000 mujeres mayores en Iowa encontró que quienes tomaban por lo menos 2 tazas diarias de té negro, verde u *oolong* reducían de manera significativa su riesgo de sufrir algún cáncer del tracto digestivo o urinario.

Es más, una investigación observó que las mujeres en una etapa temprana de cáncer de mama que tomaban té verde con regularidad tenían un mejor pronóstico que quienes no lo hacían. Por si fuera poco, a los consumidores del té verde también les da cáncer a una edad más avanzada. De acuerdo con una investigación llevada a cabo en Japón, a las pacientes de cáncer que consumían más de 10 tazas de té verde al día les daba la enfermedad 8.7 años más tarde, en promedio, que a aquellas que tomaban menos de 3 tazas al día.

Ocho de cada 10 de estas mujeres afirmaron que les funcionó. De acuerdo con los médicos, es posible que el líquido ayude al lavar el organismo, expulsando las bacterias que causan la infección.

Cancela los cálculos renales. Cuando no se toma suficiente agua, los desperdicios que normalmente se disuelven y se expulsan con la orina pueden concentrarse en forma de cristales y pegarse entre sí hasta producir un cálculo renal.

Despide el dolor muscular. Al dedicarse a alguna actividad física —ya sea que se trate del trabajo de la casa, la jardinería o un partido de tenis—, el agua ayuda a evitar los dolores que pueden asaltarla al día siguiente. Una ligera deshidratación obliga al cuerpo a recurrir al agua almacenada en los músculos. Así se pierden fuerzas y se aumenta el riesgo de sufrir daños musculares microscópicos, los cuales se manifiestan como dolores al día siguiente, según explica

Scott Hasson, Ed.D., coordinador del departamento de Terapia Física en la Universidad de Connecticut en Storrs.

Una buena regla general sería beber un vaso de agua antes y después de la actividad física, así como media taza cada 15 a 20 minutos durante la actividad, recomienda el experto.

Una desventaja femenina

El cuerpo consiste más o menos en un 50 por ciento de agua, así que debe pensar en sí misma como un vaso lleno a la mitad. A fin de evitar que el nivel baje es preciso tomar por lo menos 8 vasos de agua de 8 onzas (240 ml) al día. Mantenernos hidratadas reviste una importancia particular para nosotras las mujeres, porque nuestros cuerpos almacenan menos agua que los de los hombres, según afirma Busch. Esto se debe al hecho de que las mujeres tenemos menos músculos, los cuales retienen mucha agua, y más grasa, misma que no lo hace. La consecuencia es que las reservas de agua de una mujer se agotan más pronto que las de un hombre. Por lo tanto, hay que tener más cuidado en reponer la que se pierde todos los días. Las mujeres embarazadas o que están amamantando necesitan beber más agua todavía, agrega Busch, por lo menos de 10 a 12 vasos diarios.

También hay otras mujeres que necesitan tomar más agua que la cantidad señalada para mantener suave su piel y asegurar el mejor funcionamiento posible de sus cuerpos. Usted dispone de varias formas de determinar si está tomando la suficiente.

Revise su realidad. De acuerdo con Busch, usted necesita tomar más de la cantidad promedia de 8 vasos diarios si está enferma, vive

¿Por qué algunas bebidas me dan tanta sed?

Probablemente porque está tratando de apagar su sed con las bebidas equivocadas.

Algunas horas después de consumir ciertas bebidas —como el café, los refrescos (sodas) y el vino—, usted se morirá de sed. Todas contienen cafeína o alcohol, los cuales son diuréticos, de modo que de hecho hacen que se pierdan más líquidos de los que se tomaron.

Piense en un diurético como algo que convierte el cuerpo en un recipiente rajado. Sin importar cuántas bebidas alcohólicas o con cafeína vierta dentro del recipiente, los líquidos se seguirán escapando más rápido de lo que pueda reponerlos.

No le da sed a la hora de beber un refresco o champán porque el sabor agradable, la temperatura y —enfrentémoslo— las burbujitas la distraen. No obstante, más tarde la sensación la asaltará. Y cuando exagere en el consumo del alcohol, la asaltará con *bastante* intensidad, pues la deshidratación es uno de los motivos por los que se despierta con una resaca (cruda).

Para evitar deshidratarse, tome un vaso de agua por cada bebida alcohólica o con cafeína que consuma, además de los 8 vasos de 8 onzas (240 ml) que ya debería estar tomando todos los días. De otra forma su cuerpo no dispondrá de los líquidos necesarios para funcionar correctamente.

Información proporcionada por la experta
Joanne Curran-Celentano, Ph.D.
Profesora adjunta de Ciencias de la Nutrición
Universidad de Nueva Hampshire
Durham

porque es posible perder hasta el 5 por ciento de la existencia de agua del cuerpo antes de sentir sed, advierte Busch. A fin de evitar que esto pase puede fijar horas específicas para tomar agua: al despertarse por la mañana, al llegar a la oficina, durante los descansos del trabajo, antes de comer y antes de acostarse. Si toma un vaso de agua en cada uno de estos momentos se mantendrá bien hidratada en un día normal.

Conforme se envejece disminuye nuestra sensibilidad a la sed, de modo que se vuelve aún más importante beber durante el día ya sea que se sienta sed o no, agrega Joanne Curran-Celentano, Ph.D., profesora adjunta de Ciencias de la Nutrición en la Universidad de Nueva Hampshire en Durham.

Aclare las cosas. Revise el color de su orina. "Debe estar casi transparente, de un color amarillo tenue", indica Lucia Kaiser, R.D., Ph.D., especialista en Nutrición de la Universidad de California en Davis. Si no lo está, necesita tomar más líquidos.

Cómo abastecerse de agua

Si medio galón (1.89 l) de agua al día le suena como un exceso, no se rinda aún. Las siguientes sugerencias de nuestros expertos le ayudarán a manejar el asunto de la hidratación.

Recurra a un reemplazo. Los 8 vasos de líquidos no necesariamente tienen que ser de agua. Otras bebidas —como la leche, el jugo, el agua de Seltz *(seltzer)* y el agua mineral— también cuentan como parte de su cuota diaria. Lo mismo se aplica a los alimentos que contienen mucha agua,

en un clima caluroso, pasa mucho tiempo dentro de edificios con calefacción o aire acondicionado, habla mucho en público (como una maestra) o si el tamaño de su cuerpo rebasa el promedio.

Beba antes de tener sed. La sed no sirve para determinar cuándo hace falta tomar agua,

como las sopas, y a frutas jugosas como la sandía, el cantaloup (melón chino), las uvas y las naranjas (chinas). Sin embargo, no tome en cuenta las bebidas que contienen alcohol o cafeína, las cuales hacen que pierda más agua de la que está tomando.

Súbale al sabor. Si el agua es demasiado insípida para usted, pruebe una de sabor o exprímale alguna fruta fresca como limón, limón verde (lima), naranja o piña (ananá). También puede agregar cubos de jugo congelado a su agua, los cuales le irán dando sabor al derretirse. Las fanáticas de los refrescos (sodas) que extrañan las burbujitas pueden agregar agua mineral a ¼ de taza de jugo.

Beba antes de picar. Las personas muchas veces piensan que tienen hambre cuando en realidad se trata de sed. Por lo tanto, tómese alguna bebida primero; es posible que con eso desaparezca la punzada del hambre.

Mídala. Llene un jarro de 64 onzas (1.92 ml) y trate de vaciarlo a lo largo del día.

Manténgala cerca. Mantenga un vaso o una botella de agua cerca cuando esté en su escritorio, al aire libre, en su carro o en el gimnasio.

Tómelo con calma. Tomar el agua a sorbos en lugar de acabársela de un trago le evitará sentirse abotagada.

Beba cuando pueda. Tome un trago de agua cada vez que pase por un bebedero.

Llegue a su peso ideal

Se adquieren muchas cosas al pasar los años: comprensión, control, confianza en sí misma, sabiduría, prestigio, libertad. . . y desgraciadamente también peso. Trátese de una broma de la Madre Naturaleza o de un accidente fortuito de la evolución, la aguja de la pesa (báscula) y la edad de una mujer van subiendo juntas, poco a poco, desde que llega a los 30, 40 o más años de edad.

Son muchos los factores que deben de enfrentarse al luchar con las libras de más durante esta época de la vida. "No cuesta trabajo subir de peso. Al envejecer se dan toda clase de cambios metabólicos que hacen subir de peso", afirma Susan Roberts, Ph.D., profesora de Nutrición y Psiquiatría y directora del laboratorio especializado en el metabolismo de la energía en la Universidad de Tufts en Boston.

Antes que nada, el metabolismo del cuerpo se hace más lento. Es decir, al realizar una actividad se queman menos calorías que 20 años atrás. "Incluso los atletas gastan menos energía al envejecer", indica la Dra. Roberts.

La actividad física tiende a disminuir en esta etapa de la vida en comparación con cuando se era más joven, lo cual hace que se quemen aún menos calorías. Para rematarlo todo, la masa muscular se reduce de forma natural al envejecer. En vista de que los músculos gastan más energía que cualquier otro tejido incluyendo la grasa, tener menos masa muscular hace que se quemen aún menos calorías.

Suena como si estuviéramos condenadas a engordar, pero hay motivos para animarse. No se supone que debamos vernos igual que a los 25 años y es posible que un poco de peso excedente no nos perjudique, sobre todo si nos mantenemos activas físicamente. Para cuando llegamos a los 60 años, las mujeres hemos subido en promedio entre 10 y 15 libras (5 a 7 kg), según indica el Dr. Michael Hamilton, director del programa y director médico del Centro para la Alimentación y la Buena Forma Física de la Universidad de Duke en Durham, Carolina del Norte.

La clave durante estos años está en encontrar un peso *sano* para cada una de nosotras. A continuación averiguará cuál es el peso indicado para usted y qué necesita hacer para mantenerlo.

La ceremonia de pesarse

Es un sencillo disco giratorio con números, pero puede ser más atemorizante que tres vampiros y dos fantasmas. Es la pesa (báscula). Hemos aprendido a tratar este aparato con sus números como indicación de la verdad acerca de nuestra valía personal y salud. Buscamos un número mágico que nos diga que todo está bien. No obstante, la ciencia ha ido más allá de los dígitos concretos que aparecen en la pesa y ha descubierto que otros factores aparte del peso por sí solo afectan la salud de manera mucho más significativa.

Muchos expertos en peso ahora se rigen por el índice de masa corporal (o *BMI* por sus siglas en inglés) para evaluar el bienestar de una persona. El BMI compara la estatura con el peso. Un BMI sano normalmente se ubica en un rango de entre 20 y 25, según explica Susan Fried, Ph.D., profesora adjunta de Ciencias de la Nutrición en la Universidad de Rutgers de Nuevo Brunswick, Nueva Jersey. Por lo tanto, si de veinteañera tuvo un BMI de 21 y ahora subió a 23, su peso sigue considerándose normal y sano.

Si su BMI está por encima del 25, por el contrario, tal vez haya llegado el momento de hacer algunos cambios. Un BMI de 25 a 30 se considera indicación de sobrepeso, y cuando rebasa el 30 entra a la categoría de la obesidad. Si usted se encuentra en cualquiera de estos rangos le haría un favor a su salud si bajara de peso un poco. ¿Por qué? Los números superiores al 25 se han asociado con un mayor índice de

---

EL EMBARAZO NO ENGORDA

Después de haber subido entre 20 y 50 libras (9 y 23 kg) por hijo, una supondría que el embarazo inevitablemente debería de hacer una aportación al problema que muchas mujeres tienen con el peso. No es así, por lo menos para la mayoría de las mamás. Dos estudios científicos descubrieron que la mayoría de las mujeres vuelven al peso que tenían antes de embarazarse o se quedan sólo unas cuantas libras arriba de este.

Una investigación llevada a cabo por el Hospital Karolinska de Estocolmo, Suecia, observó a 1,423 mujeres embarazadas hasta un año después de haber dado a luz. En promedio, en esta fecha las mujeres pesaban más o menos 1 libra (456 g) más que antes de embarazarse. El 30 por ciento de hecho bajó a menos de su peso previo al embarazo, mientras que el 56 por ciento subió entre cero y 11 libras (5 kg). Sólo el 14 por ciento subió más de 11 libras. Por su parte, un estudio llevado a cabo por la Universidad de Islandia examinó a 200 mujeres 2 años después de haber dado a luz. Más o menos el 89 por ciento de las mujeres habían recuperado el peso que tuvieron antes de embarazarse.

Las investigaciones no han revelado ningún proceso metabólico que tienda a conservar el exceso de peso después del embarazo, según explica Jill Kanaley, Ph.D., profesora adjunta de Ciencias del Ejercicio y directora del laboratorio del rendimiento humano en la Universidad de Syracuse de Nueva York. El hecho de que una mujer suba o baje de peso después del embarazo depende de lo que coma y del ejercicio que haga.

---

enfermedades cardíacas, diabetes y cáncer de mama. La asociación con estos problemas se hace aún más evidente cuando el BMI pasa de 30.

Usted puede calcular su BMI así: multiplique su peso en libras por 705. Divida el resultado entre su estatura en pulgadas y luego vuelva a dividir este resultado entre su estatura en pulgadas. Por ejemplo, si pesa 145 libras y mide 66 pulgadas de estatura tendría un BMI de 23.4, que se ubica dentro del rango saludable.

Sin embargo, el BMI no lo es todo. Es posible que el lugar de su cuerpo donde acumule el peso sea tan importante como la cantidad de peso adicional que junte, advierte la Dra. Fried. Las mujeres que tienen un exceso de grasa en el abdomen enfrentan un mayor riesgo de sufrir enfermedades relacionadas con el peso que las que lo acumulan en los muslos, las caderas o las asentaderas. Por lo tanto, los investigadores han establecido otra pauta para determinar el riesgo que el peso implica para la salud: la circunferencia de la cintura. De acuerdo con la Dra. Fried, si su cintura mide más de 35 pulgadas (89 cm) es posible que corra un mayor riesgo de sufrir enfermedades cardíacas, derrame cerebral, diabetes, presión arterial alta (hipertensión) y ciertos tipos de cáncer.

El BMI y la circunferencia de la cintura son buenas reglas generales, pero es posible estar en buena forma física con un BMI de más de 25. Y se puede estar fuera de forma y llevar un estilo de vida no saludable y tener un BMI de menos de 25. Afortunadamente existen otros criterios para ayudarle a decidir cuál es su peso ideal.

Forma física. Si usted pesa de 10 a 15 libras adicionales, pero es activa físicamente y puede llevar a cabo sus tareas cotidianas sin dificultad —subir y bajar cerros, trepar escaleras, correr para alcanzar el autobús—, lo más probable es que no haya ningún problema, opina Jill Kanaley, Ph.D., profesora adjunta de Ciencias del Ejercicio y directora del laboratorio del rendimiento humano en la Universidad de Syracuse de Nueva York. Si está fuera de forma y le cuesta trabajo movilizarse, es posible que su peso represente un problema de salud.

CASOS DE LA VIDA REAL
Delgada pero avejentada

Marie tiene 39 años, aunque por su aspecto uno más bien le calcularía unos 59, como alguien le comentó hace poco. Se sintió completamente destrozada. Pensó que se veía muy bien porque no se había permitido subir ni 1 onza (28 g) de peso desde que salió de la universidad, al contrario de muchas mujeres de su edad. Después de dar a luz a su última hija logró bajar hasta 7 libras (3 kg) arriba de su peso normal y ahí se estancó. Se horrorizó. Para ella, grasa era igual a fealdad. De inmediato redujo su consumo de alimentos a 1,000 calorías diarias. Nunca había estado tan delgada, con y mejillas y ojos hundidos y hombros de aspecto frágil. Hace poco la espalda y las rodillas le han empezado a doler y se ha enfermado muy a menudo de resfriados (catarros). Pensó que había optado por un estilo de vida saludable. ¿En qué se equivocó?

Marie está cometiendo dos errores graves con respecto a su peso. El primero es equiparar un peso bajo —incluso más bajo que el normal— con un aspecto atractivo y buena salud. El segundo es permitir que su peso controle su autoestima. Ambas ideas han tenido el resultado de hacer que se vea y se sienta vieja de manera prematura.

La clave de alcanzar y mantener un peso saludable es hacer todas las cosas correctas *dentro de lo razonable.* Si Marie tuviera una alimentación equilibrada e hiciera ejercicio con regularidad, su peso bajaría adonde su cuerpo necesita que

---

Historia familiar. Si sus padres tienen sobrepeso y problemas como presión arterial alta, un alto nivel de colesterol o diabetes, es posible que el exceso de peso le provoque los mismos males, indica la Dra. Kanaley. Por el contrario, si su mamá y su papá tuvieron sobrepeso durante toda su vida, pero mantuvieron su forma física y vivieron más allá de los 80 ó 90 años, no necesita preocuparse tanto.

Otros factores de riesgo. Las mujeres que acumulan unas cuantas libras de más, pero están sanas, no deben angustiarse demasiado. "No de-

esté. Cuando pesaba 7 libras más que antes de embarazarse, no corría un mayor riesgo de tener problemas de salud que antes. No obstante, ahora que ha alcanzado lo que ella considera un peso "saludable", está experimentando toda clase de síntomas y se ve enferma.

¿Por qué? Su cuerpo le está diciendo que no quiere estar tan delgado. Si ella insiste en mantener ese peso, tendrá que vivir como espartana durante el resto de su vida. Nadie podría mantener un estilo de vida así.

Marie también debe empezar a reconocer que un número sobre la pesa (báscula) no define su valor como persona. Actualmente su identificación con lo que pesa se ha convertido en una obsesión poco saludable. Es muy probable que sin importar cuántas libras baje no quede satisfecha nunca. Mientras vincule su peso corporal con su autoestima, no se sentirá bien consigo misma.

Si Marie quiere dejar atrás la pesa y vivir la vida con plenitud, tendrá que comenzar a definirse de otro modo: con base en el valor que tiene como madre, amiga, esposa y mujer trabajadora.

Información proporcionada por el experto
Gary Foster, Ph.D.
Director clínico del programa de peso y trastornos
*   alimentarios*
Escuela de Medicina de la Universidad de
*   Pensilvania*
Filadelfia

ben mortificarse por su peso", afirma la Dra. Kanaley. Por el contrario, si usted tiene un nivel alto de colesterol, presión arterial alta o diabetes, perder ese exceso de peso podría disminuir su riesgo de padecer de problemas graves de salud en el futuro.

Si necesita bajar de peso, no necesariamente tiene que pasar de un BMI de 30 a uno de poco más de 20 para que se beneficie su salud. Las comisiones de expertos y las pautas establecidas por las autoridades gubernamentales han determinado que perder del 5 al 10 por ciento del peso corporal —y mantenerse ahí durante un año— debe considerarse un éxito, según explica Gary Foster, Ph.D., director clínico del programa de peso y trastornos alimentarios de la Escuela de Medicina de la Universidad de Pensilvania en Filadelfia. Dicho de otra manera, si usted pesa 200 libras (90 kg) y tiene sobrepeso, perder 20 libras (9 kg) sería una meta razonable y saludable. ¿Por qué el 10 por ciento? Se trata de una meta realista, es más fácil de mantener y varios estudios científicos han demostrado que perder tan sólo el 10 por ciento del peso mejora muchas de las afecciones asociadas con el exceso de peso, como la diabetes y la presión arterial alta, afirma el Dr. Foster.

Cómo despedirse de las dietas

Existe un motivo por el que las dietas de moda caen en desuso tan rápido como en su momento las botas a gogó y los peinados altos: no funcionan. Si se habla con los expertos en perder peso se escuchará una y otra vez que no existe ninguna dieta mágica para adelgazar. Cuando las calorías se reducen de forma drástica para bajar de peso, las libras volverán rapidísimo en cuanto se empiece a comer normalmente otra vez.

El secreto para bajar de peso y controlarlo (que en realidad no es ningún secreto) no es un programa de alimentación con un nombre llamativo y un gran despliegue publicitario. Se trata de una alimentación saludable baja en grasa que se basa en las frutas, los cereales y las verduras. Si hace que este tipo de alimentación forme parte de su rutina diaria, no tendrá que preocuparse por volver a subir de peso. "Las dietas de moda van y vienen. Una y otra vez hemos observado que lo único que funciona en realidad es una alimentación equilibrada y saludable llevada con moderación", señala Lorna Pascal, R.D., coordinadora de nutrición en el Centro Dave Winfield para la Nutrición del Centro Médico de la Universidad Hackensack en Hackensack, Nueva Jersey.

Cuando se trata de planear los menús y comer, las siguientes sugerencias le ayudarán a deshacerse de las libras para siempre.

Fíjese en la fibra. Además de ser buena para la salud, la fibra llena el estómago más pronto y con menos calorías, lo cual le impide comer más. Una investigación llevada a cabo por el Centro Médico Brooke del Ejército en Fort Sam Houston, Texas, descubrió que la pectina, una fibra soluble que se encuentra en las cáscaras de las frutas y las verduras, hace que las personas se sientan más satisfechas por más tiempo. A fin de obtener más fibra, base sus menús en frutas, verduras, legumbres y cereales integrales, como pan de trigo integral, arroz integral y cereales integrales de caja para desayunar, recomienda Melanie Polk, R.D., directora del programa de educación sobre la nutrición del Instituto Estadounidense para la Investigación del Cáncer en Washington, D.C.

Busque lo bajo en grasa y magro. Un gramo de grasa contiene más calorías que un gramo de proteínas o de carbohidratos. Una alimentación alta en fibra y llena de frutas, verduras y cereales integrales ayuda a reducir el consumo de grasa de manera natural, afirma Polk. Además, limite su uso de aceites y mantequilla y opte por

De mujer a mujer

La imagen que tiene de sí misma mejoró cuando se aceptó tal como es

Desde que de preadolescente tuvo que comprar un vestido en el departamento de "rellenitas", Mary Talbot, una ejecutiva de relaciones públicas y mercadotecnia de 35 años de Barrington, Rhode Island, libró una guerra contra su peso. Durante la mayor parte de su adolescencia y su vida como adulto, prácticamente se mató de hambre y se exigió un esfuerzo físico extremo con tal de mantenerse en una talla 12. Luego una visita al consultorio médico le hizo darse cuenta de que su obsesión con el peso estaba controlando su vida y destruyendo su autoestima. Esta es su historia.

De veinteañera logré mantener una talla 12 la mayor parte del tiempo. La gente que me veía decía que tenía una constitución promedio, quizá un poco rellenita, pero no robusta ni obesa. No sabían que hacía ejercicio 5 días a la semana y casi no comía. Corría por lo menos 25 millas (40 km) a la semana. Mi alimentación típica consistía en una ensalada abundante, un yogur, quizá un *bagel* y algún tipo de proteína a la hora de la cena. Nada más. Me imagino que sólo consumía de 1,000 a 1,250 calorías al día. A pesar de eso no adelgacé más de lo "normal".

La obsesión constante con mi peso y mi falta de autoestima afectaron mis relaciones. Me retraía en las situaciones sociales. Además, tendía a admitir a los hombres equivocados en mi vida. Sabía que los hombres buenos que había por ahí

productos lácteos como leche descremada *(fat-free milk o nonfat milk)* y queso y yogur bajos en grasa. Si come carne, escoja raciones moderadas de pollo y pavo sin pellejo y cortes magros de carne roja, como *top round, bottom round* y *top sirloin*.

Modérese. Ningún alimento es malo si no se come en exceso. "Vivimos en un mundo de tamaño extragrande", dice Pascal. Incluso las personas que comen alimentos bajos en grasa subirán de peso si comen demasiado. Puede disfrutar prácticamente todos los alimentos siempre y cuando lo haga con moderación.

en realidad no se sentían atraídos por mujeres con baja autoestima. Por eso, cuando un hombre atractivo se me acercaba dudaba de sus intenciones.

Además de todo me causaba una frustración terrible no poder mover la pesa (báscula). De hecho llegué al punto de sentirme tan frustrada que fui a ver a mi médico y le dije: "Esto es lo que he comido los últimos 7 días". Enumeré cada bocado que me había metido a la boca y era mi alimentación típica. ¿Qué me pasaba? Él afirmó que fundamentalmente me estaba matando de hambre y tenía años de estarlo haciendo, que de hecho no comía lo suficiente. Me dijo que tenía la presión arterial baja y un nivel bajo de colesterol, aunque me encontraba en excelente condición física. "Quizá no estaba usted destinada a ser una persona delgada", comentó.

Después de eso decidí que tendría que contentarme conmigo misma o desperdiciaría demasiada energía en un exceso de dietas y de ejercicio. La vida es muy corta para eso. Sigo llevando un estilo de vida muy activo y saludable: nado tres o cuatro noches a la semana, hago ejercicios con pesas y como bien, pero ya no me preocupo por el número en la pesa.

Me siento más feliz y más joven ahora que hace 5 años, porque mi peso ya no me obsesiona. Quisiera haber tenido esta confianza en mí misma hace 5, 10 ó 15 años. Me siento muy bien caminando por la playa con mi traje de baño. Soy quien soy y estoy orgullosa de ello.

Coma conscientemente. Es fácil engullir la comida sin disfrutarla y terminar sintiéndose insatisfecha. Si se concentra más en su comida le rendirá mucho más, señala Polk. Observe el plato, los colores y las texturas. "Obtenga el disfrute visual", agrega la experta. Luego cierre los ojos y huela el aroma de la comida. Al introducir un pequeño bocado en su boca, póngale atención a la textura y al sabor de cada trocito. Mastique lentamente y saboree la comida antes de tragar, recomienda la nutrióloga. "Satisfará todos sus sentidos y se dará cuenta de que no necesita ingerir tanta comida para disfrutarla".

Maneje las medidas. ¿Cuándo un *bagel* deja de ser un *bagel*? Cuando en realidad son cuatro *bagels*. Sólo porque se come una unidad de algo no significa que se trate de una ración. Muchos alimentos —como un *bagel* grande— en realidad equivalen a cuatro raciones de pan. Cuando está comiendo alimentos a granel, como el arroz o la pasta, lea las etiquetas y calcule exactamente cuánto es una ración, advierte Pascal. Mida la cantidad de comida que está ingiriendo y compárela con la etiqueta para ver cuántas calorías y gramos de grasa está consumiendo realmente. Una vez que aprenda cuánto es una ración, podrá determinar a simple vista cuánto debe comer.

Separe las sobras primero. Hoy día las mujeres están muy ocupadas, por lo que tienen que comer fuera de casa con frecuencia. Las raciones que se sirven en un restaurante llegan a ser hasta cuatro veces más grandes de lo que debe ser una ración. Para asegurarse de no comer de más, pida una bolsa para sobras *(doggie bag)* antes de tomar el primer bocado, sugiere Polk. Guarde la mitad de la comida antes de empezar a comer.

Valore las verduras. La comida estadounidense típica por lo común gira en torno a la carne. Las verduras y los cereales integrales sólo sirven para adornar la atracción principal. Olvídese de esta costumbre, recomienda Polk. Planee la comida en torno a las verduras y los cereales integrales. Si quiere comer carne, que sea en forma de una pequeña guarnición.

Especialícese en especias y saborizantes. La grasa no es lo único que da sabor a la comida. Polk sugiere usar salsas sin grasa como la *teriyaki*, los vinagres de sabores o el aliño (aderezo) para ensaladas sin grasa. Sazone las verduras y las carnes con hierbas y especias a fin de agregarles sabor, no grasa.

Prepárese. Si no tiene alimentos bajos en grasa saludables a la mano, será fácil caer en la trampa del consumo de grasa. Surta su despensa con algunos artículos que le permitan preparar una comida sabrosa, rápida y fácil en cualquier momento: arroz integral, espaguetis integrales, frijoles (habichuelas), salsa tipo mexicano, verduras congeladas, frutas de lata, salsa baja en grasa para pasta y consomé de pollo bajo en grasa. Polk comenta que es posible preparar una comida rápida y sabrosa con muchas combinaciones diferentes de estos productos.

Mejore sus meriendas. No es malo comerse una merienda (refrigerio, tentempié) cuando se está tratando de bajar de peso o de mantenerlo, siempre y cuando se escoja una que sea saludable y baja en grasa, afirma Polk. Cuando le dé hambre antes de la hora de comer pruebe fruta fresca o de lata, galletas *(crackers)* de trigo integral, verduras como las zanahorias cambray *(baby carrots)* o un vaso de leche semidescremada al 1 por ciento *(low-fat milk)* o descremada.

Cómo llenar su día de ejercicio

El ejercicio es importante en todas las etapas de la vida. Fortalece el organismo y ayuda a combatir la presión arterial alta (hipertensión), las enfermedades cardíacas y la osteoporosis. No obstante, conforme se envejece el ejercicio adquiere un papel mucho más importante dentro del régimen de pérdida y control de peso.

El ejercicio no sólo ayuda a bajar de peso sino también a evitar subir de nuevo. Diversos estudios han demostrado que las mujeres que siguen haciendo ejercicio con regularidad después de haber adelgazado se mantienen en su peso nuevo con más facilidad que quienes no lo hacen, indica el Dr. Foster.

El ejercicio aeróbico también sirve para deshacerse de la grasa abdominal, la cual causa más problemas de salud que el exceso de peso en cualquier otra parte del cuerpo, según explica la Dra. Fried.

Hoy en día los expertos opinan que convertir el movimiento en parte de la vida cotidiana es tan eficaz como ir al gimnasio un par de veces a la semana, señala la Dra. Fried.

"Mucha gente piensa: 'Si no salgo a correr 5 millas (8 km) al día, no estoy haciendo ejercicio'. Actualmente recomendamos de 15 a 20 minutos de alguna actividad —por muy simple que sea— todos los días", agrega la Dra. Kanaley. Un estudio llevado a cabo por el Instituto Cooper para la Investigación de los Aeróbicos en Dallas reveló que las actividades físicas integradas al estilo de vida —como caminar a paso rápido o rastrillar las hojas— resultan tan eficaces como un programa estructurado de ejercicio para mejorar la actividad física, la condición del corazón y del aparato respiratorio, la presión sanguínea y la grasa corporal en adultos sanos pero sedentarios.

Ya sea que tenga un programa de ejercicio o que apenas esté empezando, lea lo que sigue para averiguar lo fácil que es mezclar la actividad física con las tareas cotidianas.

Camine. En el ejercicio las modas van y vienen, pero caminar sigue siendo el ejercicio más barato y fácil de hacer. Caminar media hora al día es una buena forma de empezar. Si no puede hacerlo seguido, camine varias veces al día por menos tiempo. De ser posible, haga de caminar su principal forma de desplazarse, sugiere la Dra. Fried. Si puede ir caminando a la tienda en lugar de manejar, hágalo.

Paso a paso. De acuerdo con el Dr. Hamilton se deben dar por lo menos 10,000 pasos al día. En lugar de volverse loca contando cada uno de sus pasos mentalmente, puede mantenerse al tanto de su actividad física diaria con un podómetro (*pedometer*). El Dr. Hamilton lleva el suyo —que le costó unos $24— en el cinturón o la ropa interior. Mide cada paso que da, de modo que puede asegurarse de sumar sus 10,000 pasos a lo largo del día, indica el experto. Cuando él no cubre su cuota diaria, sabe que necesita salir a caminar o bien reponerlo al día siguiente. "Un día tuve que irme a un lugar en carro, así que sólo sumé 6,000 pasos —comenta el Dr. Hamilton—. Pero al día siguiente salí a caminar 2 millas (3 km) y registré 13,000 pasos".

Ensúciese. Ya sea que se ensucie en su jardín o limpiando la casa, ambas actividades queman calorías. "Dedicar un día al jardín es un ejercicio excelente", afirma la Dra. Kanaley. Y si hacer la limpieza no suena divertido puede pensar en ello como un ejercicio para adelgazar, en lugar de trabajo doméstico.

Incremente su inquietud. ¿Piensa que tamborilear con los dedos o estirarse frente al escritorio no sirven para bajar de peso? Pues sí sirven. Un grupo de investigadores de la Clínica Mayo en Rochester, Minnesota, alimentaron a 16 voluntarios con 1,000 calorías adicionales diariamente durante 8 semanas. Los voluntarios también usaron unos instrumentos que medían la energía que gastaban. La investigación descubrió que los más inquietos se mantuvieron delgados. Movimientos pequeños —como tamborilear con los dedos o dar golpecitos en el piso con el pie, mantener una buena postura, estirarse y ponerse de pie con frecuencia— quemaban calorías que de otro modo se hubieran almacenado en forma de grasa. Usted también puede volverse inquieta. Párese y camine un poco cada 15 minutos más o menos, estírese y simplemente no deje

ELIMINE LA EDAD
Pierda peso al instante

¿Cómo puede hacer desaparecer unas cuantas libras de un momento al otro? Abra su clóset. Los siguientes secretos de la moda la harán lucir más esbelta sin esfuerzo alguno.

"Verticalícese". Las líneas y rayas verticales hacen que el ojo se mueva de arriba para abajo, lo cual resulta en una apariencia más alta y delgada.

Olvide lo horizontal. Las rayas horizontales llaman la atención sobre el ancho y hacen lucir más gordo de lo que se es.

Preséntese como toda una princesa. El corte princesa entallado hasta la cintura crea la ilusión de una cintura más breve.

de moverse durante todo el día. El movimiento marca mucha diferencia.

Complíquese la vida. Al dar algunos pasos extras a su rutina diaria quemará unas cuantas calorías más e integrará un poco más de ejercicio a su día. "Sea lo más ineficiente posible", dice el Dr. Hamilton. Este experto tiene algunas sugerencias sencillas que valen la pena.

- Estacione su carro a varias cuadras de su destino y camine un poco.
- Evite las puertas giratorias. Abra las puertas usted misma.
- Cargue sus propias bolsas. Nunca use las rueditas de las maletas.
- Utilice las escaleras siempre que pueda.
- Dé varias vueltas para sacar la basura, recoger los platos (trastes) de la mesa o lavar la ropa.
- Aproveche al máximo la basura tirada. Cuando la vea póngase en cuclillas para recogerla y échela al cubo de la basura (basurero).

Cómo librarse de las libras

La mejor manera de caber en una talla de vestir más pequeña no siempre es bajando de peso. En muchos casos, agregar peso —es decir, pesas— es la forma perfecta de adelgazar. "Los ejercicios con pesas merecen un lugar entre los elementos que conducen a la buena forma física de las mujeres", opina Harvey Newton, especialista en fortalecimiento y preparación física y director ejecutivo de la Asociación Nacional del Fortalecimiento y la Preparación Física (o *NSCA* por sus siglas en inglés) en Colorado Springs, Colorado.

Aunque usted no pierda una sola libra según la pesa (báscula), los ejercicios con pesas tonificarán su cuerpo y lo harán más firme, dándole una apariencia más garbosa y esbelta. Al fin y al cabo, un cuerpo tonificado de 145 libras (66 kg) se ve mucho mejor que un cuerpo no tonificado de 145 libras, afirma Newton. Y también es posible que agregue un poco de masa corporal no adiposa. Incluso esta pequeña cantidad ayudará a acelerar su metabolismo de tal manera que su cuerpo quemará más grasa aun estando en reposo.

Puede aprender fácilmente los fundamentos de los ejercicios con pesas a partir de un buen libro o video. Si desea ayuda personal, comuníquese con un gimnasio cercano a su casa para ver si cuentan con entrenadores. Asegúrese de preguntar por su preparación académica, certificación por organizaciones como la NSCA y las referencias de clientes satisfechos.

El ejercicio aeróbico alarga su vida

El aire. No lo vemos ni pensamos en él, al no ser que sintamos un viento cortante durante el invierno. Sin embargo, cada uno de nosotras respira aproximadamente 5,000 galones (18,926 l) de aire todos los días. Sin él, sólo sobreviviríamos durante 8 breves minutos.

También es una de las claves para mantenernos jóvenes y sanas.

Durante todo el día, los músculos y órganos reciben una cantidad mínima de oxígeno a través de la respiración normal. Sin embargo, para aprovechar los efectos antienvejecimiento del oxígeno se necesita un poco más de lo que obtenemos normalmente. Resulta que la mejor manera de lograrlo es mediante el ejercicio aeróbico, es decir, tenemos que realizar alguna actividad que nos haga respirar más fuerte, como caminar a paso rápido, nadar, trotar, andar en bicicleta o excursionismo.

Cuando se hace ejercicio aeróbico los músculos exigen más oxígeno y sangre que cuando estamos sentadas en el sillón viendo la televisión. A fin de cumplir con esta demanda el corazón late más rápido y con más intensidad y se empieza a respirar más fuerte.

Saque su tajada de beneficios

Todos los resoplidos —y lo demás que sucede cuando hacemos ejercicio— nos hace mucho bien. Es como una inversión de bajo riesgo que rinde enormes ganancias a corto y a largo plazo. Los siguientes son algunos de los beneficios rejuvenecedores inmediatos del ejercicio.

Acelera el metabolismo. Todo ese ejercicio que acelera el corazón y llena los pulmones de aire quema muchas calorías y acelera nuestro metabolismo, según explica Miriam E. Nelson, Ph.D., directora del Centro para la Buena Forma Física en la Escuela de Ciencias y Políticas de la Nutrición de la Universidad de Tufts en Boston.

Las mujeres necesitamos toda la ayuda que podamos conseguir en este sentido. Después de los 30 años nuestro metabolismo empieza a hacerse más lento, reduciendo su actividad en entre el 2 y el 5 por ciento por década.

De por sí nuestro índice metabólico es entre un 10 y un 12 por ciento más bajo que el de los hombres. En parte se debe a que por cada libra de peso el cuerpo de una mujer tiene más grasa y menos músculos que el de un hombre, y la grasa prácticamente no quema calorías. Los músculos, por el contrario, queman muchas calorías al contraerse y estirarse, lo cual los convierte en grandes amigos del metabolismo.

¿Por qué es tan importante el metabolismo? Porque nos ayuda a controlar nuestro peso. Al hacerse más lento también disminuye la capacidad del cuerpo de utilizar las calorías que comemos antes de convertirlas en grasa, indica la Dra. Nelson. Hacer ejercicio durante por lo menos 30 minutos al día le permitirá mantener su peso o incluso *bajar* de peso al acelerar su metabolismo diariamente.

Aumenta la energía. Pruebe lo siguiente la próxima vez que se esté durmiendo en el escritorio: salga a caminar a paso rápido de 10 a 15 minutos. Lo más probable es que se sienta despejada y llena de energía al regresar. "Al terminar uno se siente como si su nivel de energía realmente se hubiera disparado", afirma John Duncan, Ph.D., un fisiólogo del ejercicio en el Centro para la Investigación sobre la Salud de la Mujer de la Texas Woman's University en Denton. De acuerdo con el experto, son varias las cosas que probablemente suceden en el cuerpo para producir esta inyección de energía. Una de ellas es que el cerebro libera unas sustancias químicas que nos hacen sentir bien, las endorfinas.

Reduce el estrés. Diversos estudios científicos demuestran que el ejercicio es un excelente remedio contra el estrés. Lo mejor es que no hace falta correr una milla (1.6 km) en 3 minu-

La celulitis: ¿será inevitable?

Tener hoyuelos en las mejillas es mono. Tener hoyitos en los muslos y las asentaderas no lo es. De hecho, la celulitis es uno de los indicios más inoportunos de la edad, al lado de las arrugas y el cabello cano.

A fin de deshacerse de esas ondas en la piel, las mujeres lo han intentado todo, desde cremas exóticas hasta masajes profundos. No obstante, como era de esperarse, la terapia más eficaz consiste en una alimentación baja en grasa y en ejercicio aeróbico hecho con regularidad. Así ocurre porque la principal causa de la celulitis es el aumento de peso.

Cuando se sube de peso, las capas de grasa se expanden, pero no de manera uniforme ni pareja, explica el Dr. Grant Anhalt, jefe de Dermatología en la Escuela de Medicina de la Universidad Johns Hopkins en Baltimore. Hay zonas donde la piel se encuentra anclada por bandas fibrosas que atraviesan la grasa y se fijan a los músculos. Esas anclas son lo que causa los hoyitos.

"Se marca más en las mujeres que tienen sobrepeso —afirma la Dra. Toby Shawe, profesora adjunta de Dermatología en el Colegio Médico de los Hospitales Pennsylvania-Hahnemann University en Filadelfia—. Sin embargo, prácticamente a todas las mujeres —tengan sobrepeso o no— les dará celulitis en cierto grado", agrega la experta.

Podemos agradecérselo a las hormonas. La hormona femenina estrógeno favorece en parte el aumento de peso en los muslos y las asentaderas, según explica la Dra. Shawe.

Cuando las células de grasa se alojan en la mitad inferior del cuerpo existe una mayor probabilidad de que se amontonen y ejerzan presión contra la piel, lo cual da por resultado el aspecto típico de la celulitis, que abulta y frunce la piel al mismo tiempo.

tos para deshacerse de la carga que trae sobre los hombros. Un grupo de investigadores de la Universidad de Georgia en Athens observó que las estudiantes universitarias atribuladas por la ansiedad podían reducirla a la mitad con

Además, conforme envejecemos nuestra piel tiende a perder su tirantez, sobre todo si no hacemos ejercicio. El ejercicio tonifica los músculos debajo de la piel, los cuales la mantienen tirante y eliminan las líneas superficiales que pueden aparecer en una piel estirada por la grasa. Y eso puede incrementar el efecto de ondas.

La genética también interviene. "La celulitis muchas veces se nota más en algunas personas por causas hereditarias", indica el Dr. Anhalt.

Sin embargo, los años no necesariamente tienen que depositar hoyitos donde no los queremos. "La mejor manera de deshacerse de la celulitis es previniéndola —opina la Dra. Jessica Fewkes, profesora adjunta de Dermatología en la Escuela de Medicina de Harvard—. Eso significa empezar a temprana edad con buenos hábitos como el ejercicio y una alimentación saludable".

Si los hoyitos ya hicieron acto de presencia en su vida, usted cuenta con varias opciones. En primer lugar, simplemente puede aprender a vivir con ellos sin dejar de ser una mujer muy atractiva. "No le restará méritos como mujer a menos que usted lo permita", declara la Dra. Fewkes.

También puede perder esas libras de más y tonificar sus caderas, muslos y asentaderas por medio del ejercicio. Otras dos opciones son la liposucción, un proceso que elimina el exceso de grasa, o bien un masaje mecánico que se llama *Endermologie*, el cual alisa los hoyitos. No obstante, ambos tratamientos le costarán bastante caros, desde varios cientos hasta varios miles de dólares, dependiendo del procedimiento. Una serie de tratamientos de *Endermologie* suele costar $1,400 en promedio.

En lo que se refiere al masaje y a las cremas que prometen reducir la celulitis, el Dr. Anhalt dice categóricamente: "No funcionan".

sólo hacer ejercicio en una bicicleta fija a una velocidad moderada durante 20 minutos.

Facilita dormirse. Si usted últimamente ha contado más ovejas que cualquier pastor, no es la única. De los 40 años en adelante las mujeres somos particularmente propensas a sufrir insomnio debido a los cambios hormonales que marcan el comienzo de la menopausia. Los ejercicios aeróbicos pueden ayudarla a dormir mejor al reducir su estrés, cansarla y regular la temperatura de su cuerpo.

Para dormir mejor, la hora más indicada para hacer ejercicio es avanzada la tarde, en opinión de Peter Hauri, Ph.D., codirector del Centro para los Trastornos del Sueño de la Clínica Mayo en Rochester, Minnesota. La temperatura del cuerpo sube y luego vuelve a bajar a lo largo del día. Cuando está en su punto más bajo es cuando resulta más fácil dormirse. El ejercicio vigoroso por la tarde puede elevar la temperatura del cuerpo hasta durante 5 horas, de modo que baja justo a tiempo para irse a la cama.

La peor hora para hacer ejercicio es a menos de 1½ horas antes de la hora acostumbrada de acostarse, pues la temperatura del cuerpo seguirá elevada. No obstante, cada mujer es diferente, agrega la Dra. Nelson. Siempre y cuando usted se enfríe adecuadamente antes de acostarse y no le cueste trabajo dormir, puede hacer ejercicio por la noche sin ningún problema.

Incrementa el impulso sexual. Si su libido anda muy poco revolucionada es posible que el ejercicio le dé una inyección turbo. Según los expertos, los ejercicios aeróbicos devuelven la chispa a la vida sexual de varias formas.

En primer lugar reducen el estrés. Estar más relajados muchas veces despierta nuestro interés en el sexo, afirma David Case, Ph.D., un especialista en investigación del departamento de Psicología de la Universidad de California en San Diego.

Además, el ejercicio puede mejorar su actitud hacia su cuerpo conforme desarrolle su forma física. Por lo común, entre más atractivas nos sentimos, más retozonas nos volvemos, indica el Dr. Case. Por último, se ha observado que el ejercicio aumenta el nivel de la hormona que regula el impulso sexual en el hombre, de acuerdo con un estudio realizado por el Dr. Case y sus colegas en la Universidad de California en San Diego. Es muy posible que este efecto sea similar en las mujeres, opina el experto.

Disminuye los dolores menstruales. Cuando le asalta un dolor (cólico) menstrual, lo más probable es que no tenga ganas de salir a correr. No obstante, las mujeres que hacen ejercicio con regularidad padecen menos dolores menstruales, aparte de que estos son menos intensos. "No estamos seguros de la forma en que el ejercicio ayuda exactamente, pero es posible que las mujeres con buena forma física tengan los músculos abdominales más desarrollados y que esto las beneficie de alguna manera", indica la Dra. Mary Lang Carney, directora médica del Centro para la Salud de la Mujer en el Hospital St. Francis de Evanston, Illinois. El ejercicio también nos relaja y produce las endorfinas, las "hormonas de la felicidad" que mencionamos anteriormente, las cuales posiblemente también contribuyan a aliviar las molestias.

Rejuvenece su rostro. ¿Ha escuchado el término "resplandor del embarazo"? El ejercicio puede otorgarle a su rostro ese mismo aspecto radiante y sonrosado. Es probable que esto se deba a la sangre adicional que el corazón bombea por el cuerpo, según explica Priscilla Clarkson, Ph.D., profesora de Ciencias del Ejercicio y decano adjunto de la Escuela de Salud Pública de la Universidad de Massachusetts en Amherst. Es más, es posible que las mujeres que hacen ejercicio con regularidad tengan una mejor opinión de sí mismas. Y cuando una está feliz su rostro tiende a irradiar ese carisma, afirma la Dra. Clarkson.

Ponga su cuerpo a prueba de enfermedades

Si bien los beneficios inmediatos de los ejercicios aeróbicos ya son extraordinarios, sus ventajas a largo plazo resultan aún más impresionantes. El ejercicio hecho con regularidad aumenta la vitalidad, la resistencia, la elasticidad y el sentido del equilibrio, todas ellas cosas que tienden a disminuir con el paso de los años. Además de vivir por más tiempo, las mujeres con buena forma física funcionan en el mismo nivel que las personas con mala forma física 20 años más jóvenes. No obstante, el beneficio más significativo del ejercicio sin duda es su papel para prevenir las enfermedades. "Si se revisa una lista de todos los problemas de la salud que se dan al envejecer, se ha demostrado que el ejercicio los reduce casi todos —dice la Dra. Clarkson—. Ninguna pastilla, ningún medicamento puede lograr eso, pero el ejercicio sí". A continuación mencionaremos sólo unas cuantas de las afecciones que pueden contrarrestarse por medio del ejercicio.

Enfermedades cardíacas. El ejercicio aeróbico hecho con regularidad ayuda a evitar las enfermedades cardíacas al modificar varios factores de riesgo: baja la presión sanguínea y el nivel de colesterol, controla el peso, reduce el estrés y mejora la condición cardiovascular, según indica la Dra. Elizabeth Ross, una cardióloga del Washington Hospital Center en Washington, D.C. La asociación entre el ejercicio y la salud del corazón es tan estrecha que incluso las personas que ya padecen de alguna enfermedad cardíaca pueden disminuir su riesgo de sufrir un ataque al corazón haciendo ejercicio.

Cáncer. Las mujeres que hacen ejercicio enfrentan un menor riesgo de sufrir cáncer de mama y de colon. Un estudio llevado a cabo por el Dr. James R. Cerhan, Ph.D., y otros investigadores de la Clínica Mayo en Rochester, Minnesota, quienes durante 11 años se mantuvieron al tanto de más de 1,800 mujeres con una edad promedio de 75 años, observó que las que caminaban, trabajaban en el jardín o hacían la limpieza de la casa varias veces a la semana reducían su riesgo de sufrir cáncer de mama a la mitad en comparación con las mujeres inactivas, mientras que las que hacían alguna actividad más vigorosa —como nadar o correr— por lo menos una vez a la semana tenían un 80 por ciento menos de probabilidades de sufrir cáncer de mama. En lo que se refiere al cáncer de colon, el informe de 1996 de la Dirección General de Salud Pública de los Estados Unidos llegó a la conclusión de que la actividad física protege contra este mal.

Diabetes. Las personas que hacen ejercicio con regularidad tienen un riesgo bastante menor de padecer la diabetes del tipo II. Un estudio de 6 años que abarcó a más de 8,600 personas, a cargo de un grupo de investigadores del Instituto Cooper para la Investigación de los Aeróbicos en Dallas, Texas, encontró que los individuos que tenían la peor forma física corrían un riesgo cuatro veces mayor de padecer diabetes que quienes tenían la mejor forma física.

Derrame cerebral. Hacer ejercicio con regularidad puede reducir a la mitad el riesgo de sufrir un derrame cerebral, de acuerdo con un estudio reciente llevado a cabo por investigadores de la Escuela de Salud Pública de Harvard. Nadar 5 horas a la semana, trabajar en el jardín 6 horas a la semana o caminar 1 hora al día 5 días a la semana son sólo algunas de las posibilidades para reducir de manera radical el peligro de sufrir un derrame cerebral.

Depresión. El ejercicio puede contribuir a aliviar una depresión leve al aumentar el nivel cerebral de las sustancias que nos hacen sentir bien y reducir el estrés, de acuerdo con June Primm, Ph.D., psicóloga clínica y profesora adjunta de Pediatría y Psicología en la Escuela de Medicina de la Universidad de Miami. De hecho, varios estudios científicos han demostrado que el ejercicio aeróbico es tan eficaz para tratar una depresión leve como la psicoterapia.

Osteoporosis. Hacer ejercicio con regularidad puede ayudar a prevenir la osteoporosis, una enfermedad que debilita los huesos de la mujer a tal grado que se fracturan con facilidad. Un estudio que abarcó a casi 240 mujeres posmenopáusicas entre los 43 y los 72 años de edad encontró que quienes caminaban más o menos una milla (1.6 km) al día (equivalente a 7.5 millas o 12 km por semana) tenían los huesos más densos que quienes caminaban menos de una milla a la semana.

Artritis. Hubo una vez en que los médicos les decían a sus pacientes con artritis que *no* hicieran ejercicio. Sin embargo, ahora sabemos que el ejercicio —particularmente caminar— de hecho puede aliviar el dolor de la artritis. Un estudio llevado a cabo por la Universidad Wake Forest de Winston-Salem, Carolina del Norte, les indicó a personas mayores con artritis en la rodilla que hicieran ejercicio aeróbico o bien ejercicios con pesas o nada de ejercicio. Después de un año, los mejores resultados correspondían al grupo del ejercicio aeróbico. Estas personas indicaron experimentar menos dolor y discapacidad que quienes no hacían ejercicio y eran capaces de caminar, subir escaleras y meterse al carro o bajar de él con mayor facilidad.

Estimule su estilo de vida

Escaleras mecánicas. Sopladoras de hojas. Podadoras de asiento y aspiradoras autopropulsadas. Controles remotos. Ventanillas eléctricas.

Poco a poco hemos logrado eliminar la actividad física de nuestras vidas por medio del avance tecnológico, indica Russell Pate, Ph.D., profesor y coordinador del departamento de Ciencias del Ejercicio en la Universidad de Carolina del Sur en Columbia. De hecho, un investigador escocés calcula que en el Reino Unido las personas queman 800 calorías diarias menos que hace 25 años.

En los Estados Unidos, el 60 por ciento de la población incorpora muy poca actividad física a sus vidas, incluso ninguna. Si usted figura entre la legión de teleadictos que hay en el país, le tenemos buenas noticias: no es necesario que empiece a jugar tenis ni a correr maratones para disfrutar los beneficios del ejercicio. Las investigaciones demuestran que el simple hecho de aumentar la actividad física brinda los mismos beneficios a la salud que un programa estructurado de ejercicios. Por eso la mayoría de los expertos actualmente recomiendan tratar de incluir un total de 30 minutos de actividad moderada en el transcurso del día.

Las palabras clave de esta recomendación son *un total de*. Diez minutos de rastrillar, pasar la aspiradora, caminar o jugar a la pelota con sus hijos a diferentes horas del día terminan sumándose. "A fin de hacer más activo su estilo de vida, piense en lo que necesita hacer todos los días y en cómo integrar más actividad física a esas tareas", sugiere la Dra. Clarkson. Quizá eso signifique vender la sopladora de

---

De mujer a mujer

*Perdió peso caminando
y se siente años más joven*

Los temidos 40 años se acercaban y Terri Politi pesaba 25 libras (11 kg) de más. Tenía plena conciencia de cada una de ellas. La ropa no le venía bien y se sentía fofa y cada vez más aletargada, lo cual quizá era lo peor de todo. Dicho de otra manera, se sentía vieja. Sin embargo, faltaban 5 meses para su cumpleaños cuando la residente de Sedalia, Misuri, que ahora tiene 41 años, descubrió el secreto para bajar de peso y se deshizo de 20 libras (9 kg) en 4 meses. Le diremos cómo logró retrasar el reloj.

Ahí estaba yo, a punto de llegar a uno de los grandes hitos en mi vida, y me sentía más gorda que nunca, incluso con más peso que cuando estuve embarazada. Pensé: "El simple hecho de cumplir 40 va a ser bastante difícil. Quiero hacerlo con dignidad". Sabía que podría sentirme y verme mejor si realmente me lo proponía. Así que en septiembre comencé mi proyecto y me di sólo unos cuantos meses —hasta mi cumpleaños en enero— para lograr mi meta.

En *Weight Watchers* me ayudaron a controlar lo que comía y eso fue importante, pero quería hacer más. Por eso empecé a ejercitar con pesas (mancuernas) temprano por la mañana por lo menos tres veces a la semana durante unos 20 minutos por sesión.

---

hojas y despedir a la señora que hace la limpieza. O bien puede intentar algunas de las sugerencias que le dan nuestros expertos para rehacer su estilo de vida.

Termine con la televisión. "El primer paso para mejorar la forma física es limitar las actividades sedentarias", indica la Dra. Nelson. Y uno de los pasatiempos inactivos más comunes es la televisión. Aunque usted no sea una teleadicta que se pase las horas pasando de canal a canal, probablemente prenda el aparato por lo menos unas cuantas veces por semana. Trate de restarle 1 hora por semana a esta actividad hasta que haya logrado eliminar una hora diaria de comedias, telenovelas o programas de

Efectivamente comencé a sentirme mejor, pero no era suficiente. Decidí empezar a caminar en nuestra estera mecánica (caminadora, *treadmill*) de 30 a 35 minutos después de cada sesión con las pesas. El tiempo me alcanzaba justo para hacer eso, mandar a mis hijos a la escuela, meterme rápido a la ducha (regadera) y llegar a trabajar a las 8:00 A.M.

Luego una de mis amigas de la oficina y yo decidimos comenzar con un programa de caminata. Hay una iglesia grande aquí en la ciudad que puso un gimnasio, así que a la hora del almuerzo fuimos a conocerlo. Cuando averiguamos que 14 vueltas alrededor del gimnasio sumaban una milla (1.6 km), nos propusimos como meta caminar por lo menos una milla tres veces a la semana.

Al llegar enero efectivamente había bajado 20 libras, así que me compré un vestidito color café con un estampado alrededor del borde inferior a manera de cenefa. Nunca había tenido un vestido sencillo de corte recto porque siempre pensé que tenía las caderas demasiado anchas para eso. Pero me gusta cómo me veo y me siento bien con el vestido.

Tengo tanta energía ahora y mi opinión de mí misma ha mejorado a tal grado que ya no me siento como de más de 40, sino como si hubiera vuelto a los 35 años.

---

concursos. Se sorprenderá de la cantidad de tiempo con la que contará.

Si no soporta la idea de perderse un capítulo de su novela favorita, coloque un aparato para hacer ejercicio —como una estera mecánica (caminadora, *treadmill*) o bicicleta fija— delante de la pantalla y convierta su tiempo de televisión en una sesión de ejercicios, recomienda la Dra. Ross.

Camine y converse. Si posee un teléfono inalámbrico, aproveche la libertad que le brinda. Dé vueltas por la casa o suba y baje las escaleras mientras habla por teléfono. Se pondrá al día con sus amigas y hará un poco de ejercicio al mismo tiempo.

Anule el autoexprés. Son cada vez más los servicios que instalan ventanillas de autoexprés *(drive-up windows)* para nuestra comodidad: los bancos, los restaurantes de comida rápida e incluso las farmacias y los servicios de revelado fotográfico. "Al aceptar estas comodidades no nos damos cuenta de cuánto reducen la cantidad de actividad física en nuestras vidas diarias", comenta la Dra. Clarkson. Así que resístase a la comodidad y rapidez del autoexprés y entre al banco físicamente para hacer sus transacciones.

Manténgase a distancia. Cuando se trata de la salud, el mejor lugar para estacionarse no es el más cercano a su destino. Estaciónese a unas cuantas cuadras y podrá incorporar una breve caminata, sugiere el Dr. Pate.

Escale las escaleras. Haga un esfuerzo consciente por utilizar las escaleras fijas en lugar de las mecánicas o del ascensor, recomienda el Dr. Pate. Quizá no parezca muy importante, pero piense en todas las veces que lo haría. ¿Todos los días? ¿Una vez a la semana? ¿Varias veces al mes? Como sea, las ocasiones realmente se sumarán.

Cancele el correo electrónico. Si acostumbra mandar correo electrónico a compañeros de trabajo que se encuentran en la oficina de junto o en el mismo pasillo, tómese unas vacaciones de la computadora. Entregue el mensaje en persona y evitará subir 11 libras (5 kg) a lo largo de una década. Un investigador de la Universidad de Stanford calculó que ese es el peso que subiría si pasara 2 minutos por hora enviando correos electrónicos a sus compañeros de trabajo en lugar de caminar por el pasillo para hablar con ellos.

Vaya a visitar la perrera. Un perro puede ayudarle a movilizarse. Son excelentes compañeros para caminar y no es tan fácil que la dejen salir con la suya si usted no tiene ganas de salir.

Cultive algo. De niños nos divertíamos jugando con tierra. Ahora que somos adultos podemos producir más que pasteles de lodo. Ya sea que cultive flores, hierbas o verduras, usted quemará casi el mismo número de calorías como en una clase de aeróbicos de intensidad moderada. Además, al hacer esto establecerá un vínculo con la tierra, según agrega la Dra. Nelson.

12 sugerencias para aprovechar mejor sus ejercicios

La buena forma física se logra poco a poco, afirma la Dra. Nelson. Si ya es relativamente activa —o ha agregado más actividad física a su estilo de vida en fechas recientes—, el siguiente paso para ponerse en buena forma es sencillo: sea lo que sea que esté haciendo en este momento, hágalo *más*.

Aquí es donde entran los ejercicios aeróbicos. Sin embargo, no se preocupe. De todas formas no tiene que entrar a un gimnasio ni tomar una clase de aeróbicos (a menos que desee hacerlo). Lo maravilloso de los ejercicios aeróbicos es la oportunidad de escoger entre un gran número de actividades: bailar, andar en bicicleta, nadar, jugar tenis. La lista prácticamente no tiene fin.

Sin importar las actividades que elija, aprovechará sus ejercicios al máximo si observa las siguientes sugerencias prácticas.

Póngase las zapatillas de baile. Si lo que

PREGUNTAS Y RESPUESTAS

Mis dos rodillas tienen la misma edad, así que ¿por qué una de ellas me da tanta lata cuando hago ejercicio?

Si bien ambas rodillas tienen la misma edad, no siempre se les exige el mismo esfuerzo. ¿Le da usted preferencia a una mano para escribir, manejar o lanzar una pelota? Es muy probable que de igual manera se haya golpeado más en una rodilla que en la otra al caminar, saltar —o incluso caer— a lo largo de los años.

Este maltrato acumulativo se llama microdaño. Conforme envejecemos puede causarnos grandes problemas. Al igual que una liga elástica ya seca, el tejido conjuntivo simplemente se hace menos elástico y más propenso a desgarrarse.

Así que ¿cómo puede evitar que le duela la rodilla mientras hace ejercicio o después? En primer lugar necesita empezar poco a poco. El cuerpo efectivamente cambia y se adapta a los ejercicios, pero no si intentamos hacer demasiadas cosas al mismo tiempo. La clave es incrementar su actividad e intensidad gradualmente a través del tiempo.

quiere es bailar, desde luego. O los tenis para correr si va a correr o los de caminar si va a caminar. Seguramente usted ya entendió lo que queremos decir. "Conforme envejecemos, nuestros pies, tobillos, espinillas y rodillas se hacen más vulnerables —indica Joan Price, una instructora de buena forma física, conferencista y escritora de Sebastopol, California—. Usar el calzado indicado para su actividad la protegerá al acojinar y estabilizar sus pies y servir, fundamentalmente, como unos pequeños amortiguadores".

Sostenga sus senos. Al hacer ejercicio debe usar un sostén (brasier) deportivo adecuado que sostenga sus senos cerca de su cuerpo, sugiere la Dra. Nelson. De otra forma los movimientos que implica el ejercicio aeróbico

Si empieza a sentir un poco de dolor —ya sea en la rodilla, el tobillo o alguna otra articulación—, es la forma que tiene su cuerpo de decirle que necesita aflojar el paso. Si hay poco dolor y se quita más o menos en un día, probablemente no tenga que dejar de hacer ejercicio, pero proceda con cautela.

Si el dolor persiste o es severo, usted necesitará algo de descanso y un tratamiento. Una de las terapias más comunes y sencillas para el dolor de la rodilla o del tobillo se llama *RICE*, (*rest, ice, compression, elevation*) unas siglas en inglés cuyas letras significan "descanso", "hielo", "compresión (vendar)" y "elevar". Cuando utilice hielo en una bolsa, asegúrese de cubrirla con una toalla delgada para proteger su piel. Si no se siente mejor después de 2 ó 3 días de descanso, es posible que necesite consultar a un médico.

Información proporcionada por el experto
Russell Pate, Ph.D.
Profesor y coordinador del departamento de
* Ciencias del Ejercicio*
Universidad de Carolina del Sur
Columbia

pueden tener como consecuencia que se le cuelguen. "Me sorprende que muchas mujeres no usen un sostén deportivo al hacer ejercicio —señala la experta—. Cuando no se utiliza, los movimientos repetitivos de hecho estiran los tejidos de los senos y les restan elasticidad".

Haga calentamiento. Su carro no es lo único que necesita un calentamiento previo para que todas sus partes se lubriquen y estén listas para ponerse en movimiento. Su cuerpo cuenta con un motor propio así como con partes que requieren estar funcionando por varios minutos antes de cambiar a una velocidad más alta. "El calentamiento proporciona una transición gradual del reposo a las demandas fisiológicas del ejercicio", afirma el Dr. Pate. Un buen calentamiento fundamentalmente pone

en movimiento su sangre, vuelve más elásticos sus ligamentos y tendones y suelta sus músculos, de modo que se reduce el riesgo de que se lastime.

Lo que mejor funciona son unos estiramientos ligeros y una versión lenta de la actividad que está a punto de hacer, según explica el Dr. Pate. Camine más despacio antes de acelerar, por ejemplo, o déle unos cuantos golpes al aire con la raqueta y pégueles a unas cuantas pelotas antes de empezar el partido de tenis. Incluso puede marchar o correr en un solo sitio. Haga cualquier cosa que ponga en movimiento sus brazos y piernas durante 5 minutos.

Enfríese y estírese. Su cuerpo necesita bajar de velocidad despacio, en lugar de hacer alto repentinamente después de una caminata rápida. El enfriamiento se asemeja al calentamiento, sólo que en lugar de ir acelerando la velocidad poco a poco esta se hace gradualmente más lenta. De esta forma el ritmo cardíaco disminuye de manera paulatina, lo cual le evitará sentirse mareada o desfalleciente, indica la Dra. Nelson.

El mejor momento para hacer estiramientos también es al finalizar el ejercicio, porque sus músculos siguen calientes. Un buen estiramiento —de 20 a 30 segundos— de cada uno de los grupos principales de músculos —los brazos, las piernas, el abdomen, la espalda y las asentaderas— ayuda a aumentar la elasticidad y a prevenir lesiones.

Acabe con las ampollas. Ya sea que camine, corra, haga excursionismo o visite las canchas de tenis, las ampollas pueden poner fin a su actividad física muy pronto. A fin de evitarlas antes de que aparezcan, recubra sus pies limpios y secos con el antitranspirante que acostumbre usar, recomienda el investigador en jefe Joseph Knapick, Sc.D., del Centro para la Promoción de la Salud y la Medicina de Prevención del Ejército de los Estados Unidos en Aberdeen Proving Ground, Maryland.

Puede ser de cualquier tipo —en aerosol, de barra o de bola. Sólo asegúrese de cubrir hasta el último recoveco de sus pies. Inténtelo diariamente durante 5 días antes de salir a correr o a caminar, o bien una o dos veces por semana de forma indefinida. Este método funciona al reducir el sudor, el cual crea la fricción que produce las ampollas. Y ayudó al 80 por ciento de los cadetes del Ejército de los Estados Unidos a evitar las ampollas por completo durante caminatas de 13 millas (21 km).

Una advertencia: Si le sale una erupción o se le irrita la piel, trate de usar el antitranspirante cada dos días o cambie de marca. Si la irritación continúa, deje de usarlo.

Apure su agua. Cuando hace ejercicio pierde más líquidos a través del sudor que sentada en un sillón. En vista de que sus músculos consisten en agua más o menos en un 70 por ciento, necesita reponer esos líquidos para no empezar a sentirse débil antes de terminar sus ejercicios. Una buena regla general dicta tomar un vaso de agua de 8 onzas (240 ml) antes del ejercicio y otro después, además de media taza de agua cada 15 a 20 minutos durante la sesión, indica Felicia Busch, R.D., una dietista de St. Paul, Minnesota, y portavoz para la Asociación Dietética de los Estados Unidos.

Pierda sus preocupaciones. Para que el ejercicio la relaje tiene que hacer lo propio mientras se ejercita: relajarse. Ya mencionamos un estudio llevado a cabo por la Universidad de Georgia en Athens en el que unas estudiantes universitarias estresadas redujeron su ansiedad a la mitad mediante 20 minutos de ejercicio en bicicletas fijas. De acuerdo con los autores de la investigación es posible que el simple hecho de desprenderse temporalmente de sus preocupaciones cotidianas haya reducido su ansiedad, pues otro grupo de mujeres que continuaron estudiando montadas en las bicicletas conservaron un alto nivel de ansiedad.

Prenda las pesas para dar firmeza a lo fofo. Muchos expertos recomiendan combinar los ejercicios aeróbicos con pesas. ¿Por qué? Porque en conjunto son una estrategia doble contra un cuerpo fofo. "El ejercicio aeróbico quema la grasa mientras que las pesas tonifican los músculos", explica la Dra. Nelson. El resultado es un cuerpo más firme y mejor delineado.

Es más, los ejercicios con pesas le dan un empujón adicional al metabolismo porque desarrollan los músculos, lo cual quema más calorías.

Y entre más fuertes sus músculos, más aprovechará sus ejercicios aeróbicos. "Podrá hacer ejercicio por más tiempo y no se sentirá tan cansada después", afirma la Dra. Nelson.

Use música más lenta. La meta no es crear un ambiente romántico para hacer ejercicio sino mantener un ritmo cómodo, sobre todo si participa en una clase de aeróbicos que requiere pasos complicados o un banco *(step)*. "La música debe estar lo bastante lenta para que pueda apoyar el pie completamente —indica Price—. Trabajar de puntas porque la música es demasiado rápida la hace correr el riesgo de lastimarse el pie o la pierna". Si no quiere pedirle a la instructora que use música más lenta o si está trabajando con un video de ejercicios y no puede cambiar la música, realice el movimiento a la mitad de la velocidad, sugiere la experta.

Diviértase. Cuando éramos niñas hacer ejercicio era lo máximo. Subíamos las escaleras a toda velocidad, corríamos a casa para cenar, brincábamos al escuchar algo que nos emocionaba y deseábamos con ansias que llegara la hora del recreo. "El ejercicio debe seguir siendo nuestra hora de recreo —opina la Dra. Ross—. La mayoría de las mujeres tenemos tantas responsabilidades además del trabajo que no cumplimos con el ejercicio si se convierte en un punto más en la lista de lo que 'debemos hacer'. Por eso animo a las mujeres a encontrar algo divertido. Ponga a los niños en la carreola (cochecito), sujete al perro con su correa y salga a caminar. Baile con su esposo durante 15 minutos antes de sentarse a comer. Lleve a los niños a patinar sobre ruedas o hielo. O salga a pasear en bicicleta".

Consígase a una compañera. Una compañera de ejercicios puede ayudarle de varias formas. En primer lugar puede motivarla cuando se sienta cansada o desanimada, comenta la Dra. Nelson. En segundo lugar, hacer ejercicio con una amiga puede convertir la sesión en una actividad social, de modo que se divertirá más. Y lo más importante es que una amiga puede ayudarle a mantener su compromiso. Si no tiene ganas de hacer ejercicio pero su amiga cuenta con usted, es más probable que se ponga los tenis y salga a la calle.

Persevere. La condición cardiovascular requiere un mantenimiento constante. Si hace ejercicio 5 días a la semana durante varias semanas, por ejemplo, y luego le baja a sólo 1 día por semana, habrá perdido el 90 por ciento de lo logrado al cabo de 12 semanas, advierte el Dr. Duncan. Así que hágase un favor a sí misma —y a su corazón— y convierta el ejercicio en una parte permanente de su rutina.

Aclimátese

Muchas mujeres aprovechan sus ejercicios para disfrutar el paisaje. No obstante, al hacer ejercicio al aire libre se debe poner atención a varias cuestiones de comodidad y seguridad. Las siguientes sugerencias sencillas le ayudarán a aclimatarse y a disfrutar su tiempo en la naturaleza.

Cuide su cutis. Siempre use loción antisolar (filtro solar) en todas las partes expuestas de su cuerpo. Este hábito sencillo le ayudará a prevenir las arrugas y el cáncer de piel, según el Dr. Grant Anhalt, jefe de Dermatología en la Escuela de Medicina de la Universidad Johns Hopkins en Baltimore. Utilice una loción antisolar con un factor de protección solar (o *SPF* por sus siglas en inglés) de 15 si va a salir por la mañana o avanzada la tarde. Sin embargo, cambie a un SPF de entre 30 y 45 si saldrá entre las 10:00 A.M. y las 2:00 P.M. durante bastante tiempo, como para jugar golf, pescar o pasear en bote, sugiere el experto.

Vele por su vista. Los oftalmólogos de la Escuela de Medicina de la Universidad Johns Hopkins encuestaron a más de 2,500 personas sobre sus antecedentes de exposición al sol. Resultó que quienes habían pasado más tiempo en el sol enfrentaban un 57 por ciento más probabilidades de tener una catarata. La mejor protección para sus ojos son unos anteojos (espejuelos) para el sol o anteojos transparentes con graduación y un sombrero de ala ancha siempre que haga ejercicio al aire libre. Esto es aplicable incluso en el invierno, cuando la nieve deslumbra, dice el Dr. Pate.

Vístase para que la vean. Si anda en bicicleta, camina o corre durante el día, vístase de colores llamativos para que los conductores de los carros la vean con facilidad. Si hace ejercicio de noche, al amanecer o al anochecer, póngase algo reflectante para que se le pueda ver de frente y por atrás. Y asegúrese de usar ropa de algún color llamativo o reflectante también cuando esté lloviendo o haya niebla.

Combine las capas. Si quiere aclimatarse al invierno, asegúrese de llevar varias capas de ropa. De esta forma se las podrá ir quitando una por una según le haga falta para no sobrecalentarse. Aunque esté haciendo mucho frío la temperatura de su cuerpo se elevará al hacer ejercicio y es posible que le dé calor, explica el Dr. Duncan.

Si realmente hace mucho frío, los expertos sugieren ponerse tres capas. Utilice telas como *Coolmax*, polipropileno o mezclas de *Therma-Stat* en la primera capa para secar la humedad que se desprenda de la piel. Aproveche la capa intermedia como aislante, atrapando el aire caliente alrededor de su cuerpo con corderito, lana o una tela *Bipolar*. La capa exterior debe protegerla contra el clima extremoso. *Gore-Tex*, corderito y rompevientos así como pantalones de la misma tela son buenos para esto.

Anticípese a las alergias. Si empieza a estornudar y a frotarse los ojos durante la temporada de las alergias, evite hacer ejercicio por la mañana o hágalo en interiores, sugiere la Dra. Carol Wiggins, instructora clínica de Alergias e Inmunología en la Universidad Emory de Atlanta. Durante las temporadas de fiebre del heno en la primavera o el otoño, el índice de concentración de polen en el aire es más alto entre las 5:00 y las 8:00 A.M. y más bajo por la noche.

Huméctese después de nadar. Ya sea que nade bajo techo o al aire libre, póngase un humectante al terminar sus vueltas. Nadar elimina los lípidos naturales de la piel, lo cual la reseca y produce comezón, explica el Dr. Anhalt. El mejor momento para humectar la piel es enseguida de salir de la piscina (alberca), cuando la piel aún está mojada. De esta forma se sella la humedad que está sobre la piel. Humectarse enseguida de salir de la ducha (regadera) contribuirá aún más a evitar la piel reseca.

La tonificación: la clave para un cuerpo firme

El recién nacido común en los Estados Unidos pesa 7 libras (3 kg). Una bolsa promedio de comestibles es aún más pesada. Y un mueble. . . bueno, las mujeres definitivamente sabemos lo que significa levantar algo pesado.

Ya que estamos levantando tantas cosas pesadas de todos modos, muy bien podemos aprovechar esta actividad en beneficio nuestro. Al fin y al cabo, si lo hacemos de forma regular y organizada puede rejuvenecer nuestra apariencia y hacer que nos sintamos más fuertes, además de alargar nuestra vida. No necesariamente querremos utilizar al bebé, la bolsa de cantaloupes (melones chinos) o el sillón, por supuesto. Las mancuernas (pesas de mano) son más adecuadas, de esas que usan los fisicoculturistas.

Pare el reloj con pesas

¿Le dio miedo la palabra *fisicoculturista*? No se preocupe. No se convertirá en la versión femenina de Arnold Schwarzenegger. En cambio, combatirá la tendencia de diversas partes de su cuerpo a colgarse y abultarse conforme la gravedad empieza a ganarnos entre los 30 y los 40 años. A esta edad muchas mujeres empezamos a perder entre un cuarto y un tercio de libra (113 a 150 g) de masa muscular al año y la reemplazamos con grasa debido a un metabolismo más lento y un estilo de vida menos activo.

El problema es que la grasa ocupa más espacio que los músculos. Por lo tanto, aunque no suba una sola libra su ropa poco a poco se hará más ajustada al paso de los años, lo cual no se ve ni se siente bien.

Si el problema es evitar la grasa, ¿por qué no nos ponemos simplemente a dieta?

Es cierto que al envejecer podemos evitar flacidez en los brazos y muslos si controlamos nuestro peso. No obstante, con el tiempo se les empezarán a colgar incluso a las mujeres delgadas. Ahí es donde entran los ejercicios con pesas. "Creo que si existe algo que realmente pudiera considerarse el elíxir de la juventud de las mujeres al envejecer serían los ejercicios con pesas", afirma Joan Price, una instructora de buena forma física, conferencista y escritora de Sebastopol, California.

Olvídese de los pretextos y de los años

Soy demasiado vieja para empezar a levantar pesas. ¿Acaso es lo que está pensando? Olvídelo.

"Tenemos a mujeres de más de 90 años que están haciendo ejercicios con pesas y van muy bien —afirma Miriam E. Nelson, Ph.D., directora del Centro para la Buena Forma Física en la Escuela de Ciencias y Políticas de la Nutrición de la Universidad de Tufts en Boston—. Desde luego nos encanta que empiecen de más jóvenes, pero si usted ya tiene 75 ó 92 años es la edad perfecta para comenzar".

Muy bien, tal vez no sea demasiado vieja, pero apenas tengo tiempo para comer, mucho menos para dedicar varias horas a levantar pesas en un gimnasio vestida de leotardo (malla). Este pretexto es excelente y la felicitamos. Por desgracia no le servirá, así que deshágase del leotardo y planee quedarse en casa.

Lo único que se requiere para tonificar sus zonas problemáticas son dos o tres sesiones semanales en su casa. Incluso puede dividirlas en sesiones más cortas. Lo mejor de todo es que notará cambios radicales en su cuerpo al cabo de un mes, más o menos, y la energía de la mayoría de las mujeres aumenta mucho enseguida, según indica la Dra. Nelson.

Provecho profundo

Los beneficios de levantar pesas van mucho más allá de remodelar su cuerpo.

Un estudio llevado a cabo por la Dra. Nelson y sus colegas en el Centro Jean Mayer de

DE MUJER A MUJER
Se ve y se siente mucho más joven que su edad

Filomena Warihay, gerente de una empresa internacional de asesoría en Downingtown, Pensilvania, aún cabe en su bikini talla 4 a los 61 años. Sin embargo, no siempre ha tenido tan buena forma física ni ha estado tan delgada. Su cuerpo estaba cediendo lentamente a los efectos del tiempo y de la gravedad cuando una invitación casual de su hija la metió en un nuevo estilo de vida. A partir de ese día su cuerpo pareció rejuvenecer cada vez más. Esta es su historia.

No siempre he tenido el cuerpo que tengo ahora. Realmente me costaba trabajo encontrar tiempo para hacer ejercicio cuando tenía que cuidar a cuatro hijos pequeños. Los metía en un carrito y los jalaba en la calle de arriba para abajo, para tener la oportunidad de caminar. Estacionaba mi carro a una milla (1.6 km) del trabajo y recorría el resto del camino a pie.

Tenía 40 años cuando a una de mis hijas le otorgaron una beca atlética completa para la universidad. Cuando recibió su calendario de entrenamiento para el verano se dio cuenta de que tendría que ir al gimnasio 3 días a la semana. Me suplicó que la acompañara. Lo hice, pero mi motivación principal era ayudarle a costear su educación universitaria.

Investigaciones sobre Nutrición Humana Especializado en el Proceso del Envejecimiento del Departamento de Agricultura de los Estados Unidos en la Universidad de Tufts en Boston encontró que 20 mujeres que adoptaron un programa de ejercicios con pesas en algún momento después de la menopausia transformaron sus cuerpos por completo, por dentro y por fuera. Después de un año de hacer cinco ejercicios dos veces por semana, las mujeres tenían la misma forma física que otras 15 ó 20 años más jóvenes, afirma la Dra. Nelson. Los siguientes son algunos de los beneficios antienvejecimiento que estas mujeres obtuvieron de sus ejercicios con pesas.

Después de haber ido al gimnasio durante un tiempo, mi hija me dijo: "Mamá, apuesto a que podrías correr una milla". Bueno, lo intenté y no lo logré. Salimos a la pista y la verdad di lástima. Sin embargo, insistimos, y para mediados del verano pude participar en una carrera local de 5 kilómetros (*5-K race*). Yo misma quedé sorprendida cuando llegué en segundo o tercer lugar de la categoría de mi edad. Desde entonces he ganado una medalla en esa carrera todos los años.

Ahora soy incluso más disciplinada en lo que se refiere al ejercicio. Lo hago 6 días a la semana, ya sea que corra 6 millas (10 km) al aire libre, trabaje en mi máquina escaladora (*stair climber*) o vaya al gimnasio. Levanto pesas y hago 400 contracciones abdominales cada dos días, así como estiramientos todos los días durante unos 15 minutos. De hecho me siento mejor ahora que a los 30 años. Y sólo peso unas 5 libras (2 kg) más que cuando me gradué de la secundaria (preparatoria).

La mayoría de las personas piensan que tengo entre 40 y 50 años y no me avergüenza decirles la verdad. Tampoco me da pena ponerme alguno de los seis bikinis que tengo. Como sea, todos los años le comento a mi esposo: "Tal vez este sea el último año que pueda usar bikini". Y él siempre contesta: "Yo te avisaré cuando ya no te lo puedas poner".

Un físico más flaco. A las mujeres que participaron en el estudio se les pidió que siguieran alimentándose como siempre para no subir ni bajar de peso durante el año que duraría la investigación. Es posible que quienes hacían ejercicios con pesas no hayan perdido libras a lo largo del estudio, pero sí perdieron grasa y adquirieron más masa muscular. Se veían mucho más delgadas y algunas incluso bajaron hasta dos tallas de vestir.

Un metabolismo más rápido. A pesar de que el metabolismo tiende a hacerse más lento al paso de los años, lo cual dificulta mantener el peso, hay formas de acelerarlo nuevamente. Aumentar la cantidad de masa muscular que se tiene es una de ellas, porque el tejido muscular quema más calorías que la grasa. Una de las participantes en el estudio dio un buen empujón a su metabolismo: perdió 29 libras (13 kg) de grasa, por lo que ahora quema 160 calorías más diariamente.

Más fuerza. La investigación de la Dra. Nelson demostró que al cabo de 2 meses las mujeres suelen aumentar al doble el peso que pueden levantar. Son buenas noticias para mucha gente. De acuerdo con un estudio que abarcó a 10,000 mujeres entre los 40 y los 55 años de edad, a más de la cuarta parte les resulta difícil realizar tareas cotidianas como cargar las bolsas de comestibles o subir unas escaleras.

Más energía. Conforme las mujeres del estudio de la Dra. Nelson se hicieron más fuertes también aumentó su energía y empezaron a hacer cosas que no habían hecho en años. . . o nunca. Practicaron el canotaje, navegaron por ríos con rápidos, bailaron, anduvieron en bicicleta y patinaron. Al finalizar el estudio, el nivel de actividad de las mujeres del grupo que habían hecho ejercicios con pesas había aumentado en un 27 por ciento en comparación con un año antes, mientras que las mujeres del grupo que no había levantado pesas se hicieron un 25 por ciento *menos* activas a lo largo del mismo año.

Un mejor estado de ánimo. Levantar pesas también puede levantar el estado de ánimo. Otra investigación llevada a cabo por el mismo laboratorio del Departamento de Agricultura de los Estados Unidos descubrió que el valor de los ejercicios con pesas para combatir la depresión puede compararse con el efecto de los medicamentos antidepresivos, y la depresión es un mal que afecta a muchas más mujeres que hombres.

Más masa ósea. Después de la menopausia, las mujeres solemos perder el 1 por ciento de nuestra masa ósea cada año. Con el tiempo a 8 millones de mujeres les da osteoporosis, una afección que se caracteriza por huesos tan frágiles que se fracturan con mucha facilidad. La densidad ósea del grupo de mujeres del estudio de la Dra. Nelson que hicieron ejercicios con pesas *aumentó* en un 1 por ciento, mientras que *disminuyó* más o menos en un 2 por ciento en las que no levantaron pesas.

Mejor equilibrio. Nuestro sentido del equilibrio se deteriora al paso de los años, por lo que se incrementa la posibilidad de sufrir una caída grave. Las mujeres del estudio que no hicieron ejercicios con pesas experimentaron una disminución del 8½ por ciento en su sentido del equilibrio, mientras que este mejoró en un 14 por ciento en las que levantaron pesas.

El equipo elemental para empezar

Por cientos de dólares menos de lo que le costaría una membresía de un año en un gimnasio, puede comprar todo lo que necesita para comenzar ahora mismo con nuestro programa de tonificación. E imagínese lo que ahorrará en leotardos. Le hará falta el siguiente equipo.

Compre unas mancuernas. Hay mancuernas desde 1 libra (456 g) hasta 20 libras (9 kg). Es posible que

CASOS DE LA VIDA REAL

¿Está ella destinada a verse como su mamá?

Cada vez que Nancy, de 44 años, mira a su mamá, siente que se le oprime la boca del estómago. Lo que ve es a una mujer de un poco más de 60 años que está encorvada, arrastra los pies al caminar, tiene sobrepeso y está cubierta de manchas de la edad. Su cutis parece curtido y más arrugado de lo que debería estar, cubierto de finas arrugas, sobre todo alrededor de los labios.

Lo que más inquieta a Nancy es contemplar los viejos álbumes familiares. Su madre fue una verdadera belleza. Hay una foto en particular de ella repantigada sobre una veranda en un hotel del soleado Puerto Rico, con un martini en una mano y un cigarrillo en el otro, mientras una sonrisa resplandeciente le cubre el rostro. Era despampanante y sofisticada. No obstante, esa persona parece haber desaparecido por completo al paso de los años y en su lugar está una mujer a la que Nancy quiere muchísimo. . . pero no desea ser como ella. Está desesperada por encontrar una manera de evitar el destino de su madre.

Nancy no está predestinada al envejecimiento prematuro. Si bien la genética *sí* influye en nuestro aspecto al envejecer, los hábitos de salud y el estilo de vida que tenemos desde más jóvenes determinarán en gran parte nuestra apariencia cuando nos hagamos mayores.

La fotografía de la madre de Nancy revela varios hábitos que posiblemente agregaron años a su apariencia.

Para empezar, fumar puede causar arrugas prematuras y muy marcadas —sobre todo alrededor de los labios—, porque le roba a la piel dos cosas que esta necesita para estar sana: el oxígeno y la vitamina C. Por no hablar del hecho de que fumar aumenta el riesgo de sufrir males más graves, como enfermedades cardíacas y cáncer. Además, es posible que el hábito de fumar de la madre de Nancy también haya contribuido a su postura encorvada, un indicio de osteoporosis. Esta afección hace tan quebradizos los huesos que se fracturan con facilidad.

Fumar debilita el esqueleto de dos maneras: interfiere

con la formación de huesos y favorece la pérdida de masa ósea. En vista de que la osteoporosis muchas veces se determina genéticamente, es posible que Nancy corra más riesgo que el común de las personas. No obstante, puede reducir este peligro si no fuma y si ingiere 1,000 miligramos de calcio al día a través de su alimentación y suplementos.

Si bien el martini en la mano de su madre parece bastante inocente, el consumo regular de alcohol también puede debilitar los huesos y contribuir a las arrugas. Además, las bebidas alcohólicas están cargadas de calorías "vacías", lo cual significa que no aportan nutrientes y posiblemente hayan causado otro de los problemas de su madre: el sobrepeso. A fin de proteger sus huesos y de mantener su peso, Nancy no debe tomar más de una bebida alcohólica al día.

A juzgar por la fotografía parece que su madre también era una fanática del sol. El daño por los rayos solares es la principal causa de arrugas y piel curtida, así como de las manchas de la edad. Además, exponerse al sol sin protección puede causar cáncer de la piel. Para asegurar la salud de su piel, Nancy debe evitar broncearse y ponerse una loción antisolar (filtro solar) con un factor de protección solar (o *SPF* por sus siglas en inglés) de por lo menos 15 cada vez que salga al aire libre.

Otra estrategia importante para mantenerse joven es hacer ejercicio con regularidad. El ejercicio aeróbico y levantar pesas pueden ayudarle a Nancy a mantener su peso, prevenir la osteoporosis y mejorar su postura y equilibrio, para que en lugar de arrastrar los pies camine con paso ágil y brioso al llegar a los 60 años.

Información proporcionada por la experta
La Dra. Clarita E. Herrera
Instructora clínica de Atención Básica
Colegio de Medicina de Nueva York
Valhalla

las principiantes quieran empezar con pesas más ligeras. Cuatro pares de mancuernas de 3, 5, 8 y 10 libras (1, 2, 4 y 5 kg) respectivamente deberían ser suficientes y costarán entre $25 y $55 los cuatro pares. Incluso los hay en bonitos colores pastel.

Tienda un tapete. Un tapete de gomaespuma convierte cualquier piso en un gimnasio casero. Son excelentes para hacer estiramientos sentada o acostada, planchas (lagartijas) y contracciones abdominales y cuestan alrededor de $10.

Tome asiento. Necesitará una silla sólida sin brazos para por lo menos uno de los ejercicios que describiremos a continuación. Otros más —como el *curl* de brazo y el pres sobre la cabeza— pueden hacerse sentada o de pie. Es posible que una de las sillas de su comedor sirva para esto.

Vístase adecuadamente. Tal como prometimos no le hará falta un leotardo, pero sí necesitará un par de tenis. "Un buen par de tenis le ofrece estabilidad al hacer los ejercicios y un poco de protección, por si acaso se le cae una mancuerna", indica Price. También debe usar ropa cómoda de una tela que "respire", como una mezcla de algodón con fibra sintética.

"Evite ponerse cualquier artículo de ropa que reduzca su rango de movimiento o tan holgado que una pesa pudiera atorarse en el mismo", recomienda John Duncan, Ph.D., un fisiólogo del ejercicio en el Centro para la Investigación sobre la Salud de la Mujer de la Texas Woman's University en Denton.

Los fundamentos de los ejercicios con pesas

Al igual que en cualquier deporte u otra actividad, hace falta dominar ciertos trucos y técnicas para levantar pesas. Para este tipo de ejercicios se utilizan pesas o bien se aprovecha el peso del propio cuerpo para hacer trabajar los músculos y desarrollarlos. La siguiente breve lección le ayudará a aprovechar su sesión de ejercicios al máximo.

Juegue con la jerga. Las palabras *repetición (rep)* y *serie (set)* forman parte de la jerga de los adictos al gimnasio. Ahora se las explicaremos. Una repetición se refiere a un ejercicio completo. Una plancha, por ejemplo, equivaldría a una repetición. Una serie es eso precisamente: una serie de repeticiones. La Dra. Nelson recomienda realizar dos series de 8 a 12 repeticiones por cada ejercicio. Empiece con 8 repeticiones por serie. Cuando pueda hacer 12 repeticiones con facilidad, agregue un poco de peso.

Haga ejercicio entre comidas. Enseguida de la cena de Navidad no es el mejor momento para ir por las mancuernas. "Si su estómago está muy lleno no se sentirá a gusto", afirma la Dra. Nelson. Tampoco es prudente hacer ejercicio cuando no haya comido en varias horas. "Si se está muriendo de hambre se puede marear", comenta la experta. Para estar en las mejores condiciones posibles, trate de hacer ejercicio a la mitad entre dos comidas, o bien ingiera una comida ligera o una merienda más o menos una hora antes de empezar.

¿Cómo le hacen las celebridades de Hollywood para mantener sus físicos esbeltos? Por medio de un programa popular de estiramiento y fortalecimiento que se llama el Método Pilates de Acondicionamiento Físico.

El Método Pilates fue desarrollado hace más de 70 años por el gimnasta, boxeador y artista de circo alemán Joseph Pilates. Se difundió en los años 50 entre grandes bailarines que deseaban mantenerse en forma y prevenir las lesiones. A diferencia de la mayoría de los programas de ejercicio, el de Pilates trabaja de manera simultánea la fuerza, la elasticidad y el equilibrio. Actualmente les sirve a estrellas deslumbrantes como Madonna, Sharon Stone, Jane Seymour, Vanessa Williams, Uma Thurman, Julia Roberts y Jodie Foster para tonificarse. Es más, debido a su efecto en materia de acondicionamiento, elasticidad y equilibrio, muy bien puede considerarse un secreto para mantenerse joven.

El Método Pilates promete dar un aspecto más alto y delgado y desarrollar la fuerza y la elasticidad, sin hacer crecer los músculos como en el fisicoculturismo. Proporciona una figura más esbelta y mejora la postura y el equilibrio, así como el funcionamiento en general del cuerpo. Lo mejor de todo es que los resultados se empiezan a notar en cuestión de semanas. El inventor del método ofrece la siguiente garantía: "Se sentirá mejor en 10 sesiones, se verá mejor en 20 sesiones y tendrá un cuerpo totalmente nuevo en 30 sesiones".

Funciona así: Cada sesión dura de 45 minutos a una hora y requiere una serie de movimientos controlados y precisos que exigen concentrarse y controlar la respiración. El Método Pilates se dirige principalmente a fortalecer el "centro motriz" de la anatomía —el abdomen, la baja espalda y las

Haga calentamiento. El calentamiento no implica tomarse un chocolate caliente al lado de una rica fogata, sino calentar sus músculos de 5 a 10 minutos para no pasar directamente de estar sentada frente a la televisión a levantar pesas de 12 libras (5 kg) por encima de su cabeza. Los

asentaderas— para permitirle al resto del cuerpo moverse con mayor libertad. Se utilizan movimientos fluidos y continuos y pocas repeticiones a fin de tonificar sin aumentar el volumen. Existen 19 aparatos con nombres poco comunes como *Pedipull, Reformer* y *Cadillac,* los cuales ayudan a fortalecer los músculos durante todo un rango de movimientos. O bien se puede hacer todos los ejercicios en un tapete para ejercicios. Lo ideal es realizar de dos a tres sesiones por semana.

El método incluye 500 ejercicios, pero usted probablemente sólo haría de 30 a 40 por sesión y es posible que sólo aprendería de 50 a 60 en total. Los entrenadores certificados en el Método Pilates diseñan las sesiones de ejercicio de acuerdo con las metas de cada persona en cuanto a su forma física.

"Es probable que se trate del sistema de ejercicio de mayores posibilidades de adaptación que existe hoy en día", opina Sean P. Gallagher, un terapeuta físico y el director nacional del Pilates Studio en la ciudad de Nueva York. "El sistema se puede usar ya sea que no tenga nada de forma física o que sea un atleta superestrella. He trabajado con personas amputadas o con lesiones en la cabeza, con jóvenes e incluso con personas de más de 80 años".

Las mujeres que han probado el Método Pilates están encantadas con los resultados. Después de sólo 40 sesiones, Patricia Scanlon de Filadelfia, de 49 años, siente que ha rejuvenecido más de una década. "Tengo la cintura más breve, el abdomen más firme, una mejor postura y me siento más fuerte y con más energía —comenta—. El fortalecimiento que se hace con el Pilates es muy profundo. Estoy alcanzando músculos que no había sentido nunca. Es como un masaje de dentro para fuera".

músculos definitivamente prefieren empezar a hacer ejercicio poco a poco. Para calentarse puede salir a caminar a paso rápido, brincar juntando las manos arriba de la cabeza, marchar o correr en un solo sitio o hacer de 5 a 10 repeticiones de sus ejercicios de tonificación

sin las pesas. Si hace ejercicios aeróbicos además de sus pesas, indica la Dra. Nelson, puede hacer los aeróbicos primero en lugar de un calentamiento especial.

Escoja la pesa adecuada. Si levanta demasiado peso puede lastimarse. Por otra parte, levantar pesas muy ligeras no dará mucha firmeza a sus partes flácidas. Una buena regla general es la siguiente: si no puede levantar la pesa 8 veces manteniendo una buena ejecución del movimiento, es demasiado pesada, explica la Dra. Nelson. Por otra parte, si puede levantarla fácilmente más de 12 veces es demasiado ligera.

Acompáñese de una amiga. Las principiantes tal vez prefieran buscarse a una compañera para los ejercicios de pesas. Esta persona cumple con tres propósitos. En primer lugar puede ayudarle si usted se cansa y sólo logra terminar la última repetición con mucho esfuerzo, comenta el Dr. Duncan. En segundo lugar, puede observarla para asegurarse de que su ejecución sea buena. Y por último puede brindarle el ánimo que muchas veces les hace falta a las personas que apenas empiezan con las pesas.

No espere para exhalar. Por extraño que parezca, muchas personas aguantan la respiración al levantar pesas, lo cual puede hacer que su presión sanguínea se dispare. De acuerdo con la Dra. Nelson, la forma correcta de respirar es exhalando al hacer el esfuerzo —al levantar la pesa o ejecutar la contracción abdominal— e inhalando a la hora de bajar la pesa o de volver a la posición inicial.

Termine con la tensión. "Al contraer un

DÉ MAYOR DINAMISMO A SU POSTURA

Hágamosle al detective. Vamos caminando por una calle tenuemente iluminada y vemos dos siluetas femeninas entre las sombras. Sin distinguir sus rostros es obvio que una mujer es mucho más vieja que la otra. ¿Qué revela su edad? Su postura. Una mujer está parada derechísima y la otra está encorvada

La buena noticia es que incluso las mujeres con mala postura pueden tomar medidas para enderezarse, y hay muchos motivos para hacerlo. Para empezar, una postura correcta previene dolores musculares y de los huesos y permite respirar adecuadamente. Pararnos derechas puede darnos un aspecto más alto, más esbelto, más joven y de mayor confianza. Y una postura buena ayuda a que la ropa nos quede mejor, porque la ropa se corta para personas con una postura "normal", según explica la Dra. Margit L. Bleecker, Ph.D., directora del Centro para Neurología Ocupacional y Ambiental en Baltimore.

No es preciso adoptar la postura de una bailarina profesional para cosechar estos beneficios. "No existe una postura perfecta —indica la Dra. Bleecker—. Hay un espectro de posturas aceptables". Una buena regla es mantener las orejas, los hombros, las caderas, las rodillas y los tobillos lo más posible en línea recta. Hacerlo de hecho puede *prevenir* el feo encorvamiento. Según la experta, es menos probable que las mujeres que tienen una buena postura antes de llegar a la menopausia —cuando sus huesos empiezan a desmineralizarse— terminen encorvándose.

Si usted necesita darle mayor dinamismo a su postura, una forma fácil de lograrlo es ajustando sus hábitos de trabajo. Si pasa mucho tiempo frente a la computadora, por ejemplo, tome breves descansos. "Trabajar en un teclado favorece la mala postura, de modo que es importante ponerse de pie todas las veces que se pueda y moverse", señala la Dra. Bleecker.

músculo tendemos a tensar los demás también. Sin embargo, al hacer ejercicios con pesas sólo debe contraer los músculos que está trabajando", apunta la Dra. Nelson en su libro sobre el tema. Fíjese particularmente en los siguientes puntos problemáticos: asegúrese de no apretar los dientes, arrugar la frente o tensar los hombros subiéndolos hacia sus orejas.

Tómelo con calma. Un movimiento acelerado y disparejo puede causar lesiones. Asimismo puede inducirla a utilizar el impulso del movimiento para levantar la pesa, en lugar de sus músculos. Los movimientos lentos y controlados,

por el contrario, son más seguros y requieren un mayor esfuerzo, de modo que se beneficiará más, según Price. Cada repetición debe tomar unos 6 segundos: 2 segundos para levantar la pesa, una pausa de 2 segundos y luego otros 2 segundos para bajar la pesa.

Encárguese de la ejecución exacta. La buena ejecución —es decir, hacer un ejercicio exactamente como se debe— le ayuda a sacar el mayor provecho y previene las lesiones, afirma Price. Podrá vigilar su ejecución fácilmente si se coloca delante de un espejo de cuerpo entero. Asegúrese de mantener derechas las

Si tiene un trabajo que le exige estar de pie la mayor parte del día, como en una caja registradora, pruebe apoyar un pie sobre una caja o un directorio telefónico. "Cuando se está de pie durante mucho tiempo, la baja espalda tiende a arquearse y las caderas se inclinan hacia delante —explica la Dra. Bleecker—. Se puede prevenir elevando un pie".

Corregir la mala postura posiblemente también implique un acto de equilibrio. "La mayoría de los problemas de postura se deben al desequilibrio muscular", dice la Dra. Bleecker. Las mujeres que tienden a inclinarse un poco al frente al estar de pie normalmente tienen músculos cortos y tirantes en la parte de delante de sus cuerpos y largos y débiles en la espalda. Estirar los músculos tirantes y fortalecer los débiles con los ejercicios adecuados puede ayudar a evitar el encorvamiento.

Quizá lo más importante sea poner atención a la forma en que nos sentamos, nos paramos y caminamos y hacer los ajustes necesarios para corregir nuestra postura. Después de un tiempo lo haremos de forma automática. Al estar sentada frente a su computadora, mantenga la espalda en contacto con la silla y apoye las plantas de los pies en el piso. Debe tener los muslos en posición paralela al piso y los hombres relajados, con los codos formando un ángulo recto con respecto a su torso.

muñecas, no dobladas hacia atrás ni hacia delante. Y confirme que esté haciendo el ejercicio tal como se indica.

Ponga atención a su postura. Ya sea que esté sentada o de pie al levantar sus mancuernas, mantenga recta la espalda, el cuello y la cabeza a fin de evitar forzar y lesionar sus músculos. Y una buena postura no significa ponerse tiesa. Párese derecha, pero manténgase relajada. Si está haciendo el ejercicio sentada, siéntese derecha y apoye ambos pies en el piso, recomienda la Dra. Nelson.

Sea amable con sus articulaciones.

Evite extender totalmente sus codos o rodillas al hacer ejercicios con pesas. "Cuando se extiende una articulación totalmente, esta es la que soporta la tensión del peso, no el músculo —explica Price—. A fin de evitar que le duelan las articulaciones, pare el movimiento justo antes de extender sus rodillas o codos por completo".

Descanse entre series. Tómese un descanso de 1 ó 2 minutos al término de cada serie para darles a sus músculos la oportunidad de recuperarse y prepararse para la siguiente serie. A fin de ahorrar tiempo, señala la Dra. Nelson, puede hacer un ejercicio que trabaje

GÁNELE A LA GRAVEDAD

Todo lo que fue tirante y firme en nuestra juventud empieza a colgarse conforme nos acercamos a los 40 años. Las panzas. Las asentaderas. Los senos. Incluso la piel. El ejercicio sin duda ayuda a dar firmeza a nuestras panzas, asentaderas y bustos. ¿Pero hay una forma de tonificar la piel que se cuelga?

Claro que sí.

La piel se cuelga por dos razones conforme envejecemos, afirma la Dra. Toby Shawe, profesora adjunta de Dermatología en el Colegio Médico de los Hospitales Pennsylvania-Hahnemann University en Filadelfia. En primer lugar, su elasticidad disminuye de manera natural a lo largo de los años. En segundo lugar, tendemos a subir de peso a la mitad de la vida, lo cual estira la piel. Si se vuelve a bajar esas libras de más, la elasticidad menor no permite que la piel recupere su tirantez tan bien como lo hacía antes. Por lo tanto se ve como si estuviera colgada, sobre todo alrededor del abdomen y las asentaderas, así como debajo del mentón y en los brazos.

A fin de evitar de entrada que la piel se cuelgue, la mejor opción es bajar de peso muy despacio. "Trate de perder sólo una o dos libras (450 a 900 g) al mes", recomienda la Dra. Shawe. Y mientras está bajando de peso puede ayudar aún más a evitar que se le cuelgue la piel tonificando los músculos que hay debajo de ella mediante ejercicios ligeros con pesas.

Tonificar esos músculos también ayudará a dar firmeza a la piel que ya esté colgada. "Cuando el músculo se hace más grande ocupa más espacio, de modo que la piel no parecerá colgarse tanto", explica la Dra. Shawe.

Desde luego la cirugía cosmética para eliminar el exceso de piel también puede ayudar. "Una combinación de cirugía y levantamiento de pesas muchas veces les brinda los mejores resultados a las mujeres", agrega la Dra. Shawe.

ideal para hacer estiramientos es al terminar su sesión de ejercicios, cuando sus músculos estén calientes. Levantar pesas de hecho contrae y acorta los músculos, por lo que se vuelven menos elásticos. No obstante, al hacer estiramientos después de las pesas se restablece su largo y se mantienen flexibles, lo cual ayuda a prevenir las lesiones a la larga.

"Cuando no hay elasticidad se es mucho más propensa a lastimarse —afirma la Dra. Nelson—, pues en lugar de que los músculos sean elásticos y se estiren un poco, están muy tensos".

Tómese un día libre. Sus músculos necesitan por lo menos un día de descanso entre sus sesiones de ejercicios con pesas. De hecho, es durante el tiempo de reposo cuando se fortalecen, indica la Dra. Nelson. Levantar pesas produce diminutos desgarres en los tejidos musculares. Al reparar estos daños los músculos se hacen más fuertes, explica la experta.

Domine el dolor. Probablemente usted se sentirá un poco adolorida durante unas cuantas semanas después de haber empezado con un nuevo programa de tonificación. No debe aumentar el peso que está levantando hasta que desaparezca el dolor, y entonces no agregue más de 1 libra (456 g) por sesión. Si siente mucho dolor, de modo que incluso sus movimientos cotidianos le duelen, tal vez tenga que disminuir el peso, afirma la Dra. Nelson.

otro grupo de músculos. Trate de alternar entre ejercicios para las piernas (como sentadillas o arcos) y para los brazos (como *curls* o pres de banca), por ejemplo.

Finalice con la flexibilidad. El momento

Rehaga su rutina. Después de haber levantado pesas de manera sistemática durante varias semanas o meses es posible que llegue a un punto de estancamiento. Se dará cuenta cuando no parezca posible progresar al siguiente nivel con pesas más pesadas. Esto es señal de que sus músculos se han acostumbrado a los ejercicios y requieren un nuevo desafío para seguir desarrollándose. "Cuando llegue a un punto de estancamiento trate de cambiar algo en su rutina", sugiere Price.

Cambie el ejercicio un poco, pruebe un ejercicio completamente diferente que trabaje el mismo músculo o levante y baje la pesa de manera aún más lenta. Por ejemplo, tarde 4 segundos en levantar la pesa, haga una pausa de 2 segundos y luego tarde 4 segundos en volver a bajarla.

Fíjese en el dolor. Cuando le duele hacer un ejercicio, puede ser indicio de que ha trabajado demasiado o forzado un músculo, un tendón o una articulación. "Si algo no se siente bien, no siga trabajándolo", advierte la Dra. Nelson. Descanse por unos días antes de volver a intentar su rutina.

Remoce todo su cuerpo

Con la ayuda de Price y de la Dra. Nelson hemos armado un programa de ejercicios que trabaja todo el cuerpo, dando firmeza a todos los puntos problemáticos del cuerpo femenino —las piernas, las asentaderas, el pecho, la espalda, el abdomen, los hombros y los brazos—, con la intención de brindarle los mejores resultados posibles sin necesidad de invertir horas de esfuerzo.

Sentadilla (cuclilla)

QUÉ TONIFICA: las asentaderas (glúteo mayor) y los muslos (cuádriceps y ligamentos de la corva)

MANEJE EL MOVIMIENTO: (1) Póngase de pie con los pies un poco más abiertos que el ancho de sus hombros. Debe tener los dedos de los pies apuntados al frente o un poco abiertos. Sostenga las mancuernas con los brazos extendidos a sus costados. (2) Mantenga la espalda recta, los talones pegados al piso y los ojos fijos al frente. Con un movimiento lento y controlado, baje el cuerpo como si fuera a sentarse en una silla. Siéntese hacia atrás, encima de sus talones, en lugar de descender directamente hacia abajo. Debe tener las rodillas encima de los dedos de

sus pies (nunca más allá de estos). Mantenga la posición por un segundo y vuelva a la posición inicial empujándose desde los talones y enderezando las piernas. Apriete los músculos de sus asentaderas y repita.

VAYA A LO SEGURO: Si es la primera vez que hace ejercicios con pesas, realice este movimiento sin pesas durante varias sesiones. Si siente tensión en las rodillas, asegúrese de sentarse hacia atrás, encima de los talones, y de no permitir que sus rodillas rebasen los dedos de sus pies hacia el frente. Las mujeres que tienen problemas con las rodillas deben consultar a su médico antes de hacer este ejercicio.

1   2

Arco

QUÉ TONIFICA: las asentaderas (glúteo mayor), los muslos (cuádriceps y ligamentos de la corva), la parte anterior de las caderas (músculos psoasilíacos) y las pantorrillas (gemelos)

MANEJE EL MOVIMIENTO: (1) Póngase de pie con los pies separados a la misma distancia que el ancho de sus caderas y los brazos extendidos hacia abajo, sosteniendo las mancuernas a sus costados. (2) Dé un paso grande hacia el frente con el pie izquierdo, manteniendo rectos la espalda y el torso y doblando ambas rodillas. Debe tener la rodilla izquierda doblada en un ángulo de 90 grados sin rebasar la punta de los dedos de los pies. La rodilla derecha debe estar doblada en un ángulo de un poco más de 90 grados, separando el talón del piso. Sostenga esta posición por un segundo y vuelva a la posición inicial dando un paso hacia delante con la pierna de atrás. Repita con la pierna derecha al frente.

VAYA A LO SEGURO: Si es principiante, sólo use mancuernas después de haber dominado el movimiento sin ellas. Si tiene problemas con las rodillas, consulte a su médico antes de hacer este ejercicio.

1   2

Pres sobre la cabeza

Qué tonifica: los hombros (deltoides), la parte posterior de los brazos (tríceps) y la parte inferior del cuello así como la parte central superior de la espalda (trapecio)

Maneje el movimiento: (1) Empiece con los pies separados a la misma distancia que el ancho de sus hombros. Sostenga las mancuernas con los codos doblados y las palmas vueltas al frente. Los extremos internos de las mancuernas deben tocar los hombros. (2) Empuje las mancuernas hacia arriba y extienda los brazos por encima de la cabeza, manteniendo los codos ligeramente doblados. Baje las mancuernas lentamente a la posición inicial y repita.

Varíelo: Puede modificar este movimiento un poco empezando con las palmas y los antebrazos vueltos hacia su pecho en lugar de al frente. Al levantar las mancuernas, gire los antebrazos y las palmas de modo que terminen vueltos hacia el frente cuando termine de extender los brazos. Vuelva a girar los brazos y bájelos a la posición inicial.

Benchprés (pres de banca) con mancuernas

QUÉ TONIFICA: el pecho (gran pectoral), la parte anterior de los hombros (deltoide anterior) y la parte posterior de los brazos (tríceps)

MANEJE EL MOVIMIENTO: (1) Acuéstese boca arriba sobre una banca apoyando las plantas de los pies en el piso. Si tiene que arquear la espalda para alcanzar el piso, apoye las plantas de los pies sobre un extremo de la banca, doblando las rodillas. Mantenga las asentaderas, la parte superior y la parte baja de la espalda y la cabeza alineadas y en contacto con la banca durante este ejercicio. Extienda los brazos por encima de su cabeza con las mancuernas colocadas justo encima de los hombros, manteniendo los codos ligeramente doblados. Los extremos internos de las mancuernas deben tocarse. (2) Baje las mancuernas lentamente doblando los codos y bajando los brazos a sus costados. Al finalizar el movimiento debe tener las mancuernas más o menos a la altura del pecho y cerca del cuerpo. Vuelva a la posición inicial empujando las mancuernas hacia arriba y juntándolas. Repita.

Varíelo: Si no tiene una banca para ejercicios, pruebe acostarse sobre un banco (*step*) para aeróbicos.

1

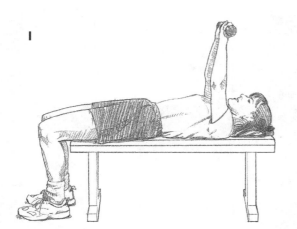

2

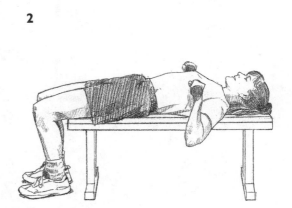

Plancha (lagartija)

QUÉ TONIFICA: el pecho (gran pectoral), los brazos (bíceps y tríceps) y los hombros (deltoides)

MANEJE EL MOVIMIENTO: (1) Acuéstese boca abajo sobre un tapete para ejercicios, con las palmas apoyadas sobre el piso justo a un lado de los hombros. Los dedos de las manos deben apuntar hacia delante y los codos hacia arriba. Doble las rodillas de modo que los pies y las pantorrillas estén levantados, formando un ángulo de 90 grados con los muslos. (2) Empuje su torso hacia arriba. Apoye el peso del cuerpo sobre la parte carnosa de su muslo inferior, justo arriba de la rótula. Debe tener alineados los muslos, las asentaderas, la espalda, el cuello y la cabeza, apretando los músculos abdominales. Asegúrese de tener los hombros justo arriba de las manos y de no extender los codos por completo. Sostenga esta posición por un segundo y vuelva a bajar el torso al piso. Repita.

VARÍELO: Para que este movimiento sea más difícil puede hacer una plancha completa con las piernas estiradas. Sólo las manos y los dedos de los pies deben permanecer en contacto con el piso. Las piernas, espalda, cuello y cabeza deben formar una línea recta.

VAYA A LO SEGURO: No haga este ejercicio si padece del síndrome del túnel carpiano o si la muñeca le duele en la posición levantada.

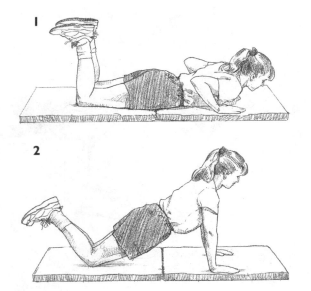

Contracción abdominal

Qué tonifica: los músculos abdominales (recto mayor del abdomen)

Maneje el movimiento: (1) Acuéstese boca arriba sobre el tapete para ejercicios con las rodillas dobladas, apoyando las plantas de los pies en el piso y relajando la baja espalda. Coloque los dedos de las manos detrás de la cabeza para apoyarse, apuntando los codos hacia los lados. Asegúrese de no jalar la cabeza hacia el frente con las manos. (2) Utilice sus músculos abdominales para levantar su pecho y hombros lentamente, asegurándose de no arquear la baja espalda. Sostenga hasta la cuenta de cinco y vuelva lentamente a la posición inicial. No descanse entre repeticiones.

Varíelo: Para aumentar el esfuerzo, eleve las piernas hacia el pecho al hacer la contracción. Debe tener las rodillas ligeramente dobladas y los tobillos cruzados. Levante su torso y piernas al mismo tiempo, como si tratara de tocar los hombros con las rodillas.

Vaya a lo seguro: Si le duele la baja espalda, pruebe hacer la contracción apoyando los pies y las pantorrillas sobre una silla. Doble las rodillas en un ángulo de 90 grados y mantenga la baja espalda en contacto con el piso al realizar el movimiento.

Curl de bíceps

QUÉ TONIFICA: la parte anterior de los brazos (bíceps)

MANEJE EL MOVIMIENTO: (1) Póngase de pie con los pies separados más o menos a la misma distancia que el ancho de sus hombros y los brazos extendidos a sus costados, sosteniendo las mancuernas con las palmas vueltas hacia sus muslos. (2) Levante las mancuernas con un solo movimiento continuo doblando los codos, girando los antebrazos de modo que las palmas de las manos queden hacia arriba y elevando las mancuernas hasta la altura de los hombros. Mantenga rectas las muñecas y la espalda. Baje las mancuernas lentamente a la posición inicial y repita.

VARÍELO: A fin de hacer más difícil este movimiento pruebe lo que se llama un *curl* de concentración. Siéntese en la orilla de una banca o silla con las plantas de los pies apoyadas en el piso y las rodillas dobladas en un ángulo de 90 grados. Sus pies deben estar un poco más abiertos que el ancho de los hombros. Sostenga una mancuerna con una mano. Incline el torso un poco al frente y descanse el codo y el brazo que está trabajando sobre la parte interna del muslo. Apoye su mano libre sobre la otra rodilla. Levante la mancuerna lentamente hasta el hombro, manteniendo el codo y el brazo apoyados firmemente en el muslo.

1

2

Extensión del tríceps

QUÉ TONIFICA: la parte posterior del brazo (tríceps)

MANEJE EL MOVIMIENTO: (1) Siéntese sobre la mitad delantera de una silla sólida, con la espalda recta y las plantas de los pies apoyadas sobre el piso. Sostenga una mancuerna con una mano y extienda el brazo por encima de la cabeza. Doble el codo y baje la pesa lentamente hacia su hombro, hasta donde le resulte cómodo. Mantenga el codo cerca de su oreja y apuntado hacia el techo. Apoye el brazo de la mancuerna sosteniéndolo cerca del codo con la mano libre. (2) Sin mover el brazo, levante el antebrazo por encima de la cabeza sin extender el codo por completo. Baje la mancuerna a la posición inicial y repita. Cambie de brazo para la siguiente serie.

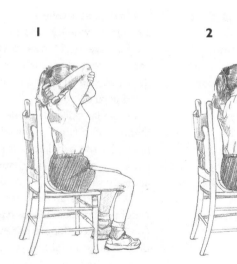

Estírese

Termine su sesión de ejercicios con los siguientes estiramientos, los cuales aumentarán su elasticidad y reducirán el riesgo de que sufra alguna lesión, según indica la Dra. Nelson.

Estiramiento del cuádriceps

QUÉ ESTIRA: la parte anterior de los muslos (cuádriceps) y la parte anterior de las caderas (músculos psoasilíacos)

MANEJE EL MOVIMIENTO: Acuéstese sobre su costado con las piernas extendidas y juntas una encima de la otra. Apoye la cabeza con la mano de abajo descansando el brazo sobre el piso y doblando el codo. Doble la pierna inferior un poco si le hace falta para mantener el equilibrio.

Doble la rodilla de la pierna superior de modo que su pie se acerque a sus asentaderas. Sostenga el pie con la mano libre y jale el talón hacia las asentaderas hasta sentir un estiramiento agradable en la parte anterior de su muslo. Mantenga esta posición de 20 a 30 segundos y luego suelte la pierna lentamente. Póngase del otro lado y estire la otra pierna.

Estiramiento de los ligamentos de la corva

QUÉ ESTIRA: la parte posterior de los muslos (ligamentos de la corva), la parte interna de los muslos (aductores) y las asentaderas (glúteo mayor)

MANEJE EL MOVIMIENTO: Póngase de pie con los pies juntos y dé un paso muy grande al frente con la pierna derecha. Mantenga el pie derecho apuntado hacia el frente y gire la pierna de atrás ligeramente, de modo que su pie izquierdo apunte un poco hacia la izquierda.

Doble la rodilla de la pierna de atrás, coloque las manos sobre la parte superior del muslo de la pierna de delante e incline el torso lentamente hacia delante, lo más que le resulte cómodo. Mantenga alineados la espalda, el cuello y la cabeza. Doble la rodilla de atrás un poco más a la vez que empuja las caderas y las asentaderas hacia abajo y atrás. Despegue los dedos del pie derecho del piso, manteniendo la presión sobre el talón. Debe sentir un estiramiento agradable en la espalda y el muslo interno de la pierna estirada. Mantenga la posición de 20 a 30 segundos y luego estire el otro muslo.

Estiramiento de hombros

Qué estira: los hombros (deltoides) y los brazos (bíceps y tríceps)

Maneje el movimiento: Póngase de pie con los pies separados a la misma distancia que el ancho de sus hombros y los brazos extendidos a sus costados. Alargue los brazos hacia atrás del torso, estirándolos hacia atrás y arriba hasta donde le resulte cómodo. Si alcanza a hacerlo, junte las manos agarrando la una con la otra. Sostenga esta posición de 20 a 30 segundos.

Inclinación lateral

Qué estira: las partes media y baja de la espalda (dorsal largo) y los músculos abdominales laterales (oblicuos)

Sin inclinarse al frente, doble su cintura hacia la mano que tiene apoyada en la cadera y al mismo tiempo estire la otra mano por encima de la cabeza lo más que le resulte cómodo. Sostenga esta posición de 20 a 30 segundos y luego estire el otro lado.

Estiramiento de hombros con inclinación

Qué estira: las partes media y baja de la espalda (dorsal largo), los hombros (deltoides) y los brazos (bíceps y tríceps)

Maneje el movimiento: Póngase en cuatro puntos sobre un tapete para ejercicios, con las manos y las rodillas separadas más o menos a la misma distancia que el ancho de sus hombros. Mantenga rectos la espalda y el cuello y fije la vista en el piso. Siéntese sobre los talones, extendiendo los brazos delante de usted. Aplique un poco de presión sobre el tapete con las palmas de las manos y sostenga esta posición de 20 a 30 segundos.

Segunda Parte

Luzca 10 años más joven

Abajo las arrugas

Hay muchos hitos en la vida de una mujer: su primera menstruación, el día de su boda, el nacimiento de su primer hijo, el día en que descubre su primera arruga. . .

Oh, espejito, espejito, ¿por qué tiene que ser así? Sabemos que se acumula sabiduría a lo largo de los años, pero ¿realmente es necesario coleccionar arrugas también? Al ver esos diminutos surcos debajo de los ojos o la primera raya apenas visible sobre la frente (por no mencionar la aparición de capilares rotos y manchas de la edad) nos dan ganas de darle la espalda a nuestra propia imagen reflejada (o bien, como la malvada reina de *Blancanieves*, simplemente de romper el espejo).

Al enfrentar un cutis ya no tan juvenil, por decirlo de alguna manera, contamos con dos opciones. Podemos aceptar el hecho y hacer las paces con nuestras arrugas. O las podemos combatir de todas las maneras habidas y por haber.

¿Quiere armarse para la batalla? En gran medida es posible controlar cómo envejece el cutis y disponemos de muchas formas para que siga siendo radiante y mantenga su tersura juvenil. Y no nos referimos a extraños ejercicios faciales,

cremas que cuesten $100 ni visitas al consultorio del cirujano plástico.

Aunque usted aún no haya descubierto esa primera arruga existen buenas razones para derrochar tiernos y amorosos cuidados sobre su cutis juvenil. "Entre más pronto empiece a cuidar su cutis, mayor será la diferencia que observe al envejecer", afirma la Dra. Francesca J. Fusco, una dermatóloga de la ciudad de Nueva York.

A fin de darle un aspecto más juvenil al cutis es importante comprender cómo y por qué cambia al paso de los años.

Por qué la piel se da por vencida

Desde luego el envejecimiento mismo tiene su efecto en nuestra piel. La capa protectora externa del cutis, la epidermis, se hace más delgada y cada vez más frágil. Las glándulas sebáceas producen menos grasa, lo cual reseca el cutis y lo hace más sensible. El número de vasos sanguíneos disminuye, por lo que se pierde el sonrosado resplandor de la juventud. Además, al pasar los años el organismo se tarda más en re-emplazar las células viejas por otras nuevas y frescas.

La genética también influye en cómo enveje-ce el cutis. Las mujeres de tez blanca, por ejem-plo, muestran las señales del envejecimiento prematuro antes que las mujeres de piel más os-cura. Así ocurre porque la tez blanca contiene menos melanina, la sustancia que le da su pig-mento a la piel y ayuda a protegerla contra el sol, según explica la Dra. Linda K. Franks, una dermatóloga de la ciudad de Nueva York.

Sin embargo, esta circunstancia sólo es una entre muchas. Sin importar cuántas velas ador-nen su pastel (bizcocho, torta, *cake*) de cumplea-ños o qué tan blanca sea su piel, la "edad" de su cutis depende en gran medida de cómo lo cuida.

Para la piel, los pecados capitales son asolear-se y fumar cigarrillos. Ambas cosas aceleran la descomposición del colágeno y la elastina, las proteínas estructurales que le otorgan a la tez su grosor juvenil y capacidad de recuperación. Cuando esto sucede, la piel se cuelga de manera prematura y aparecen arrugas, aspereza, man-chas de la edad y decoloraciones.

Otros factores que hacen envejecer el cutis son un estado crónico de estrés emocional, una nu-trición deficiente, hacer dieta demasiado y el consumo de alcohol, según indica la Dra. Debra Jaliman, una dermatóloga de la ciudad de Nueva York.

El enemigo número uno de la piel: el sol

Cuando se les pide a los dermatólogos que se-ñalen el criminal más peligroso en lo que a la piel se refiere, el sol las gana de todas todas. El daño que causa la luz solar, también conocido como "fotoenvejecimiento", le da a la piel la textura del cuero y puede llenar un cutis de seda de arrugas, manchas, decoloraciones y vasos sanguíneos rotos.

¿Cómo es posible que algo que nos brinda una sensación tan agradable sobre la piel desnuda provoque tantos estragos? La respuesta es senci-lla: por las radiaciones.

El Sol despide dos tipos de radiación ultravio-leta (UV): la UVA, a la que a veces se le dice "ra-yos bronceadores", y la UVB, los llamados "rayos quemadores". Hasta hace poco se pensaba que los rayos UVA eran inofensivos. De hecho aún se utiliza la luz UVA en las camas bronceadoras. No obstante, los dermatólogos ya saben que el efecto de los rayos tanto UVA como UVB es igualmente nocivo para la piel. A lo largo de los años, estos rayos van descomponiendo el coláge-no y la elastina de manera paulatina pero cons-tante, hasta que un buen día ¡listo! Su cara contará con un buen surtido de surcos.

Los daños comienzan a operarse antes de lo que usted tal vez se imagina. "El 80 por ciento de los daños solares se dan antes de los 20 años", afirma la Dra. Rhoda S. Narins, profesora clíni-ca adjunta de Dermatología en el Centro Médi-co de la Universidad de Nueva York y dermatóloga en la ciudad de Nueva York así co-mo en White Plains, Nueva York.

Las mujeres más vulnerables al fotoenvejeci-miento son las que tienen la tez blanca, el cabello rubio y los ojos claros, así como las que crecieron en altitudes elevadas, donde los rayos UV son más intensos, según indica la Dra. Franks. "He visto a veinteañeras que crecieron en Colorado o a esquiadoras que han pasado años expuestas a un sol muy intenso, y a esa edad ya tienen líneas de expresión y arrugas finas debajo de los ojos".

¿Piensa que su tez más oscura es inmune a la agresión solar? Más vale que cambie de opinión, advierte la Dra. Franks. Incluso las afrolatinas y las mujeres de piel aceitunada, cuya tez contie-ne más melanina que la de las mujeres más blan-cas, pueden sufrir daños por el sol. "He visto a

NO DESCUIDE SU CUELLO

Independientemente de lo joven que se vea de la barbilla para arriba, si no dedica un poco de cuidado a su cuello su edad saltará a la vista. Al igual que la piel alrededor de los ojos, la del cuello es una de las primeras en revelar la edad. "Es más delgada que la piel de la cara y prácticamente carece de glándulas sebáceas, por lo que resulta muy vulnerable a la resequedad y los daños por el sol", indica la Dra. Jennifer Ridge, una dermatóloga de Middletown, Ohio.

Para evitar mayores daños empiece ya a aplicar las siguientes estrategias para cuidarse el cuello.

Consienta su cuello. No hace falta utilizar cremas especiales para el cuello, afirma la Dra. Ridge. Simplemente cuídelo con el mismo limpiador suave y el rico humectante que aplica a su rostro. Póngase el humectante con movimientos firmes de abajo hacia arriba.

Cuídelo contra el sol. Cubra su cuello diariamente con una loción antisolar (filtro solar), humectante o base de maquillaje que cuente con un factor de protección solar (o *SPF* por sus siglas en inglés) de por lo menos 15. Si se va a poner sólo loción antisolar, use una cantidad correspondiente más o menos al tamaño de un garbanzo.

También aplique la loción antisolar a su pecho. "Los cuellos abiertos y los vestidos de escotes bajos exponen el pecho al sol", explica la Dra. Ridge.

Para proteger su cuello más aún, guarde un pequeño tubo de loción antisolar en la cartera (bolsa) y aplíquela varias veces al día (cada 2 horas si se expone al sol intenso). ¿Por qué? Porque una sola aplicación por la mañana no protegerá su cuello durante todo el día. "La loción antisolar se quita con el sudor o el roce; después de unas cuantas horas ya no queda nada", dice la Dra. Ridge.

Protéjase mientras duerme. Cuando nos acostamos en una almohada tendemos a apretar la barbilla contra el pecho, indica la Dra. Ridge. En el transcurso de los años, conforme la piel

---

muchas mujeres de piel aceitunada con el cutis muy dañado por el sol —señala la experta—. En su caso las manchas por el sol o manchas de la vejez parecen surgir más pronto".

La loción antisolar al rescate

¿No sería maravilloso que existiera un producto milagroso capaz de proteger la piel contra la agresión del sol? ¿Que de hecho pudiera *evitar* las arrugas provocadas por el sol?

Lo hay. Se llama loción antisolar (filtro solar).

Piense en la loción antisolar como una armadura para la piel. Sin importar la edad que tenga, ponerse loción antisolar *ahora mismo* puede ayudarle a prevenir los daños que el sol le hubiera causado en el futuro, opinan los dermatólogos.

También es posible que la proteja contra la formación de arrugas. "Se requieren años de exposición al sol para producir arrugas, pero la piel ya está dañada antes de que estas aparezcan —explica la Dra. Franks—. Al usar una loción antisolar ahora y defenderse así contra la agresión constante, usted puede retardar o incluso evitar las arrugas".

Hay dos tipos de loción antisolar. Los bloqueadores físicos, que corresponden al primer tipo, contienen óxido de cinc *(zinc oxide)* o dióxido de titanio *(titanium dioxide)* y actúan como un campo de fuerzas que literalmente

pierde su capacidad de recuperación, las "arrugas por el sueño" se hacen permanentes en el cuello.

Para mantener más terso el cuello, cambie su almohada normal por un rollo cervical (*neck roll*), sugiere la Dra. Ridge. Estas pequeñas almohadas con forma de tronco se consiguen en las tiendas y los catálogos de equipos médicos y están diseñadas para mantener alineada la barbilla con el cuello. También mantienen tirante la piel del cuello. No obstante, cabe hacer una advertencia: los rollos para el cuello llegan a tener un efecto secundario poco afortunado. "Es posible que ronque más —afirma la Dra. Ridge—, pero su cuello se verá mejor".

Desafíe a la Naturaleza. A fin de reducir las arrugas de su cuello, use lociones o cremas que contengan ácido glicólico, el cual pertenece a un grupo de sustancias conocidas como alfa-hidroxiácidos (AHA, *alpha-hydroxy acids*), recomienda la Dra. Ridge. Estos ácidos naturales extraídos de las frutas y la leche eliminan por vía química —es decir, exfolian— la acumulación de células muertas en la superficie del cuello y revelan la piel más fresca y nueva que hay debajo.

Encontrará productos que contienen los AHA —la mayoría usan ácido glicólico— en el pasillo para el cuidado de la piel de cualquier farmacia. Busque marcas que contengan un 10 por ciento de ácido glicólico (*glycolic acid*). No obstante, para obtener los resultados más espectaculares es posible que requiera una concentración más fuerte —hasta un 25 por ciento—, para lo que tendrá que ver a un dermatólogo.

Es posible que un dermatólogo también le recomiende la tretinoína (*Retin-A* o *Renova*). Al igual que el ácido glicólico, estos productos exfolian de manera química la capa superior de la piel. También penetran en su segunda capa, la dermis, donde ayudan a formar el colágeno, el material fibroso que le da a la piel su grosor juvenil. A pesar de que ambos funcionan bien, señala la Dra. Ridge, tanto *Retin-A* como *Renova* son medicamentos que se venden con receta, por lo que únicamente es posible conseguirlos bajo supervisión médica.

bloquea los rayos UVA y UVB, impidiéndoles llegar hasta la piel. El óxido de cinc —esa pasta blanca que los salvavidas solían untarse en los labios y la nariz— es la más poderosa de las dos sustancias.

Afortunadamente ya es posible cosechar los beneficios del óxido de cinc sin lucir como si se acabara de salir de una fiesta de *Halloween*. Hoy en día la mayoría de los bloqueadores físicos que se venden sin receta, los cuales están disponibles en el consultorio del dermatólogo, contienen óxido de cinc micronizado (es decir, reducido por trituración a partículas prácticamente invisibles). También puede buscar estos productos en Internet, ya que por lo común no se consiguen en las tiendas. Busque productos con el ingrediente "*micronized zinc oxide*".

Las lociones antisolares químicas, que es el segundo tipo, contienen sustancias químicas específicas que absorben tanto los rayos UVA como los UVB. La avobenzona, también conocida como *Parsol 1789*, es una de las lociones antisolares químicas más difundidas y más eficaces, señala la Dra. Franks.

Sin embargo, ni siquiera una loción antisolar sería suficiente para impedir que el sol haga envejecer su cutis si usted insistiera en empezar a leer —y en terminar— las 300 páginas del último bestséller mientras se asolea en la playa. "Incluso las mejores lociones antisolares permiten que algunos rayos UV penetren la piel", advierte la Dra. Fusco.

¿Por qué mi piel se ve tan terrible cuando no duermo lo suficiente?

Las bolsas debajo de los ojos, las ojeras, la hinchazón y el color cetrino que la piel muestra después de una noche de insomnio o de desvelo se dan por la misma razón por la que la gente con desfase horario después de un largo viaje en avión se ve tan mal: el reloj corporal —y las hormonas— están fuera de sincronización.

El reloj corporal de la mayoría de la gente está puesto de tal manera que les permite dormir de noche y despertar por la mañana. Estos relojes internos también están programados para liberar ciertas hormonas a determinadas horas del día.

Tal vez se haya fijado en que por la noche, antes de acostarse, tiene los ojos hinchados y se ve cansada y abotagada. ¿Por qué no se ve así por la mañana? Suponiendo que haya dormido lo suficiente durante la noche, sus hormonas repuntan conforme se acerca la mañana y "preparan" a la piel para despertar.

Una hormona que alcanza su nivel más alto principalmente por la mañana es el cortisol, que es segregado por las glándulas suprarrenales. El cortisol tiene un impacto espectacular en la piel: ayuda a regular la hinchazón. Al cambiar el nivel de cortisol, la hinchazón puede aumentar o reducirse.

Cuando duerme lo suficiente, el cortisol llega a su máximo nivel a la hora prevista: por la mañana. Ayuda a reducir la hinchazón matutina y contribuye a que la piel se vea descansada y repuesta. Por el contrario, una desvelada o una noche de insomnio confunde al reloj corporal, de modo que el cortisol no alcanza su máximo nivel a la hora debida. Entonces uno se levanta con el semblante pálido e hinchado.

Información proporcionada por el experto
El Dr. Andrew Pollack
Jefe de Dermatología
Hospital Chestnut Hill
Filadelfia

Todo acerca de la loción antisolar

¿Así que ya está convencida de que el sol convierte la piel en una tostada? ¿Ha jurado ponerse loción antisolar todos los días? Perfecto. Lo único que le resta por hacer es elegir el producto indicado y utilizarlo correctamente. Le diremos cómo.

Anote los números. Para protegerse en su vida cotidiana utilice una loción antisolar que contenga un factor de protección solar (o *SPF* por sus siglas en inglés) de por lo menos 15, recomienda la Dra. Franks, y póngasela 30 minutos antes de salir al sol. Todos los días. Aunque el sol no se asome por ningún lado. (Las nubes tapan el brillo del sol, pero permiten que hasta el 80 por ciento de la luz UV llegue a la piel).

Si piensa estar en el campo de golf, la cancha de tenis o las pistas de esquí, utilice una loción antisolar con un SPF de 30, indica la Dra. Fusco. Lo mismo hay que hacer si va a pasar mucho tiempo sobre una lancha o en la playa. El agua refleja el sol y rebota su luz sobre la piel, lo cual intensifica los daños. En vista de que el sudor, secarse con una toalla repetidas veces y el agua pueden eliminar la loción antisolar, vuelva a aplicarla de vez en cuando. Quizá quiera probar una de las muchas lociones antisolares a prueba de agua (dirán *"waterproof"* en la etiqueta), pero así todo acuérdese de que también debe volver a aplicarla.

Procúrese mayor protección. El factor SPF de la loción antisolar sólo mide su protección contra los rayos UVB. Por lo tanto, asegúrese de que la loción antisolar que compre sea de espectro amplio (dirá "*broad-spectrum*" en la etiqueta), lo cual significa que absorbe tanto los rayos UVB como los UVA. La mayoría de las lociones antisolares de espectro amplio contienen *Parsol 1789* o dióxido de titanio.

Sea generosa. Unte en su rostro una cantidad de loción antisolar equivalente a una canica, y dos "canicas" en su cuello y pecho, sugiere la Dra. Fusco. Si va a usar una base o una crema humectante aparte de la loción antisolar, aplique esta primero. La querrá tener lo más cerca posible de su piel.

Use las lociones antisolares "integradas". A fin de ahorrar tiempo, dinero y espacio en su botiquín, utilice una crema humectante o base que tenga un SPF de por lo menos 15. "Para el uso diario y cuando se utilizan correctamente, estos productos son tan eficaces como la loción antisolar por sí sola —afirma la Dra. Fusco—. Sin embargo, debe acordarse de aplicar el equivalente de 1 cucharadita de base para asegurar el factor prometido de protección solar".

Ponga sus labios a prueba de arrugas. Los daños por el sol con el tiempo también arrugan los labios. Por lo tanto, póngase un lápiz o bálsamo labial que contenga loción antisolar, a fin de ayudar a conservar la suavidad y el aspecto juvenil de sus labios, recomienda la Dra. Fusco.

Mate las manchas

¿Pecas en las caras de los niños? Qué lindo. ¿Pecas en *nuestras* caras? A menos que sean de nacimiento no tienen nada de lindo.

"Si tiene 35 ó 40 años y se le notan 'pecas' en zonas donde no las tuvo de niña, su piel ha sufrido daños por el sol", indica la Dra. Jennifer Ridge, una dermatóloga de Middletown, Ohio.

Lo que comúnmente llamamos pecas en realidad corresponde a dos categorías distintas, explica la experta. Las pecas auténticas o efélides son las manchitas color marrón (café) con las que nacemos. Simplemente se trata de puntos de melanina, la sustancia que le da su pigmento a la piel. Las heredamos de nuestros padres; quienes tienen la piel blanca y el cabello rubio son más propensos a ostentarlas. Si bien las pecas auténticas se revelan bajo el sol, también tienden a desaparecer conforme pasan los años.

Al igual que las pecas auténticas, las falsas o léntigos solares son de melanina. No obstante, a diferencia de las pecas que se heredan, los léntigos nacen por una razón específica: se trata de un intento de la piel por defenderse del sol. Y no se desvanecen con los años. Empeoran.

Si bien los léntigos no son peligrosos sí significan que hemos sufrido daños por el sol, lo cual hace que la piel sea más vulnerable a padecer un cáncer inducido por el sol, comenta la Dra. Ridge. ¿Y cuál es el antídoto contra futuros daños solares? La loción antisolar (filtro solar). Cubra su rostro y cuello con un producto que cuente con un factor de protección solar (o *SPF* por sus siglas en inglés) de por lo menos 15. O use humectantes y bases que contengan una loción antisolar con un SPF de 15.

Advertencias para las adictas al sol

Pregúnteselo a cualquier dermatóloga y le dirá que no se exponga al sol entre las 10:00 A.M. y las 4:00 P.M., cuando los rayos solares son más intensos. Si bien se trata de un consejo sensato, somos mujeres, no vampiresas. Algunas vivimos en climas con mucho sol, otras pasamos los fines de semana en nuestros jardines y a otras más nos encanta jugar golf o tenis. Si tiene que asolearse, observe las siguientes sugerencias. Le ayudarán a elevar al máximo su protección contra el sol.

Use la cabeza para proteger su piel. Cuando se exponga a un sol intenso, póngase un sombrero con un ala de por lo menos 4 pulgadas (10 cm) de ancho. Olvídese de las gorras de marinero o de beisbol, pues ninguna de las dos ofrece mucha protección contra el sol en pleno, en opinión de la Dra. Debra Jaliman, una dermatóloga de la ciudad de Nueva York.

Fíjese en *Foster Grant*. Póngase unos anteojos (espejuelos) para el sol con protección lateral *(wraparound)*, diseñados para bloquear entre el 95 y el 100 por ciento de los rayos UVA y UVB, sugiere la Dra. Jaliman. ¿Por qué con protección lateral? Defenderán sus ojos contra los perjudiciales rayos UV y al mismo tiempo cubrirán por completo la zona de sus patas de gallo.

Sírvase de la sombra. Cuando se encuentre expuesta a un sol intenso, retírese de vez en cuando a un lugar con sombra, recomienda la Dra. Jaliman. En la playa póngase debajo de una sombrilla grande. Cuando salga de excursión o en lancha, póngase ropa de tejido cerrado si no hace demasiado calor. Esto evitará que los rayos UV penetren su piel. Si está decidida a rostizarse, por lo menos póngase un sombrero, anteojos para el sol y mucha loción antisolar.

BRONCÉESE SIN SOL

Para obtener el delicioso color de un prolongado baño de sol sin arrugas que lo acompañen, pruebe una loción autobronceadora (*self-tanning lotion*), sugiere Mary Ronnow, cultora de belleza paramédica (una especialista en el cuidado de la piel que trabaja en el consultorio de un médico) en la institución Northern Nevada Plastic Surgery de Reno. A diferencia de los "bronceadores de botella" de antaño, la nueva generación de bronceadores sin sol tiene menos probabilidad de pintarla de rayas y, lo que es mejor aún, no la pondrá del color de una zanahoria.

El ingrediente activo de los autobronceadores, la dihidroxiacetona (DHA), interactúa con los aminoácidos de la capa superior de la piel y la oscurece. Este "bronceado" se desvanece en unos cuantos días, conforme la piel elimina las células muertas.

A fin de obtener el mejor bronceado de botella posible, observe los siguientes pasos delineados por Ronnow.

Dése una ducha (regaderazo) y enjuáguese muy bien. Los autobronceadores "agarran" mejor cuando se aplican a la piel limpia de grasas corporales, sudor o restos de jabón.

Anule las asperezas. Mientras esté en la ducha, exfolie su cuerpo con una esponja de *luffa*, guante para baño o limpiador exfoliante, a fin de eliminar la piel reseca y las asperezas. La piel suave absorbe la DHA de manera más uniforme, para que su bronceado no se vea disparejo.

Huméctese. A fin de suavizar su piel aún más, póngase su crema líquida favorita. Deje que penetre hasta que ya no la pueda ver ni sentir sobre su piel.

Empiece desde arriba. Aplique el autobronceador en una capa delgada y uniforme de la cabeza a los pies. Use una cantidad correspondiente a una moneda de 10 centavos para su

---

Cambie sus costumbres y conserve su juventud

Cuando los dentistas dicen que una buena higiene oral protege los dientes y las encías, usted sabe exactamente a qué se refieren. Si

rostro y otra igual para cubrir su cuello, pero no se ponga bronceador sobre los párpados o las cejas. Extiéndalo por su barbilla y hasta el escote. A fin de broncear el dorso de sus manos moje una bola de algodón con autobronceador y pásela sobre el dorso de sus manos y dedos. No aplique demasiado bronceador en el nacimiento del pelo ni en sus rodillas, codos y tobillos; estas partes parecen "agarrar" más DHA y llegan a ponerse muy oscuras.

Si está usando un bronceador en aerosol, rocíe el producto de manera ligera y uniforme sobre una parte del cuerpo a la vez. Luego extiéndalo rápidamente de acuerdo con las indicaciones que hemos dado. Para aplicarlo a su cara, rocíe el producto sobre la mano y repártalo de manera uniforme y a conciencia.

Independientemente del producto que elija, no lo utilice en un baño caliente y lleno de vapor. Con el calor se derretirá, lo cual haría difícil su aplicación.

Ponga sus palmas a prueba de bronceados. Al terminar frote sus manos de inmediato con una esponja de *luffa* o un producto provisto de gránulos exfoliantes. También limpie los espacios entre los dedos.

Mantenga la magia. Reaplique el bronceador sin sol otra vez el mismo día hasta obtener el tono que desee. A fin de mantener su bronceado, reaplíquelo cada 3 ó 4 días.

Una advertencia: Los autobronceadores no protegerán su piel contra el sol. Por lo tanto, usted debe elegir una marca que contenga una loción antisolar (filtro solar) con un factor de protección solar (o *SPF* por sus siglas en inglés) de 15 o más. Dos productos que cumplen con el requisito son *Bain de Soleil* y *Physician's Formula.* También puede lograr la misma protección aplicando loción antisolar encima de su nuevo "bronceado".

extendemos la metáfora, una buena higiene de la *piel* puede ayudar a protegerla contra las arrugas prematuras. Las siguientes sugerencias de las expertas le ayudarán a cambiar las costumbres que le están robando la juventud por unas que la conservan.

Quítese la cara de fumadora. Ahora contará con otra razón más para dejar el cigarrillo. Los fumadores tienen un riesgo de dos a tres veces más grande de arrugarse de manera prematura que quienes no fuman, de acuerdo con las investigaciones llevadas a cabo por la Universidad de California en San Francisco. Fumar hace que las fibras de la piel pierdan su elasticidad más pronto y se vuelvan más susceptibles a arrugarse.

Además, este vicio literalmente asfixia la piel. La nicotina del cigarrillo (o bien de los puros) estrecha los vasos sanguíneos e impide que la sangre rica en oxígeno llegue hasta los diminutos capilares en las capas superiores de la piel. Esta escasez de oxígeno hace que la piel se vea opaca y grisácea y se parezca al cuero. Se trata de un estado tan conocido que cuenta con un nombre: cara de fumadora y sin lugar a dudas, este es un *look* que no le conviene para nada.

La buena noticia es que las fumadoras observarán una mejoría en la apariencia de su piel en tan sólo 60 días sin humo, afirma la Dra. Franks. Eso es lo que la piel tarda en reemplazarse dos veces. Así que haga el esfuerzo; bien vale la pena.

Sálvese soñando. Aunque suene obvio, trate de dormir por lo menos 8 horas cada noche. "Al igual que cualquier otro órgano, la piel necesita tiempo para repararse y el sueño es un excelente tiempo de reposo", indica la Dra. Franks.

Duerma boca arriba. Si no puede, aprenda a hacerlo. Apretar la cara contra la almohada durante 30 ó 40 años en algún momento imprimirá arrugas sobre su cutis, advierte la Dra. Jaliman.

El limpiador perfecto

La industria dedicada al cuidado de la piel gasta millones en el intento de convencernos de que sus productos guardan el secreto para tener un cutis terso y libre de arrugas. La reacción de los dermatólogos es: "¡Bah!"

"Soy una gran partidaria del cuidado básico y sencillo de la piel —indica la Dra. Franks—. Lo único que se necesita es un limpiador suave y un humectante". La miniguía que presentamos a continuación le ayudará a encontrar los limpiadores que le funcionan mejor a *su* cutis.

Como ya lo comentábamos, las glándulas sebáceas de la piel reducen su producción de grasa conforme envejecemos. El limpiador correcto elimina la suciedad y el maquillaje pero deja la grasa donde debe estar: en su cara.

Si resiente la resequedad, cuídese con algo cremoso. "Entre más reseco el cutis, más suave debe ser el limpiador", opina la Dra. Fusco. La experta sugiere el *Foaming Face Wash* de Oil of Olay o *Cetaphil*. *Cetaphil* es un limpiador sin jabón que no contiene perfumes, aditivos ni conservantes, los cuales pueden irritar la piel.

Gánele a la grasa. El cutis graso tiende a ser grueso, de modo que tolera un limpiador más fuerte. Pruebe un limpiador líquido astringente formulado para el cutis graso, como el *Oil-Free Acne Wash* de Neutrogena, un limpiador con ácido salicílico. Si prefiere uno de barra, pruebe *Oily Skin Formula Facial Cleansing Bar* de Neutrogena, recomienda la Dra. Fusco. O bien pruebe un gel limpiador formulado para el cutis graso.

Si es sensible, busque un limpiador más suave y amable. Pruebe *Cetaphil*, indica la Dra. Fusco. Los dermatólogos a menudo recomiendan este producto para las personas de cutis sensible. Si no le gusta, seleccione un limpiador como *Almay*, que es hipoalergénico *(hypoallergenic)*. Esto significa que contiene menos componentes que los productos normales y pocas o ninguna de las sustancias de las que se sabe que pueden causar reacciones alérgicas.

Lávese correctamente. La forma en que se limpia el cutis es tan importante como el producto que se use, indica la Dra. Fusco. La manera correcta de lavarse la cara es la siguiente. Si usará un limpiador líquido, en forma de loción o de gel, coloque más o menos una cucharadita en la palma de su mano. Úntelo sobre su piel dándose un masaje suave con las yemas de los dedos. Enjuáguese la cara con agua tibia hasta que haya eliminado el limpiador por completo (unas cinco o seis enjuagadas) o límpiese con una toallita suave húmeda. Si va a usar un limpiador de barra, métalo bajo el chorro del agua para mojarlo y haga espuma en la palma de su mano. Dé masaje a su cutis en forma circular durante 30 segundos con las yemas de los dedos y luego enjuague tal como ya lo describimos. Séquese la cara con toques suaves; nunca la frote con la toalla.

Evite los gránulos o las toallitas exfoliantes. "La exfoliación prolongada de hecho puede resecar la piel y acentuar las arrugas finas", afirma la Dra. Fusco. No hace falta decir más.

Cómo librar el laberinto de los humectantes

Los humectantes son como los libros de dietas: todos los días aparece uno nuevo en el mercado. Sin embargo, no se deje seducir por los productos de alta tecnología y altos precios. Lo único que cualquier humectante puede hacer, según la Dra. Fusco, es engrosar la piel y humectarla. No va a borrar las arrugas.

Si está reseca, engrásese. Entre más reseca la piel, más elementos hidratantes debe contener su humectante, indica la Dra. Fusco. Elija un producto formulado con componentes como glicerina, ácido hialurónico o dimeticona. *Euce-*

rin y *Moisturel* son dos posibilidades entre muchas opciones buenas, señala la experta. Reducen la pérdida natural de humedad a lo largo del día e impiden que el cutis se siga deshidratando.

O huméctese a lo natural. "El aceite de oliva es un gran humectante", afirma la Dra. Jaliman. Desde luego no les sirve a las personas propensas al acné y debe usarse mejor antes de ir a la cama, porque no protege la piel contra el sol. (Además, usted iría a trabajar oliendo a ensalada griega).

Si tiene el cutis graso, llévela leve. El cutis graso en ocasiones se siente reseco por culpa de limpiadores fuertes con componentes que eliminan la grasa natural de la piel, como el alcohol, según explica la Dra. Fusco. Pruebe un humectante con componentes que atraigan y retengan el agua, como la glicerina y el sodio PCA, recomienda la dermatóloga. Estas sustancias mantienen el agua dentro de su piel sin darle un brillo grasoso. Además, opte por una loción. Las lociones son más ligeras que las cremas y normalmente contienen menos aceite, de modo que no le taparán los poros.

Si tiene la piel sensible, váyase por lo básico. Use un humectante hipoalergénico, sugiere la Dra. Fusco. Aplíquelo primero a una pequeña zona de prueba de su piel para ver si lo tolera. La glicerina pura (disponible en las farmacias) o la vaselina *(petroleum jelly)* pueden ser eficaces, agrega la experta, pero evítelas si es propensa al acné.

Considere las cremas para los ojos. No hay ningún problema en utilizar un humectante normal alrededor de los ojos. No obstante, si tiene la piel sensible o los ojos se le irritan con facilidad, tal vez quiera comprar una crema humectante para los ojos, indica la Dra. Fusco. Es menos probable que una crema fabricada de manera específica para usarse alrededor de los ojos irrite la delicada piel debajo de estos o sus ojos mismos.

Cómo cuidar y nutrir a un cutis juvenil

Hace años pensábamos que el chocolate y las papas a la francesa causaban granos (barros), y nos enteramos muy tarde de que no era así. Lo que *sí* es cierto es lo siguiente: una alimentación *saludable* se nota en la cara. Para rejuvenecer su cutis a través de la alimentación, siga leyendo.

Sacie su sed. Desde que su mamá era niña se ha librado una gran discusión sobre el agua y sus efectos en la piel. La Dra. Franks también tiene una opinión al respecto: "Beba, beba, beba: por lo menos 8 vasos al día". Tome más agua durante el invierno, cuando el aire dentro de las casas está seco. La piel pierde humedad constantemente y la vuelve a extraer de la reserva de agua contenida en sus capas más profundas.

Anule el alcohol. El alcohol dilata los vasos sanguíneos. En algunas mujeres el consumo de más que una cantidad moderada de alcohol hace que sus vasos se dilaten y se estrechen reiteradamente; de esta manera se estiran como ligas elásticas y terminan perdiendo toda su elasticidad, afirma la Dra. Franks. Con el tiempo los vasos sanguíneos simplemente se quedan dilatados, explica la experta, y el resultado son las arañas vasculares y los capilares rotos.

El alcohol también hace que la piel pierda agua, "y la piel deshidratada es más sensible a los daños por el sol", indica la Dra. Franks.

"Vitamine" su cutis. Consuma una abundante cantidad de frutas y verduras ricas en los nutrientes antioxidantes vitamina C, vitamina E y betacaroteno, recomienda la Dra. Fusco. Los antioxidantes ayudan a proteger la piel contra los efectos nocivos de los radicales libres, unas moléculas inestables de oxígeno que se generan a causa de la exposición al sol.

Las fresas, la papaya (fruta bomba, lechosa), el kiwi, la naranja (china) nável (ombliguera) y el pimiento (ají, pimiento morrón) rojo son fuentes particularmente ricas de vitamina C. La vitamina E se encuentra en el aceite vegetal, el germen de trigo, los frutos secos y las semillas. Las espinacas y otras verduras de hojas color verde oscuro así como las frutas y las verduras de un intenso color anaranjado, como la zanahoria, la batata dulce (camote), el cantaloup (melón chino) y la calabaza (calabaza de Castilla), están repletas de betacaroteno.

Consuma más "C". Considere tomar vitamina C adicional. La piel la necesita para construir el colágeno, indica la Dra. Jaliman. La experta sugiere tomar 1,000 miligramos de vitamina C al día. Puede elegir un suplemento multivitamínico que contenga esta cantidad o bien consumir un suplemento de vitamina C por separado.

Reduzca los rebotes. Evite subir y bajar de peso una y otra vez. "El resultado es que el colágeno y la elastina se desgastan", explica la Dra. Jaliman. Olvídese también de las dietas con muy bajo consumo de calorías. Estos regímenes privan a la piel de los nutrientes que necesita para estar bien, afirma la dermatóloga.

Los problemas de la piel al envejecer

Como si no bastara con las patas de gallo y las arrugas causadas por los gestos que hacemos, también debemos enfrentar otros problemas de la piel relacionados con el envejecimiento, como los ojos hinchados o los poros grandes. No obstante, anímese. Las expertas tienen varias sugerencias que usted podrá llevar a cabo por su cuenta a fin de iluminar, suavizar o simplemente ocultar esas molestas imperfecciones.

LOS OJOS A LOS 30, 40 Y 50 AÑOS

De acuerdo con la Dra. Jennifer Ridge, una dermatóloga de Middletown, Ohio, lo que sigue le dará una idea general de lo que su rostro puede esperar al transcurrir el tiempo.

De los 30 a los 40: Es posible que nos salgan ojeras conforme la piel debajo de nuestros ojos se hace más delgada y expone el pigmento que hay debajo. También puede ser que notemos nuestras primeras líneas de expresión o arrugas. Tal vez apenas se perciban o bien destaquen mucho, según si tenemos la piel oscura o clara y a cuánto sol nos hayamos

expuesto durante la adolescencia y entre los 20 y los 30 años. En algunos casos la grasa debajo de las mejillas (la grasa malar) empieza a colgarse, jalando la piel que hay debajo de nuestros ojos.

De los 40 a los 50: La piel empieza a perder su grosor y elasticidad juveniles y es posible que descubramos las

Para disminuir la hinchazón: Aunque usted no lo crea, algunas mujeres utilizan un producto contra las hemorroides, *Preparation H*. Este producto contiene hidrocortisona, un esteroide tópico que reduce las inflamaciones, indica la Dra. Jaliman. ¿De veras acaba con las bolsas debajo de los ojos? "Mis clientes afirman que sí —dice la dermatóloga—, pero el efecto de tensar la piel es temporal". Tenga presente que este producto puede hacer más delgada la piel y causar acné, arrugas prematuras y vasos sanguíneos rotos si se utiliza durante mucho tiempo. Consulte a su médico antes de ponérselo alrededor de los ojos.

Si la idea de ponerse crema para las hemorroides debajo de los ojos no le llama la atención, puede tomar medidas más convencionales para

primeras líneas de expresión y arrugas. También nos salen unas líneas más profundas en las comisuras de los ojos. Estas patas de gallo, según se llaman, son más pronunciadas si tenemos la piel blanca, fumamos alguna vez o fuimos unas adictas al sol de jóvenes.

De los 50 a los 60: Las arrugas se profundizan, sobre todo en la zona de las patas de gallo. La piel se cuelga más, por lo que nuestros párpados superiores empiezan a acercarse a las pestañas.

reducir la carga que se concentra en esa parte de su cara, sugiere la Dra. Jaliman. Duerma con la cabeza elevada para que los líquidos no se acumulen debajo de sus ojos. Reduzca su consumo de sal, la cual favorece la retención de líquidos. O bien guarde unas cucharitas en el congelador y colóqueselas sobre los ojos si los encuentra hinchados a la hora de despertarse. El frío del metal reducirá la hinchazón.

Para iluminar un cutis cetrino: Pregúntele a un dermatólogo acerca del ácido glicólico *(glycolic acid)*, sugiere la Dra. Sheryl Clark, una dermatóloga de la ciudad de Nueva York. Este alfa-hidroxiácido (AHA, *alpha-hydroxy acid*) derivado de la caña de azúcar trabaja en las capas superiores de la piel para eliminar las células muertas

que opacan el cutis, revelando la piel fresca y nueva que hay debajo de ellas. Los resultados se observan en muy poco tiempo, hasta en 2 semanas. Puede conseguir el ácido glicólico a través de su dermatólogo. Muchas de las fórmulas que se venden sin receta tienen una concentración demasiado baja para ser eficaces.

Para ocultar las arañas vasculares o los capilares rotos: Estas serpenteantes rayitas rojas que aparecen en las mejillas o la nariz pueden extraerse con un láser o una aguja eléctrica, indica la Dra. Jaliman. O bien puede ocultarlas simplemente con maquillaje, lo cual es más sencillo.

Para reducir los poros grandes: Utilice bandas faciales —como las de *Bioré* o *Pond's*— para limpiar los poros de su nariz, frente, barbilla o mejillas, sugiere la Dra. Fusco. "La suciedad dilata los poros —indica la experta—. Si no están llenos de porquería se verán más pequeños". Si bien estos productos son seguros y eficaces, no los use más de una vez cada 2 semanas.

Los astringentes y las mascarillas de arcilla también pueden reducir los poros grandes de manera temporal, afirma la Dra. Fusco. La piel se engruesa temporalmente, por lo que los poros se ven más pequeños. Sin embargo, sólo utilice este truco en ocasiones especiales. "El uso excesivo de estos productos hace que la piel se estire, se reseque y se descame", advierte la experta.

Para evitar las arrugas en la frente: Adhiera un trozo de cinta adhesiva de tela a prueba de agua a su frente antes de acostarse, sugiere la Dra. Jaliman. "La cinta adhesiva evitará que frunza el ceño mientras duerme, lo cual prevendrá algunas arrugas". No obstante, la cinta adhesiva no impedirá que aparezcan las patas de gallo. "Nadie arruga los ojos al dormir", indica la dermatóloga.

Nutrientes que cuidan su cutis

Enfrentémoslo: los supuestos productos antienvejecimiento que nos prometen una piel más juvenil y tersa nos tienen deslumbradas. Sin embargo, ¿realmente funcionan estas lociones y pócimas que vienen en envases tan tentadores (y con precios muchas veces astronómicos)?

Depende de cómo defina lo de *funcionar*.

Algunos de los productos antienvejecimiento que se venden sin receta contienen componentes específicos que ayudan a que el cutis se vea mejor de manera temporal, afirma la Dra. Debra Price, profesora clínica adjunta en el departamento de Dermatología de la Universidad de Miami. El primero de estos componentes es el ácido glicólico, el cual pertenece a un grupo de ácidos extraídos de las frutas que se llaman alfa-hidroxiácidos (AHA, *alpha-hydroxy acids*). El segundo es la vitamina C tópica o bien, para decirlo con mayor precisión, el ácido L-ascórbico, una forma particular de vitamina C.

Si su cutis se ve opaco y ha perdido su frescura, un producto con ácido glicólico vendido sin receta puede brindarle una apariencia más tersa y fresca, indica la Dra. Price. Y junto con una loción antisolar (filtro solar), la vitamina C le brinda a la piel protección adicional contra los daños por el sol, que son la causa principal de las arrugas, la aspereza, las manchas y las decoloraciones.

Sin embargo, las bajas concentraciones de ácido glicólico que se encuentran en los productos vendidos sin receta no pueden —y lo repetimos: *no pueden*— alterar la piel de manera permanente. Si bien sirven como exfoliante y hacen más tersa la piel, no borran las arrugas. "Si pudieran hacerlo se les clasificaría como medicamentos y no se podrían vender en el departamento de cosméticos", señala la Dra. Price.

Existe una sustancia que de acuerdo con las investigaciones *sí* modifica la estructura de la piel de manera permanente: la tretinoína, un derivado de la vitamina A que se incluye como componente activo de *Retin-A y Renova*. Ambos productos son medicamentos, de modo que sólo se consiguen con receta médica. Pero son lo indicado si usted desea reducir arrugas finas, aspereza o cambios de pigmento como las manchas de la edad, según opina la Dra. Nia Terezakis, profesora clínica de Dermatología en la Escuela de Medicina de la Universidad Tulane en Nueva Orleáns.

De todos modos sabemos muy bien lo irresistibles que pueden ser esos pequeños frascos y botellas y los vendedores de cosméticos tan animosos. La siguiente guía de los productos antienvejecimiento más cotizados para la piel le indicará cómo funcionan, cómo usarlos, qué pueden hacer (y qué no) y si los puede comprar sin receta en la tienda o en un salón especializado en el cuidado de la piel o bien necesita ir con un dermatólogo.

Anímese con ácido glicólico

El ácido glicólico *(glycolic acid)*, un derivado de la caña de azúcar, es el AHA más común en los productos antienvejecimiento que se venden sin receta. También es el más eficaz, según indica la Dra. Sheryl Clark, una dermatóloga de la ciudad de Nueva York.

Las investigaciones han demostrado que las sustancias químicas que contiene el ácido glicólico eliminan, es decir, exfolian la acumulación de células muertas en la capa superior de la piel. "Eliminar estas células muertas hace que la piel se vea más tersa y se ilumine", señala la Dra. Francesca J. Fusco, una dermatóloga de la ciudad de Nueva York.

El producto común que contiene ácido glicólico y se vende en la farmacia cuesta alrededor de $10. No obstante, las grandes compañías de cosméticos le cobrarán $20 o más

EXPLOTE ESTA "BETA" DE BENEFICIOS

Si la piel le pica y le arde al utilizar productos que contienen ácido glicólico, que es un alfa-hidroxiácido (AHA, *alpha-hydroxy acid*), usted podría tratar de combatir las arrugas con una sustancia más suave y amable: el ácido salicílico, también conocido como beta-hidroxiácido (BHA, *beta-hydroxy acid*).

El ácido salicílico se encuentra de forma natural en la corteza de árboles como los sauces y los abedules dulces. La ventaja de usarlo es que funciona con concentraciones mucho más bajas que las del ácido glicólico, según señala el Dr. Albert M. Kligman, profesor emérito de Dermatología en la Facultad de Medicina de la Universidad de Pensilvania en Filadelfia. Esto significa que esta sustancia irrita, pica y arde menos.

De acuerdo con un estudio que abarcó a cientos de mujeres, las que aplicaron ácido salicílico a sus caras sufrieron mucha menos irritación que las del grupo que utilizó el ácido glicólico.

Aparentemente su piel también se vio mejor. Un grupo de 30 jueces que examinaron las fotografías de antes y de después llegaron a la conclusión de que la piel del grupo que había tomado el ácido salicílico mejoró más que la del grupo del ácido glicólico. Los jueces se fijaron de manera específica en las líneas finas, las manchas y cualquier pigmentación anormal de la piel.

Las mujeres que deben luchar con erupciones de granos (barros) además de las arrugas tal vez también quieran usar el ácido salicílico, comenta el Dr. Kligman. Al igual que el ácido glicólico, el salicílico elimina —es decir, exfolia— la capa superior de la piel. Asimismo penetra en los poros y libera la suciedad y la grasa atrapadas que producen el acné. Por eso es el ingrediente activo en muchos medicamentos para el acné vendidos sin receta.

Es posible conseguir productos antienvejecimiento que contienen BHA en cualquier farmacia. Tres ejemplos son *Daily Renewal Cream with Beta Hydroxy Complex* de Oil of Olay, *Time-Off Revitalizer Daily Solution* de Almay y *Exfoliant* de Aveda.

—a veces mucho más— por sus productos más lujosos de ácido glicólico.

En el mostrador de los cosméticos. La mayoría de los productos con ácido glicólico que se venden sin receta contienen menos de un 10 por ciento de esta sustancia. Una concentración tan baja no hará nada para borrar sus líneas de expresión o arrugas, afirman los expertos. No obstante, a algunas de las mujeres que utilizan estos productos les gusta el aspecto más terso y fresco que dan a la piel.

Según indican las investigaciones, por otra parte, es posible que una concentración de un 10 por ciento o más de ácido glicólico estimule la formación de colágeno, el tejido conjuntivo de la segunda capa de la piel (la dermis) que le brinda su grosor y resistencia juveniles. Varios productos vendidos sin receta, como las líneas de cosméticos *Alpha-Hydrox* y *Aqua Glycolic*, efectivamente contienen un 10 por ciento de ácido glicólico.

Los productos de ácido glicólico son fáciles de usar. Simplemente tiene que aplicar una vez al día una pequeña cantidad del producto (más o menos lo que correspondería a dos o tres chícharos/guisantes/arvejas) a la piel limpia y seca de su rostro y cuello, indica la Dra. Clark.

En el consultorio del dermatólogo. Si tiene varias arrugas no muy marcadas puede ir a ver a un dermatólogo, quien le podrá ofrecer diversos productos con hasta un 25 por ciento de ácido glicólico. "Es evidente que las concentraciones más altas de ácido glicólico —un 12 por ciento o más— tendrán más probabilidades de beneficiar a la piel que está envejeciendo", opina la Dra. Price. Le costarán entre $10 y $60, según la línea de productos y la cantidad de ácido glicólico que contengan.

PREGUNTAS Y RESPUESTAS

¿Por qué las cremas antienvejecimiento son tan caras?

No hay una *buena* razón por la que adquirir un producto eficaz para cuidar la piel debería llevar a una mujer a pedir un préstamo personal. Ningún producto sobre la faz de la Tierra merece que se le ponga un precio de $70 o $100, en algunos casos hasta de $300.

No obstante, las compañías de cosméticos tienen sus razones para subir los precios de estas fórmulas antienvejecimiento. En primer lugar les sale muy caro envasar los productos y promoverlos. Una caja elegante y un bello frasco de vidrio con frecuencia cuestan más que el producto que contienen. En segundo lugar, las mujeres están dispuestas a pagar mucho por verse más jóvenes y a los fabricantes les da gusto complacerlas en ese sentido.

Desafortunadamente muchas mujeres aún piensan que entre más alto el precio es mayor la calidad. El hecho es que muchos de los productos de $10 son tan buenos como los más caros, y es poco probable que alguna de las

La ventaja de consultar a un dermatólogo es que podrá examinar su cutis y recomendar la concentración de ácido glicólico indicada para usted. Si usted tiene la piel reseca o sensible tal vez le recomiende un producto con un 8 por ciento de ácido glicólico, explica la Dra. Clark. Después de un mes aproximadamente, cuando su piel se haya adaptado, es posible que la pase a un porcentaje mayor.

Un cutis graso tolera concentraciones más altas de ácido glicólico, indica la experta. En este caso es posible, por lo tanto, que el dermatólogo recomiende de entrada un gel o crema sin aceite que contenga entre un 10 y un 20 por ciento de ácido glicólico.

Los productos con ácido glicólico que se adquieren en el consultorio del médico se utilizan

fórmulas que cuestan más de $25 lo valga.

Ahora bien, algunos de los *ingredientes activos* en los productos que se venden sin receta en teoría pueden mejorar el aspecto de la piel madura. Entre ellos figuran antioxidantes como la vitamina C y la vitamina E, que combaten los daños por los radicales libres, y sustancias como el ácido hialurónico y los mucopolisacáridos, que le ayudan a la piel a conservar la humedad. Los productos que contienen alfa-hidroxiácidos (AHA, *alpha-hydroxy acids*) pueden ayudar al exfoliar la piel.

No obstante, aunque estos productos funcionen —y aún no se cuenta con pruebas definitivas de que en efecto eliminen las arrugas—, no pueden hacer milagros. Si anda en busca de algo "milagroso" para cuidar su piel, compre un frasco de loción antisolar (filtro solar).

Información proporcionada por la experta
Paula Begoun
Autora de un bestséller sobre cosméticos
Maquillista profesional
Dueña de una pequeña cadena de tiendas de cosméticos

de la misma forma que los vendidos sin receta, afirma la Dra. Clark. Lo más probable es que empiece a notar una diferencia en la condición de su piel dentro de un plazo de 2 semanas después de la primera aplicación.

Si la intención es que el producto suavice las arrugas finas deberá esperar cuando menos 3 meses, advierte el Dr. Nicholas V. Perricone, profesor clínico adjunto de Dermatología en la Escuela de Medicina de la Universidad Yale.

Cómo usar el ácido glicólico

Para que su piel coseche todos los beneficios de un producto con ácido glicólico hay que usarlo correctamente, indica la Dra. Clark. Ahora le diremos cómo elegir y utilizar estos productos, ya sea que los compre en la farmacia de la esquina o con un dermatólogo.

Sondee las aguas. Pruebe un producto vendido sin receta antes de consultar a un dermatólogo, sugiere la Dra. Price. Tal vez un porcentaje bajo de ácido glicólico le dé los resultados que busca.

Consiga la fórmula indicada para su piel. Tanto los productos con ácido glicólico que se venden sin receta como los que se consiguen en el consultorio del dermatólogo se ofrecen en forma de crema, gel o líquida (a estos últimos a veces se les dice sueros/*serums*). En términos generales, las personas de piel reseca prefieren las fórmulas en crema mientras que quienes tienen la piel más grasa y gruesa optan por el gel o el suero, comenta el Dr. Perricone.

Pruébelo antes de ponérselo. El ácido glicólico también tiene sus inconvenientes: a algunas personas les arde, les causa comezón o incluso, en algunos casos raros, les provoca un sarpullido. Por lo tanto, hágase una prueba de sensibilidad de la piel antes de usar el ácido glicólico por primera vez, sugiere la Dra. Clark. Unte una pequeña cantidad del producto en la parte interna de su codo todos los días durante una semana. Si no se produce ningún enrojecimiento o irritación en este lapso, lo más probable es que el ácido glicólico no irrite demasiado la piel de su rostro, opina la experta. Si se irrita, la Dra. Clark sugiere usar el producto sólo cada dos o cada tres días. Si eso no le funciona, pruebe una concentración más baja.

Déjelo reposar. Después de aplicar el ácido glicólico, este tarda por lo menos 15 minutos en penetrar la piel. Por lo tanto, si por las mañanas sólo puede dedicar unos cuantos minutos al cuidado de su piel, póngase el producto antes de acostarse, sugiere la Dra. Clark. La eficacia del ácido glicólico disminuye si se aplica un humectante o una base inmediatamente después, advierte la dermatóloga. Asegúrese de evitar el contacto de los productos de ácido glicólico con los ojos o la piel alrededor de estos.

Use una loción antisolar. El uso de un producto con ácido glicólico puede intensificar la sensibilidad de la piel al sol. Por lo tanto, póngase sin falta una loción antisolar (filtro solar) con un factor de protección solar (o *SPF* por sus siglas en inglés) de por lo menos 15 antes de salir al aire libre, recomienda la Dra. Fusco. O bien utilice uno de los muchos humectantes o bases que contienen una loción antisolar con un SPF de 15.

Déjelo si le duele. Deje de usar el ácido glicólico *de inmediato* si su cutis se pone muy rojo, se irrita o se inflama mucho, advierte la Dra. Clark. Si bien una reacción tan seria es rara, llega a ocurrir, sobre todo en las mujeres de piel sensible.

Mellizos de mejoría:
Retin-A y Renova

Cuando el medicamento contra el acné *Retin-A* salió al mercado en 1969, las mujeres con casos graves de acné se pusieron felices. No obstante, cuando en 1988 un estudio científico demostró que también servía para combatir las arrugas, las mujeres de todas partes salieron en estampida para visitar al dermatólogo más cercano.

Tal como lo mencionamos, el componente activo de *Retin-A* (y de su derivado, *Renova*) es la

DE MUJER A MUJER

Quiso revitalizar su cutis

Apenas había cumplido los 40 años cuando Diane Mc-Curdy, una cultora de belleza de Filadelfia, recibió un "obsequio" no muy grato: sus primeras finas líneas de expresión y arrugas. Sin embargo, no se deprimió. En cambio empezó a aplicar una cantidad equivalente a un chícharo (guisante, arveja) de una de las nuevas "cremas de juventud" a la piel blanca y pecosa de su rostro y cuello. ¿Le funcionó? Esta es su historia.

Tenía 41 años cuando me di cuenta de que mi piel se veía más vieja. Tengo la piel irlandesa de mi padre: blanca, pecosa, muy reseca. Mi cutis se veía opaco y se sentía muy reseco y estaba descubriendo mis primeras líneas de expresión.

Me habían contado que *Renova*, una crema vendida con receta que elimina las líneas finas y las manchas de la edad, ayudaba mucho. Da la casualidad de que trabajo para un dermatólogo y le pregunté si me podía funcionar. Examinó mi piel y me recetó *Renova*.

Llevo 2 años usando esta crema espesa y prácticamente libre de perfumes y estoy muy contenta. Mi piel se ve más luminosa y sonrosada. Su textura es mucho más tersa y las

tretinoína. Si bien los dermatólogos aún recetan *Retin-A* contra el acné, de manera rutinaria también lo recetan para combatir el envejecimiento de la piel. La fórmula de *Renova* se hizo específicamente para tratar la piel avejentada.

Al igual que el ácido glicólico, *Retin-A* y *Renova* desprenden y eliminan las células muertas de la capa superior de la piel, lo cual le da una apariencia más tersa. No obstante, las investigaciones también demuestran que la tretinoína aumenta el nivel de colágeno de la piel, aclara las pecas y las manchas de la edad causadas por el sol y mejora las decoloraciones.

En el mostrador de los cosméticos. En vista de que *Retin-A* y *Renova* son medicamentos, no los encontrará en el mostrador de los cosmé-

líneas finas alrededor de mis ojos así como las líneas verticales arriba de mis labios se notan menos.

La diferencia en mi piel de hecho ha tenido el efecto de que mi maquillaje se ve mejor. Si usted tiene arrugas en la cara sabe cómo la base y los polvos acostumbran acumularse dentro de ellas. *Renova* elimina las células muertas de la capa superior de la piel, de modo que la base se puede aplicar de manera más uniforme.

Verme más joven por fuera me ha mejorado por dentro. Mi autoestima ha aumentado. Tengo más confianza en mí misma. Me siento bien conmigo misma.

Renova definitivamente ayudó a que mi piel se viera más joven. Pero también tengo que mencionar mi hábito de ponerme loción antisolar (filtro solar). Hay que usar loción antisolar. Todos los días me pongo una loción antisolar con un factor de protección solar (o *SPF* por sus siglas en inglés) de 20 que contiene óxido de cinc o dióxido de titanio, porque brinda una gama mucho más amplia de protección contra los rayos ultravioletas A y B.

Muchas de mis amigas y conocidas notaron la mejoría en mi cutis. ¿La reacción de mi esposo? Consiguió su propia receta para comprar *Renova*. También tiene la piel irlandesa.

ticos. Lo que *sí* encontrará, en cambio, son productos antienvejecimiento que contienen retinol, otro derivado de la vitamina A, indica la Dra. Terezakis.

Si bien el sonido de la palabra "retinol" se parece al de *Retin-A*, no existen pruebas concluyentes de que *funcione* de la misma forma. No obstante, como antioxidante es posible que el retinol le brinde a la piel cierta protección contra los radicales libres, las moléculas inestables de oxígeno que son desatadas por el sol, el humo y la contaminación y que tal vez hagan envejecer la piel de manera prematura, según explica la Dra. Clark.

En el consultorio del dermatólogo. *Retin-A* se vende en forma de crema, gel o líquida así como con varias concentraciones de tretinoína. Para combatir las arrugas la mayoría de los dermatólogos recetan la crema. *Renova* contiene un 0.05 por ciento de tretinoína en una base de crema.

La decisión del dermatólogo de recetar *Retin-A* o bien *Renova* depende del tipo de cutis. "La gente con el cutis graso tiende a usar *Retin-A*, mientras que quienes tienen la piel reseca o sensible prefieren *Renova* porque tiene la consistencia de una crema para la noche realmente espesa", afirma la Dra. Clark.

Usar cualquiera de estos productos no tiene ciencia. La Dra. Clark recomienda aplicar dos gotas del tamaño de un chícharo (guisante, arveja) —es decir, una cantidad suficiente para cubrir el rostro y el cuello— a la piel limpia y seca, ya sea todas las noches o cada dos noches antes de acostarse. Aplique puntitos del medicamento en ambas mejillas, la frente y la barbilla. Luego extiéndalo dándose un ligero masaje hasta que su piel lo absorba por completo. Evite ponérselo en los párpados. La cantidad de crema necesaria para 2 meses de uso cuesta aproximadamente $30.

De acuerdo con la Dra. Debra Jaliman, una dermatóloga de la ciudad de Nueva York, muchas de las personas que usan *Retin-A* o *Renova* sienten más tersa su piel después de un mes de tratamiento. Las investigaciones demuestran que las mejorías más significativas se dan en un lapso de entre 4 y 10 meses. Entre más dañado tenga el cutis, mayor será la mejoría que podrá esperar.

Sin embargo, tanto *Retin-A* como *Renova* tienen un inconveniente. Ambos productos, particularmente el primero, a veces causan hinchazón, ardor, comezón o descamación. Estos efectos secundarios por lo común empiezan a desaparecer después de algunas semanas, conforme la piel se acostumbra al medicamento. No obstante, si la irritación se prolonga es posible que el dermatólogo recomiende utilizar el fármaco con menos frecuencia o bien le recete una dosis menor —en el caso de *Retin-A*—, según indica el Dr. Perricone.

Como usar *Retin-A* y *Renova*

Tanto *Retin-A* como *Renova* son *medicamentos*. Por lo tanto, no los use en mayor cantidad que la recomendada ni con mayor frecuencia de lo que le indique su dermatólogo. Además, no utilice ni *Retin-A* ni *Renova* durante el embarazo. A fin de obtener los mayores beneficios antienvejecimiento posibles, observe las siguientes sugerencias.

Empiece ya. *Retin-A* y *Renova* al parecer son más eficaces para evitar las arrugas que para borrarlas. Por lo tanto, consiga su primera dotación antes de descubrir la primera arruga, aconseja la Dra. Fusco. "Si tiene 35 ó 40 años y nunca ha utilizado una loción antisolar (filtro solar) o ha tenido la costumbre de quemarse y broncearse, no espere a que se noten los daños", advierte la experta.

Protéjase contra el sol. Aplique una loción antisolar con un SPF de por lo menos 15 todos los días sin falta, o bien utilice un humectante o una base con un SPF de 15, recomienda la Dra. Fusco. *Retin-A* y *Renova* le devuelven al cutis un grosor más juvenil y la piel más fresca y nueva que se revela debajo de la vieja es más vulnerable a los daños por el sol.

Inhiba la irritación. Si la piel se le enrojece, se descama o se irrita de manera temporal, utilice un humectante hipoalergénico *(hypoallergenic)* sin perfumes ni conservantes, como *Eucerin* o *Complex 15*, sugiere la Dra. Clark. O bien aplique un poco de crema de hidrocortisona cada 2 días.

También puede tomar 800 unidades internacionales (UI) de vitamina E al día. Los estudios preliminares indican que la vitamina E posiblemente reduzca los efectos irritantes de *Retin-A* y *Renova*. Sin embargo, asegúrese de hablar con su médico antes de tomar más de 200 UI.

Cuídese el cutis suavemente. Cuando se usa *Retin-A* o *Renova* hay que evitar los astringentes o las lociones tonificantes con un alto contenido de alcohol, así como los productos que contengan gránulos exfoliantes y las mascarillas de arcilla. También rehuya los saunas y los baños de vapor. La humedad y el calor incrementan el flujo de la sangre, por lo que también pueden aumentar la penetración de los medicamentos, lo cual llega a causar enrojecimiento. Todos estos elementos pueden irritar más la piel, afirma la Dra. Clark.

Busque más beneficios. Consulte a su dermatólogo acerca de la posibilidad de combinar *Retin-A* o *Renova* con ácido glicólico, sugiere la Dra. Clark. "Cuando se usan en conjunto, ambos parecen ser más eficaces", opina la dermatóloga. Por regla general se aplica el ácido glicólico por la mañana y *Retin-A* o *Renova* antes de acostarse.

La vitamina C tópica: ¿el camino hacia un cutis juvenil?

De acuerdo con la Dra. Clark, el uso de la vitamina C tópica se pondrá de moda para contrarrestar los efectos del envejecimiento en la piel. Los departamentos de cosméticos venden pequeños frascos de "suero" de vitamina C por precios que empiezan desde $65, pero a pesar del costo insistimos en vaciar sus estantes.

Las investigaciones indican que la vitamina C tópica ayuda a proteger el cutis de varias maneras, afirma la Dra. Price. "Existen pruebas concluyentes de que la vitamina C tópica funciona como antioxidante, por lo que ayuda a proteger la piel contra los daños causados por radicales libres —indica la experta—. Además, hay fuertes indicios de que contribuye a proteger la piel cuando se expone al sol: cuando se aplica vitamina C a la piel, esta se quema menos. Y es posible que la vitamina C tópica tenga un efecto protector cuando se utiliza junto con una loción antisolar".

Hasta ahí todo suena bien. Sin embargo, ¿puede la vitamina C "regenerar el colágeno", "renovar la elasticidad y la tersura" y "favorecer un cutis de apariencia más juvenil, terso y liso", según lo afirman sus principales fabricantes?

De acuerdo con las investigaciones preliminares (las cuales en gran parte han sido llevadas a cabo, por cierto, por la gente que vende el producto), el ácido L-ascórbico efectivamente favorece la formación de colágeno. Además, algunos dermatólogos —entre ellos la Dra. Clark— juran que el cutis de sus pacientes que utilizan vitamina C tópica luce más fresco, cuenta con pigmento más uniforme, es menos propenso a sufrir imperfecciones y en algunos casos se ve menos arrugado.

Otros dermatólogos opinan que todavía no se resuelve de manera definitiva la cuestión de si la vitamina C tópica sirve para combatir las arrugas. "Aún se cuenta con pocos datos científicos que indiquen que la vitamina C tópica revierta las arrugas de manera definitiva y favorezca la producción de colágeno, aunque es posible que así sea", afirma la Dra. Price.

¿Qué les dice a sus pacientes acerca de la vitamina C? "Les digo que por lo pronto la mejor forma de proteger su piel es con una loción antisolar de espectro amplio que contenga óxido de cinc transparente. Y luego, si les alcanza el dinero, deberían utilizar la vitamina C tópica, porque la combinación probablemente les brinde mayor protección que la loción antisolar por sí sola".

La vitamina C tópica suele aplicarse a la piel seca y limpia una vez al día. De acuerdo con los fabricantes de *Cellex-C*, uno de los productos más populares de vitamina C tópica, las arrugas finas empezarán a desvanecerse en un lapso de entre 3 y 8 meses.

No se confunda con la "C"

Tenga presente que aún no se prueba de manera contundente que la vitamina C tópica reduzca las arrugas. ("En vista de que la vitamina C tópica cuesta $70 por frasco, yo preferiría gastar mi dinero en tretinoína", afirma la Dra. Terezakis). Sin embargo, si usted desea aumentar al máximo la capacidad de protección de su loción antisolar tal vez valga la pena comprar vitamina C, si su bolsillo se lo permite. Pero antes de comprar, fíjese en lo siguiente.

En el mostrador de los cosméticos. Con algunas excepciones notables, es poco probable que las cremas con vitamina C funcionen, indica la Dra. Price. Esto se debe principalmente al hecho de que la vitamina C es muy inestable y pierde su eficacia rápidamente, según explica la Dra. Clark. Tampoco hay forma de saber cuánta vitamina C contienen estos productos, si no se descompondrá en cuanto usted destape el frasco o si otros ingredientes activos que tienen no la descompusieron ya.

Los *únicos* productos de vitamina C tópica que se han sometido a pruebas científicas con respecto a los efectos que tienen en la piel madura contienen una concentración de entre un 5 y un 15 por ciento de ácido L-ascórbico, una forma particular de vitamina C. Asimismo tienen un pH bajo (ácido), lo cual le ayuda a la piel a absorber la vitamina. Se trata de fórmulas puras desprovistas de componentes adicionales, como loción antisolar u otras vitaminas, y se guardan en dispensadores herméticos para impedir que el oxígeno descomponga la vitamina C y le dé un color marrón (café). Se ha demostrado que estos productos penetran la piel y la protegen contra la formación de radicales libres.

De acuerdo con la Dra. Price y la Dra. Clark, son varias las marcas de vitamina C tópica que actualmente cumplen con estas normas. Las podrá encontrar todas en los departamentos de cosméticos de los almacenes (tiendas de departamentos) de prestigio así como en los consultorios profesionales y los salones dedicados al cuidado de la piel. También las puede obtener por correo de ciertas empresas.

El producto *High-Potency Serum* de *Cellex-C* contiene un 10 por ciento de ácido L-ascórbico. Otra marca, *EmerginC*, ofrece un suero (con un 12 por ciento de ácido L-ascórbico) y una crema (con un 10 por ciento). La línea de productos Skinceuticals incluye *High-Potency Serum 15* (con un 15 por ciento de ácido L-ascórbico) así como *High-Potency Serum* (con un 10 por ciento).

Saque provecho de la C

¿Quiere comprobar usted misma si la vitamina C tópica sirve para reducir sus líneas de expresión y arrugas finas? Para incrementar sus posibilidades de éxito, debe seguir los consejos de los expertos.

Guárdela correctamente. A fin de evitar que la crema o el suero de vitamina C se descomponga muy pronto, guárdelos en un sitio oscuro y fresco, recomienda la Dra. Clark. No se preocupe si la crema adquiere un color miel o ámbar, señala la experta. Sin embargo, si muestra un color marrón oscuro o empieza a oler raro, tírela.

Dispénsela. Un frasco con dispensador viene sellado y evita el contacto con el oxígeno, lo cual extenderá la vida del producto, afirma la Dra. Clark.

Aplíquela antes de acostarse. El ácido L-ascórbico tarda una hora en penetrar la piel adecuadamente, indica la Dra. Clark. Por lo tanto, en lugar de usar un producto de vitamina C tópica por la mañana —y de esperar todo ese tiempo antes de aplicar su humectante y base— póngaselo por la noche antes de acostarse. Si también está usando *Retin-A* o *Renova* u otros productos semejantes, aplique la vitamina C tópica en sus noches de "descanso" de estos medicamentos, dice la dermatóloga.

Conserve su loción antisolar. Si bien la vitamina C tópica al parecer le brinda a la piel protección adicional contra el sol, *no* se trata de una loción antisolar, advierte la Dra. Price. Por lo tanto, siga fiel al SPF de 15.

Técnicas para maquillarse mejor que nunca

Llega un momento en la vida de casi todas las mujeres en que, paradas con cara de sueño frente al espejo de su baño, recitan una breve oración de agradecimiento:

Gracias a Dios por el maquillaje.

Los cosméticos nos brindan la forma más sencilla de minimizar o de ocultar al instante las imperfecciones del cutis relacionadas con la edad. La base suaviza la apariencia de las arrugas finas, ilumina la piel y oculta la decoloración. El corrector tapa las ojeras o los capilares rotos en las mejillas. El rubor le devuelve la flor de la juventud a un cutis cansado, mientras que el lápiz labial le brinda un grato toque de color a un cutis pálido o cetrino. Un toque de polvos asegura que el maquillaje dure más y los colores se conserven mejor.

Es más, las bondades de la alta tecnología han alcanzado al maquillaje. Los productos de belleza actuales son más ligeros y transparentes. Ya nadie pretende vendernos un solo tono de base para todas las pieles y existe una amplia selección de cosméticos formulados de manera específica para el cutis maduro y reseco.

Si usa poco maquillaje o no se pinta para na-da, tal vez tema que si empieza ahora la gente pensará que quiere buscar empleo como payaso en un circo. Pero no se preocupe, se verá fabulosa. De acuerdo con Laura Geller, maquillista y dueña de los salones de maquillaje Laura Geller Make-Up Studios en la ciudad de Nueva York, no es posible equivocarse con el maquillaje una vez que se dominen las tres reglas de

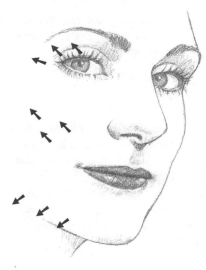

¿ABUSA USTED DEL MAQUILLAJE?

El maquillaje puede ayudarnos a borrar los años. . . a menos que no lo apliquemos correctamente. Entonces de hecho nos los puede *sumar*, afirma Doreen Milek, directora de la Studio Makeup Academy, una escuela que prepara a maquillistas profesionales en Hollywood, California. Revise la lista que sigue para ver si está cometiendo estos errores comunes.

Usar demasiado maquillaje. Algunas tratamos de esconder los años debajo de varias capas de cosméticos, indica Paula Mayer, una maquillista de San Diego. "La verdad es que usar demasiado maquillaje hace que una se vea más vieja". Si cuando se pone rubor más bien parece que un viento fuerte le enrojeció las mejillas, en lugar de que luzcan un sutil baño de color; si usa una base muy espesa y la aplica generosamente o si el maquillaje de sus ojos le recuerda a Cleopatra, es posible que se vea más vieja de lo necesario.

No difuminar. Demasiadas mujeres sólo se ponen la base de la mandíbula para arriba o no difuminan el rubor sobre la base. Este enfoque agrega años a su apariencia, señala Milek. Por lo tanto, difumine su base, rubor y sombra hasta que ya no vea dónde comienzan ni terminan.

Lucir cejas pobladas. "Use una sombra compacta en sus cejas —recomienda Mayer—. Les da un aspecto suave y natural que no se consigue con los lápices para cejas". Ella utiliza una sombra gris oscura en las mujeres de cabello castaño o gris, y un suave marrón (café) en las rubias y pelirrojas.

Usar demasiado delineador debajo de los ojos. Los ojos se ven más pequeños", advierte Laura Geller, maquillista y dueña de los salones de maquillaje Laura Geller Make-Up Studios en la ciudad de Nueva York.

Quedarse atorada en el pasado. Ni muertas nos pondríamos las minifaldas que compramos en 1968 ni los pantalones gauchos que nos encantaban en 1978. Sin embargo, a muchas no les parece nada extraordinario pintarse de la misma manera que cuando las Supremes (o Timberiche) se desintegraron.

El hecho es que los estilos de maquillaje cambian y debemos mantenernos al día si queremos vernos más jóvenes. "No adaptar su maquillaje para reflejar la época envejece —afirma Milek—. Su rostro ha cambiado y su maquillaje debe reflejar estos cambios".

Estas son algunas de las formas —sutiles y no tan sutiles— en que los estilos de maquillaje han evolucionado a lo largo de los años.

oro, que son: menos es más; no le tema al color, pero úselo de manera sutil; y difumine bastante. Asegúrese de difuminar su maquillaje con cuidado, sobre todo en las zonas que se señalan en la ilustración en la página anterior.

Para mostrar su mejor cara, pruebe algunas de las sugerencias que le ofrecen Geller y otras maquillistas expertas en darle un aspecto juvenil a un cutis maduro.

La base: sume color y reste imperfecciones

El cutis maduro requiere que se le agregue color *y* se disimule de manera sutil. La base correcta le brindará ambas cosas. Y nadie sabrá que la está usando excepto usted.

La presentación más prudente: Antes de elegir una base responda a las siguientes dos

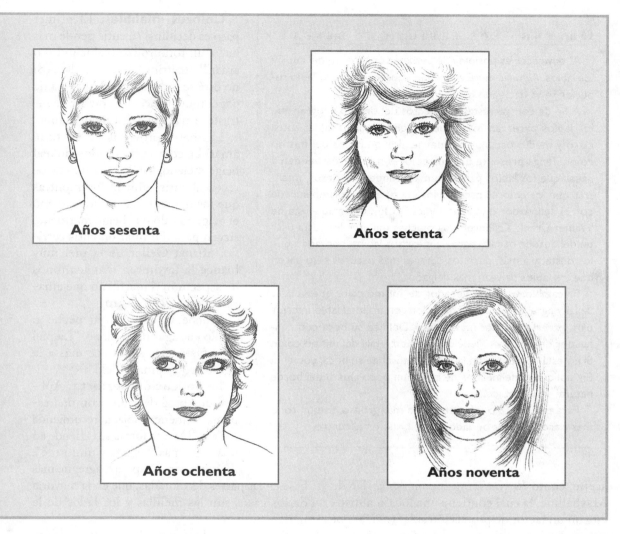

Años sesenta

Años setenta

Años ochenta

Años noventa

preguntas: ¿cuánto necesita ocultar? y ¿requiere su cutis más humedad o menos?

Las bases se obtienen con tres consistencias o capacidades de cobertura: transparente *(sheer)*, media *(medium)* y opaca *(full)*. En términos generales, el cutis maduro se ve más favorecido por una base transparente o media, en opinión de Doreen Milek, directora de la Studio Makeup Academy, una escuela que prepara a maquillistas profesionales en Hollywood, California. "Es posible que una base transparente no tape las manchas o la decoloración, mientras que las bases opacas, que están pensadas para cubrir manchas de nacimiento u otros defectos graves de la piel, llegan a verse como una plasta o máscara".

También hay dos fórmulas fundamentales de base: de aceite y de agua. Las que son a base de

---

Obtenga los labios que desea

Al envejecer es posible que perdamos pigmento del cutis y los labios. Algunas mujeres también observan que su labio superior se va haciendo más delgado.

A fin de contrarrestar los efectos del tiempo y lograr que los labios parezcan más gruesos, elija un lápiz labial entre claro y medio oscuro y un delineador de labios del mismo color. Tenga presente que los colores más claros tienden a hacer que los labios parezcan más grandes y gruesos, mientras que los colores oscuros los encogen. Lo mismo sucede con el delineador de labios, indica Pat Ely, una maquillista de Walnut Creek, California. "A muchas mujeres les gusta usar un delineador oscuro para delinear sus labios, pensando que los destacará más, pero los colores más oscuros sólo hacen que los labios se vean más delgados".

En cambio, use un delineador del mismo color que su lápiz labial y agregue un punto de color con brillo al labio inferior para hacerlo parecer más grueso. Delinee su boca con delineador de labios y rellene con un lápiz labial del mismo color. Si no está contenta con la forma natural de su boca, comenta Ely, aplique el delineador de labios un poco afuera del borde natural de los labios.

Para que su labio inferior se vea más grueso, use un tono más claro de color perlado o con brillo en el centro.

---

aceite, como *Revitalizing Liquid Make-Up* de Maybelline, la cual contiene una loción antisolar con un factor de protección solar (o *SPF* por sus siglas en inglés) de 10; *Time-Off Age-Smoothing Makeup* de Almay o *Visible Lift Line-Minimizing Makeup* de L'Oréal, son las mejores para el cutis reseco o maduro, señala Geller. La base de aceite agrega humedad a la piel, dándole una apariencia más fresca.

Independientemente de la base que usted elija, asegúrese de que contenga una loción antisolar, recomienda Milek. Este producto indispensable ayudará a defender su cutis contra los daños ocasionados por el sol.

Colores infalibles: El primer paso es decidir si su cutis tiende más hacia un tono rojizo (rubicundo) o amarillo (cetrino), indica Geller. (Si no está segura, acerque una hoja de papel muy blanco a su piel. El contraste le ayudará a distinguir el tono.

Las bases provistas de un tinte amarillo, como el beige dorado o el beige melado, son las que más favorecen al cutis rubicundo, mientras que los matices más rosados, como el beige rosado o el beige marfileño, sirven para iluminar un cutis cetrino, afirma Geller. A la piel muy blanca la favorecen más los tonos de aspecto más marfileño que amarillo, como el alabastro.

Pruebe la base en su pecho o cuello en lugar de la mano. "La piel de estas partes se parece más a la del rostro", opina Milek.

La aplicación perfecta: Aplique una base de aceite con una esponja cosmética mojada, recomienda Milek. "De esta forma se extiende en una capa más delgada y uniforme". Siempre con la esponja, agregue más base en las partes decoloradas, que en la mayoría de los casos son las mejillas y los lados de la nariz.

No se ponga demasiada base debajo de los ojos. "Una capa gruesa de base en esta parte llamará la atención sobre las patas de gallo y la piel un poco manchada, como papel crepé", dice la experta.

Técnicas y trucos: Para crear la impresión de un cutis perfecto sin usar toneladas de base, unte con los dedos una pequeña cantidad sólo en las mejillas o los lados de la nariz, sugiere Geller. Difumine la base bien, para que no se note dónde comienza ni termina.

El corrector:
el gran disimulador

¿Recuerda cuando el corrector tenía la consistencia y el color de una pasta resanadora? Ya no es así. Actualmente los correctores son más ligeros y cremosos y se vende casi la misma variedad de tonos como de las bases.

La presentación más prudente: Escoja un corrector en crema que se venda en un tarro o que venga con aplicador (como *Extra Moisturizing Undereye Cover Cream* o *Time-Off Age-Smoothing Concealer*, ambos de Almay). Son más transparentes y ligeros que las formulaciones en barra, de modo que no producirán una capa espesa ni parecerán máscara cuando se los ponga. También son más fáciles de difuminar que los correctores en barra y no maltratan la piel delicada y fina debajo de los ojos.

Colores infalibles: El corrector debe ser un solo tono más claro que su piel, explica Geller. Para encontrar el color perfecto, vaya a una tienda donde haya muestras, póngase un poco de corrector en la mejilla y salga al aire libre (o acérquese a una ventana) con su polvera para ver el tono a plena luz del día. (Suena poco práctico, pero sólo lo tendrá que hacer una vez).

La aplicación perfecta: Aplique el corrector *después* de la base. "De esta forma, si su base cubre la imperfección puede olvidarse por completo del corrector", afirma Geller.

Las ojeras, que son un problema común de las mujeres con piel madura, se ocultan de la siguiente manera, sugiere Geller. Con un pincel pequeño y suave o un dedo, ponga puntitos de corrector debajo de cada ojo desde la comisura interna hasta el centro del ojo. (No lo extienda hasta la comisura externa del ojo, porque se iría corriendo hacia la zona de las patas de gallo). Luego difumine el producto con su base con el dedo o un pequeño pincel hasta que ya no lo distinga. Retire el exceso con un pañuelo desechable o una almohadilla de algodón.

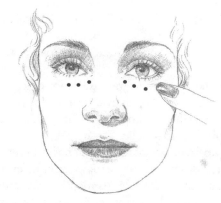

Técnicas y trucos: Si la piel debajo de sus ojos es muy reseca, distribuya suavemente una crema ligera para la zona de los ojos antes de aplicar el corrector, recomienda Geller. De esta forma, incluso un corrector transparente se verá aún más transparente.

El rubor:
cómo recuperar el resplandor

Conforme envejecemos nuestra tez a menudo se hace más cetrina. Sin embargo, nadie tiene que enterarse. Cuando el rubor se elige y se aplica correctamente, puede ayudarle a la piel madura a recuperar su lozanía juvenil.

La presentación más prudente: Los rubores se venden en presentación de crema, compacto y compacto en crema. Las cremas, como *Colorstay Cheekcolor* de Revlon (que viene con una esponja en lugar de una brocha), o los rubores compactos en crema favorecen más la piel reseca o madura. "Los rubores compactos acentúan las líneas de expresión y las arrugas", comenta Milek. Un gel le dará un color transparente apenas perceptible, como *Pinch Your Cheeks* de Origins (los cuales están disponible en algunos almacenes/tiendas de departamentos).

Colores infalibles: Los tonos cálidos de rubor que contienen más amarillo que rojo son más complacientes con la piel madura. "Prácticamente todas las mujeres se ven hermosas con cálidos tonos melocotón (durazno) y rosa", afirma Milek.

Si tiene el cabello cano, use tonos de rosa claro u oscuro, ciruela o malva. "Son bellos complementos para el cabello cano, sin importar el tono de la piel", opina Geller.

La aplicación perfecta: Si necesita disimular líneas de expresión y arrugas, aplique el rubor sólo a la parte gruesa de sus mejillas, recomienda Geller. (A fin de definir el área exacta, esboce una gran sonrisa y palpe la parte gordita con los dedos como se hace en la ilustración).

Para aplicar el rubor en crema, ponga una cantidad del tamaño de una moneda de 10 centavos en cada mejilla con un dedo o una esponja cosmética, indica Geller. Luego difumínelo, retirando el exceso de color con un pañuelo de papel o una almohadilla de algodón. Para aplicar el rubor compacto en crema toque el producto con las cerdas de la brocha, déle unos golpecitos para eliminar el exceso de color y aplíquelo con mano ligera. Difumine hasta que

ya no vea dónde comienza ni termina el color.

Técnicas y trucos: Si bien los rubores compactos son hermosos, muchos contienen pigmentos intensos y terminan viéndose demasiado oscuros, advierte Milek. Para rebajar el color de su rubor compacto favorito, meta la brocha del rubor en un poco de polvos sueltos (el talco para bebé funciona muy bien) y luego aplique el rubor mismo.

Polvos cosméticos: póngaselos y despreocúpese

Al contrario de lo que tal vez piense, los polvos cosméticos *no* llamarán la atención sobre cada una de sus líneas de expresión y arrugas, dice Milek. "Cuando se usan correctamente, los polvos fijan la base y le dan un aspecto pulido", opina la maquillista.

La presentación más prudente: Los polvos cosméticos se venden en dos presentaciones —compactos o sueltos— y ambas pueden usarse con la piel madura, afirma Milek. Los polvos compactos vienen en una polvera y se aplican con una esponja seca. Los polvos sueltos vienen en un recipiente y se aplican con una brocha grande, suave y sedosa.

Independientemente de la presentación que elija, compre un producto hecho de manera específica para el cutis maduro, ya que contienen humectantes. Dos que usted podrá probar son *Age-Defying Pressed Loose Powder* de Revlon y *Moisture Whip Loose Powder* de Maybelline.

Colores infalibles: Elija unos polvos tres tonos más claros que su base, sugiere Milek. Si no usa base, póngase unos polvos coloreados transparentes sueltos o compactos en todo el rostro para ocultar las imperfecciones y darle a su cutis un aspecto más pulido, recomienda Geller.

La aplicación perfecta: Los polvos compactos se aplican encima de la base mediante presiones suaves de la borla que viene con el compacto, indica Milek.

Aplique los polvos sueltos con una brocha grande, suave y sedosa para maquillaje, retirando el exceso con la misma brocha. Una vez a la semana lave su brocha con agua jabonosa tibia. Una brocha limpia se desliza mejor por la piel que cuando está impregnada de grasa facial, explica Milek.

Antes de retocar su maquillaje, difumine la base que se haya introducido en las líneas de expresión alrededor de sus ojos y boca usando una esponja seca o un pañuelo de papel, recomienda Milek. "Si no lo

CÓMO SER UN EXITAZO EN LA REUNIÓN DE EX ALUMNOS

Las reuniones de ex alumnos son ocasiones para rememorar gratamente, saludar a amigos con los que se perdió el contacto hace mucho. . . y para preocuparse qué pensará esa gente de cómo se ve ahora que han pasado 20 ó 25 años. ¿Cómo verse lo mejor posible? Las siguientes sugerencias le ayudarán a sobresalir entre la multitud reunida en torno a la ponchera.

Esboce una despampanante sonrisa roja. Una mujer con lápiz labial rojo llama mucho la atención, afirma Laura Geller, maquillista y dueña de los salones de maquillaje Laura Geller Make-Up Studios en la ciudad de Nueva York. Y es muy posible que complemente lo que usted se piense poner. El rojo queda particularmente bien con colores neutros como negro, marrón (café), azul marino, gris y desde luego rojo. Sin embargo, olvídese de los labios rojos si piensa ponerse un color insólito como morado o anaranjado.

Déles forma a sus cejas. Es la oportunidad perfecta para un trabajo profesional de depilación y formado de cejas, opina Geller, sobre todo si las tiene más bien pobladas. "Unas cejas arregladas y cuidadas ponen énfasis en sus ojos", afirma. Según donde viva es posible que este pequeño lujo le cueste menos de $15.

Muestre manos magníficas. Ya que se va a arreglar las cejas, también puede darse el gusto de arreglarse las uñas, opina Judith Ann Graham, vicepresidenta de la Asociación Internacional de Asesores de Imagen en Washington, D.C. "Estará saludando y abrazando a las personas y se le verán mucho las manos".

Póngase un saco. Considere ponerse un traje pantalón con un saco. "Vestir un saco expresa algo concreto: 'Soy poderosa, tengo el control'", indica Graham. Lo cual no quiere decir que se ponga el traje con el que entrevista a nuevos empleados. "Un traje pantalón elegante y femenino en un color que le encanta la hará verse poderosa, pero aún accesible", comenta.

hace, los polvos se acumularán en esas arrugas", dice la experta.

Técnicas y trucos: En una ocasión especial aplique polvos ligeramente perlados a sus pómulos, sugiere Geller. "Le darán un brillo adicional a su cutis".

Maquillaje para los ojos: potencie su poder

Un toque suave de delineador alrededor de los ojos y una o dos capas de rímel pueden lograr que sus ojos se vean más grandes y luminosos. Y si tiene los párpados colgados, una sutil aplicación de la sombra para ojos correcta puede ayudar a sacarlos de su escondite.

La presentación más prudente: La piel alrededor de los ojos se hace más delgada y reseca con la edad. Las sombras en crema y los lápices delineadores cremosos nutrirán esta piel delicada a la vez que ocultan las arrugas.

Sombras. Las sombras para los ojos se ofrecen en dos presentaciones básicas. Las sombras en crema (como *Age-Defying Eye Color* de Revlon) normalmente vienen con aplicador. Las sombras en polvo se venden en presentación compacta y se aplican con un aplicador de punta de esponja o un pincel. Si tiene la piel muy reseca debe optar por las sombras en crema, indica Geller. "Son fáciles de aplicar y más durables", agrega. Y al igual que los rubores en crema, las sombras en crema suavizan la apariencia de las arrugas.

Además, elija una sombra que posea

Cuando era más joven, Marti tenía uno de esos cutis de porcelana, terso y sin imperfecciones, unos ojos verdes animados y pícaros y unos labios gruesos que parecían levantarse en las comisuras, como si estuviera sonriendo por algún secreto. Su madre no le permitía pintarse. No le hacía falta a una muchacha tan fresca, saludable y llena de colorido. Sin embargo, ahora que pasa de los 40 años sí le hace falta. Sus ojos, antes tan luminosos, parecen deslavados. Su cutis se ha vuelto pálido y reseco. Sus labios están más delgados. Sus amigas la han alentado a ponerse un poco de maquillaje, pero cuando trató de aplicar una base, lápiz labial, delineador de ojos y rubor, se veía aún más vieja. Todavía no pierde el ánimo, pero tampoco sabe qué intentar ahora. ¿Cuál será la mejor forma de empezar?

La verdad es que aplicar maquillaje es una habilidad y la práctica hace al maestro, como sucede con cualquier habilidad. Marti tendrá que experimentar con el maquillaje hasta que encuentre los productos adecuados para su cutis y descubra su propio estilo de pintarse.

Marti ahorrará dinero y aprenderá más rápido si experimenta con uno o dos cosméticos a la vez. El lápiz labial y el rímel son fundamentales, de modo que debe concentrarse en ellos primero.

Encontrar el lápiz labial "correcto" es cuestión de ensayo y error, incluso para las mujeres que se han pintado desde hace años. Sin embargo, en términos generales los lápices labiales cremosos de tonos cálidos y suaves suavizan el aspecto de la piel madura y minimizan las líneas de expresión alrededor de la boca.

Si Marti tiene diminutas líneas verticales alrededor de la boca, un delineador de labios incoloro (*nude lip pencil*) evitará que su lápiz labial se corra. Los tonos incoloros resultan prácticamente invisibles, de modo que son más complacientes con unas manos temblorosas.

En cuanto al rímel, Marti debe evitar las fórmulas que

prometen hacer más gruesas las pestañas. Muchas contienen fibra, que puede darles un aspecto grumoso y desaliñado a las pestañas. Para hacer más gruesas sus pestañas puede espolvorearlas primero con polvos y luego aplicar el rímel.

Sigue el rubor. En vista de que Marti tiene el cutis reseco debe optar por un rubor en crema lo más parecido posible al tono de su lápiz labial.

Encontrar la base correcta puede ser algo difícil, pero una vez que Marti lo logre lo más probable es que nunca tenga que repetir el proceso.

Una fórmula a base de aceite hace que el cutis reseco se vea más fresco y le da una apariencia lozana. Para encontrar el tono correcto, Marti debe probar la base sobre la piel de su cuello bajo luz natural, de ser posible.

A veces a las mujeres que se resisten a pintarse no les gusta cómo se siente la base sobre su piel. Para crear la impresión de un cutis sin imperfecciones y a la vez evitar la sensación de estar usando una máscara, Marti puede aplicar la base sólo a las partes decoloradas de su cara —en la mayoría de las mujeres las mejillas, alrededor de la nariz, debajo de los ojos y la barbilla—, difuminándola hasta que ya no se note dónde comienza ni termina.

Las principiantes en cuestiones de maquillaje con frecuencia terminan su base en la mandíbula. Si Marti quiere ponerse la base en toda la cara, también tendrá que ponérsela en todo el lado frontal del cuello. Una esponja aplicadora humedecida con agua le ayudará a difuminar la base a la perfección y le dará un aspecto transparente, como si apenas existiera.

Marti puede seguir con la sombra y demás productos para los ojos después, cuando haya dominado lo básico. Sin duda no pasará mucho tiempo hasta que sepa pintarse con confianza y se vea más juvenil.

Información proporcionada por la experta
Paula Mayer
Maquillista
San Diego

un poco de brillo, lo que los maquillistas le llaman una sombra "de bajo perlado". Sí, escuchó bien. "La mayoría de las mujeres piensan que las sombras perladas acentuarán unos ojos maduros —indica Geller—. En realidad una sombra que brille ligeramente los puede suavizar". Sin embargo, asegúrese de evitar los brillos al estilo de las coristas de Las Vegas. Las sombras provistas de mucho brillo y lustre llaman la atención sobre cada pliegue de piel caída y arruga.

Delineador. Opte por los delineadores en forma de lápiz, recomienda Geller. Los lápices delineadores de cera están muy bien, pero los más suaves pueden desdibujarse y los muy duros jalarán la piel delicada debajo de los ojos. Por lo tanto, Geller sugiere usar lápices delineadores en polvo (como *Smoky Eyes Powder Pencil* de Elizabeth Arden o *Softsmoke Powderliner* de Revlon). "Les dan una apariencia soñadora y suave a los ojos y son fáciles de aplicar", indica.

Lo que *no* debe usar: delineadores líquidos. "Si tiene líneas de expresión en la cara no necesita pintarse más líneas", opina Milek.

Rímel. Escoja un rímel sin fibra. En la mayoría de los casos el rímel no tiene fibra, pero cuando sucede lo contrario el producto indicará "con fibra" *(with fibers),* señala Geller. El rímel que contiene fibra tiende a formar capas gruesas, grumos y pegotes, lo cual llamará la atención sobre unos ojos maduros.

Colores infalibles: ¿Teme usar el tono equivocado de sombra o delineador y terminar viéndose como su excéntrica tía Rosita? No será así si escoge colores apagados que favorezcan el color de su cabello y de su tez.

Sombras. Las mujeres de cabello oscuro y tez morena clara a oscura pueden usar prácticamente cualquier tono de sombra. "Las mujeres de cabello castaño se ven particularmente bien con colores bronce o champán, que es un rosado muy pálido", indica Geller. Las rubias de tez rubicunda se ven mejores con tonos de gris oscuro con un ligero toque pardo *(taupe)*, beige y marrón oscuro, mientras que a las rubias con un tono de piel más amarillo las favorece un tono violeta, gris pizarra y marrón grisáceo. Si tiene el cabello cano siempre se verá muy bien con tonos de gris oscuro con un ligero toque pardo y gris suave, afirma la experta.

Delineador. Los tonos más oscuros de azul marino y verde de cazador favorecen cualquier color de piel e iluminan el blanco de los ojos, afirma Geller. Para lograr un efecto más sutil, use tonos de marrón o caqui (un marrón verdoso suave). Si usted está usando un delineador negro, tírelo a la basura de inmediato. "El negro es demasiado severo para la piel madura", opina Geller.

Rímel. Debe ser negro para las morenas, y marrón para las rubias y las pelirrojas, aconseja Geller. Para hacer un poco más luminosos sus ojos pruebe el rímel azul marino. "Agrega sólo un toque de color y les dará más brillo a sus ojos", afirma la experta.

La aplicación perfecta: Aplicar las sombras, el delineador y el rímel de la manera más favorecedora tiene su ciencia, pero las sugerencias que presentamos a continuación le facilitarán mucho la tarea.

Sombras. Aplique una sombra en crema extendiéndola con su dedo meñique limpio, sugiere Milek. "Es más fácil controlar el dedo que un aplicador y el color será más suave y sutil", explica.

Póngase la sombra compacta con un pequeño pincel para los ojos. "El pincel distribuye el color de manera más fina y uniforme que un aplicador de esponja", afirma Geller. Aplique un arco de sombra con forma de "V" desde la comisura externa del ojo, alargando un extremo de la "V" de manera que la sombra cubra cualquier parte de piel colgada encima de su párpado, y empate el otro extremo con sus pestañas.

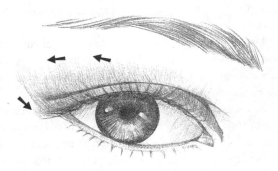

Delineador. Si las manos le tiemblan, píntese los ojos sentada frente a la mesa y utilice un espejo colocado a la altura de sus ojos, sugiere Geller. Apoye el codo de la mano que sostiene el delineador sobre la mesa. Luego sujete su codo con la otra mano.

Rímel. Para evitar los grumos, limpie el aplicador del rímel con un pañuelo de papel antes de ponerse el rímel, indica Milek. Para que las pestañas escasas se vean más gruesas, espolvoréelas con polvos antes de aplicar la primera capa de rímel.

Técnicas y trucos: Rizar sus pestañas les dará una apariencia más gruesa y sus ojos lucirán más grandes y luminosos, afirma Milek.

Busque su rizador de metal para pestañas —ese que juró no volver a usar— y sosténgalo debajo del secador de 5 a 10 segundos. El calor ayudará a que sus pestañas se mantengan rizadas, indica Geller. (Aplique su sentido común, por favor: cerciórese de la temperatura del metal con la mano antes de acercárselo a la zona de los ojos).

Lápiz labial: el elemento esencial

"Todas las mujeres deben usar lápiz labial, sin importar su edad —opina Geller—. Pero si tiene la piel madura el lápiz labial correcto puede iluminar todo su rostro y hacer que su cutis se vea más juvenil".

La presentación más prudente: Los labios se resecan con la edad. Para mantenerlos húmedos y suaves elija un lápiz labial en crema que contenga humectantes (como *Moon Drops Moisture Creme* de Revlon y *Hydra-Riche Hydrating Lip Colour* de Lancôme), recomienda Geller. Una ventaja adicional es que las presentaciones en crema suavizan la apariencia de la tez madura y apartan la atención de las líneas de expresión y las arrugas, afirma la experta.

Si prefiere una apariencia más natural, pruebe un brillo de labios. "Aporta sólo un toque de color y un ligero brillo", dice Milek.

Colores infalibles: Si es rubia de tez blanca, opte por suaves tonos malva (un rosa cálido), recomienda Paula Mayer, una maquillista de San Diego. Las rubias de piel más oscura se ven muy bien con tonos cálidos de marrón, como arena, o bien con rojos anaranjados. Las morenas de tez aceitunada se ven mejor con tonos melocotón (durazno), rojo anaranjado, vino y burdeos *(burgundy)*. Las mujeres de cabello castaño y tez blanca deben elegir un intenso tono de fucsia o matices más suaves de rosado. Las pelirrojas con pecas se ven mejor con colores canela y terracota.

Los tonos malva, albaricoque (chabacano, damasco) y cobre suavizan el aspecto rojizo de la tez rubicunda o los capilares rotos, agrega Milek.

Todas podemos usar lo que se llama un rojo auténtico, que contiene iguales cantidades de amarillo y azul. "El lápiz labial rojo auténtico se ve particularmente atractivo en las mujeres de cabello cano", opina Milek. Otro color infalible, según Milek, es *Natural Mist Cream* de Sally Hansen. "No es marrón, no es melocotón, no es rosado, sino una combinación de los tres. Y le funciona a cualquier mujer", indica.

Sin importar el color que elija, prefiera los tonos suaves. "Los labios se adelgazan al pasar los años —explica Geller—. Los colores muy oscuros hacen que se vean aún más delgados".

La aplicación perfecta: La mayoría de las mujeres nos ponemos el lápiz labial directamente de la barra. Excelente, dice Geller. No obstante, si el color se pasa de sus labios a las arrugas finísimas arriba de estos, recurra a la ayuda de un delineador de labios, aconseja la maquillista. "La cera del lápiz funciona como barrera y evita que el lápiz labial se extienda o manche la piel", indica. Para obtener una apariencia suave y natural puede usar un delineador de labios color piel.

Técnicas y trucos: Para engrosar unos labios delgados elija un color con sólo un toque de brillo. "Los brillos suaves reflejan la luz, lo cual hace que los labios se vean más gruesos", afirma Geller.

Para evitar que el lápiz labial le manche los dientes puede imitar a las modelos: después de aplicarlo meta el índice a la boca. Sáquelo despacio manteniendo la boca cerrada. "Lo que termine en su dedo hubiera aparecido en sus dientes", dice Geller. También puede ponerles un poco de vaselina *(petroleum jelly)* a sus dientes delanteros superiores para que no se manchen de lápiz labial, agrega la experta.

Revitalice sus ventanas del alma

De nuestros seis sentidos, del que más dependemos es de la vista. De hecho el 80 por ciento de la información que obtenemos del mundo a nuestro alrededor pasa por los ojos.

Con tanta actividad los ojos tienen derecho a cansarse e irritarse de vez en cuando. No obstante, en la actualidad los problemas oculares parecen estar más difundidos que nunca. Eso se debe a que dedicamos más tiempo a lo que los optometristas llaman "tareas de proximidad", como observar pantallas de computadora y de televisión y leer las diminutas letras de los informes de la bolsa de valores o las etiquetas de los productos alimenticios. Desafortunadamente el ojo humano no se diseñó para este tipo de trabajo minucioso.

"La mayoría de las afecciones oculares comunes —incluyendo los ojos rojos y la vista cansada— pueden tener una causa funcional, lo cual significa que ocurren debido a la forma en que usamos los ojos —explica Anne Barber, O.D., directora de servicios de programas de la Fundación de Programas Optométricos de Extensión, una organización con sede en Santa Ana, California, que promueve la educación sobre la vista—. Son características de un sistema visual que no funciona con la eficiencia que debiera".

Hacerse examinar los ojos con regularidad es lo mejor que puede hacer, porque así descubrirá a buen tiempo cualquier cambio de la vista, al igual que problemas graves como cataratas, glaucoma y degeneración macular. La Dra. Barber sugiere ir a ver a un optometrista u oftalmólogo cada 2 años hasta los 55 años de edad y luego cada año. "Si detectamos un problema pronto y empezamos el tratamiento enseguida tenemos una mejor posibilidad de salvar la vista. Asegúrese de que su médico oculista le haga una serie completa de pruebas de visión de proximidad y le dé terapia ocular para tratar los problemas funcionales o bien la mande a un sitio donde se la puedan dar", recomienda.

Para los problemas más comunes y corrientes de los ojos, normalmente basta con que usted misma se brinde los cuidados adecuados. A continuación varios oculistas comparten con usted sus remedios naturales favoritos para asegurar la salud de sus ojos y de la zona de los ojos.

Antes de abrir los ojos seque la humedad que permanezca sobre sus párpados cerrados. Por último, si piensa que la gota no entró al ojo, repita el procedimiento. No es posible sufrir una sobredosis de gotas para los ojos, afirma la Dra. Sumers.

Incline la cabeza hacia atrás o acuéstese en el sofá. Separe el párpado inferior del ojo de modo que forme una pequeña bolsa. Luego exprima la gota del medicamento dentro de esa bolsa. No permita que el gotero le toque el ojo o el párpado. Las bacterias pueden contaminar el gotero si su cuerpo lo toca. El contacto con el gotero también puede rayar la córnea.

téngala sobre sus ojos por un minuto. Luego empape la toallita con agua fría, exprímala y sosténgala sobre sus ojos por un minuto. Repita el proceso dos o tres veces.

Póngase la del pollito. La pajarera (pamplina, hierba riquera, *chickweed)* ayuda a combatir las infecciones y es lo bastante ligera para aplicarla a los ojos. Prepare una olla de té de pajarera y déjelo enfriar hasta que lo sienta agradablemente tibio. Luego remoje un paño limpio con el té y sosténgalo sobre el ojo afectado cerrado. Siga remojando y aplicando el paño durante una hora como máximo.

Inhíbala con hidraste. Si su conjuntivitis es bacteriana, bañar sus ojos con hidraste (sello dorado, acónito americano, *goldenseal)* puede aliviar las molestias y combatir la infección. Para preparar el remedio, ponga una cucharadita de hidraste seco en una taza de agua recién hervida. Déjelo en infusión durante 10 minutos, cuele el líquido y deje que se enfríe. Póngase dos gotas del líquido en el ojo afectado con un gotero.

Deje sus ojos *al natural*. No se maquille los ojos mientras dure la conjuntivitis infecciosa y cómprese otro rímel y delineador. Si el aplicador del rímel o el delineador llegan a contaminarse, seguirá pasando el virus o la bacteria de un ojo al otro.

Irritaciones oculares

A menos que use gafas protectoras *(goggles)* las 24 horas del día, en algún momento se le meterá algo a los ojos, como una mota de polvo, una basurita o maquillaje. Entre más tiempo se quede ahí, más rojo, irritado e hinchado se le pondrá el ojo.

Sin embargo, no sólo los objetos extraños irritan los ojos. El humo, el polen y el cloro (de las piscinas/albercas) también cumplen con esta tarea. Si elimina una sustancia irritante pero su ojo produce una secreción o algún otro síntoma anormal, consulte a su oftalmólogo. Una infección bacteriana o viral también puede irritar los ojos.

Cualquiera que sea su causa, existen técnicas sencillas que le permitirán tratar usted misma las irritaciones oculares en casa. Ahora le diremos qué hacer.

Palpe sus párpados. Si se le metió algo al ojo puede usar los párpados para empujar la partícula suavemente hacia abajo y sacarla del ojo.

Sujete las pestañas de su párpado superior con los dedos y luego jale el párpado superior por encima del inferior. Esto les permitirá a las pestañas del párpado inferior retirar la basurita de la parte interna de su párpado superior. Si la partícula se desplaza a la comisura del ojo, sáquela con la punta de un pañuelo de papel húmedo.

Abra la llave del agua. El agua común de la llave (grifo, canilla, pila) puede eliminar un objeto extraño de su ojo. Acerque la cara a la llave del lavamanos del baño y salpique el ojo.

Aproveche el agua fría. Puede tratar la irritación provocada por una alergia colocando sobre sus ojos una toallita empapada con agua fría recién sacada de la llave por 5 a 10 minutos.

Arrase con la grasa. Los ojos a veces se irritan debido a la blefaritis, una afección que se da cuando el margen del párpado (la delgada orilla de piel entre el globo ocular y las pestañas) se inflama a causa de una producción excesiva de grasa. Para tratar la blefaritis agregue dos o tres gotas de champú sin lágrimas para bebé a un tercio de taza de agua, moje un hisopo (escobilla, cotonete, *cotton swab*) de algodón en la solución y páselo a lo largo del margen del párpado inferior con el ojo abierto. Luego cierre el ojo y pase el hisopo por el margen del párpado superior, en el nacimiento de las pestañas. Aplique este remedio una o dos veces al día.

Ojeras

Adelante, culpe a su mamá o a su papá por esos semicírculos oscuros debajo de sus ojos. Al

CASOS DE LA VIDA REAL

Hizo "contacto" con un problema de los ojos

Cuando Marie se mudó a Tucson, Arizona, el año pasado a fin de aliviar sus alergias, decidió que había llegado el momento de transformarse por completo. Empezó a hacer ejercicio, cambió de peinado, comenzó a pintarse y cambió sus anteojos (espejuelos) (que usaba desde los 5 años) por unos lentes de contacto. Literalmente se ve mejor que nunca ahora, a los 35 años, pero los lentes de contacto le han causado problemas. A pesar de que cambió a un maquillaje para ojos sensibles, tiene comezón en los ojos y los siente secos al finalizar el día. No quiere volver a usar anteojos, pero le preocupa que los lentes de contacto le arruinen la vista.

Hay varias razones por las que Marie ha tenido problemas con sus ojos, pero no será imposible superarlos.

Para empezar, los ojos de la mayoría de las mujeres tienden a secarse un poco después de los 35 años, lo cual se complica aún más al vivir en un clima seco como el de Tucson. Y si toma antihistamínicos para controlar sus alergias, pueden resecar aún más la situación de por sí seca. Además, hay ojos sensibles al maquillaje. Por lo tanto, no sorprende que sus lentes de contacto le irriten los ojos. Sin embargo, esto no significa que deba volver a usar anteojos.

Primero debe hablar con su oftalmólogo acerca de la posibilidad de cambiar a un lente con un contenido menor de

contrario de lo que comúnmente se piensa, la herencia —y no la falta de sueño— es lo que suele pintar la piel de ese tono negro azuloso o marrón (café). Por otra parte, si bien es cierto que la fatiga no provoca las ojeras, desde luego puede hacerlas más pronunciadas. Lo mismo sucede con la exposición excesiva al sol, ya que los rayos del Sol descomponen el colágeno y la elastina. Las alergias, alguna enfermedad, la menstruación e

agua a fin de impedir que se le deshidraten los ojos. También puede probar las gotas humectantes para los ojos o lágrimas artificiales que se venden sin receta, las cuales son particularmente útiles hacia el final del día. Y en vista de que vive en un clima con mucho sol, siempre debe ponerse anteojos oscuros al salir. El sol también irrita los ojos.

En la casa, Marie puede crear un ambiente más húmedo para sus ojos con medidas como usar menos el aire acondicionado, poner un humidificador y tener plantas en el dormitorio (recámara). Lo más importante es que deje descansar sus ojos y se saque los lentes de contacto cuando ya no vaya a salir por la noche. Al limpiar sus lentes, Marie debe usar un líquido sin conservantes, ya que estos pueden irritar los ojos sensibles.

Es posible que el maquillaje de Marie esté contribuyendo a su problema, pero probablemente no sea la causa principal de la comezón en sus ojos. Tendría los párpados rojos, molestos y con comezón durante todo el día si fuera así. No obstante, de todas formas sería prudente usar un buen desmaquillador para ojos sensibles. El champú para bebés sirve para este propósito. La clave está, desde luego, en quitárselo todo.

Información proporcionada por la experta
La Dra. Anne Sumers
Oftalmóloga
Ridgewood, Nueva Jersey
Portavoz para la Academia Estadounidense de
    Oftalmología

vasos sanguíneos, incluyendo los que hay debajo de los ojos. Coloque una bolsa para té de manzanilla remojada y enfriada debajo de cada ojo cerrado de 10 a 20 minutos por la mañana.

Ojo: Es posible que algunas personas con sensibilidad al polen sean alérgicas al té de manzanilla. Suspenda el uso de este remedio herbario si le provoca una reacción negativa.

Aplique hamamelis. En lugar de la manzanilla puede empapar unas bolas de algodón con hamamelis (hamamélide de Virginia, *witch hazel*) y colocarlas sobre la piel debajo de sus ojos cerrados durante 20 minutos.

Ocúltelas. Cubra sus ojeras con un corrector en barra en algún tono amarillo. El amarillo neutraliza los tonos rosados, rojos y morados de la piel.

Ojos cansados

Los ojos cansados, si bien incómodos, rara vez son motivo de alarma. No obstante, si continúan las molestias debe consultar a un oftalmólogo. Es posible que necesite anteojos (espejuelos) para ver de cerca.

Para animar unos ojos cansados, pruebe las siguientes sugerencias.

Mire a su alrededor. En cuanto los ojos empiecen a molestarla, desprenda la vista de lo que esté haciendo y mire a lo lejos. Esto les permite a los músculos oculares relajarse.

Póngase las palmas. Frote las manos para calentarlas un poco. Luego coloque las palmas suavemente sobre sus ojos cerrados. Sosténgalas ahí durante 5 minutos, respirando con tranquilidad. Esta táctica servirá muy bien para descansar y rejuvenecer sus ojos.

incluso el embarazo también pueden agravar las ojeras.

Desde el punto de vista médico las ojeras son inofensivas. No obstante, si las tiene probablemente desea que se le noten un poco menos. Es posible lograrlo si sigue los siguientes consejos antiojeras.

Minimícelas con manzanilla. La manzanilla ayuda a minimizar las ojeras al estrechar los

Cancele el cansancio. Respire hondo a la vez que levanta los hombros y aprieta los ojos y los puños lo más fuerte posible. Luego exhale y relaje todos estos músculos al mismo tiempo. Al apretar y luego soltar los músculos voluntarios de sus hombros y puños puede lograr que los músculos involuntarios de sus ojos también se relajen.

Ojos rojos

De todos los problemas oculares, los ojos rojos son los más fáciles de diagnosticar. Sólo hay que asomarse al espejo. A fin de disminuir el tamaño de esos vasos sanguíneos y deshacerse de lo rojo, siga estos consejos.

Enfríelos. Envuelva unos cubos de hielo con una toallita limpia y ponga esta compresa sobre sus ojos durante 30 minutos.

Compre lágrimas embotelladas. Las lágrimas artificiales alivian el ardor de los ojos rojos y eliminan la irritación que provocó el problema. Las encontrará en la farmacia. (Si usa lentes de contacto, las gotas humectantes le funcionarán igual de bien).

Olvídese de las gotas medicinales. Las gotas medicinales para los ojos que se venden sin receta, como *Visine* o *Murine*, son curiosas: entre más se usan, más se necesitan. Es una afección que los médicos llaman hiperemia reactiva. Así que sólo debe usar gotas medicinales para los ojos de vez en cuando.

Orzuelos

Cada uno de los párpados aloja los folículos pilosos de las pestañas. A veces alguno de estos folículos se infecta, quizá al ser tapado por escamillas parecidas a las de la caspa o por usar un aplicador de rímel lleno de gérmenes. En algún momento una bola roja dolorosa rematada con un punto blanco de pus aparece en el nacimiento de la pestaña. Esto es lo que se conoce como orzuelo.

Si usted tiene un orzuelo persistente o recurrente consulte al médico. Pudiera ser indicio de diabetes o de un quiste. También debe visitar el consultorio del médico si su orzuelo no mejora o bien empeora después de 2 días.

Al igual que en el caso de un grano (barro) en la cara, nunca hay que reventar un orzuelo. Puede romperse debajo de la superficie de la piel, lo cual agravaría la inflamación. En cambio, observe los siguientes consejos.

Pruebe una papa caliente. Envuelva una papa caliente preparada al horno con una toallita húmeda tibia (la toallita encerrará el calor por más tiempo). Luego sostenga la toallita sobre el ojo afectado cerrado durante 5 minutos. Repita este proceso cuatro veces al día durante 2 semanas. Poco a poco logrará que el orzuelo se abra y se cure.

Déles un descanso a sus ojos. Deje de pintarse los ojos hasta que el orzuelo se haya curado. O sea, olvídese de cualquier tipo de maquillaje para los ojos: rímel, delineador y sombras. De otro modo es posible que le salgan varios orzuelos.

Patas de gallo

Los primeros indicios de las patas de gallo normalmente aparecen conforme nos acercamos a los 30 años. A esta edad estas finas líneas sólo son visibles cuando entrecerramos los ojos. Se van profundizando con el tiempo y empiezan a notarse mucho después de los 40 años.

Entre más pronto tome medidas para impedir las patas de gallo, más joven logrará mantener la piel alrededor de sus ojos. No obstante, aunque ya tenga estas líneas de expresión, puede minimizar su apariencia.

Aclare las líneas con AHA. Los alfa-hidroxiácidos (AHA, *alpha-hydroxy acids*) — unos ácidos naturales derivados de alimentos como las frutas, la caña de azúcar y la leche agria— reducen las patas de gallo al eliminar las células viejas de la piel y revelar las células más jóvenes que hay debajo. Los AHA también engruesan la piel y restablecen su capacidad para retener la humedad. Busque una crema para los ojos que contenga un 5 por ciento de AHA. (Asegúrese de evitar sus párpados a la hora de aplicarla).

Cambie de alfa a beta. Si su piel es sensible, use un producto que contenga beta-hidroxiácidos *(beta-hydroxy acids)*. Reducen las líneas de expresión finas y las arrugas igual de bien que los AHAs, pero irritan menos.

Manténgase a la sombra. Siempre use anteojos (espejuelos) oscuros que den la vuelta a su cara *(wraparound)* cuando hay un sol muy brillante o brumoso. Es posible que los anteojos para el sol ayuden a prevenir las patas de gallo al evitar que entrecierre los ojos.

Deje de frotarse los ojos. La piel alrededor de sus ojos puede estirarse y arrugarse si la frota reiteradamente.

Opciones de cirugía estética

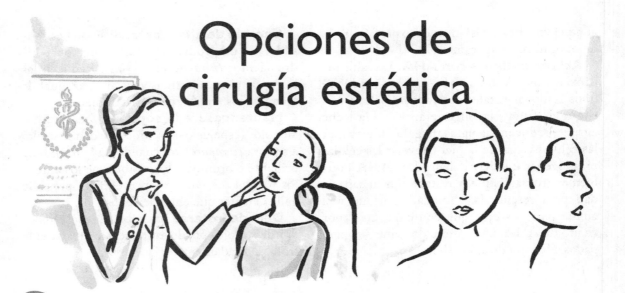

Si permaneciéramos bajo techo durante toda la vida y nunca utilizáramos las caras para comunicar nuestras emociones al sonreír, reírnos o llorar, nuestros rostros probablemente soportarían mucho mejor los rigores de la edad y de las inclemencias del tiempo.

Sin embargo, la realidad no es así. Salimos al sol, expresamos nuestros sentimientos y los años se hacen sentir. Para cuando llegamos a los 30 ó 40 años, los primeros indicios de la edad empiezan a aparecer y suelen revelarse en toda la cara. Su evolución típica es la siguiente.

Los ojos. Unas arrugas finas aparecen a los lados y debajo de los ojos. Unos párpados hinchados posiblemente causen la impresión de cansancio aun cuando se ha dormido bien. Las cejas tal vez parezcan estar más bajas que antes.

La boca. Unas arrugas verticales se forman alrededor de la boca, cuyas comisuras quizá comiencen a descender, dando lugar de esta manera a una expresión eterna de infelicidad. Es posible que los dientes pierdan su brillo, como una pared que necesita una capa de pintura.

Las mejillas. Es posible que las mejillas, antaño llenitas y sonrosadas, pierdan su color y forma. A lo mejor un exceso de piel parezca colgar de los pómulos. Si usted ha hecho ejercicio durante toda su vida y controlado su peso, es posible que se vea demacrada, de mejillas y ojos hundidos.

La nariz. La nariz puede parecer más grande, con la punta más gruesa y baja que en la juventud.

El cuello. Quizá el cuello empiece a verse estirado al centro mientras que la piel parezca colgarse a los lados, produciendo esa temida apariencia de pavo (guajolote) que usted tal vez recuerde haber visto en las ancianas.

Lo que puede hacer

Por lo general, las generaciones anteriores de mujeres aceptaban el envejecer. Realmente no les quedaba de otra. Pero hoy en día, las mujeres se mantienen activas hasta pasados los 60, 70 e incluso los 80 años de edad. Quieren que sus rostros y cuerpos reflejen su actitud juvenil ante la vida, según indica el Dr. Paul Carniol, un cirujano plástico que realiza cirugía cosmética, con láser y de reconstrucción en Summit, Nueva Jersey.

Una mujer cuyo rostro se ve demacrado y arrugado a los 45 años no puede obtener por arte de magia el aspecto de una modelo de trajes de baño de 20 años de edad. No obstante, definitivamente puede tomar medidas para lucir como una mujer llena de energía, radiante y rozagante de más de 40 años. La cirugía plástica puede ser una de esas medidas, afirma el Dr. Carniol.

"Les digo a las mujeres que piensen en cómo se ven para su edad, en cómo se sienten para su edad y en lo que hacen a su edad —indica el experto—. Las mejores candidatas para los procedimientos cosméticos y quirúrgicos son las que dicen: 'Quiero verme lo mejor que sea posible para mí a mi edad'. Eso es algo que se puede lograr".

Dónde empezar

Un buen dermatólogo o cirujano plástico se sentará a hablar de lo que le preocupa *a usted* y no pretenderá saber qué es lo mejor para usted.

"Aunque una mujer entrara con una rana sobre la nariz, de todas formas le preguntaría: '¿Qué es lo que la trae por aquí?'", comenta la Dra. Patricia S. Wexler, una dermatóloga cosmética de la ciudad de Nueva York.

No permita que un médico la convenza de hacerse operar los párpados si lo que más la molestan son las cicatrices del acné que parecen destacar cada vez más en sus mejillas al paso de los años, aconseja la experta.

A continuación expondremos algunas formas para que usted se asegure de que su primera visita al consultorio del médico sea provechosa.

Hurgue en sus álbumes de fotografías. Una consulta con motivos cosméticos no es como un corte de cabello. No lleve un retrato de Cindy Crawford para pedir que la conviertan en ella. En cambio, seleccione varias fotografías suyas tomadas a lo largo de los años: una

de la secundaria (preparatoria), unas cuantas de entre los 20 y los 30 años, quizá una en que se vea bien su cara cuando tenía poco más de 30 años. Esto le ayudará al médico a ver cuáles son los elementos de su rostro que tal vez se hayan ido ocultando al paso de los años, explica el Dr. Carniol.

Remítase a los resultados. Algunos pacientes llegan al consultorio pensando en cierto procedimiento (un estiramiento facial, por ejemplo) o tecnología (láser o ultrasonido). No obstante, a veces una técnica menos costosa y menos invasiva dará los resultados que busca, señala el Dr. Carniol. Concéntrese en los resultados que quiere y pida la opinión del médico acerca de las diferentes formas de obtenerlos.

Entreviste al médico. Pregunte cuánto tiempo dedica al trabajo cosmético y cuántas operaciones ha realizado. Investigue si se ha preparado con respecto a los procedimientos más recientes y si prepara a otros médicos en su aplicación. Tenga presente que las fotografías de antes y de después que tal vez le muestre reflejarán los mejores resultados que ha logrado el cirujano, no sus resultados promedio, advierte el Dr. Carniol.

Entérese de otras especializaciones. En términos generales los dermatólogos se preparan para trabajar con la piel. Realizan procedimientos como *peeling* y *resurfacing* con láser y aplican tratamientos de relleno con colágeno y grasa. Los cirujanos plásticos se relacionan más bien con estiramientos faciales y de las cejas, así como con la blefaroplastia (cirugía plástica de los párpados). No obstante, las fronteras han empezado a borrarse en el mundo de la cirugía cosmética. Hubo dermatólogos entre los pioneros de la liposucción. La mayoría de los cirujanos plásticos son expertos en técnicas láser.

En todo caso, asegúrese de que su médico cuente con certificación oficial en un área de

EL PRECIO DE SER CHER

Si bien Cher sólo ha admitido haber tenido pocas intervenciones cosméticas, entre ellas una rinoplastia (remodelación de la nariz), una mastopexia o elevación de las mamas y la eliminación por láser de dos de sus tatuajes, los columnistas de chismes y los tabloides especulan que ese hermoso cuerpo se ha sometido a varios trabajos más.

Sin conocer los detalles es difícil calcular el precio exacto del nuevo cuerpo de Cher, pero lo tratamos de adivinar basándonos en parte en los honorarios promedio que los cirujanos cobraban en 1997, según la compilación de la Sociedad Estadounidense de Cirujanos Plásticos y de Reconstrucción (o *ASPRS* por sus siglas en inglés).

➥ Rinoplastia	$3,428
➥ Mastopexia	$3,480
➥ Eliminación de tatuajes por láser	$3,000*
➥ Liposucción	$1,842
➥ Estiramiento facial	$4,783
➥ Abdominoplastia (reducción de la panza)	$4,050
➥ Implantes en las mejillas	$2,083
TOTAL	$22,666

*Es difícil calcular el precio de la eliminación de tatuajes por láser. En el Centro de Cirugía Láser y de la Piel en la ciudad de Nueva York las sesiones cuestan entre $300 y $800, pero es posible que se requieran muchas, según los colores y el tamaño del tatuaje, el tipo de tinta que se utilizó y el tiempo transcurrido desde que se hizo.

conocimiento pertinente. Puede recurrir a dos libros de consulta disponibles en muchas bibliotecas públicas para encontrar un enlistado de los cirujanos plásticos con certificación oficial *(board-certified plastic surgeons)* por estado y ciudad: *The Directory of Medical Specialists* (El directorio de especialistas médicos), publicado por la editorial Marquis Who's Who, y *The Compendium of Certified Medical Specialists* (El compendio de especialistas médicos certificados), publicado por el Consejo Estadounidense de Especializaciones Médicas.

Revise los riesgos. Sopesar los riesgos y los beneficios de la cirugía es aún más importante en el caso de la cirugía cosmética que en las operaciones que se hacen por necesidad médica, ya que se trata de procedimientos diseñados tan sólo para ayudarla a sentirse mejor consigo misma, no para corregir un problema de salud. Cuando la anestesia tiene complicaciones graves puede ser mortal. Otros posibles riesgos de la cirugía cosmética son infecciones, cicatrices y una pérdida temporal o incluso permanente de sensibilidad. Su médico debe mencionárselos y usted tiene que firmar un formulario en el que indica que comprende estos peligros antes de someterse incluso al menos riesgoso procedimiento de cirugía cosmética.

Haga planes. Debe salir del consultorio del médico con un plan estructurado de acuerdo con sus preocupaciones y con la cantidad de tiempo y de dinero que está dispuesta a gastar, afirma el Dr. Carniol. El médico también debe explicarle las posibles complicaciones, el tiempo de recuperación y los cuidados que requerirá mientras se recupere.

Un panorama de posibilidades

En la actualidad, la cirugía cosmética ofrece una enorme selección de opciones a las pacientes que buscan un aspecto juvenil lleno de energía. Desde la frente hasta el cuello hay que tomar decisiones acerca de qué rasgo desea realzar, qué tan invasivo será el procedimiento que está dispuesta a tolerar, cuánto tiempo tiene para recuperarse y cuánto quiere gastar.

A fin de evitar sentirse confundida o abrumada cuando se reúna con su cirujano a hacer planes, entérese desde antes de entrar al consultorio de algunas de las posibilidades que tal vez le sugiera.

Borre las bolsas. La blefaroplastia es una cirugía menor que extirpa el exceso de piel y grasa de los párpados superior e inferior. La incisión se esconde en el pliegue de los párpados. Si su vista se encuentra afectada por unos párpados tan hinchados que le tapan los ojos, es posible que el seguro médico pague la operación, indica el Dr. Sterling Baker, un cirujano oftalmológico de Oklahoma City. El costo promedio de una blefaroplastia de los párpados superiores e inferiores es de más o menos $3,000.

Acabe con las arrugas. Uno de los descubrimientos más revolucionarios del rejuvenecimiento cosmético en años recientes ha sido la creciente popularidad de *Botox*, una presentación muy diluida de *botulinum toxina A*. Cuando se inyecta *Botox* en las arrugas pronunciadas de la frente así como en las patas de gallo en las comisuras de los ojos, paraliza de manera temporal ciertos grupos de músculos que agregan arrugas a las expresiones faciales.

Las inyecciones deben repetirse cada 4 a 6 meses y es posible que produzcan cardenales (moretones, magulladuras). A pesar de las cosas terribles que tal vez recuerde acerca del botulismo, *Botox* utiliza dosis seguras sumamente pequeñas. El efecto secundario más grave, según la Dra. Wexler, es que descienda la ceja, lo cual es raro. Le cobrarán entre $400 y $600 por tratamiento con inyecciones de *Botox*.

Estírese un poquito. Con instrumentos que requieren incisiones mínimas, los cirujanos pueden introducirse debajo de la piel para apretar los músculos o estirar la piel de la frente, las cejas e incluso el centro de la cara o del cuello sin someterla a los rigores de un estiramiento facial completo. En muchos casos es posible que con eso baste para atender sus inquietudes cosméticas. Un estiramiento facial endoscópico o de excisión mínimo cuesta alrededor de $5,000.

Estírese mucho. Un estiramiento facial completo o ritidectomía tensa la piel suelta de las mejillas, la mandíbula y el cuello. Las cicatrices se esconden alrededor de las orejas o en el nacimiento del pelo y los resultados con frecuencia se combinan con liposucción, *resurfacing* con láser o ambas técnicas a fin de corregir los problemas que el estiramiento facial no resuelve, como el exceso de grasa en el rostro y el cuello, arrugas superficiales y piel llena de manchas y dañada por el sol. Un estiramiento facial tradicional cuesta alrededor de $4,800.

Rellene lo que haya que rellenar. Mientras que antes las mujeres aceptaban estiramientos faciales extremos en los que su piel se jalaba hacia arriba y atrás con tal fuerza que parecían metidas en un túnel de viento, los cirujanos de hoy están atendiendo la demanda de remedios menos radicales.

En muchos casos esto significa usar tratamientos de relleno para volver a dar forma a las zonas de la parte inferior de la cara que hayan perdido lo llenito de su juventud. En términos generales se incluyen las arrugas profundas que van de las orillas externas de los orificios nasales a las comisuras de los labios (los pliegues nasolabiales), quizá unos labios delgados o un mentón puntiagudo, o bien la parte media a externa de las mejillas.

"Un estiramiento estira, no rellena", indica

la Dra. Wexler, que con frecuencia utiliza el tratamiento de relleno para restaurar la curva de las mejillas.

En lo que se refiere a los rellenos mismos, la selección de materiales es cada vez más grande. La Dra. Wexler con frecuencia opta por la alternativa más sencilla y segura: la grasa de la propia paciente. Para obtenerla lleva a cabo un procedimiento de dos en uno para extraer la grasa por liposucción de las caderas, los muslos o el abdomen y usar un poco para rellenar las áreas a las que les hace falta engordar.

La grasa que no se utiliza de inmediato se congela de manera segura para llevar a cabo inyecciones mensuales posteriores. Después de un año de tratamientos, la Dra. Wexler garantiza que el 30 por ciento de la grasa inyectada se quedará de manera permanente, lo cual casi siempre alcanza para llenar los surcos y hundimientos. El precio promedio de una visita al consultorio para recibir inyecciones de grasa en el rostro y el cuello es de aproximadamente $1,000.

Mantenga sus mejillas. Es irónico, pero muchas veces las mujeres que mantuvieron la mejor forma física durante su juventud son las que sufren primero los estragos de la edad, afirma la Dra. Wexler. Conforme envejecemos perdemos tono muscular y grasa en el rostro y la piel no se encoge, sino que queda colgada de los huesos faciales, como una tienda de campaña a medio desmantelar que cuelga de sus palos.

Cuando hace falta aumentar el volumen los médicos recurren a diversos

De mujer a mujer
Dejó atrás sus bolsas

Las amigas de Jaimie Keyser pensaban que se veía fabulosa. Después de un divorcio que la había aplastado 5 años atrás, esta madre de dos niños residente de Oklahoma City hizo dieta y ejercicio para mejorar su forma física, cambió de peinado y obtuvo un nuevo empleo. No obstante, los hermosos ojos color café redondos que habían sido su rasgo más destacado de veinteañera revelaban una historia marcada por el estrés, el sol y los genes. Conforme se acercaba su cumpleaños número 40 decidió hacer algo al respecto.

Después de divorciarme estaba consciente de que tenía que recuperarme y seguir adelante, así que comencé con un programa riguroso para bajar de peso y tonificar mi cuerpo. También cambié de peinado y el color de mi cabello. Mi cuerpo se veía bien y tenía la impresión de haber recuperado mi alma. No obstante, cada vez que me observaba en el espejo me encontraba con unos ojos que hubieran podido ser los de mi madre. No cabía duda al respecto: me veía vieja.

Cuando era más joven tenía unos enormes ojos color café redondos. La gente solía hacerme comentarios al respecto. No obstante, conforme me hice más vieja parecieron desaparecer detrás de unos párpados superiores pesados y colgados, al igual que le pasó a mi madre. También tenía patas de gallo. Mis ojos me tenían cada vez más acomplejada, sobre todo cuando iba a las reuniones de padres y maestros, donde las demás mamás parecían tener 25 años.

Afortunadamente sabía que podía hacer algo al respecto. Después de años de administrar programas de educación para la primera infancia, había decidido cambiar de profesión y aceptado recientemente un empleo como coordinadora de consultorio para el Dr. Sterling Baker, un cirujano oftalmológico de Oklahoma City. Se especializa en cirugía cosmética, de modo que observaba a todas esas pacientes pasar por el consultorio e irse después de haber restado años a su apariencia.

Por fin decidí que era mi turno.

Primero me pusieron *Botox* para las patas de gallo. El

Botox se hace con una toxina de los organismos que causan el botulismo, una forma mortal de envenenamiento por alimentos, pero es muy diluido. Paraliza y relaja los músculos alrededor de las arrugas de manera temporal. Fue muy divertido observarlo. Las líneas simplemente desaparecieron.

Luego cumplí 39 años y tuve uno de esos episodios típicos de la crisis de los 40. Me empujó a tomar una decisión: en realidad no me sentía vieja, así que no estaba dispuesta a seguir viéndome vieja. Hablé con el Dr. Baker y decidí hacerme una blefaroplastia de los párpados superiores a fin de tensar la piel arriba de mis ojos y de sacar la grasa de las orillas.

Todo el procedimiento tardó unos 45 minutos. Me pusieron una inyección intravenosa y me dormí durante unos 10 minutos, mientras me ponían inyecciones para dormir toda el área que se operaría. Después de eso estuve despierta y haciendo preguntas. No me dolió. Sólo sentí que me jaloneaban.

Ese primer día dejé que mis amigas me cuidaran. A las madres rara vez nos consienten, así que decidí recostarme y disfrutarlo. Me llevaban bolsas de hielo y tomé *Tylenol* extrafuerte. Al día siguiente estaba lista para mis actividades normales, aunque no manejé durante 24 horas más.

Me divertí más cuando fui a la iglesia una semana después. Siempre llegamos tarde, así que entramos con cierto alboroto y una mujer mayor que me había apoyado mucho durante el divorcio se volteó para abrazarme y dijo: "¡Te ves fabulosa hoy!". Luego me di cuenta de que seguía echándome vistazos durante todo el oficio religioso. Después me tomó de las manos y exclamó: "Tu trabajo y tu vida te han de encantar, ¡porque estás realmente radiante!".

Algunas personas pensaron que había bajado de peso. Y una amiga me dijo: "Tienes los ojos de tu hija". Eso significó mucho para mí.

Me imagino que hay personas a las que esto les parecerá vanidoso. No obstante, pienso que se debe aprovechar cada momento de la vida al máximo y para mí verme lo mejor posible es parte de ser lo mejor posible.

productos. Muchos de ellos pueden recortarse o enrollarse a fin de acomodarlos a la depresión que debe rellenarse. Uno de estos materiales es *Gore-Tex*; otro es *AlloDerm*, un producto natural derivado de células de piel humana esterilizadas y tratadas para eliminar todas las que pudieran trasmitir enfermedades, dejando sólo la malla estructural de la piel.

AlloDerm puede enrollarse para rellenar los labios o doblarse para nivelar una cicatriz de acné o de varicela. Una forma de *Gore-Tex* viene en hilos para rellenar arrugas alargadas. Otros rellenos se derivan de colágeno bovino (de vaca) o bien de colágeno cultivado a partir de muestras de los tejidos de la misma paciente en un laboratorio especial de procesamiento. Tanto el costo de los rellenos como el lugar donde se aplican varían mucho. Las inyecciones de colágeno cuestan en promedio $325 por lugar inyectado.

Dígales adiós a los años. Los médicos o los cultores de belleza (unos especialistas en el cuidado de la piel preparados para llevar a cabo algunos de los procedimientos menos complicados, como la depilación por láser o el *peeling* químico ligero) tal vez le recomienden un *peeling* químico, el cual se da en muchas formas. El ácido glicólico, el ácido tricloracético (TCA), el ácido salicílico y el *peeling* con fenol se aplican al rostro y quizá al cuello, al pecho y a las manos por un lapso breve de tiempo. Se utilizan ventiladores, bolsas de hielo y quizá anestesia local para reducir la irritación inmediata; la piel se recubre con una costra y luego se pela a lo largo de los siguientes días, dando lugar a una superficie más tersa. El costo promedio de un *peeling* químico es de $1,600.

Luche con láser contra las líneas. Fascinadas por *La guerra de las galaxias* y los espectáculos de luz de los planetarios, muchas mujeres piensan que los rayos láser prácticamente son mágicos y capaces de acabar con las arrugas de una persona en un momento, sin necesidad de someterse al trauma de la cirugía plástica.

La verdad es que hay muchas formas diferentes de láser. El láser *Erbium-YAG* puede alisar las arrugas finas cerca de la superficie de la piel y emparejar el tono de esta, con resultados parecidos a los de un *peeling* de intensidad mediana. El láser más poderoso de dióxido de carbono es capaz de borrar arrugas más profundas y daños producidos por el sol, pero el precio es más alto. La quemadura producida por este láser tarda semanas en curarse y el enrojecimiento que se observa a continuación puede durar hasta un año. El *resurfacing* con láser de toda la cara cuesta aproximadamente $2,800.

Alísese a la ligera. Una nueva técnica, la microdermabrasión *(microdermabrasion)*, ha llegado recientemente al mundo cosmético de los Estados Unidos desde Europa. Conocida por nombres como *Parisian Peel, Power Peel* y *Derma Peel*, se basa en el proceso de pulir la piel suavemente con una máquina sopladora que lanza partículas abrasivas purificadas contra ella y luego las aspira. La microdermabrasión es prácticamente indolora y se puede realizar rápidamente y sin anestesia. La piel queda un poco rosada, pero es posible volver al trabajo o a las actividades normales de inme-

diato. Por lo general se lleva a cabo una serie de cinco sesiones o más de manera semanal o quincenal, seguida por sesiones mensuales. Los costos de la microdermabrasión varían, pero le cobrarán aproximadamente entre $100 y $200 por tratamiento.

Alivio hacia abajo

El envejecimiento no se limita a la cara, por supuesto, y a veces los problemas del envejeci-

---

CASOS DE LA VIDA REAL
Piensa hacerse una liposucción por las razones equivocadas

Dentro de 2 semanas Marguerite va a cumplir 40 y se va a dar un regalo de cumpleaños: un par de piernas hermosas. Hace muchísimo tiempo que se anda diciendo que va a deshacerse de la grasa adicional que tiene en las caderas y los muslos —sobre todo quiere eliminar los hoyitos de la celulitis— con un programa estricto de alimentación y ejercicio. Sin embargo, a Marguerite se le dificultan los programas estrictos de cualquier tipo y la temporada de ir a la playa llegará muy pronto. Ya compró un *top* estilo sostén (brasier) que está divino y que quiere presumir, pero no se lo pondrá de ningún modo si no tiene las piernas perfectas, sobre todo delante de su esposo, quien según teme está perdiendo el interés en ella. Así que irá con el cirujano plástico para que aspire todos esos hoyitos por medio de la liposucción. Todas las estrellas lo hacen. ¿Por qué no ella también? No puede haber nada más fácil. ¿Verdad?

Marguerite empezó muy bien con su programa de alimentación y ejercicio y si persevera definitivamente mejorará su apariencia. No obstante, por varias razones no es la candidata a una liposucción que les gusta tratar a la mayoría de los cirujanos.

No es muy probable que las personas con sobrepeso crónico logren resultados maravillosos y permanentes por el simple hecho de que es muy posible que su peso se dispare después del procedimiento y que la grasa regrese, normalmente a zonas cercanas, aunque incluso puede volver a las partes ya tratadas con liposucción. Las peores candidatas son las mujeres que suben y bajan de peso constantemente.

Marguerite tiene otro problema: le cuesta trabajo seguir programas estrictos. La liposucción es un procedimiento quirúrgico que requiere la observancia estricta de las indicaciones del médico antes, durante y después de la intervención. No hacerlo así podría poner en peligro la salud.

Además, es posible que Marguerite no quede contenta con el resultado. La liposucción puede alisar rollos tercos de grasa y darle un perfil más bonito a la figura, pero no siempre logra eliminar la celulitis, la cual representa un fenómeno normal y natural en las mujeres después de los 30 años.

No obstante, la alarma que está sonando más fuerte para indicar un error en la historia de Marguerite es su esperanza de que la liposucción vuelva a despertar el interés de su marido en ella. Sacar grasa de sus muslos no le dará una vida feliz. En el mejor de los casos mejorará un poco la imagen que tiene de sí misma.

Información proporcionada por la experta
La Dra. Patricia S. Wexler
Dermatóloga cosmética
Ciudad de Nueva York

miento que más afectan nuestra apariencia surgen muy lejos de la barbilla. Los cirujanos cosméticos también pueden ayudarle en estas partes.

Esculpa sus curvas. ¿Lleva su bikini 10 años metido en el fondo del cajón de sus piyamas? Aunque hagan ejercicio y coman de manera saludable, la mayoría de las mujeres notan que empiezan a acumular peso en ciertas áreas problemáticas al acercarse a una edad madura. La liposucción ayuda a eliminar estos abultamientos tercos en las caderas, la parte superior de los muslos, los costados, el abdomen y la parte superior de la espalda.

"La liposucción no sustituye la pérdida de peso, pero moldeará su cuerpo. Le devolverá sus curvas —afirma el Dr. Carniol—. Puede mejorar de manera significativa el contorno de las personas que tienen un sobrepeso moderado y no han logrado bajar de peso por medio de la alimentación y el ejercicio".

Debe buscar a un cirujano experimentado en liposucción cuya forma de proceder sea tridimensional y abarque todo el cuerpo. De otra manera si sube de peso se le acumulará en las partes que no sometió a liposucción, advierte el Dr. Carniol. La liposucción de una sola parte del cuerpo cuesta alrededor de $1,800.

Anule sus arañas vasculares. Aunque sus piernas estén muy bien torneadas, tal vez se resista a ponerse *shorts* debido a las finas líneas rojas o moradas que tiene cerca de la superficie de la piel. Un médico les puede inyectar una solución especial que las desvanecerá, con un procedimiento que se llama escleroterapia.

El proceso requerirá que usted utilice pantimedias (medias nylon) con soporte aun después de que le quiten los vendajes. La escleroterapia cuesta en promedio $300. Algunos médicos utilizan un láser especial para atacar el pigmento de las arañas vasculares; esta técnica probablemente le costará más, alrededor de $500.

Salve su sonrisa

No fuma. Se lava los dientes, usa hilo dental y enjuague bucal y va con el dentista dos veces al año. Así que ¿por qué su sonrisa ha perdido tanto brillo?

"Los dientes se oscurecen al pasar los años", explica Stephen H. Fassman, D.D.S., un dentista y cirujano del Centro Médico de la Universidad de Nueva York en la ciudad de Nueva York.

Para devolver el brillo a su sonrisa tal vez quiera blanquear sus dientes. De ser así tendrá que hacer lo siguiente.

Olvídese de la farmacia. Sin importar lo que prometan, a las compañías no se les permite vender sin receta productos lo bastante fuertes para blanquear los dientes de manera significativa, afirma el Dr. Fassman. La Dirección de Alimentación y Fármacos considera que las fórmulas auténticas para blanquear los dientes son medicamentos. Un dentista tiene que proporcionárselos, indica el experto.

Adelántese. En una sola visita, su dentista puede pintarle los dientes con un blanqueador que le aclarará los dientes en medio tono o hasta un tono completo.

Blanquéelos en casa. Se le ajustará un protector bucal suave de plástico que encajará con sus dientes arriba y abajo. Durante 1 ó 2 horas por noche, a lo largo de un tiempo que puede variar entre 2 y 4 semanas, usted llenará el protector con un gel pegajoso blanco que recibirá del dentista y se acomodará el protector muy bien sobre los dientes.

"Después de unos cuantos días el cambio será muy evidente. Los dientes le deben quedar por lo menos tres tonos más claros al finalizar la segunda semana", indica el Dr. Fassman.

"Blanquear los dientes en casa suele ser el método preferido —opina el Dr. Fassman—, pero a algunas personas les gusta combinar un blanqueado en el consultorio con el gel que se usa en casa". El costo total de blanquear los dientes fluctuará entre $450 y $1,000, según los métodos que elija.

Cómo tomar la decisión

Ahora que se ha enterado de las posibilidades, ¿cómo elegirá las adecuadas para usted? Tome en cuenta las siguientes consideraciones.

Mezcle los métodos. Tal vez llegue a la conclusión de que un solo procedimiento no satisface sus necesidades. A menudo resulta más eficaz combinar las técnicas, opina la Dra. Dee Anna Glaser, profesora adjunta de Dermatología en la Universidad de St. Louis. Ella sopesa muchos factores cuando se trata de decidir qué métodos usar con la cara avejentada de una mujer.

Si sus arrugas más profundas han aparecido en forma vertical encima de su labio superior, quizá quiera hacerse un tratamiento con láser sólo en esta parte y usar un *peeling* de TCA de intensidad mediana en el resto de su rostro y cuello, a fin de emparejar el tono de la piel y darle una apariencia juvenil, radiante y tersa, recomienda la Dra. Glaser.

Mucho o poco mantenimiento. Un *peeling* requiere ciertos cuidados durante las fases de supuración y formación de costras. "A algunas mujeres les dará asco o no querrán seguir muchas instrucciones", indica la experta. Para ellas es posible que un rejuvenecimiento con láser sea lo mejor a pesar de que el tiempo de curación es más largo, ya que al terminar se aplica un vendaje sintético a toda la cara y una enfermera lo cambia en el consultorio.

Tendrá que tomar su tiempo. Un *resurfacing* con láser por lo general requiere 2 semanas completas de recuperación, durante las cuales no querrá mostrarse en público. Varios de los procedimientos de cirugía plástica también le impondrán mucho tiempo "fuera de circulación" mientras los cardenales (moretones, magulladuras) y las cicatrices se curen lo suficiente para que se puedan tapar con maquillaje de camuflaje. Algunas mujeres prefieren someterse a varios procedimientos menores como la microdermabrasión, las inyecciones de *Botox* o un *peeling* ligero hasta que sus vidas se vuelvan lo suficientemente tranquilas como para considerar una medida más radical. Otras quieren que todo se haga a la vez. "Quizá les interese que se termine todo rápido, a tiempo para la boda de su hija", comenta la Dra. Glaser.

Tome en cuenta el costo. Un estiramiento facial, blefaroplastias superiores e inferiores y un *resurfacing* con láser de toda la cara, además de un *peeling* del cuello, el pecho y las manos quitarán años como un buen detergente quita manchas. Sin embargo, sumarían casi $12,000.

"Antes de hacer cualquier cosa pregúntese a sí misma: '¿Qué quiero realmente? ¿Qué hará que realmente me sienta mejor?'", sugiere el Dr. Carniol. Es posible que la cirugía cosmética le regale un aspecto rejuvenecido que bien merezca lo que costó. Por otra parte, tal vez descubra que lo que en realidad quiere es relajarse en un viaje de crucero por el Mediterráneo.

Ostente una magnífica melena

Buenos cortes, el tinte equivocado, productos extraños o caros. La mayoría de nosotras hemos recorrido toda la gama de experiencias en nuestra búsqueda del peinado perfecto. Luego, justo cuando creíamos haber ganado la batalla, nuestro cabello empezó a cambiar. Antes de cumplir los 40 o una vez pasando esta marca, las canas hicieron su aparición. Para empeorar las cosas, nuestro cabello empezó a crecer más despacio y a hacerse más fino.

¿Y ahora qué?

Pues ha llegado la hora de poner el peinado al día y de restablecer su brillo, elasticidad, color y forma, todo lo que se veía tan fabuloso hace sólo unos cuantos años.

Cómo identificar
su nueva imagen

Un poco de ansiedad se agrega siempre a la emoción que cualquier mujer siente cuando está a punto de cambiar de peinado. Y con mucha razón. Puede entrar al salón de belleza con una identidad determinada y salir con el aspecto de otra totalmente diferente. La reacción de las personas ante ella cambiará un poco. Y cuando se asome al espejo conocerá a una nueva mujer que espera le caiga bien.

La experiencia puede ser muy buena o muy mala. Las siguientes sugerencias le permitirán poner las cosas a su favor.

Piénselo bien, de los pies a la cabeza. Su cabello viene como parte de un paquete, por lo que elegir un peinado que sólo le queda a su rostro puede perjudicar toda su imagen. No sólo debe tomar en cuenta la forma de su cara sino también su estatura y peso, su vida cotidiana y qué tan hábil es para peinarse, comenta Victoria Meekins, vicepresidenta de Kenneth's Salon/KEB Associates en el Hotel Waldorf Astoria de la ciudad de Nueva York. La clave de una imagen fantástica es ubicar los estilos que mejor correspondan a todas las facetas de su personalidad.

Mantenga la mente abierta. Elegir un peinado no equivale a un juramento de lealtad. "Sólo es cabello, siempre le volverá a crecer", indica el estilista Alex Ioannou, uno de los dueños de Trio Salon en Chicago. En promedio el cabello crece ½ pulgada (1.3 cm) al mes. Así que experimente, pruebe nuevas opciones. Si no le funcionan, siempre habrá otra oportunidad para tener el peinado espectacular que añora.

Defínase. Incluso una estilista que la conoce bien no le puede adivinar todo. Si no le da ejemplos específicos es posible que no entienda a qué se refiere usted al decir que quiere poner su peinado al día o que anda buscando un nuevo *look* más juvenil.

"Lo que a usted le parece atractivo y lo que a mí me parece atractivo pueden ser dos cosas muy diferentes", afirma Keith Ayotte, director creativo de Vidal Sassoon en Atlanta.

Así que medite el asunto un poco *antes* de ir a ver al estilista.

Coleccione imágenes. Siempre que vea una fotografía de una modelo con un peinado que le guste, guárdela. Empiece una colección de fotos de peinados. No se ponga a pensar si esos estilos de peinado le quedarán o no. "Las imágenes me dan una mejor idea de lo que anda buscando. Lograr que el peinado funcione es mi trabajo", explica Ayotte.

Construya una mejor relación

La experiencia práctica y los cursos constantes de preparación les permiten a los estilistas profesionales desarrollar un sentido muy agudo de qué es lo indicado —o no— para un cliente. Sin embargo, el papel que le corresponde a usted en esta relación no es pasivo. Independientemente de que haya ido con el mismo estilista durante décadas o que ande

RECURSO REJUVENECEDOR
Un estiramiento facial instantáneo

Un buen estilista puede apartar la atención de sus áreas problemáticas con sólo cambiar la forma de su cabello, según Frank Shipman, dueño y estilista de Technicolor Salon and Day Spa en Allentown, Pensilvania. "Las líneas de peso", que establecen fuertes "bordes" horizontales, pueden obrar milagros. Una línea de peso es la parte del peinado que llama la atención y parece contar con el mayor peso visual o volumen.

Una línea de peso puede agregar definición a su rostro. Considere, por ejemplo, una mandíbula suavizada por una papada. A fin de remediar este problema, una opción es llevar la melena un poco más corta en la nuca. Otra opción es agregar más peso visual cerca de la sien a fin de crear la ilusión de una mandíbula más estrecha.

Otro gran uso de la línea de peso es para distraer la atención de un cuello imperfecto. En este caso suba la línea de peso de modo que el cabello más tupido quede más cerca de la coronilla, apartando la atención de su cuello.

buscando a uno nuevo que le ayude a poner su imagen al día, según los propios estilistas hay varias medidas que puede tomar para facilitar este proceso.

Pida una consulta. No tiene que cortarse el pelo y peinarse cada vez que entre a un salón de belleza. Probablemente se sienta rara al salir sin habérselo cortado, pero ir sólo para pedir una opinión experta es un excelente punto de partida para refrescar su imagen.

Póngalo sobre aviso. Cuando esté lista para actualizarse, avise a su estilista. Háblele por teléfono unos días antes de su cita y dígale que quiere intentar algo nuevo. Lo más probable es que a su estilista le emocione la oportunidad de desplegar su imaginación creativa y que le encante la idea de contar con un poco de tiempo para investigar varias opciones excelentes.

Haga su selección. Hay muchos tipos diferentes de salón. Busque uno que maneje los estilos contemporáneos sin ser demasiado vanguardista. En un salón moderno las personas tienen los pies en la tierra. Saben cómo adaptar una moda a las necesidades de la vida cotidiana.

Infórmese. Busque a un estilista con experiencia. Si tiene alguna duda, la recepcionista del salón puede darle los antecedentes del estilista al que piensa ver.

Cultive una relación. Una vez que haya elegido a un estilista, quédese con él o con ella. Una persona que la conoce podrá asesorarla mucho mejor que un desconocido. Cada vez que usted se aburra de su corte y color actual, será su mejor aliado para elegir una nueva imagen. Y usted sabrá que puede confiar en su juicio.

De mujer a mujer
Se bajó del subibaja químico

A Valerie Hoffman, una abogada de Chicago, le empezaron a salir canas cuando estaba en la universidad. El efecto le encantaba de joven, pero conforme sus demás facciones fueron madurando se le ocurrió que teñir su cabello, que llevaba al hombro, podía darle una apariencia más joven. Hizo falta un magnífico corte de cabello y volver a su color blanco natural para que Valerie descubriera que el cabello teñido largo no la conduciría a la fuente de la juventud.

De joven mi cabello siempre tuvo un color castaño claro, pero cuando estaba en la universidad me empezaron a salir canas. ¡Fue una gran sorpresa para mí! De hecho me gustaba el efecto y cuando me hice abogada la apariencia madura que me dio ayudó a fomentar la confianza de mis clientes en mí.

No obstante, para cuando llegué a los 28 años empecé a sentir que me veía muy vieja para mi edad. Naturalmente pensé que teñirme el cabello de su color original ayudaría. Desafortunadamente mi pelo no estaba dispuesto a apoyar este plan.

Cada 6 semanas iba al estilista para teñirlo. No obstante,

Consejos sobre el cabello

Vivimos en una época en que las modas son flexibles. Es posible elegir un corte largo o corto, rizado o lacio, sin provocar la ira de los entendidos. Sin embargo, de todas formas es posible equivocarse al poner al día el peinado. Las siguientes indicaciones la mantendrán bien encaminada.

Sea fiel a sí misma. "No creo que someterse a la última moda haga que alguien se vea más joven", opina Ayotte. Está bien mantenerse al tanto del largo, el estilo y el color de moda en un momento dado, pero nada de eso debe determinar su selección. Sin importar cuál sea el *look* que ostenten los demás, elija el que le funcione a usted. "Se verá hermosa, y cuando se vea hermosa se verá y se sentirá más joven", afirma el experto.

Reduzca los rizos. Meekins pasó los años 60 envolviendo latas de jugo con sus rizos y los 70 batallando con alaciadores químicos. Nada de lo que intentó esta neoyorquina le facilitaba controlar su cabello crespo (chino), así que optó por lo natural. Resultó más fácil peinarse, pero algo simplemente no le gustaba de su aspecto.

Finalmente le preguntó a su estilista. La respuesta franca fue toda una revelación: "Sus rizos cortos y apretados hacen que se vea más vieja". Meekins tomó en cuenta esta opinión profesional, se dejó crecer el cabello casi a los hombros y empezó a alaciarlo nuevamente. Sin embargo, ahora le hacen un peinado profesional con el secador cada 3 ó 4 días, en lugar de que se someta a tratamientos químicos.

Alargue su *look*. Es tentador resolver un problema de imagen cortándose el pelo. De

entre cita y cita dedicaba mucho tiempo a practicar deportes al aire libre y la exposición al sol desvanecía el castaño hasta dejarlo en un color rubio deslavado. Los cambios resultaban obvios y no me favorecían en absoluto.

No tenía caso. Era hora de olvidarme de los tintes y deseaba una transición rápida que no implicara decolorar mi pelo. Mi estilista me convenció de que para lograrlo tendría que cortarme el cabello muy, muy corto.

La sugerencia me dio miedo. Me encanta el cabello largo y temía que terminara viéndome como un muchacho. Sin embargo, aborrecía tanto el tinte que mi decisión fue firme. Cuando el estilista terminó conmigo tenía el cabello más o menos de 1 pulgada (2.5 cm) de largo.

¿Qué sentí al asomarme al espejo?

Mi cabello se veía fabuloso y ahora, a los 45 años, aún se ve así. Su largo y color perfectamente blanco son una gran combinación. Tengo estilo y mis facciones pequeñas no desaparecen debajo de una mata de pelo.

En general estoy muy feliz con mi apariencia ahora. Y les deseo lo mismo a otras mujeres. Den un paso audaz. Puede cambiarlo todo.

hecho algunas mujeres piensan que deshacerse de su melena es un rito ineludible que marca su paso a la madurez. "Me vuelve loco que tantas mujeres acepten el mito de que deben tener el pelo cada vez más corto conforme envejezcan —señala el estilista Frank Shipman, dueño del salón de belleza Technicolor Salon and Day Spa en Allentown, Pensilvania—. Si le queda, el cabello al hombro puede verse fabuloso".

Acepte su cabello. Largo, corto, grueso, fino, lacio, rizado: independientemente de las características que tenga su cabello, lo más probable es que desee cambiar algo al respecto. No obstante, las cosas no necesariamente serán mejores sólo por haberlas cambiado. Busque un estilo que funcione con la textura y la forma de crecer de su cabello. Se sentirá más feliz con el resultado. Ioannou dice que adaptarse al cabello en lugar de

resistirse a sus cualidades elimina los hábitos anticuados de ponerse rulos (tubos) y fijador (laca) o *teasing*.

Los peinados perfectos para anteojos

Primero se llevó la impresión de descubrir que necesitaba bifocales o que su vista se había debilitado a lo largo del último año. Ahora tiene que revisar una enorme selección de armazones de anteojos (espejuelos) para encontrar un marco que quede con su cabello, la forma de su cara y su personalidad.

Ayotte explica por dónde empezar.

Equilibre los elementos. La consideración principal es que el volumen y la forma de sus anteojos mantengan el equilibrio con su peinado. Identifique los elementos más fuertes de este y luego escoja unos anteojos que hagan juego.

Combine los clásicos. Un peinado clásico —o sea, que requiere un mínimo de atención y que tiene el mismo largo en toda la cabeza— queda mejor con marcos que también hayan resistido la prueba del tiempo. Unos anteojos sencillos, redondos o cuadrados, son una buena opción.

Entréguese a los extremos. Un peinado llamativo de moda necesita unos anteojos capaces de hacerse valer a su lado. Un flequillo (fleco, cerquillo, capul) muy corto en lo alto de la frente, por ejemplo, exige unos anteojos de líneas fuertes. Unos lentes ovalados, cuadrados con bordes triangulares o aquellos viejos "ojos de gato" que usted tal vez usó de niña hacen maravillas.

Recoja su cabello. Un clásico moño (chongo) o cola de caballo en la nuca le da muchas opciones en cuanto a marcos de anteojos. Simplemente elija un estilo que favorezca la forma de su cara.

Guíese por la geometría. Repita la forma circular del cabello rizado en sus anteojos. Unos marcos redondos u ovalados se ven hermosos. Por el contrario, los armazones cuadrados marcan un contraste demasiado fuerte. En vista de que el cabello rizado tiene movimiento aún cuando está corto, escoja unos anteojos que no tengan muchos detalles.

Dé la cara. Unos anteojos grandes cubren gran parte de la cara. No es problema siempre y cuando mantenga su cabello bajo control. De otra forma la gente preguntará: "¿Quién se esconde detrás de esos anteojos y todo ese cabello?". Una medida sencilla es cortarse el flequillo largo.

Un cambio colorido

Durante toda la vida nos han hecho creer que el cabello cano señala el fin de la juventud. Apenas rebasando los 30 años nos ponemos a buscar y a arrancar esos precursores de la "vejez" en cuanto aparecen y nos inquieta lo que nos espere más adelante. Ciertamente algunas de nosotras vemos estas primeras canas como un símbolo de honor. No obstante, con el tiempo nuestra preocupación va en aumento conforme empiezan a multiplicarse.

Al pasar los años, las células del cabello producen menos pigmento, explica el Dr. Ivan Cohen, profesor adjunto de Dermatología en la Escuela de Dermatología de la Universidad de Yale. Primero el cabello se aclara, luego se pone gris y finalmente blanco. El proceso varía —y a veces se detiene— según la herencia genética.

Tarde o temprano todas nos empezamos a preguntar si ha llegado la hora de agregar un poco de color a nuestra cabellera. No es una decisión de todo o nada. De hecho la mayoría de las mujeres se van introduciendo al proceso poco a

PREGUNTAS Y RESPUESTAS

¿Por qué las mujeres no nos quedamos calvas como los hombres?

Algunas sí se quedan calvas, pero son muy pocas. Los médicos especulan que la caída masculina de cabello es un efecto de la dihidrotestosterona, un producto secundario de la hormona masculina testosterona. Debido a que las mujeres tenemos poca testosterona, la calvicie normalmente no es problema para nosotras. Cuando se da una auténtica caída de cabello, es decir, una alopecia androgénica, por lo común ocurre en la parte frontal. Una baja en el nivel del estrógeno y un aumento de la hormona masculina en el cuerpo produce esta condición genética. Minoxidil (*Rogaine*) puede detener la caída del cabello y hacer más grueso el que queda.

En la mayoría de las mujeres, la hormona femenina estrógeno ayuda al cabello a crecer fuerte y sano. No obstante, conforme nos acercamos a la menopausia se reduce la producción de estrógeno y empezamos a sufrir más con el cabello. Aunque conserve su color, se hace más fino

poco por medio de diversos tratamientos más sutiles: tintes semipermanentes, luces (rayos, reflejos, transparencias), rayos más oscuros que el color general del cabello, retoques o suavización de canas y luces con papel aluminio. Lo mejor del color es que siempre se puede volver a cambiar, aunque nunca será posible volver al tono natural.

Gánele al gris. Probablemente ya ha visto el papel aluminio *(foils)* en acción en su salón de belleza favorito. Las mujeres que reciben este tratamiento tienen mechones de pelo salidos en todas direcciones, envueltos en la base por lo que parecen tiras de papel aluminio. No se ría. ¿Se acuerda de cómo nos veíamos con nuestros gorros tejidos y pegados a la cabeza, con los mechoncitos de pelo asomándose por todas partes? El papel aluminio no se entierra en el cuero cabelludo como lo hacían aquellos ganchillos de "tejer".

porque el folículo (la cavidad que contiene la raíz del cabello) se reduce de tamaño para cada pelo. El pelo tampoco crece tan largo, porque su ciclo de crecimiento se acorta conforme envejecemos. El cabello de una mujer de 40 años tal vez crezca durante 3 años antes de caerse, mientras que cuando la misma mujer llegue a los 60 años se le caerá después de 1 ó 1½ años.

Es posible que a cualquier edad las mujeres descubran de vez en cuando un exceso de pelo en el desagüe de la bañadera (bañera, tina). No se preocupe por eso. Cualquier tipo de estrés —como el que resulta de un divorcio, una pérdida rápida de peso, un embarazo, una enfermedad, alguna dolencia o un medicamento— puede producir una caída temporal de cabello. Esto se llama un efluvio telógeno, es totalmente reversible y no requiere ningún tratamiento.

Información proporcionada por el experto
Dr. Ivan Cohen
Profesor adjunto de Dermatología
Escuela de Dermatología de la Universidad de
Yale

En lugar de aplicar el color a cabellos individuales, las luces con papel aluminio lo agregan a mechones más gruesos. El color "prende" más cerca de la base, de modo que no hay que hacerse retoques con la misma frecuencia, y se controla mejor el lugar donde se coloca. De acuerdo con Meekins, las luces con papel aluminio también le permiten al especialista aplicar dos, tres y a veces incluso cuatro colores al cabello para así lograr un efecto más natural.

Encare la realidad. Volver al color de cabello que tuvo durante la adolescencia y de veinteañera es un error. La tez se aclara y es posible que ya no se sostenga al lado de un color más intenso. Úselo sólo como punto de referencia y busque un color uno o dos tonos más claro, sugiere Shipman. Además, tenga presente que los colores cálidos suelen ser más favorecedores. Se reflejan sobre el rostro y lo iluminan, en lugar de deslavar la tez como suelen hacerlo los colores fríos.

Juéguese el todo por el todo. Cuando surja la necesidad de aventurarse a probar la cobertura total, piense en los beneficios. Tendrá una melena más suave y con más brillo que iluminará su rostro. "Un tinte completo no es una cosa terrible. En realidad puede ser una gran experiencia estética", opina Shipman.

Recuerde su pasado. Las luces y los rayos en tonos más oscuros crean la ilusión de una forma más definida y una apariencia juvenil, afirma Meekins. El color bañado por el sol que su cabello adoptó durante los veranos de su juventud sugiere maravillosos reflejos para su pelo ahora.

Siga brillando. Si aún está debatiendo los méritos de teñir sus canas, piense en los beneficios ocultos, indica Meekins. Los procesos de teñido agregan cuerpo, volumen, brillo, suavidad y textura, y el cabello cano carece de todo ello.

Haga la prueba. Cuando aparezcan las primeras canas pruebe las técnicas que las tapan en lugar de extraer el pigmento del cabello. No logrará una cobertura total, pero el gris se ocultará y se confundirá con su color natural. Un tinte semipermanente hace precisamente eso al depositar color sobre el cabello. Al principio es posible que sólo quiera agregar un toque de color para iluminar su cabello en general. "Es una especie de prueba que la introducirá poco a poco a los procesos de teñido permanente del cabello", dice Ayotte.

Cómo encanecer con elegancia

Teñirse el cabello no es la única forma de inyectar nueva energía a su apariencia, sobre todo

APROVECHE EL PEINADO A LO PAJE

Ya sea que lo conozca como el corte de Dorothy Hamill, una melena de muñeca china o un peinado a lo paje, una y otra vez surgen nuevas variaciones de este corte, las cuales siempre se ven modernas y a la moda. Independientemente de la forma de su cara es muy posible que se vea fabulosa con alguna versión de este corte multifacético. El peinado clásico de un solo largo le puede llegar a las orejas, a la barbilla o un poco más abajo. Puede llevar un flequillo (fleco, cerquillo, capul) largo o corto o bien ninguno, o dejar el pelo de adelante más largo que el de la nuca.

si el cabello cano o blanco es el complemento perfecto para la tez más clara que ha adquirido en años recientes. Esto no significa que esté condenada a verse más vieja de lo que se siente. Puede lucir una imagen llena de vitalidad con un cabello cano o blanco saludable y brillante.

Agréguele azul. El matiz amarillento y opaco que llega a afectar al cabello cano o plateado puede eliminarse lavándolo simplemente. De acuerdo con Meekins, los champús provistos de una base color violeta o azul mantienen el vigor y la claridad de su cabello.

Póngase proteínas. Los acondicionadores con proteínas y vitaminas agregan volumen a su melena al instante. El cabello absorbe las proteínas y se hincha, por lo que parece más grueso. El efecto no dura para siempre, indica Meekins, pero es una forma fabulosa de agregar volumen. Los rociadores *(spritzers)* y otros productos para el cabello que contienen la proteína queratina *(keratin)* aportan fuerza y brillo. La queratina también ayuda a evitar el pelo quebradizo, un problema que aparece al someter el cabello a procesos químicos, añade la experta.

Los productos a base de silicona *(silicone)* también le dan brillo al cabello, pero no tanto como la queratina. Tal vez también quiera considerar la posibilidad de hacerse aplicar lacas *(gloss)* e intensificadores en un salón de belleza.

Lave y luzca una lustrosa melena. Cepille, lave y enjuague su cabello con cuidado. El cabello mojado es frágil. Séquelo cuidadosamente con la toalla y cepíllelo sin tironearlo. Es preferible utilizar un cepillo con cerdas que no terminen en punta. Meekins sugiere que cuando su pelo esté seco y salga al aire libre se ponga un sombrero, se tape la melena con un pañuelo (mascada) o se mantenga en la sombra.

Trucos para tener unas uñas envidiables

La revolución de las computadoras ha tenido por lo menos un beneficio inesperado y aún inexplicable para la salud de las mujeres. Todo ese golpeteo sobre los teclados aparentemente hace que las uñas crezcan más rápido y se fortalezcan.

Aunque usted no sea una fanática de las computadoras, cualquier actividad que la ponga a golpear con las uñas contra una superficie dura —desde tocar el piano hasta tamborilear con los dedos— puede estimular su crecimiento, según la Dra. Diana Bihova, una dermatóloga de la ciudad de Nueva York. La menstruación y el embarazo llegan a tener el mismo efecto. "El clima también influye —señala la experta—. No sabemos exactamente por qué es así, pero las uñas crecen más rápido en el verano".

La dureza se domina

Desde luego mudarse a un lugar de clima más caluroso no es la forma más práctica de lograr unas uñas más largas y fuertes. Afortuna-damente existen opciones más razonables. Las siguientes estrategias ayudarán a que sus uñas se vean lo mejor posible.

El baño ablanda. Las uñas se estropean fácilmente cuando se cortan secas. Lo mejor es arreglarse las uñas después del baño o de la ducha, cuando estén blandas.

Córtelas cuadradas. Al cortar sus uñas déjelas con forma cuadrada. Así se harán lo más fuertes posible.

Lime las imperfecciones. Guarde una lima de esmeril en la cartera (bolsa) o en el cajón de su escritorio. Al primer indicio de una mella, utilice la lima para emparejar el borde de la uña afectada y evitar más daños. Siempre lime en una sola dirección.

Humedézcalas. Aplique un humectante a sus manos cada vez que las lave. Dése un momento para masajear sus manos y uñas con la crema.

Cuídese del quitaesmalte. Usar quitaesmalte con frecuencia puede secar las uñas. Úselo con moderación, de preferencia no más de una vez por semana. Busque un producto sin

Un manicure para uñas saludables

Algunos tipos de manicure —el francés o las uñas esculpidas, por ejemplo— están hechos para que sus uñas se vean fabulosas. Otros están hechos para que sus uñas se vean fabulosas y saludables. A continuación le diremos la mejor manera de pulir y sacar brillo a sus uñas hasta que gocen de una salud perfecta, de acuerdo con la Dra. Ida Orengo, profesora adjunta de Dermatología en el Colegio Baylor de Medicina en Houston.

❧ Primero sumerja las manos durante 5 minutos en un pequeño plato de agua tibia mezclada con un detergente suave, para eliminar la suciedad y las bacterias. "De esta forma tendrá las uñas frescas y limpias y evitará la posibilidad de introducir bacterias debajo de las cutículas al hacerse su manicure", indica la Dra. Orengo. Séquese las manos muy bien con una toalla suave y limpia.

❧ Mientras aún estén suaves, corte sus uñas cuidadosamente con el cortaúñas o las tijeritas para uñas, a aproximadamente un cuarto de pulgada (6 mm) de largo. Las uñas secas y duras pueden rajarse o partirse cuando se cortan. Un cuarto de pulgada es el largo perfecto para unas uñas fuertes. Si están más largas pueden romperse, partirse y resquebrajarse con mayor facilidad.

❧ Empuje sus cutículas suavemente con un palito de naranjo (*orange stick*) envuelto con algodón. Las cutículas nunca deben cortarse, advierte la Dra. Orengo, porque protegen las uñas contra las infecciones bacterianas y micóticas.

❧ Lime sus uñas. También tiene que hacerlo mientras estén suaves y maleables. De otro modo podrían partirse. Lime en una sola dirección, de la orilla hacia el centro, hasta darles una forma cuadrada. Limarlas en ambas direcciones puede debilitar y dañar la uña, afirma la Dra. Orengo. Limar las uñas en punta también las debilita y hace que se rompan con facilidad.

❧ Frote sus uñas con una loción para humectar uñas. La loción las hidratará e impedirá que se sequen y resquebrajen. "Frote la loción generosamente sobre sus manos y uñas", indica la Dra. Orengo. Retire el exceso con un pañuelo. Espere 2 ó 3 minutos a que sus uñas absorban el humectante.

❧ Antes de aplicar el color aplique una capa de esmalte transparente de preparación. El esmalte transparente evitará que sus uñas se pongan amarillas.

❧ Para impedir que se le resequen las uñas, retire el esmalte con un quitaesmalte sin acetona (*acetone*) no más de una vez por semana, dice la Dra. Orengo.

acetona (*acetone*) para que reseque menos. Aplique una pequeña cantidad a una bola de algodón, oprímala contra la uña por unos dos segundos y luego frote la uña con suavidad para retirar el esmalte.

Mime sus manos. Cuando vaya a lavar los platos (trastes) o a usar limpiadores domésticos, use guantes protectores de látex y debajo de ellos unos guantes delgados de algodón. Los guantes de algodón por separado ayudan a absorber el sudor, lo cual es importante porque cuando las manos se humedecen las uñas se debilitan.

Uñas quebradizas

Es dudoso que una mujer logre llegar al final de su vida sin haber tenido las uñas quebradizas alguna vez. Algunas nacemos con este problema. A otras las uñas se les ponen quebradizas después de sumergir las manos durante años en agua o en detergentes domésticos fuertes. La edad de uno también influye: las uñas prácticamente de todo mundo se hacen más delgadas al pasar los años.

¿Y qué puede hacer para restaurar la humedad de sus uñas y mantenerlas fuertes y sanas? Para empezar pruebe las siguientes sugerencias.

Aliméntelas con aceite. Sumerja las puntas de los dedos en media taza de aceite de oliva tibio y déjelos remojando de 15 a 30 minutos.

Protéjalas con perlas. Como una alternativa del aceite de oliva, abra tres o cuatro perlas de aceite para baño y vacíe el contenido en media taza de agua tibia. Remoje las puntas de sus dedos en el aceite para baño diluido durante 5 minutos.

Cuídelas en la cama. Antes de acostarse, cubra sus uñas y manos con una gruesa capa de vaselina *(petroleum jelly)*. Luego póngase un par de guantes blancos de algodón para proteger sus manos durante la noche. Le encantará cómo lucirán sus uñas después de este tratamiento.

Repárelas rápidamente. Para salvar una uña partida o rota, aplique una cantidad muy pequeña de pegamento para uñas a la rotura. Refuércela cubriendo la rotura con un pequeño trozo de papel de bolsa de té. Deje que el pegamento se seque por completo y utilice una lima de uñas *(buffer)* para emparejar la superficie. (Asegúrese de dejar el papel en su lugar).

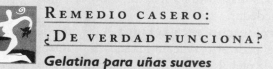

REMEDIO CASERO: ¿DE VERDAD FUNCIONA?

Gelatina para uñas suaves

En vista de que la gelatina se hace con proteínas extraídas de los huesos y las pieles de animales, según la teoría ingerirla tiene que ser bueno para las proteínas que conocemos como uñas. Por lo tanto, desde hace décadas las mujeres han comido gelatina o tomado cápsulas de gelatina para fortalecer sus uñas débiles y quebradizas.

La verdad es que sirve muy poco o nada, afirma la Dra. Diana Bihova, una dermatóloga de la ciudad de Nueva York. La gelatina es la única proteína animal que carece de un aminoácido importante, el triptofano, mismo que hace falta para absorber la proteína. Por lo tanto, la gelatina simplemente atraviesa el cuerpo sin acercarse siquiera a las uñas.

LA RECOMENDACIÓN: Olvídela.

Por último aplique una capa de esmalte transparente encima del papel.

Padrastros

Los padrastros se forman cuando un pedacito de piel se desprende del dedo cerca de la base de la uña. Aunque sea diminuto puede doler bastante e incluso sangrar.

Si le sale un padrastro, no lo esté tocando con la otra mano ni trate de cortarlo con los dientes. Hasta puede infectarse. Para cortar un padrastro correctamente, siga estos tres pasos.

Ablándelo. Nunca corte un padrastro mientras esté seco. En cambio, remójelo en agua tibia y aceite de oliva para ablandarlo.

Córtelo cortito. Use unas tijeritas para uñas o un cortaúñas para cortar el padrastro.

Córtelo lo más corto posible sin lastimar la piel a su alrededor.

Termine con esta técnica. Después de cortar el padrastro, déle un masaje con humectante a la piel alrededor de su uña, cúbrala con una venda adhesiva y déjela en paz.

Cutículas adoloridas

Ese estrecho borde de tejido casi transparente en la base de cada uña tiene razón de ser. Sirve de barrera y protege a la uña contra las infecciones.

A fin de reparar unas cutículas dañadas y de evitar cualquier problema, agregue los siguientes pasos a su rutina de cuidado de uñas.

Primero remójelas. Antes de hacerles cualquier cosa a sus cutículas, suavícelas en agua jabonosa tibia por unos minutos. Así evitará que se resequen y agrieten.

Luego déles un suave empujón. Envuelva la punta de un palito de naranjo *(orange stick)* con gasa de algodón. Utilice el palito para empujar cada cutícula suavemente.

Termine con vaselina. Después de empujar las cutículas déles un masaje con una ligera capa de vaselina para crear un sello que impida que escape la humedad.

Utilice el color a su favor

Al entrar prácticamente a cualquier tienda de ropa a principios de los años 80, se encontraba a alguna mujer registrando los percheros en busca de los colores correspondientes a su "temporada". Se estaba viviendo la revolución de los colores en la moda. El detonante casi único fue un libro llamado *Color Me Beautiful* (*Nota*: Hace unos años este libro fue traducido al español con el título *El color de tu belleza*, pero está agotado. Puede tratar de conseguirlo por Internet o pedir que su librería local trate de ordenárselo).

Ese libro acercó la teoría de los colores a las masas al demostrar cómo los colores correctos pueden hacer que cualquiera se vea fabulosa. Al precisar el tono básico de la piel, la lectora podía identificar su tipo como de invierno, primavera, verano u otoño y luego aprender a sacar el máximo provecho de los colores que la favorecieran.

El concepto es sólido. El color aporta energía y vitalidad a la apariencia. Y una vez que usted sepa cómo funciona podrá aplicar este principio a todo su guardarropa. A continuación repasaremos algunas formas de hacerlo.

Cómo cuadrar su color según la temporada

Si alguna vez le han "analizado los colores", como se dice, ya sabe que llevar los colores correctos cerca de la cara es como hacerse un estiramiento facial y un *peeling* químico al mismo tiempo. Por el contrario, si los colores que usa no la favorecen subrayarán cualquier imperfección que tenga. Incluso en unos *shorts*, el color equivocado llamará la atención sobre las imperfecciones en la piel de sus piernas.

En *Color Me Beautiful*, la autora Carole Jackson dividió a las personas en cuatro categorías a las que puso los nombres de las estaciones del año. Los grupos se basaban en una evaluación de los tonos básicos de la piel, el color del cabello y el color de los ojos. Cada temporada cuenta con una gama de colores que la favorecen. Piense en los colores dominantes de cada temporada del año y tendrá ya una buena idea de qué colores pertenecen a cada grupo.

Las asesoras de imagen como Donna Fujii, quien prepara a asesores de belleza en San Francisco y Tokio, siguen ese modelo hasta la fecha, si bien muchas han creado subcategorías dentro de las temporadas originales, además de desarrollar nuevos grupos. El libro premiado de Fujii, *Color with Style* (Color con estilo), amplió la teoría de los colores para abarcar a la diversidad de tonos de piel característicos de las mujeres negras norteamericanas, asiáticas y latinas.

Las siguientes recomendaciones de Fujii y otras expertas en moda ayudarán a encaminarla correctamente.

Determine su tono básico. Incluso las expertas utilizan el método de ensayo y error. Cuelgan trozos de tela de cada temporada alrededor del cuello de la clienta, una por una. Si la piel se ve deslavada o cetrina, el color es el equivocado. Después de probar varios colores se empieza a distinguir un patrón. La piel con un tono básico azul (verano e invierno) luce mejor con colores fríos, por lo que las telas anaranjadas o amarillas no la favorecen. La piel con un tono básico amarillo (primavera y otoño) requiere colores cálidos. Un intenso violeta azuloso, por ejemplo, resalta lo peor en ella.

Al evaluar su piel tenga presente que lo frío o cálido del tono de la piel no tiene nada que ver con su cualidad clara u oscura. La piel más oscura tiende a ser más cálida, pero no es una regla que pueda aplicarse a rajatabla.

Cuide los contrastes. No basta con saber si se pueden usar colores cálidos o fríos. El contraste entre el cabello y la piel es otra consideración. Las mujeres de alto contraste —las de cabello castaño con piel blanca, por ejemplo— pueden usar colores más fuertes, mientras que las mujeres de cabello gris o entrecano son de bajo contraste y necesitan suavizar los

---

COLORES QUE CAMUFLAN

Es posible aprovechar los colores de su guardarropa para adelgazar al instante.

Deje de reírse. Es verdad.

Se trata simplemente de crear una ilusión óptica, de llamar la atención sobre sus puntos fuertes y distraerla de sus defectos. La teoría de los colores del guardarropa lo llama "bloqueo de colores". Aunque usted no esté consciente de ello de hecho ya domina los elementos básicos de este concepto, según afirma Jan Larkey, una asesora de imagen en Pittsburgh.

Cada vez que combine prendas sueltas está trabajando con el bloqueo de colores. Cuando se pone una blusa oscura con pantalones color pastel, por ejemplo, su instinto le indica que algo anda mal. Se ve fuera de equilibrio porque visualmente los colores claros hacen que las áreas se vean más grandes, mientras que los colores oscuros tienen el efecto opuesto.

A fin de corregir el desequilibrio, lo único que tiene que hacer es ponerse un saco o un suéter del mismo color de los pantalones. Así proporcionalmente se verá menos del color oscuro. La silueta de un solo color creará una línea vertical larga y estirada. Si deja abierto el saco o el suéter, las solapas formarán otras dos líneas verticales al centro y al frente, lo cual la adelgazará más.

---

tonos. No obstante, una persona de bajo contraste puede permitirse colores más fuertes por la noche.

Baje el contraste. El análisis de los colores no es algo que se pueda hacer una sola vez en la vida. Conforme envejecemos nuestro cabello y piel se aclaran o pierden brillo, de modo que el matiz y la intensidad de los colores que usamos posiblemente se suavicen uno o dos tonos. Si ha acostumbrado usar el negro y otros colores oscuros, por ejemplo, quizá ahora un gris oscuro o blanco invernal sea más adecuado. El cabello entrecano puede verse mejor con colores como arena, gris oscuro con un ligero toque pardo *(taupe)* o gris perla.

Cualquier conjunto de un solo color oscuro resta las libras. No eche a perder el efecto agregando un cinturón en un color contrastante que la divida a la mitad. Suba el contraste —a un canesú en la blusa, por ejemplo— y ya está: hombros más anchos al instante. Es una manera excelente de equilibrar su apariencia si su cuerpo es más voluminoso de la cintura para abajo. Si cambia el contraste a un listón de colores alrededor de las caderas, por el contrario, se estará buscando problemas, a menos que tenga las asentaderas pequeñas y las caderas estrechas.

A fin de desarrollar un sentido agudo del bloqueo de colores, empiece por una evaluación sincera de su cuerpo. Debe crear bloqueos verticales de colores en las partes de su cuerpo que desearía fueran más altas o más delgadas, y bloqueos horizontales de colores en las partes que desearía fueran más anchas. Sin embargo, tenga cuidado de no colocar nunca los colores de una manera que llame la atención sobre sus puntos problemáticos. Cuando todo lo demás falle usted podrá crear un aspecto atractivo combinando prendas sueltas de colores ni claros ni oscuros con un atractivo pañuelo (mascada) alrededor del cuello.

"Actualmente llevo colores que no podía usar hace unos años", indica la asesora de imagen Pat Newquist de 49 años, dueña de la empresa de asesoría de imagen en el vestir Wardrobe Image en Tempe, Arizona. Para estar totalmente segura, consulte a una experta cada 5 años.

Al margen de la moda

Cada determinado número de meses hay mucho ajetreo cuando los diseñadores y los expertos en moda anuncian los colores de la temporada: el rosa intenso es lo actual, los colores pastel no; el negro es hermoso, el marrón (café)

no tiene gracia. Un año más tarde el mundo de la moda puede dar marcha atrás por completo. No tome las modas demasiado en serio, indica Fujii. Estúdielas, adopte lo que le llame la atención y encuentre su propio camino. Los siguientes consejos le ayudarán en el proceso.

Neutralícese. Combine elementos neutros cuando se trata de ropa. Vístase con sencillez y utilice unos zapatos interesantes para darle sabor al conjunto, recomienda la asesora de imagen Diana Kilgour de Vancouver, Canadá. En todo caso es buena idea mantener actualizados sus zapatos.

Cambie las combinaciones caducas. Busque nuevas opciones interesantes al combinar sus prendas de vestir sueltas y accesorios, sugiere Kilgour. Para lograr un efecto europeo puede mezclar colores de invierno y verano o colores neutros o bien agregar azul celeste, negro, marrón o gris oscuro al azul marino. Para un traje combine el negro y el marrón en lugar de negro y verde esmeralda.

Sea selectiva. "Cada moda —cada temporada— contará con más de una gama de colores", indica Fujii. Concéntrese en los que le funcionen. Escoja tres, quizá cuatro, pero nunca más de cinco. Incluso un solo color de moda se ofrecerá en varios matices, de modo que debería poder encontrar uno que favorezca su tez.

El contexto cuenta. El ámbito en el que piensa ponerse un conjunto es tan importante como el hecho de que el color sea el adecuado. Por ejemplo, si usted se viste de color melocotón (durazno) y la gente a su alrededor va de negro, se verá demasiado joven, advierte Kilgour. Por lo tanto, haga planes de antemano y trate de encajar con los demás.

¿EL NEGRO LE QUEDA A TODO EL MUNDO. . . O NO?

En lo que se refiere a los colores las modas van y vienen, pero como una vieja y leal amiga el negro siempre las acompaña. A veces les cede su lugar entre las prendas fundamentales del guardarropa al marrón (café) o azul, pero ningún otro color se desplaza con tal facilidad de los asuntos serios a la informalidad diurna y los trajes de noche.

Desafortunadamente hay un problema: pocas mujeres se ven bien si acercan el negro a sus caras. Son escasas las que pueden lograr el efecto deslumbrante que el negro crea en una mujer de cabello plateado que se ha tomado el tiempo de definir sus cejas y aplicar un color fuerte a sus labios. No obstante, ¿significa que debemos renunciar a todas las prendas negras que cuelgan en nuestros clósets? De ninguna manera.

En su libro sobre el uso de los accesorios, la gurú de la moda Christine Kunzelman propugna los enormes beneficios de ponerse un vestido negro básico sin cuello, pero sugiere agregar accesorios y otras prendas.

Su idea es que coloque los colores más atractivos para usted cerca de su cara. Considere atenuar el negro por medio de algún color poniéndose encima una blusa abotonada a la mitad, un saco abierto o cerrado, un cuello vuelto (de tortuga) debajo de una prenda negra sin cuello, un suéter colgado sobre los hombros con las mangas amarradas al frente o un pañuelo (mascada).

No obstante, combine los colores con cuidado, ya que su elección puede sumar muchos años a su apariencia. Para el *look* más actualizado mezcle el negro con marrón (café), caqui u otros colores neutros.

Encare los colores

El tono natural de la piel, el color del pelo y la ropa no son los únicos elementos de color que nos caracterizan, desde luego. También nos pintamos. Y cuando se trata de realzar nuestras facciones cuesta trabajo abandonar los viejos hábitos. De hecho la mayoría de nosotras tendemos a pintarnos de la misma forma durante 10 o incluso 20 años, según explica Newquist.

Al hacerlo renunciamos a una oportunidad maravillosa. Los nuevos métodos de aplicación, colores y productos nos permiten restar años a nuestra apariencia. De hecho, la experta en maquillaje Linda Stasi de la ciudad de Nueva York, antigua editora de belleza y columnista para revistas como *Cosmopolitan* y *Elle*, opina que rehacer las cejas puede tener un efecto tan dramático como un estiramiento facial.

Pat Newquist, Linda Stasi y Donna Fujii, quien tiene su propia línea de maquillaje y tratamientos faciales, le ofrecen más consejos.

Corrija y cubra. Las ojeras requieren un corrector de color y un disimulador *(concealer)*. Aplique el corrector primero. El tono que elija depende del de su tez. Si bien existen enormes variaciones de color dentro de cada grupo étnico, las opciones se reducirán al tomar en cuenta su tez natural. Las mujeres negras pueden optar por el amarillo o el ámbar, la piel asiática necesita el rosado, la aceitunada queda mejor con el amarillo y la muy blanca debe elegir un producto blanquecino. Difumine las orillas del corrector y luego aplique un disimulador que sea casi del mismo tono que su piel.

Tómelo a la ligera. Los tonos de piel se aclaran o pierden su luminosidad al pasar los años, de modo que tiene sentido usar un maquillaje más ligero. Escoja colores menos intensos de los que usaba antes. Por ejemplo, usted puede cambiar de un delineador de ojos negro al marrón. Escoja una base transparente suave que se aplique con brocha en lugar de las yemas de los dedos. Asegúrese de que el color no cubra su piel como una máscara y elija sombras neutras para sus ojos. Su rubor debe semejar el color de sus mejillas cuando hace ejercicio. Aplíquelo debajo de sus pómulos.

Póngase al día con regularidad. Es posible que el lápiz labial le dure un año o más, pero de todas formas es buena idea volver a evaluar los colores de su maquillaje por lo menos una vez al año. Lo que vea quizá le inspire un cambio audaz, la convenza de olvidarse del delineador de ojos o la empuje a comprarse un nuevo lápiz labial varios tonos más claro o más oscuro que el que está usando. Dése el gusto. Al fin y al cabo, un lápiz labial le cuesta menos que ir a cenar y al cine.

El vestuario venceaños

El deseo: Usted llega a la fiesta y la habitación se ilumina. Todos le sonríen. Se ve fabulosa: juvenil, radiante, con estilo. La gente se siente contenta nada más de estar en su presencia.

El miedo: Usted llega a una fiesta y la gente se tapa los ojos y las bocas para ocultar la pena ajena que sienten y sus risitas burlonas. Se ve extravagante o ridícula con ropa demasiado juvenil o demasiado estrambótica.

La realidad: Usted llega a una fiesta y nadie se da cuenta. Se ve igual que siempre porque le da temor probar un estilo nuevo o diferente.

No hay nada que le reste años a su aspecto más rápido que la ropa correcta, pero cambiar de forma de vestir es algo arriesgado. A todas nos da un poco de miedo cometer un error en nuestro vestir. Por lo tanto terminamos vistiéndonos igual que siempre y revelando nuestra edad poco a poco.

Por fortuna, en realidad no hay por qué ser tan tímida. De hecho, un poco de información y unos cuantos trucos le permitirán modificar su *look* y convertir su deseo en realidad, dejando atrás el miedo.

Evite ponerse o correcto de la manera incorrecta

Hay tantos almacenes (tiendas de departamentos) y tan poco tiempo. ¿Por dónde empezar?

Algunas sugerencias de la asesora de imagen Pat Newquist, dueña de la empresa de asesoría de imagen en el vestir Wardrobe Image en Tempe, Arizona, le ayudarán a localizar las siluetas, las prendas y los accesorios precisos para poner cualquier guardarropa al día de manera instantánea.

Proceda poco a poco. Al igual que un cazador de animales grandes, avance con cuidado. Newquist a menudo les dice a los clientes de la empresa que fundó hace 16 años: "Si no sabe cómo ponérselo, se verá demasiado juvenil". Al principio cíñase a los clásicos y agregue sólo unos cuantos artículos de moda. Avance paso por paso. De esta forma, aunque cometa un error será uno pequeño.

Determine las modas. Una manera excelente de lograr un aspecto juvenil por medio de la ropa es fijándose en lo que tiene aceptación, afirma Newquist. Sin embargo, cuesta un poco de trabajo identificar las modas que valen la pena. El

ZAPATOS QUE BRILLAN

Tanto por su aspecto como por cómo se sienten, un par de zapatos puede hacerla envejecer o bien agregar elasticidad juvenil a sus pasos. Una vez que haya adquirido un par de zapatillas clásicas y de zapatos bajos del color básico de su guardarropa puede empezar a explorar otras opciones.

La gurú de los accesorios Christine Kunzelman ha escrito que todo guardarropa debe incluir botines al tobillo, zapatillas de ballet, tenis de colores, alpargatas, zapatos cerrados bajos de agujetas (cordones), mocasines, botas de montar, zapatillas de tacón negras o azules con blanco, sandalias de tacón de tiras estrechas y sandalias bajas (chancletas) de cuero también de tiras.

Pat Newquist, la dueña de la empresa de asesoría de imagen en el vestir Wardrobe Image en Tempe, Arizona, dice que también es muy importante poner el calzado al día. El simple hecho de comprar uno o dos estilos nuevos cada temporada pone de moda su guardarropa. Las zapaterías están repletas de opciones atractivas, de modo que con toda certeza localizará el calzado indicado para su imagen actualizada.

Sin embargo, recuerde que es difícil proyectar una actitud llena de energía si le duelen los pies, así que para asegurarse de que los zapatos le queden bien siga estos consejos.

- Los pies crecen al pasar los años; haga que se los midan con regularidad.
- Mida ambos pies y compre el calzado a la medida del que sea más largo.
- Deje entre $\frac{3}{8}$ y $\frac{1}{2}$ pulgada (10 a 13 mm) de espacio entre el final del zapato y su dedo más largo.
- Sólo acepte que se le mueva muy poco en el talón.
- Al probarse los zapatos coloque la parte anterior de la planta del pie en la parte más ancha del zapato.

mejor lugar para empezar son las revistas de modas. ¿Qué traen puesto las modelos? Fíjese en los detalles de color y de corte. ¿Qué estilos piensa que podrían quedarle bien?

También ponga mucha atención a los comerciales y observe qué traen puesto las estrellas en los espectáculos de entrega de premios de modas, música y cine. Todas esas personas se dedican al negocio de conservar una imagen atractiva y actualizada.

Estudie las marcas. Busque marcas que diseñen interpretaciones maduras de modas para jóvenes. Por ejemplo, hace algunos años los jóvenes usaban chaquetas (chamarras) de cuero entalladas a la cintura. La diseñadora Dana Buchman les ofreció a sus clientas chaquetas de cuero que parecían entalladas pero no estaban tan ajustadas

y eran más largas que las prendas hechas para mujeres jóvenes.

Consejos par comprar mejor

Armar una colección de ropa favorecedora que desafíe el paso de los años comienza con una técnica cuidadosa de compras. Cuando sus clientas están listas para recorrer las tiendas, Newquist les da reglas específicas a seguir.

Arréglese. "Cuando piense salir a probarse ropa, arréglese muy bien", recomienda Newquist. Póngase ropa interior atractiva y pantimedias (medias nylon) nuevas para que se sienta más a gusto con la imagen que vea en el espejo.

Mire los escaparates. Dedique un fin de semana a recorrer las tiendas de ropa. No se lleve dinero, sólo pruébese las cosas. Es importante ir sola para no estar expuesta a la influencia de los demás. Juegue un poco y pruebe lo que le llame la atención.

Fíjese que le quede flojo. "Es mejor que la ropa le quede floja en lugar de ajustada —afirma Newquist—. Se verá de 10 a 20 libras (5 a 9 kg) más delgada. Debería poder introducir dos dedos en la cinturilla. Los pantalones y las faldas son demasiado estrechas alrededor de las caderas si no les sobran 5 centímetros de tela".

La advertencia de las arrugas

Su cara la mira desde el espejo y por enésima vez esta semana observa esa nueva arruga en la comisura de su boca. Estudiar el rostro mientras nos pintamos es un rito con el que todas cumplimos. No obstante, hay otra serie de arrugas —y no en la cara— que nos hacen aparentar más edad y que se notan a varios metros de distancia del espejo.

La próxima vez que se vista, busque arrugas diagonales, horizontales y verticales. De acuerdo con la experta internacional en costura y ajuste de ropa Sandra Betzina, estas arrugas son indicio de problemas de ajuste. Como anfitriona del programa de televisión *Sew Perfect* (Costura perfecta) en el canal de televisión por cable Home and Garden Television (Televisión para el hogar y el jardín), Betzina brinda consejos y técnicas con respecto al ajuste de la ropa a miles de mujeres.

Algunas sugerencias con respecto al sostén

"Un busto que se cuelga agrega 10 libras (5 kg) y 10 años a la figura de una mujer", ha escrito la asesora de imagen Nancy Nix-Rice.

A fin de dar nueva vida a su apariencia busque un sostén (brasier) que levante la punta de su busto a un lugar más juvenil, a la mitad entre la base de su cuello y su cintura. Busque un sostén que cuente con soporte integrado: arcos, tirantes que no sean elásticos, rellenos que se puedan subir y otros detalles remodeladores.

El ajuste de los tirantes y de la cinta elástica son igualmente importantes. Las partes anterior y posterior de la cinta elástica deben dar la vuelta al cuerpo a la misma altura, sin bajar ni subir en ningún lugar, según indica Jan Larkey, una asesora de imagen en Pittsburgh.

Primero mida la circunferencia en pulgadas de su caja torácica directamente debajo del busto y sume 5 al resultado. Esta es su talla de sostén.

Luego mida la circunferencia de su busto. La diferencia entre las medidas de la caja torácica y el busto indica el tamaño de la copa.

Mientras examine el sostén asegúrese de que la cinta elástica no esté estirada. Debe poder introducir un dedo debajo de ella. Ahora mire al frente. Si tiene un rollo en cada pliegue frontal del brazo (entre la axila y la parte superior del hombro) necesita una copa más grande.

Diferencia	Tamaño de la copa
½ pulgada	AA
1 pulgada	A
2 pulgadas	B
3 pulgadas	C
4 pulgadas	D
5 pulgadas	DD or E
6 pulgadas	DDD or F
7 pulgadas	FF or G

Hombros echados para adelante, caídos o disparejos. Habrá arrugas diagonales atravesando los hombros y el cuello. Pruebe unas hombreras, sugiere Jan Larkey, una asesora de imagen de Pittsburgh. Coloque el lado chato de la hombrera apenas pasando la costura del hombro para ocultar unos hombros encorvados. Si tiene un hombro más alto que el otro, utilice una hombrera más delgada de ese lado de la prenda. Larkey coloca sus propias hombreras un poco hacia atrás para compensar una columna vertebral encorvada.

Caderas anchas y altas. Hay pequeñas arrugas horizontales inmediatamente debajo de la cinturilla tanto adelante como atrás. Póngase prendas que cuelguen de la parte más ancha de su cuerpo debajo de la cintura, particularmente si sus caderas se ensanchan casi enseguida de esta.

Brazos regordetes. Arrugas diagonales atraviesan el brazo cerca del hombro y tienden hacia la vertical a lo largo del antebrazo. Algunos diseñadores conocidos insertan una costura vertical en la parte superior de la manga, la cual puede soltarse para lograr un ajuste más bonito.

Unas asentaderas bajas o planas. Unas arrugas horizontales "fruncidas" se forman en la entrepierna por detrás y la cintura del pantalón se baja en el centro de la espalda. Invierta en ropa interior remodeladora del cuerpo *(body-shaping)* que eleve las asentaderas bajas o rellene las planas.

La parte superior del pecho es estrecha. Las costuras de los hombros bajan de los mismos y hay arrugas horizontales atravesando la parte superior del pecho. Este problema de la figura es muy difícil de arreglar con ropa de confección. La mejor solución es contratar a una modista.

Una panza que sobresale. Las costuras laterales se jalan hacia el frente, las faldas se levantan al frente en el centro y los pantalones se sienten apretados en la entrepierna. Las pinzas de la cintura ponen énfasis en su redondez. En cambio, opte por prendas que cuelguen derechas desde la parte más salida de su panza. Busque piezas ocultas en la panza que controlen la barriga.

La parte superior de la espalda encorvada o regordeta. El cuello de la prenda baja en la espalda, mientras que el escote se sube. Si la prenda cuen-

La espalda redondeada jala hacia arriba la línea frontal del cuello

El pecho superior estrecho no llena el frente

Un vientre abultado jala la bastilla delantera hacia arriba

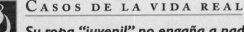

Su ropa "juvenil" no engaña a nadie

Andrea, una directora de oficina de 46 años, siempre estuvo acosada por la sensación de que los demás no la tomaban en serio. Una vez incluso se dio cuenta de que dos secretarias se reían de ella..., pero no entendió por qué. Finalmente le preguntó su opinión a una compañera de trabajo en la que confiaba. La respuesta fue: "Es por tu aspecto, Andrea". Se perturbó. Estaba orgullosa de su apariencia. Tenía un amplio guardarropa y siempre elegía estilos juveniles para encajar con los compañeros de trabajo, en su mayoría jóvenes. Le dieron ganas de llorar. Sin embargo, se puso a analizar seriamente su aspecto en el espejo: cabello rubio largo recogido en una cola de caballo; suéter ajustado; falda plisada; calcetines cortos y zapatillas. Sabía que el maquillaje de sus ojos era un poco excesivo, pero pensaba que su lápiz labial rosado hacía que sus labios se vieran bonitos y gruesos. Ahora no se ha decidido si el problema está en ella o en sus compañeros de trabajo.

A ndrea está enviando un mensaje mixto y su interpretación errónea de lo que es una apariencia juvenil ha saboteado su imagen. Todos sus compañeros de trabajo saben que ya no es veinteañera y no debería tratar de fingir otra cosa. Su meta debe ser una apariencia linda y profesional.

ta con una costura en el centro de la espalda, una modista puede soltársela.

Correcciones corporales

La ropa que antes se veía fabulosa cuando nos la poníamos hace unos años ha perdido todita su gracia. ¿Por qué? Es muy sencillo: el culpable es el tiempo. El cuerpo cambia al pasar los años: el peso se desplaza de lugar, los hombros y la espalda se encorvan, las caderas y los muslos aumentan de volumen. Es posible que todavía usemos la misma talla que hace 10 años, pero

El maquillaje es parte del problema. Una asesora puede enseñarle a Andrea cómo elegir y aplicar colores sutiles y atractivos. En cuanto a su cabello, debe bajar la cola de caballo a su nuca y hacerse un moño (chongo).

La falda plisada puede servirle si le queda bien. Los pliegues deben colgar derechos, sin abrirse, de modo que si su falda se está abriendo a la altura de la cadera tiene un problema.

El suéter ajustado y los calcetines cortos son errores graves. La ropa que revela la figura está mal para la oficina a la edad que sea, y unos calcetines cortos para acompañar una falda y zapatos formales nunca serán apropiados.

La imagen de Andrea en general, particularmente el suéter, es más de tipo "informal social" que "informal profesional", lo que significa que sólo sería apropiada en el "viernes informal". Incluso entonces quedaría mejor un conjunto de suéter con escote redondo alto y chaqueta de punto que haga juego, acompañado de unos pantalones armados.

Información proporcionada por la experta
Jan Larkey
Asesora de imagen
Pittsburgh

tensas de formas y medidas corporales, en colaboración con la línea de patrones de costura *Vogue Patterns*.

De 24 a 34 años. Este es el momento para celebrar su cuerpo juvenil. Si bien es posible que sus caderas, panza y muslos estén acumulando un poco de volumen, no hay necesidad de salir corriendo a cubrirse con más tela. De hecho puede seguir usando la ropa entallada.

Sin embargo, también se trata de la época de la vida, advierte Betzina, en que debe reconocerse que el cuerpo está cambiando. Si eso significa cambiar a una talla mayor para la mitad inferior de su cuerpo, que así sea.

nos damos cuenta de que la ropa nos queda demasiado floja en algunos lugares y demasiado ajustada en otros.

Para ajustarse a nuestro nuevo cuerpo y favorecerlo, los estilos que usamos deben cambiar con los años. No se trata de vestir de acuerdo con nuestra edad sino de acuerdo con nuestra *forma*.

Betzina ofrece sugerencias para las distintas edades en su colección de patrones para la costura casera "Today's Fit by Sandra Betzina" (El ajuste actual de Sandra Betzina). Desarrolló esta colección, que se basa en investigaciones ex-

PANTALONES DE MEZCLILLA:
COMODIDAD Y AJUSTE

Muchas personas opinan que hay poco que les dé un aspecto tan juvenil como unos pantalones de mezclilla (mahones, pitusa, *jeans*). La clave está en encontrar un estilo que sin exagerar tome en cuenta la moda que lleven los jóvenes.

Por ejemplo, si los veinteañeros han adoptado pantalones muy amplios de aspecto desaliñado, usted puede optar por un ajuste más flojo y una cintura baja que quede justo debajo de su ombligo.

Si bien es fácil elegir un estilo que favorezca su cuerpo, el ajuste es más difícil de lograr. A algunas nos gustan los pantalones de mezclilla entallados, mientras que otras prefieren una sensación más suelta.

"En realidad no existe ninguna norma", explica Norma Willis, gerente de diseño de Lee Apparel Company en Merriam, Kansas. No obstante, cuando un nuevo estilo de pantalones de mezclilla se está desarrollando se le pide a una modelo de ajuste de *Lee* que se los ponga y se mueva: se sienta, se inclina para asegurar que no quede demasiado ajustado en los muslos y camina un poco.

Usted puede aplicar los mismos criterios la próxima vez que salga a comprar pantalones de mezclilla. Si el tiro del pantalón es demasiado corto, le "cortará" la entrepierna cuando esté sentada.

En lo que se refiere a escoger unos pantalones de mezclilla de mucha calidad, observe estas sugerencias.

Cuide las costuras. Los mejores pantalones de mezclilla cuentan con mucho armado de aguja doble. Busque costuras que tengan dos líneas de costura, excepto en las que recorren la parte externa de las piernas y las caderas. En este caso, el armado de una sola costura favorece más las curvas femeninas.

Sea detector de metales. Un cierre (cremallera) es lo mejor porque los dientes duran más.

Pruebe la cinturilla. Si la tela de los pantalones de mezclilla es ligera, asegúrese de que la cinturilla sea más tiesa, para que no se enrolle.

Revise el dobladillo. El mejor dobladillo —que se encuentra en unos pantalones de mezclilla básicos— se enrolla dos veces, lo cual dura más que el dobladillo más ancho de una sola capa de tela de los pantalones de mezclilla de moda.

Voltéelos al revés. Una vez en casa con su nueva adquisición, puede conservar fresco el color lavando los pantalones de mezclilla volteados al revés. Deje que se sequen al aire para que no se encojan tanto.

De 34 a 44 años. Ya no puede andar sin sostén (brasier), su cintura está cada vez más gruesa y se le empieza a notar la panza.

A pesar de que ya no tiene el cuerpo de una veinteañera, puede seguir usando los mismos estilos que una década antes si hace algunas concesiones a los cambios en su figura. Experimente con ropa más floja en las partes donde no ha aumentado tanto de peso. Una blusa cruzada con una falda en forma, por ejemplo, favorece la figura pero deja suficiente espacio para disimular los brazos más regordetes y otros sitios problemáticos.

De 44 a 54 años. Ahora la medida de su panza empieza a rebasar la circunferencia de sus caderas. Por lo tanto, es muy importante

Una costura en el centro de la espalda es una ventaja porque se puede soltar para dar cabida a una espalda superior y hombros regordetes.

De 54 a 64 años. Los hombros y la espalda siguen engordando, la panza con frecuencia crece y la cintura se hace más gruesa.

Compre las mejores prendas que pueda. En términos generales la ropa cara está mejor diseñada para ajustarse al cuerpo y camufla los problemas con su estructura y forma. Opte por mangas pegadas y escotes abiertos.

Considere un *look* más informal, sugiere Betzina, para lo que puede subirse las mangas o arremangarlas. Evite los cortes entallados, ya que ponen énfasis en una cintura gruesa o en el volumen de la panza.

que las prendas caigan derechas desde la parte más voluminosa de la mitad inferior de su cuerpo, lo cual suele corresponder a la cintura o la parte alta de las caderas.

En los pantalones esto se traduce en la forma clásica de pantalones que usaba Audrey Hepburn.

Puede lucir un magnífico conjunto tipo traje si acompaña los pantalones con un saco algo largo que cuente con mangas pegadas (la parte superior de la costura que une la manga con el saco se ubica en el punto exacto donde el brazo se une al hombro).

En vista de que tal vez tenga rollos (llantas) entre el sostén y la cintura, lo mejor son prendas un poco flojas que no se amolden al torso.

BUSQUE ACCESORIOS QUE COMPLEMENTEN SU ESTILO

Ya sean clásicos o novedosos, la elección de los accesorios puede definir un conjunto. Una cadena de oro con un vestido negro clásico es elegante. Ahora quítese la cadena y póngase un reloj muy grande para crear al instante una imagen deportiva.

Por estos pequeños detalles —prendedores, collares, aretes, cinturones y pañuelos (mascadas)— vestirse se hace divertido. Y una vez que cuente con lo básico podrá jugar con la moda sin perjudicar su presupuesto.

Acompáñese con asesoras. Algunas asesoras de imagen le recomiendan que salga de compras sola a fin de desarrollar su propio estilo. Princess Jenkins, asesora de imagen y dueña de Majestic Images International en la ciudad de Nueva York, sugiere lo opuesto. Salga de compras con amigas y familiares jóvenes. Ellos conocen las modas y si se pasa de la raya se lo dirán.

Piense en pequeño. La asesora de imagen Donna Fujii de San Francisco sugiere adoptar un estampado, color o motivo popular que los veinteañeros usen en sus prendas y comprar un cinturón o un pañuelo con el mismo motivo.

Adiós a lo viejo. Si no ve a jóvenes con una pieza de joyería en particular, no se la ponga tampoco, sugiere Diana Kilgour, una asesora de imagen en Vancouver, Canadá. Un prendedor de solapa, por ejemplo, no es popular en este momento, así que guárdelo en su caja de recuerdos en lugar del alhajero.

En cambio considere una blusa camisera sobrepuesta con pantalones rectos o un vestido estilo playera (camiseta) hecho de una tela que cuelgue sin pegarse al cuerpo.

Si quiere camuflar ciertos puntos problemáticos, póngase un saco con mangas pegadas.

La mejor forma de determinar qué le funciona es experimentando. Durante la adolescencia muchas dedicamos horas a probarnos la ropa. Al poco tiempo la vida se interpuso y quedó poco tiempo para jugar con la ropa.

Es hora de empezar a divertirse de nuevo. "No tenga ideas preconcebidas acerca de lo que le queda y lo que no le queda —recomienda Betzina—. Pruebe estilos diferentes una vez al año, tal como lo hacía de joven".

TERCERA PARTE

El pensamiento antienvejecimiento

10 claves de la mentalidad joven

De niño en el este de los Estados Unidos, el Dr. John Deller observó que mucha gente se retiraba a sus mecedoras a mediana edad. Era lo que se hacía cuando se dejaba de trabajar, pensó. Sin embargo, luego se mudó a la costa occidental del país, donde a los 80 años las personas juegan tenis y organizan bailes de caridad.

"En el sur de California todo mundo piensa que tiene 25 años", afirma el Dr. Deller, quien ahora es endocrinólogo en el Instituto Cardíaco del Desierto en Rancho Mirage, California, y autor de varios libros sobre el envejecimiento y la salud.

¿Habrá algo en el agua de la soleada California? ¿Habrán descubierto un suplemento secreto que esconden del resto del mundo? ¿Será por el estilo de vida tranquilo y relajado? De acuerdo con el Dr. Deller, la respuesta es mucho más sencilla: el proceso del envejecimiento es biológico en parte, pero también psicológico. Nuestros *pensamientos* en torno al envejecimiento determinan la forma concreta en que lo vivimos. Las células del cuerpo influyen en el asunto, pero en términos generales podemos controlar nuestra relación con el tiempo porque el envejecimiento es en gran medida un estado mental.

Cómo actuar conforme a la edad que se tenga

¿Y qué es una actitud juvenil exactamente? Ya sabemos lo que no es: no se trata de comportarse como una adolescente, ni siquiera como veinteañera. Definitivamente no significa intentar mantenerse al día con respecto a las modas que observan los jóvenes 20 años menores que uno. Usted se ha esforzado demasiado por desarrollar un sentido de la madurez a lo largo de los años como para caer en esa trampa.

Un estado mental juvenil combina la autoestima con la conciencia de todas las posibilidades que la vida ofrece. Significa saber que usted puede hacer lo que se proponga sin detenerse a pensar en el número de velas que apagó en su última fiesta de cumpleaños. "Las personas que se esfuerzan por mantener abiertas sus opciones, por dedicarse a todos sus intereses y por no fijarse en el calendario son aquellas por quienes los años no pasan", afirma el Dr. Deller.

No es fácil. Hay que enfrentar la presión de los demás, sobre todo de aquellos que tienen la misma edad que uno.

Pensó que sus contemporáneos la habían dejado de presionar al salir de la secundaria (preparatoria), ¿verdad? No es así, desgraciadamente. Al igual que el acné, esa presión es algo que se puede padecer a cualquier edad. Sólo se vuelve más sutil conforme envejecemos.

Es posible que las personas a su alrededor tengan ideas inamovibles acerca de cómo hay que comportarse a determinada edad. Sin darse cuenta siquiera, quizá la presionen para que baje de velocidad justo cuando usted tiene ganas de apretar el paso. También puede ser que usted misma se presione en este sentido.

"Usted piensa que porque la mayoría de las personas de tal o cual edad hacen o no hacen una cosa determinada, usted debe seguir su ejemplo. Tener un estado mental juvenil significa que no le importa a uno lo que piensan los demás. No hay que dejarse limitar por los estereotipos de otra gente", opina Albert Ellis, Ph.D., presidente del Instituto Albert Ellis para la Terapia de la Conducta Emotiva Racional en la ciudad de Nueva York.

10 atributos de una mente juvenil

Las personas que tienen un estado mental permanentemente juvenil provienen de muchos entornos diferentes, pero todas poseen ciertos rasgos de personalidad que trascienden su edad. Las siguientes 10 cualidades distinguen a las personas juveniles, independientemente de su edad.

El sentido del humor

El envejecimiento siempre ha dado lugar a bromas. ¿Por qué? Porque la risa les otorga a las cosas su verdadera dimensión. Si uno se puede reír de algo, no es tan malo.

Por otra parte, ¿en qué clase de persona piensa al escuchar la palabra *cascarrabias*? Probablemente le venga a la mente alguien que no tiene sentido del humor. Acuérdese de que el sentido del humor fue lo que le dio a George Burns una vida de más de 100 años. (Definitivamente no vivió tanto tiempo por fumar puros). "Las personas mayores con sentido del humor no sólo parecen tener una actitud más joven, sino que desde mi punto de vista de hecho se ven más jóvenes. Por otra parte, cuando se ve a alguien deprimido y hosco, este se ve viejo y demacrado", señala Steve Sultanoff, Ph.D., profesor adjunto de Psicología en la Universidad Pepperdine de Malibú, California, y presidente de la Asociación Estadounidense del Humor Terapéutico.

No es necesario darse un costalazo al resbalar con una cáscara de plátano. Hay formas más sencillas de activar el sentido del humor. A continuación enumeraremos algunas de ellas.

Encuentre el tipo de humor que disfruta. ¿Las imitaciones de Julio Sabala la hacen reír o le caen mal? Identifique el tipo de humor que le gusta, indica el Dr. Sultanoff. ¿Disfruta los chistes, las caricaturas (muñequitos), a cierto cómico, el sentido del humor de las astracanadas o los accesorios chistosos? Algunas personas no se toman el tiempo de conocer diferentes tipos de humor y simplemente suponen que no saben reír.

Rodéese de risas. Una vez que haya identificado el tipo de humor que le gusta, téngalo presente. Compre películas y libros de sus cómicos favoritos y sáquelos cuando necesite reír. Pegue caricaturas o citas comiquísimas en distintos sitios de su casa u oficina.

Encuéntreles la gracia a las situaciones serias. Su hija adolescente acaba de llegar a casa una hora después de la hora convenida. Usted le impone un castigo. Usted está enojada y ella resentida. Esta actitud adolescente está a punto de

Preguntas y respuestas

¿Por qué el tiempo parece transcurrir más rápido conforme envejezco?

Quizá nadie le dijo qué tan ocupada estaría a la mitad de su vida. Es posible que se encuentre en el apogeo de su carrera profesional y que sus hijos y sus padres dependan de usted, además de que trata de llevar una vida social y de realizar actividades adicionales. Por lo tanto, usted tiene muchas cosas que hacer y le falta el tiempo necesario para poder hacerlas.

Esa sensación de estar corriendo todo el tiempo crea la impresión de que el tiempo es fugaz y la vida avanza a paso acelerado. De hecho su cerebro así lo registra. ¿Por qué? Hacer frente a demasiadas tareas al mismo tiempo interfiere con la capacidad del cerebro de medir el tiempo con precisión. Cuando recuerda cómo eran las cosas hace años no es que el tiempo transcurriera más despacio sino que simplemente tenía mucho menos que hacer en aquellos tiempos en comparación con hoy en día.

Es posible que el proceso natural del envejecimiento también altere el sentido del transcurrir del tiempo. Cada persona posee lo que los expertos llaman un reloj interno, el cual les permite medir el tiempo razonablemente en la cabeza. Por lo tanto, la percepción del tiempo depende en gran medida de dos procesos cerebrales: la memoria y la atención. Ambos se van haciendo un poco más lentos al envejecer, lo cual modifica un poco la percepción del tiempo.

Esta desaceleración natural, en combinación con una agenda repleta de quehaceres y un gran número de responsabilidades, desajusta un poco el reloj interno de uno. Y el cerebro maneja todos estos factores de manera tal que usted tiene la impresión de que el tiempo transcurre mucho más rápido que antes.

Información proporcionada por la experta
Deborah Harrington, Ph.D.
Científica investigadora
Centro Médico Veteran Affairs
Albuquerque, Nuevo México

sacarla de quicio cuando una mosca se para en la nariz de su hija, ella hace el bizco y se pega una bofetada al tratar de darle.

De acuerdo con el Dr. Sultanoff, es posible que lo que le haga falta en los momentos de tensión sea reírse con ganas para poder ver el asunto desde otro ángulo.

Júntese con niños. Debido a su inocencia los niños son graciosos por naturaleza. Pase un poco de tiempo con ellos y aprenda a reírse y a jugar como ellos lo hacen, sugiere el Dr. Sultanoff. Si no cuenta con niños entre su círculo de amigos, simplemente pase tiempo con amigas chistosas.

Dése permiso. ¿Teme que la gente se ría de usted? Pues de eso se trata, declara el Dr. Sultanoff. A fin de deleitarse con el humor, tiene que permitirse ser chistosa también. Algunas personas se concentran a tal grado en el aspecto serio de la vida que no se permiten disfrutar el humor. Dése luz verde. Se pondrá de buen humor y se sentirá más joven, afirma el experto.

El optimismo

Póngase a pensar en lo que significa ser pesimista: creer que todo lo malo que sucede es culpa de uno, que las desgracias lo perseguirán siempre y que en la vida sistemáticamente sucederá lo peor. Con razón el pesimismo hace envejecer.

Martin E. P. Seligman, Ph.D., un destacado experto en cuestiones de optimismo, indica en su libro sobre el tema que los optimistas sobrellevan mejor el paso de los años, viven por más tiempo, contraen menos enfermedades contagiosas y tienen sistemas inmunitarios más fuertes que los pesimistas. Los estudios también han demostrado que los pesimistas se rinden con mayor facilidad y se deprimen con mayor frecuencia. Un optimista acepta la realidad de manera total, pero también está consciente de que prácticamente cualquier suceso —bueno o malo— tiene sus ventajas. Ahora le diremos cómo ver el lado bueno de todas las cosas.

Discuta consigo misma. De acuerdo con el innovador libro del Dr. Seligman, debe cuestionar sus convicciones pesimistas. Por ejemplo, digamos que usted entrega un informe que a su jefa no le gusta. Su primera reacción es temer que la despida. Sin embargo, examine sus procesos de pensamiento. ¿Realmente la despedirá por un solo informe regular después de años de hacer bien su trabajo? ¿No podrá revisarlo y hacerle los cambios que su jefa desea? Con frecuencia se dará cuenta de que les dio demasiada importancia a los acontecimientos negativos.

Convierta los acontecimientos desfavorables en fuentes de motivación. Para un optimista, un acontecimiento desfavorable es una oportunidad, afirma el Dr. Ellis. Si no le gusta su empleo y piensa que se sentirá desgraciada siempre, use este sentimiento para impulsarse a encontrar otro trabajo. Si está triste porque familiares o amigos se mudaron a otra parte, aproveche el tiempo libre que ahora tiene para explorar nuevos intereses o conocer a gente nueva.

Encuéntrele el lado bueno. Supongamos que acaba de conseguir un nuevo empleo. Unas semanas después de haber entrado a trabajar se le descompone el carro, su lavaplatos revienta y descubre que hace falta reparar el techo de la casa. Podría pensar: "Qué mala suerte tengo. Apenas empiezo a tener un salario decente y ahora tengo que gastar todo mi dinero". Pero también podría pensar: "Estas cosas tenían que suceder en algún momento; qué suerte tengo de que hayan ocurrido ahora que tengo un nuevo empleo que me permite pagar las reparaciones". Un simple cambio de enfoque puede hacer su vida mucho más agradable, opina el Dr. Ellis.

La curiosidad

Júntese con un niño de 4 años y lo más probable es que la palabra que escuche con mayor frecuencia sea *por qué*. Júntese por el mismo tiempo con una persona de 44 años y es posible que *por qué* sea la palabra que menos escuche. "Si uno observa a los niños, el mundo despierta su curiosidad. Desafortunadamente perdemos este rasgo al envejecer", comenta William Strawbridge, Ph.D., un epidemiólogo del Instituto para la Salud Pública en Berkeley, California.

¿Por qué? Quizá en demasiadas ocasiones nos dio vergüenza hacer preguntas "tontas", o tal vez el cómo y el porqué de la vida simplemente nos dejaron de importar y empezamos a aceptar las cosas sin cuestionarlas.

Recobrar aquella capacidad de asombro y curiosidad significa recobrar una parte de la juventud, afirma el Dr. Strawbridge. Una ventaja adicional es que la curiosidad conduce hacia otros intereses en la vida, como nuevos pasatiempos, nuevas experiencias y posiblemente incluso nuevas profesiones. ¿Quiere saber cómo recuperar aquella valiosa parte de sí misma?

Pregunte por qué. Se trata de una pregunta muy sencilla, pero no la hacemos con frecuencia, indica el Dr. Strawbridge. Empiece a preguntarse por qué y pregúnteselo a los demás también. ¿Por qué el cielo es azul? ¿Por qué quiero este empleo? ¿Por qué no puedo hacerme de un nuevo pasatiempo?

No acepte un simple "porque sí". Es fácil confiar en la palabra de los demás, pero se perderá la emoción de descubrir las cosas por sí misma. Es mejor hacerlo usted misma, opina el

Dr. Strawbridge. Pregúntese si hay una mejor forma de hacer las cosas en casa, en el trabajo e incluso en cuestiones de diversión. Albert Einstein basó su éxito en la simple curiosidad: "Lo importante es no dejar de hacer preguntas".

Investigue. Si algo le llama la atención, investíguelo, recomienda el Dr. Strawbridge. ¿Quiere saber cómo funciona una computadora? Juegue con una. Luego lea libros y periódicos y métase a Internet para aprender más sobre el tema. Puede acercarse del mismo modo a cualquier interés, desde la costura hasta la botánica. Adquirirá experiencia práctica y aprenderá.

La aventura

En 1998, la hermana Clarice Lolich celebró su cumpleaños número 80 lanzándose con paracaídas desde un avión. Cabe mencionar que este tipo de aventura no era nada nuevo para esta monja ex especialista en educación aeroespacial para la NASA: también ha realizado saltos de caída libre *(bungee)*, ha volado con paracaídas de arrastre *(parasail)* y ha bajado rápidos en una balsa.

Nunca perdió su sentido de la aventura, lo cual es una clave importante para mantenerse joven, dice el Dr. Ellis. Las personas que disfrutan de salud emocional corren riesgos. No obstante, conforme algunas personas envejecen se vuelven más cautelosas. Al recobrar ese sentido de la aventura es muy probable que se sienta más joven y más viva, añade.

No tiene que saltar desde un avión ni ir de viaje al Amazonas para ser partícipe de una aventura (a menos que quiera hacerlo, desde luego). Una visita a un nuevo restaurante, un nuevo empleo o unas vacaciones en un lugar

CÓMO APROVECHAR LA CRISIS DE LOS 40

El término *crisis de los 40* viene de la historia del arte. Al estudiar las trayectorias profesionales de algunos de los artistas más famosos del mundo, un autor se dio cuenta de que todos efectuaron un cambio radical en su trabajo después de los 35 años de edad. Parecían mucho más interesados en imágenes que reflejaran su propio sentido de la mortalidad que en las que celebraban el pasado.

Sabrá que llegó a la crisis de los 40 cuando empiece a reevaluar prácticamente todo a su alrededor: su trabajo, sus relaciones, sus logros. "Ya no se siente segura con las cosas tal como son, pero tampoco sabe exactamente cómo proceder. De lo que sí está segura es de que la vida no durará para siempre y de que necesita tomar algunas decisiones acerca de qué hacer con lo que le queda de vida", explica Leonard Felder, Ph.D., un psicólogo de Los Ángeles y autor de un libro sobre el tema.

Al llegar a este punto medio de sus vidas, muchas personas reflexionan acerca de los errores que han cometido a lo largo de los años. En cambio, deberían mirar hacia el futuro. "La mayoría de las mujeres a las que veo regresan en el tiempo a castigarse por alguna decisión que tomaron hace años y piensan que eso les ayudará a superar la crisis de los 40. No se trata de encontrar al culpable de nada. Se trata de hacer elecciones excelentes", indica el Dr. Felder.

¿Qué desencadena la crisis de los 40? Puede ser la enfermedad o muerte de alguien de su misma edad, ver cómo

desconocido también cumplen muy bien con este propósito. "Puede correr muchos riesgos, grandes y pequeños", afirma el Dr. Ellis. Las siguientes ideas le darán un punto de partida.

Coma exóticamente. Lleve su paladar de viaje a otro país comiendo en un restaurante de comida típica de alguna otra parte del mundo, sugiere el Dr. Ellis. Probar guisos nuevos puede ser una aventura emocionante.

personas más jóvenes la rebasan en el escalafón del éxito profesional o personal o simplemente tener la sensación de que debe haber alguna razón más para levantarse de la cama por la mañana. Cualquiera de estas situaciones brinda la oportunidad perfecta para hacer cambios positivos. A continuación el Dr. Felder le dirá cómo aprovechar al máximo su crisis de los 40.

❥ Primero haga cambios pequeños. "La gente muchas veces escapa de golpe de un empleo o de una relación que en realidad no era tan mala. Cuando ya todo terminó se arrepienten de haberse ido", advierte. Identifique qué es lo que no disfruta de su trabajo o de sus relaciones y luego cambie ese aspecto de su vida. Los pequeños cambios muchas veces alcanzan a modificar las cosas por completo.

❥ Busque su realización en otra parte. Es posible que su empleo y sus relaciones sean sanas, pero de todas formas tiene la sensación de estarse perdiendo de algo. Tome clases sobre los temas que le interesen; trabaje como voluntaria; participe de manera activa en su comunidad. "Identifique las actividades y los valores que ha dejado pendientes", sugiere el experto. En muchos casos las actividades que exigen que se involucre más le ofrecerán la realización que ha estado buscando.

❥ Ponga sus miras en el futuro. Tal vez sea poco realista para usted renunciar a su empleo de oficina y convertirse en *chef gourmet* ahora mismo. Sin embargo, ¿quién dice que no lo pueda hacer al jubilarse? Aproveche su crisis de los 40 para definir sus sueños y empiece a colocar los cimientos del futuro ahora.

Cambie sus planes de viaje. ¿Va de vacaciones al mismo lugar todos los años? Elija otro destino, recomienda el Dr. Ellis. No es necesario que viaje a Bali o a Australia. El simple hecho de buscar el camino en una ciudad o región desconocidas puede despertar a la aventurera que trae dentro.

Preséntese. Conocer a gente nueva con frecuencia se convierte en una aventura, indica el Dr. Ellis. Preséntese con personas desconocidas en el trabajo, intégrese a un grupo que se dedica a algún interés especial o bien a un club social. A menos que viva en una isla desierta, encontrará a gente desconocida dondequiera que mire.

La madurez

Es un hecho científico: entre más viejo se es, también se es más feliz. Un estudio realizado por la Universidad Fordham en la ciudad de Nueva York, el cual abarcó a 2,700 personas entre 25 y 75 años de edad, llegó a la conclusión de que la felicidad aumenta con la edad. "El estereotipo típico de la persona mayor deprimida es eso precisamente: un estereotipo", afirma Daniel K. Mroczek, Ph.D., profesor adjunto de Psicología en la Universidad Fordham y coordinador del estudio.

El Dr. Mroczek atribuye este incremento en el bienestar a varias cualidades que se desarrollan al madurar: experiencia, una mejor actitud ante la vida, un mayor sentido de vivir el momento. "Conforme se envejece uno se conoce mejor. Sabe qué lo hace feliz. Y es más capaz de hacer las cosas que lo hacen feliz", afirma. Por lo tanto, para ser feliz y juvenil abrace su madurez, no la oculte. "Muchas mujeres tratan de portarse como jóvenes. ¿Por qué negar esa valiosa experiencia, conocimientos y pericia?", pregunta.

Comparta la experiencia de su vida. Comparta sus conocimientos y sabiduría con sus amigos, familia y compañeros de trabajo. Si sabe cómo hacer algo mejor, dígalo.

Valore lo que ha hecho. Piense en todo lo que ha logrado en la vida, sugiere el psicólogo. Disfrute esos logros en lugar de pensar en lo que podría o debería tener, en lo que hubiera hecho. . . o en lo que le falta hacer. Puede seguir mirando hacia el futuro, desde luego, pero no se le olvide valorar su pasado.

Saboree el momento. Al estudiar la edad y la felicidad, el Dr. Mroczek encontró que las personas mayores dicen experimentar un mayor bienestar porque disfrutan el momento que están viviendo y se preocupan menos por el futuro. "Se detienen a oler las rosas. Miran las puestas del Sol, disfrutan lo azul del cielo. Se concentran menos en el futuro", explica. Disfrute cada día y lo que le brinde, recomienda el experto. Es un buen consejo sin importar la edad que uno tenga.

Los conocimientos

Henry Ford captó el secreto de mantenerse joven perfectamente cuando dijo: "Cualquiera que deje de aprender es viejo, ya sea que tenga 20 u 80 años. Cualquiera que siga aprendiendo permanece joven. Lo mejor de la vida es mantener joven la mente".

Las investigaciones han descubierto cómo influye el aprendizaje en un proceso saludable de envejecimiento. Un estudio llevado a cabo por el Instituto para la Salud Pública encontró que las personas con 12 años o más de educación escolar gozan de mejor salud durante sus años de madurez que aquellos que cuentan con menos estudios. Sin embargo, el responsable de la investigación, el Dr. Strawbridge, llevó sus resultados más allá de la experiencia del salón de clases. Según él, adquirir conocimientos es un esfuerzo que debe durar toda la vida. "El aprendizaje nos acompaña durante toda la vida. A los 45 años usted no va a regresar a la secundaria (preparatoria). Sin embargo, definitivamente

De mujer a mujer
Nunca rechaza una experiencia nueva

Sylvia Palkowski, de 62 años, una secretaria jubilada de Fort Walton Beach, Florida, siempre se sorprende al descubrir a una mujer mayor cuando se asoma al espejo, porque no se siente mayor de 40. Ha encontrado muchas formas de conservar su juventud, desde hacer artesanías hasta bailar tap (claqué). Y ahora le contará cómo el hecho de realizar el sueño de toda su vida la hizo sentirse joven de nuevo.

Creo que nunca se es demasiado vieja para soñar. Y todas tenemos sueños que no hemos hecho realidad. De joven siempre quise participar en un concurso de belleza, pero no tuve la oportunidad. Luego, hace como 10 años, me enteré del Concurso *Miss Senior* del condado de Okaloosa aquí en Florida.

Participar en el concurso resultó tal como me lo había imaginado. . . y mejor. Todos los preparativos fueron muy divertidos: conocer a las otras siete concursantes, ser entrevistada por los jueces y llevar a cabo el ensayo general.

La noche del concurso todas nos reunimos entre bastidores para acicalarnos y emperifollarnos antes de que nos tocara salir al escenario. Me sentí toda alborotada, como si tuviera 18 años otra vez.

puede hacer algo para aprender y mejorar su actividad mental", señala el epidemiólogo. Ahora le diremos cómo aumentar sus conocimientos a lo largo de toda la vida.

Vuelva al aula. Existe una plétora de formas de volver a la escuela: colegios comunitarios *(community colleges)*, centros de educación para adultos, clases nocturnas o programas de verano para adultos, según señala el Dr. Strawbridge. Además, a diferencia de cuando estuvo en la secundaria, ahora puede cursar las materias que quiera.

Lea, lea, lea. Leer con voracidad le permite aprender con voracidad. Más allá de los libros, los periódicos y las revistas, la Internet abre todo un nuevo mundo de conocimientos, indica el Dr. Ellis.

Cuando llegó mi turno me coloqué frente al micrófono y resumí mi filosofía de la vida, que basé principalmente en una oración de San Francisco de Asís. Para la prueba de talento presenté una parodia cómica de un número de Erma Bombeck. Luego llegó la hora del concurso en traje de noche. Desfilamos por el escenario engalanadas con nuestro atuendo más elegante. Yo me puse un exquisito vestido color turquesa con una falda amplia y un saco bordado con cuentas.

Para mí la parte más memorable del concurso fue lo que pasó entre bastidores. La camaradería. Todo el mundo estaba dispuesto a ayudarles a las demás con el cierre (cremallera) que no cerraba o con la costura descosida. Consolábamos a quien cometiera un error y animábamos a la que estuviera a punto de salir al escenario.

No gané, pero no me importó en absoluto. Participé sólo por participar. Para formar parte de ello. Para ver cómo era. Y fue maravilloso. Me llevé muchos recuerdos. . . y amistades. Y cuando me enteré de que una de las concursantes tenía 90 años me sentí como una niña. Independientemente de nuestra edad, todas hicimos realidad los sueños de nuestras infancias. Nadie debe renunciar nunca a un sueño. Nunca.

Aproveche la televisión. La televisión no necesariamente tiene que adormecerle la mente. Cuando se utiliza correctamente este medio de comunicación puede ser educativo. Los videos instructivos pueden introducirla a nuevos pasatiempos o actividades. Los programas educativos como los que se transmiten por PBS pueden instruirla acerca de muchos temas.

El entusiasmo

Al entrevistar a la diseñadora de modas Gabrielle "Coco" Chanel, un reportero alguna vez le preguntó acerca de su edad. Chanel, que entonces tenía 86 años, respondió: "Le diré que mi edad varía según el día y la gente con la que esté. Cuando estoy aburrida me siento muy vieja, y en vista de que usted me aburre muchísimo voy a tener 1,000 años si no se va de aquí en este instante".

El aburrimiento —y rodearse de personas aburridas— puede hacerla envejecer al instante. Tener un enfoque entusiasta de la vida significa interesarse en esta, en los pasatiempos, la diversión y otras personas. De acuerdo con el Dr. Ellis, la mayoría de las personas son más saludables y felices cuando se encuentran totalmente absortas en algo que no sean ellas mismas. A fin de rejuvenecer al sumar años se necesita un interés creativo así como interacción cotidiana significativa con otras personas.

Descubra o redescubra *hobbies*. La madurez es una época excelente para encontrar nuevos intereses y pasatiempos. Redescubra las actividades creativas que le encantaban en algún momento, pero con las que perdió el contacto a lo largo de los años debido a la falta de tiempo, recomienda el Dr. Ellis. Aunque no lo crea, incluso algo tan sencillo como un pasatiempo le dará motivos para vivir con entusiasmo, y así los años pasarán sin que los resienta.

"Tiene que ser algo auténtico, algo que desee hacer. No puede decir: 'Debo dedicarme a la cestería ahora'. Tiene que sentirse realmente emocionada al respecto", agrega el Dr. Deller.

Cultive el contacto con amigos y familia. Conforme la vida transcurre a veces se pierde el contacto con amigos y familiares o no se hacen muchas amistades nuevas. Sin embargo, querrá cultivar los vínculos que la unen a otras personas.

En un estudio realizado por el Dr. Strawbridge que abarcó a personas entre 65 y 95 años de edad, las que mantenían contacto estrecho con cinco personas o más tenían dos veces más probabilidades de "envejecer con éxito", es decir, de disfrutar vidas saludables y activas hasta una edad muy avanzada. Estas relaciones cercanas construyen un sistema de apoyo instantáneo para usted y de manera natural la mantienen activa y llena de entusiasmo acerca de mundos distintos al suyo.

Pase tiempo con amigos y familiares de todas las edades, sugiere el Dr. Deller, a fin de estar al tanto de todos los aspectos de la.

Conéctese con su comunidad. Desarrollar una actividad dentro de su comunidad mata dos pájaros de un tiro: le brinda un interés y también una forma de conocer a otras personas, indica el Dr. Ellis. Únase a organizaciones locales y a consejos directivos escolares o bien asista a reuniones (juntas) de gobierno.

La compasión

Es posible que cueste trabajo desarrollar empatía y comprensión, pero con frecuencia estos sentimientos benefician tanto al que da como al que recibe. La capacidad de sentir afecto por los demás, de ofrecer ayuda y de preocuparse por ellos produce una alegría que resta años de edad. Es algo que "se hace porque da alegría hacerlo. Me parece una actitud muy sana", comenta el Dr. Sultanoff.

Sentir compasión no equivale a comprometer sus ideales. "No tiene que aceptar lo que los otros hagan, pero sí a ellos. Al hacer esto de hecho disfrutará ayudar a los demás en lugar de criticarlos", afirma el Dr. Ellis. Asimismo dará satisfacción al deseo humano más elemental: sentirse deseado y necesitado.

Vuélvase voluntaria. Encuentre una causa en la que pueda creer y dedíquele tiempo y energía, recomienda el Dr. Strawbridge. Diversos estudios científicos han demostrado que trabajar como voluntario beneficia tanto al cuerpo como a la mente. Una encuesta nacional de 3,330 voluntarios descubrió que experimentan el "viaje de ayudar", un sentido especial de la euforia que se produce al ayudar a los demás. También dieron testimonio de un mayor sentido de su propia valía y de una mejoría en cómo perciben su salud, lo cual es indicio de salud y longevidad futuras.

Done sus dones. Quizá ser una voluntaria no es lo suyo, así que aporte lo que haga mejor. "Si es contadora, ayude a la gente con sus impuestos. Utilice sus habilidades para ayudar a los demás. No tiene que involucrarse mucho", opina el Dr. Strawbridge.

Mantenga una mascota. Las personas no son los únicos seres que merecen recibir amor y afecto, sino también las criaturas peludas o con plumas. Ya sea grande o pequeña, una mascota hará resaltar su lado amable. "La obliga a cuidar a otro ser totalmente dependiente de usted", explica el Dr. Sultanoff.

Una mente abierta

No hay nada que haga sentir tan viejo como vivir eternamente de acuerdo con la misma rutina. El mismo cereal para desayunar, el mismo camino al trabajo, el mismo destino en las vacaciones de todos los años, el mismo día para lavar la ropa. Si bien vivir con una rutina monótona como esta suena terrible, algunas personas se muestran reacias a la idea de cambiar algo en sus vidas. Es posible que la rutina sea aburrida, pero es segura y cómoda.

Si quiere mantener un enfoque juvenil de la vida, de acuerdo con el Dr. Ellis necesita tener la mente abierta. "Las personas saludables y maduras suelen ser flexibles en su forma de pensar, abiertas al cambio, y aceptan a los demás. No se imponen reglas rígidas ni tampoco a los demás", afirma.

Cambie su rutina diaria. Unos cuantos pequeños cambios le darán sabor a su rutina y poco a poco la acostumbrarán a la idea de intentar cosas diferentes. Váyase a trabajar por otra ruta. Si por lo común se lava los dientes primero y luego se cepilla el pelo, invierta el orden. Pruebe un nuevo tono de sombra para los ojos o de lápiz labial. "Haga cosas que no sean muy importantes para usted, pero que por lo menos rompan con el molde de su vida cotidiana", sugiere el Dr. Sultanoff.

Acérquese a alternativas. Siempre hay otra forma de hacer las cosas. No la descarte, dice el Dr. Ellis. Es más, búsquela. "Las personas piensan que deben hacer X o Y y no se dan cuenta de que siempre hay alternativas que muchas veces son mejores", agrega.

Olvídese de las obligaciones. Quizá siempre pase la Navidad en casa de su hermana. Sin embargo, no soporta a su cuñado, los otros familiares la fastidian a morir y preferiría estar en cualquier otra parte. Así que ¿por qué no se va a cualquier otra parte?, pregunta el Dr. Ellis. No hay ninguna ley que la obligue a hacer determinada cosa. "Usted cuenta con la flexibilidad y el poder de elegir", indica el experto.

La fe

Incluso la ciencia se ha acercado a la fe. Un grupo de expertos de la Escuela de Medicina de la Universidad de Georgetown en Washington, D. C., así como del Centro Médico de la Universidad Duke en Durham, Carolina del Norte, revisaron estudios sobre la religión y la salud y encontraron que el compromiso religioso posiblemente prevenga muchos problemas médicos, como enfermedades, depresión, adicciones e incluso la muerte prematura.

En muchos casos, la fe produce la sensación de que alguien está al pendiente de uno, de ser amado y valorado. Todo ello incrementa el bienestar y nutre una actitud juvenil hacia la vida. El aspecto de la espiritualidad también abarca la sabiduría que acompaña la edad. "La religión ayuda a comprender que envejecer no es malo", afirma el Dr. Strawbridge.

Involúcrese. Si pertenece a una Iglesia o le interesa integrarse a alguna, involúcrese en la comunidad de la iglesia o del templo. Así participará de manera más activa en la fe misma, además de que tal acercamiento con frecuencia puede dar lugar a actividades sociales y trabajo voluntario, indica el Dr. Strawbridge.

Encuentre su propia espiritualidad. Las religiones organizadas no son el único camino hacia la fe. Halle una forma personal de celebrar sus creencias, sugiere el Dr. Strawbridge. Quizá sentarse tranquilamente en un entorno natural le ayude a entrar en contacto con su lado espiritual, por ejemplo.

Cuídese los sentidos

La vida nos enseña dos hechos fundamentales conforme envejecemos: la información sobre la dosis que viene en los frascos de jarabe para la tos está escrita con letras demasiado pequeñas, y nunca se entiende lo que los adolescentes dicen porque siempre hablan entre dientes.

¿O será que en algún momento empezamos a perder la vista y la audición?

Es importante tener la vista aguda y el oído preciso. Al fin y al cabo nos relacionamos con el mundo a nuestro alrededor a través de los sentidos al embellecer nuestras casas, definir nuestras metas profesionales, dedicarnos a intereses para los que posiblemente nos faltó tiempo de veinteañeras y observar cómo nuestros hijos se acercan a la vida adulta.

Por lo tanto tiene mucho sentido mantener los sentidos agudos y juveniles.

Escuche, escuche

¿Cuántos años tenía cuando asistió a su primer concierto de rock tan estruendoso que se sacudían los amplificadores? ¿Cuántas veces la ha sobresaltado una explosión de sonido al ponerse sus audífonos para iniciar su caminata o salida a correr diaria? ¿Lleva la cuenta de las veces que ha tenido que alzar la voz para conversar con una amiga en medio del tránsito urbano?

Conforme nuestras vidas transcurren en este siglo XXI, las diminutas células del oído interno deben soportar el embate cotidiano de ondas sonoras amplificadas. Si a eso se agrega el escándalo de las sopladoras de nieve o las podadoras los fines de semana así como los acelerones incansables de los motores y los chillidos de los frenos en las calles de las ciudades, los "sonidos del silencio" a los que Simon y Garfunkel les cantaron en su momento parecen pura nostalgia.

No obstante, incluso antes de que la vida se hiciera tan ruidosa el oído no necesariamente envejecía de buena manera. La pérdida de la audición relacionada con el envejecimiento de hecho ha sido un problema desde siempre. Lo que sucede es, simplemente, que a nadie se le ocurre que le pueda pasar.

Tal vez sea por eso por lo que las mujeres rara vez acudan por voluntad propia a ver al Dr. John W. House, presidente del renombrado Instituto House del Oído en Los Ángeles.

"Francamente suele ser el esposo o el compañero quien hace hincapié en su pérdida de audición. Le comenta una y otra vez: 'Sabes, creo que ya no oyes tan bien como antes'", explica el Dr. House. La mujer lo acompaña a regañadientes, con la esperanza de probar que está equivocado.

Es muy tentador fingir que no pasa nada.

¿Hablas un poco más fuerte, por favor?

A pesar de que la pérdida de la audición relacionada con el envejecimiento por lo general comienza entre los 50 y los 60 años, sí puede llegar a darse antes si existen antecedentes familiares de pérdida de la audición o si la persona se ha expuesto a ruidos demasiado fuertes.

No obstante, si usted se parece a la mayoría de las mujeres, es posible que recursos psicológicos de defensa como la compensación y la negación le impidan buscar ayuda, indica el Dr. House. "Dirá que la gente habla entre dientes o no habla con claridad, o bien le echará la culpa al ruido en los restaurantes".

En efecto es muy probable que la pérdida de la audición vinculada con el envejecimiento manifieste su desagradable presencia precisamente en un lugar ruidoso. El barullo intenso y agudo de las conversaciones y el traqueteo de los trastes se tragan las palabras de sus acompañantes y es posible que las distracciones le dificulten confiar en un mecanismo de defensa que tal vez ni se haya dado cuenta que estaba usando: leer los labios.

¿LO ESCUCHA?

Los primeros sonidos que se dejan de oír con la edad son los agudos. Por lo tanto, debe servirle de advertencia cuando las personas a su alrededor parezcan escuchar cosas que usted no oye.

Fíjese si se está perdiendo algo de lo que sigue.

- Las conversaciones de la gente que le da la espalda al hablar. (Al tratar con alguien de frente es posible que le esté leyendo los labios sin darse cuenta siquiera).
- El timbre del teléfono. (¿Le ha sucedido que alguien conteste el teléfono antes de que usted se diera cuenta de que estaban llamando?)
- El silbido de las teteras. (¿Ha tenido que regresar a la cocina por algún otro motivo para darse cuenta de que el agua para el té estaba lista?)
- El tictac del reloj. (¿Está avanzando el segundero sin que usted lo escuche?)

El indicio más clásico de una pérdida de la audición debido a la edad es no entender por completo las palabras de una conversación aunque oiga hablar a la persona, afirma el Dr. John W. House, presidente del renombrado Instituto House del Oído en Los Ángeles.

Al envejecer, poco a poco se va dando un cambio en cierta región del oído interno, la cóclea, conforme las células pilosas que captan los sonidos agudos empiezan a deteriorarse.

Usted piensa que oye bien, pero no siempre entiende lo que se dice. La razón es que en realidad sólo escucha una parte de la palabra que se está pronunciando, explica el Dr. House.

El ruido ambiental sólo agrava los daños cuya única causa es la edad. Si bien algunas personas con suerte —entre ellos el Dr. Howard House, padre de John y fundador del Instituto House del Oído— escuchan perfectamente hasta más allá de los 90 años de edad, para cuando lleguen a los 65 una de cada tres mujeres habrá sufrido una pérdida de la audición debida a la edad.

SÁLVESE DEL SOL:

UNA GUÍA PARA COMPRAR

ANTEOJOS PARA EL SOL

Claro, los anteojos (espejuelos) para el sol se ven fabulosos. ¿Qué estrella del espectáculo saldría sin ellos? No obstante, si usted realmente quiere conservar su vista, su primera prioridad al comprar unos anteojos para el sol debe ser la protección que le brinden. Los anteojos oscuros ayudarán a evitar la aparición de arruguitas alrededor de sus ojos, pero lo más importante es que se ha demostrado que reducen las probabilidades de padecer cataratas. Incluso es posible que contribuyan a prevenir una degeneración macular vinculada con el envejecimiento, una afección devastadora que lleva a las personas mayores a perder su visión central y las deja únicamente con la visión periférica, según explica el Dr. Wayne Fung, un oftalmólogo del Centro Médico California Pacific en San Francisco.

Los cristales de los anteojos deben filtrar por lo menos el 99 por ciento de la luz ultravioleta, además de estar hechos de un material resistente a los impactos. Asegúrese de que no cuenten con bordes filosos descubiertos que pudieran cortarle el ojo de sufrir una caída o bien una lesión al ejercer algún deporte, según señala el Dr. John B. Jeffers, un oftalmólogo del Hospital Wills para los Ojos en Filadelfia.

En el caso ideal los anteojos deben contar con pulimento óptico y un tinte neutro gris o verde para bloquear las longitudes de onda más dañinas de la luz ultravioleta A y B, agrega Robert M. Greenburg, O.D., un optometrista y asesor optométrico de Reston, Virginia.

Es poco probable que encuentre unos anteojos para el sol de calidad que reúnan todos estos requisitos en el escaparate de las ofertas de su farmacia local, advierte el Dr. Greenburg. Un buen par de anteojos para el sol, con todas las características recomendadas, le costará unos $50. Sin embargo, no se deje engañar por los anteojos de marca. La moda y la protección contra los rayos del Sol no necesariamente van de la mano. Sólo por ser más caros no quiere decir que un par de anteojos le ofrezcan más ni mejor protección.

Cómo prevenir la pérdida de la audición

Ya sea que aún pueda distinguir cada palabra de todas las conversaciones o bien que haya observado cierta disminución de la claridad, usted puede hacer muchas cosas desde ahora mismo para conservar un oído agudo y sano.

¡Sió! La táctica más importante que usted puede emplear para conservar su oído es protegerse contra los ruidos fuertes, opina el Dr. House. Proteja sus oídos al podar el césped, pasear en una ruidosa lancha de motor o asistir a un *rally* de camiones, recomienda.

Compre el CD. Por divertido que sea ir a ver a sus estrellas favoritas cuando realizan sus giras nostálgicas o bien cuando vaya a ver al astro del momento, tenga presente que en los conciertos el volumen de la música es igual de ensordecedor que antes. "Hemos atendido a personas que sufrieron una pérdida permanente de la audición por una sola ida a un concierto o a la disco", afirma el Dr. House.

Atiéndase en el trabajo. La exposición habitual al ruido es peor que el escándalo ocasional del motor a reacción que se escucha al subir la escalera de un avión. Si usted trabaja en una zona donde las personas tienen que levantar la voz de manera habitual para hacerse escuchar, su oído corre peligro. Use protecciones para sus oídos de manera regular, sugiere el Dr. House.

Pare pronto la pérdida de la audición

Si tiene la impresión de que ya empezó a sufrir una ligera pérdida de la audición, hágase revisar. No se mantendrá joven si se pierde las conversaciones en las fiestas, los diálogos de las películas y del teatro o las instrucciones en el trabajo.

Además, perder la audición no sólo es un indicio del envejecimiento. "La pérdida de la audición tiene muchas causas y algunas pueden tratarse con cirugía o medicamentos", indica el Dr. House.

La otosclerosis —el endurecimiento de huesos dentro del oído— es una afección que puede curarse en un 90 por ciento por medio de cirugía delicada, por ejemplo. Otros males que remedan la pérdida de la audición asociada con el envejecimiento son la enfermedad de Ménière, misma que se trata con medicamentos o cirugía, o incluso un tumor benigno en un nervio dentro del oído. A pesar de que tales tumores no son malignos es preciso detectarlos pronto. Además de provocar una pérdida de la audición pueden crecer, ejerciendo presión sobre el cerebro.

Comience por el comienzo. El mejor especialista al que puede ver es un otolaringólogo, al que antes se conocía como especialista en oídos, nariz y garganta, o bien a un otólogo, un médico que se especializa exclusivamente en las enfermedades del oído. No empiece por una tienda de audífonos *(hearing-aids)*, recomienda el Dr. House. "Siempre podrá regresar a comprar un audífono si lo necesita, pero primero debe descartar otros problemas".

Póngalo a prueba. Una vez que le hayan revisado los oídos para ver si tiene alguna afección fisiológica u otro problema de la salud relacionado con la audición, lo más probable es que la manden con un audiólogo, o sea, un especialista en las pruebas de audición. Quizá se le haga una prueba en una cabina insonorizada con unos audífonos especiales, mientras usted utiliza un aparato para indicar si escucha sonidos de diversos tonos con cada oído.

No evite su primer audífono. Los audífonos se han hecho más pequeños y discretos y mucho más sofisticados de lo que eran hace sólo unos cuantos años. Muchos son digitales y capaces de filtrar los ruidos periféricos, de modo que amplifican de manera selectiva los sonidos que se ha estado perdiendo y que más desea escuchar, como las voces, dice el Dr. House.

"Muchas veces recomiendo un audífono y alguien se niega —indica el Dr. House—. Me dicen que son demasiado jóvenes. Sin embargo, ¿están dispuestos a andar por ahí preguntando: '¿Qué? ¿Qué? ¿Qué?' y perdiéndose la mitad de lo que sucede a su alrededor?". Una estrategia de este tipo difícilmente servirá para mantener jóvenes su cuerpo y mente.

Cuando un audífono se empieza a usar pronto puede ayudarles a las personas a adaptarse mejor a su pérdida de audición, comenta el Dr. House.

Ojo con los ojos

Tal vez suceda de manera paulatina, conforme usted se da cuenta poco a poco de que se está volviendo cada vez más difícil depilarse las cejas si no se aleja un poco del espejo. También puede pasar prácticamente de un día para otro, cuando de repente descubra que necesita estirar por completo el brazo con el periódico para leer los anuncios clasificados.

La capacidad para enfocar llega a su máximo nivel alrededor de los 12 años y va disminuyendo un poco cada año después de eso. Para cuando tenemos entre 35 y 45 años, muchos empezamos a darnos cuenta de que necesitamos sostener los materiales de lectura a tal distancia que nuestros brazos parecen demasiado cortos.

Se llama "presbicia" el cambio de la vista relacionada con el envejecimiento que ocurre conforme el cristalino antes flexible del ojo se pone más duro y menos claro, explica el Dr. John B. Jeffers, un oftalmólogo del Hospital Wills para los Ojos en Filadelfia.

Aunque ya haya notado que su vista está empeorando, no todo está perdido. Ahora le diremos qué hacer.

Vea cómo ve. . . de cerca. Es obvio, pero de todas formas vale la pena repetirlo. Haga una cita para que examinen la salud de sus ojos y el funcionamiento general de su sistema visual. Esto incluirá pruebas para ver qué tan bien sus ojos enfocan los objetos, tanto distantes como próximos, y qué tan bien trabajan juntos para percibir la profundidad, indica Robert M. Greenburg, O.D., un optometrista y asesor optométrico de Reston, Virginia.

No ponga pretextos, como decirse a sí misma que puede ver bien mientras haya suficiente luz o se sienta bien, advierte el Dr. Greenburg. Es cierto que su vista posiblemente sea más aguda a la luz intensa de un día soleado, puesto que las pupilas se estrechan y aumenta el campo de profundidad dentro del cual puede ver con claridad. Sin embargo, también merece ver bien bajo techo, a la luz tenue de su cuarto de estar o cuando salga a caminar por las calles al anochecer.

Ya no entrecierre los ojos. Si arruga la cara para ver con mayor claridad unas letras borrosas, no le está haciendo ningún favor a su meta de conservar un aspecto juvenil. Entrecerrar los ojos constantemente acentúa las

Ayuda a la vista

Tórridas novelas románticas. Paseos dominicales en carro. Ver crecer a sus nietos. Todos estos placeres pueden perderse en la oscuridad de la degeneración macular relacionada con el envejecimiento (o *ARMD* por sus siglas en inglés), la principal causa de ceguera en las personas mayores de 65 años.

La ARMD afecta la mácula lútea o mancha amarilla, una capa de tejido sensible a la luz que se ubica al centro de la retina, al fondo del ojo. Poco a poco las células sensibles a la luz de la mácula lútea se van descomponiendo, lo cual da por resultado una pérdida de la visión central y dificulta leer, manejar un carro o llevar a cabo otras tareas cotidianas. De acuerdo con algunos estudios científicos, es posible que las mujeres corramos un mayor riesgo de sufrir este mal que los hombres.

Sin embargo, han surgido nuevas esperanzas. Las investigaciones recientes llevadas a cabo por Stuart Richer, O.D., Ph.D., jefe de la sección de optometría del Centro Médico DVA en North Chicago, proponen una nueva forma de prevenir —y de tratar— la ARMD. A continuación le presentamos este novedoso plan para cuidar su visión de acuerdo con los trabajos de este especialista.

Examínelos. Al analizarse en conjunto, cuatro pruebas comunes de la vista pueden descubrir las señales más tempranas de la ARMD, indica el Dr. Richer. Pídale a su optometrista que le haga las cuatro pruebas incluidas en el estudio del investigador: la rejilla de Amsler (*Amsler grid*) (que detecta distorsiones en la visión central); la prueba de sensibilidad de contrastes (*contrast-sensitivity*) (que examina la capacidad de distinguir entre objetos de distintos tamaños); la prueba de baja luminancia y bajo contraste (*low-luminance, low-contrast*) (que mide la capacidad de ver en la oscuridad); y la prueba de recuperación al deslumbramiento (*glare-recovery*) (que examina la capacidad de los ojos para recuperarse después de verse expuestos a una luz deslumbrante).

También dígale al optometrista si es posmenopáusica y no está tomando ninguna terapia de reposición del estrógeno; si padece una enfermedad cardíaca, presión arterial alta (hipertensión) o un nivel alto de colesterol; si toma medicamentos "fotosensibilizadores" (*photosensitizing drugs*) o si fuma. En todos estos casos corre un mayor riesgo de padecer ARMD.

Recurra al remedio de Popeye. Al parecer la ARMD puede retrasarse o incluso revertirse con grandes dosis de espinacas, aunque usted no lo crea. Un estudio preliminar llevado a cabo por el Dr. Richer observó que un grupo de hombres que padecían la forma "seca" común de la ARMD y consumían de cuatro a siete raciones de espinacas a la semana mejoraron sus resultados en la rejilla de Amsler así como en las pruebas de sensibilidad de contrastes y recuperación al deslumbramiento. Las espinacas contienen luteína y zeaxantina, unos antioxidantes que están presentes en grandes cantidades en la retina. Se piensa que protegen la retina ya sea al absorber la luz azul que daña los ojos o al evitar los daños por radicales libres.

Sofría (saltee) las espinacas en una pequeña cantidad de aceite de oliva o consúmalas junto con una comida que contenga un poco de grasa. La grasa le ayuda al cuerpo a absorber, almacenar y transportar la luteína, explica el Dr. Richer. Por otra parte, si es propensa a desarrollar cálculos renales, coma col rizada en lugar de espinacas. La col rizada contiene niveles menores de ácido oxálico, el cual posiblemente contribuya a la formación de cálculos renales.

Tome suplementos. Si no puede o no quiere comer estas verduras verdes, tome un suplemento de antioxidantes que contenga luteína, recomienda el Dr. Richer. Los estudios científicos indican que de 6 a 12 miligramos diarios de esta sustancia benefician la vista.

Revise sus medicamentos. Si está tomando un medicamento anticoagulante, hable con su médico antes de consumir dosis gigantescas de espinacas. La vitamina K que la verdura contiene puede interferir con el efecto de los anticoagulantes.

Proteja sus ojos. Compre unos anteojos (espejuelos) para el sol que bloqueen todos los rayos ultravioletas A y B, incluyendo la luz azul, sugiere el Dr. Richer. "La luz azul es la parte de onda corta y alta energía del espectro ultravioleta visible, y se ha demostrado que daña los ojos".

Supere los cigarrillos. Fumar hace que se contraigan los delicados vasos sanguíneos que alimentan a los ojos, aumentando el riesgo de padecer ARMD.

arrugas alrededor de los mismos y hará que se vea más vieja. Entrecerrar los ojos a la luz intensa del Sol es igualmente malo. Use anteojos para el sol a fin de ayudar a conservar la tersura de su rostro en la zona de los ojos. Los anteojos para el sol también le ayudarán a prevenir las cataratas, ya que estas pueden originarse en daños por el sol, afirma el Dr. Greenburg.

Antecedentes sobre los anteojos. Unos anteojos nuevos o unos lentes de contacto de diseño especial le devolverán la capacidad de ver de cerca. Es posible que para usted la mejor opción sean unos anteojos bifocales, unos lentes de contacto bifocales o unos anteojos para leer. Consulte a su especialista en ojos para ver qué le recomienda.

Los ojos necesitan hacer ejercicio también

Si bien no todos los especialistas en ojos están de acuerdo, algunos recomiendan ejercitar los músculos de los ojos de la misma forma en que ejercita los demás músculos de su cuerpo. El Dr. Greenburg tiene las siguientes sugerencias para las mujeres que quieran conservar el buen funcionamiento de su visión.

Sígalos. En el curso de su vida diaria practique seguir con los ojos los objetos en movimiento. Los juegos de computadora ayudan con esto, pero descanse con frecuencia.

Muévalos. Mueva los ojos a menudo. Fíjelos en un objeto en un rincón de la habitación y luego páselos al rincón opuesto varias veces de manera rítmica.

Mire aquí y allá. Enfoque los ojos sobre algo próximo y luego sobre algo distante. Al leer, alce la vista para mirar el otro extremo del cuarto cada 2 minutos.

La vida de una visionaria

Lo mejor que puede hacer para mantener jóvenes sus ojos y aguda su vista es tomar medidas de prevención. Dedicarle un poco de atención a su vista ahora le ayudará mucho a mantenerla sana en el futuro. Los expertos recomiendan lo siguiente.

Busque el amarillo, anaranjado y verde. El Dr. Wayne Fung, un oftalmólogo del Centro Médico California Pacific en San Francisco, les recomienda a las mujeres comer frutas y verduras ricas en betacaroteno. El betacaroteno es importante para la salud de los ojos y comer frutas y verduras agrega fibra a la alimentación, lo cual es importante para la salud en general. Algunas buenas opciones son la papaya (fruta bomba, lechosa), el mango, la col rizada, la acelga suiza, la calabaza (calabaza de Castilla), el brócoli y las espinacas, indica.

No niegue lo nublado. Conforme los ojos envejecen, el material proteínico del cristalino puede empezar a nublarse. Al principio esto ocurre de manera sutil, como cuando se agregan gotas de leche a un vaso de agua, una por una. Hacerse revisar los ojos una vez al año durante la mediana edad le permitirá descubrir una catarata pronto, antes de que empiece a interferir de manera significativa con su capacidad para manejar, practicar deportes, dedicarse

a sus pasatiempos o leer, dice el Dr. Greenburg.

Que la ceguera no la sorprenda. Es posible que la razón más importante para hacerse exámenes de la vista con regularidad sea la detección de glaucoma. Cuando la presión aumenta detrás del ojo el nervio óptico puede sufrir daños, lo cual llega a producir ceguera. En vista de que no hay síntomas, un examen ocular es la única forma de detectarla a tiempo. Si usted ha sufrido una lesión importante del ojo a la edad que sea o si tiene parientes consanguíneos con glaucoma, corre más riesgo de sufrir glaucoma durante la mediana edad, indica el Dr. Jeffers.

Proteja los ojos. Al dedicarse a su vida activa y ajetreada, asegúrese de que sus ojos cuenten con la protección que necesitan. Use anteojos para el sol resistentes a los impactos o bien anteojos de seguridad que protejan sus ojos contra lesiones, además de defenderlos contra los rayos ultravioletas. Póngase un sombrero de ala ancha al trabajar en el jardín, jugar golf o asistir a algún evento deportivo en el sol. Y si los fines de semana le gusta arreglar cosas en la casa, nunca deje de protegerse los ojos al empuñar el martillo.

Amárrelo con cordel (mecate). El Dr. Fung advierte sobre una causa insospechada pero bastante frecuente de lesiones oculares durante los viajes: las cuerdas que se usan para el salto de caída libre *(bungee)*. Al parecer las mujeres acostumbramos tensar mucho estas prácticas cuerdas elásticas al amarrar el equipaje o bien sujetar los esquís en las parrillas sobre el techo de los carros. Si un extremo se suelta puede pegarle en el ojo en un dos por tres y causarle daños considerables, indica el experto.

Mejore su memoria a cualquier edad

¿**Q**uién se postuló para la vicepresidencia de los Estados Unidos en 1984?

¿No lo recuerda? En aquel entonces esa mujer figuró como tema de discusión en casi todas las mesas de los Estados Unidos.

Seguramente ya la recordó o por lo menos su rostro, aunque no su nombre.

Así es el cerebro: si bien más complejo y maravilloso que la computadora más potente, con todo nos llega a suceder que un dato familiar se nos escape tercamente, aunque lo tengamos en la punta de la lengua.

Cuando a usted le surge el deseo de recuperar un dato específico, manda a su memoria a buscarlo entre las toneladas de conocimientos que tiene guardadas en la cabeza. Si todo sale bien contará con ese detalle unos cuantos milisegundos después.

Desde luego las cosas no siempre salen bien. Y salen mal con mayor frecuencia conforme envejecemos, porque la memoria empieza a hacerse más lenta con la edad. Muchas conocemos este molesto fenómeno de primera mano. La pregunta es: ¿qué podemos hacer al respecto?

Ah, por cierto. . . la mujer se llamaba Geraldine Ferraro.

¿Qué sucede ahí dentro?

Antes que nada relájese. Deje de preocuparse por la enfermedad de Alzheimer o la senilidad prematura. Los lapsos menores de la memoria son comunes, esperados y fáciles de remediar.

Por lo común empezamos a experimentar un paulatino deterioro de la memoria alrededor de los 30 años, pero se trata de un deterioro *muy* ligero, según señala David Mitchell, Ph.D., profesor adjunto de Psicología y director del Centro para los Estudios de la Vejez en la Universidad Loyola de Chicago. "Digamos que hace una lista para la tienda de comestibles y —si se parece a mí— se le olvida la lista, pero de todos modos va de compras. Al regresar a casa no la sorprende descubrir que se le olvidaron dos o tres artículos. Conforme envejezca un poco más se le olvidarán tres o cuatro", indica el experto.

La edad no es el único problema. También tiene que mantenerse al tanto de mucha más información ahora que cuando era más joven, y todos los días agrega más datos a su memoria. Con tantas cosas que recordar es natural que se le olvide algo. "El cerebro es un pedazo limitado de tejido. La mayoría de los investigadores de la memoria suponen que al recibir cada vez más información el sistema tarda más en buscarla", dice el Dr. Mitchell.

Como si un cerebro repleto no fuera suficiente, lo más probable es que también tenga una vida llena de distracciones y responsabilidades. Sobrepasarse en sus actividades también puede producir olvidos. "Vivimos en una época en que las mujeres tienden a repartir su atención entre el trabajo, la familia y a veces incluso los padres, además de sus amigos e intereses. Debido a todo ello existe la tendencia de olvidar las cosas", afirma Carolyn Adams-Price, Ph.D., profesora adjunta de Psicología y directora del programa de Gerontología en la Universidad Estatal de Misisipí en Starkville.

Fomente el buen funcionamiento de su cerebro

El cerebro, al igual que cualquier otro músculo, necesita hacer ejercicio para mantenerse en forma. Al desafiar y empujar a su cerebro a superarse y hacer más cosas, lo fortalece. Los estudios científicos han demostrado que los animales a los que se les coloca en un medio rico provisto de muchas oportunidades para explorar de hecho experimentan cambios estructurales en el cerebro, lo cual mejora su capacidad tanto para aprender como para recordar, indica Molly V. Wagster, Ph.D., directora del programa de neuropsicología de la vejez en el Instituto Nacional del Envejecimiento en Bethesda, Maryland.

Sin embargo, lo que tal vez sea un reto un día puede resultar fácil al siguiente. Si bien dominar cualquier tarea mental nueva se hace más difícil conforme envejecemos (nadie sabe por qué), una vez que se haya dominado una tarea por completo, sin importar lo difícil que sea, realizarla ya no desarrolla el cerebro. "Tendemos a estancarnos en la vida. Trabajamos en algo hasta hacerlo bien y luego lo seguimos llevando a cabo en el mismo nivel. No obstante, de ahí en adelante el desafío desaparece", afirma el Dr. Arnold Scheibel, profesor de Neurobiología y Psicología y ex director del Instituto para la Investigación del Cerebro en la Universidad de California en Los Ángeles.

A fin de mantener la salud de su cerebro y su memoria al envejecer, hay que buscarles nuevos retos de manera constante. El Dr. Scheibel recomienda los siguientes, que los harán trabajar en serio.

Aprenda un idioma. Aprender un idioma nuevo es una de las cosas que más ocupa las áreas del cerebro que mejoran la memoria. "Se trata de un estímulo maravilloso para la función de la memoria", explica el Dr. Scheibel. Si no tiene tiempo para tomar una clase, trate de aprender a través de cintas de audio. Escúchelas al ir a trabajar todos los días en su carro. "Sólo dedíquele media hora diaria. Se avanza mucho en 2 semanas", opina el experto.

Toque música hermosa. La combinación de habilidades visuales, mentales y físicas que se requiere para tocar un instrumento llena de vigor al cerebro, dice el Dr. Scheibel. La música, al igual que muchas actividades creativas, mejora la memoria y es un maravilloso medio de expresión.

Opte por lo opuesto. Desarrolle las habilidades opuestas de lo que se le da de manera natural. Si tiene dotes artísticas, acérquese al mundo lógico de las matemáticas o las computadoras. Si sus habilidades son verbales, ponga a prueba su capacidad de expresarse de manera visual a través de la pintura o del dibujo.

Calcule en la cabeza. El Dr. Scheibel se niega a usar calculadoras o computadoras para las operaciones matemáticas elementales. ¿Por qué? Porque se dio cuenta de que al depender de estos aparatos a fin de ahorrar tiempo empezó a deteriorarse rápidamente su capacidad para hacer cálculos matemáticos en la cabeza. Los cálculos matemáticos le exigen al cerebro y mantienen a la memoria en buena forma.

Cambie de mano. Durante unos 5 minutos al día trate de usar la zurda si es derecha o a la inversa. Escriba, marque los números telefónicos o juegue tenis con su mano menos dominante. Este ejercicio desarrollará el lado opuesto de su cerebro.

Rodéese de personas interesantes. El Dr. Scheibel compara el alternar con personas que la estimulen intelectualmente con jugar tenis. "Lo mejor que puede hacer es jugar con alguien mejor que usted, porque así se esforzará por. Lo mismo sucede con las personas. Cuando tiene la sensación de que: 'Vaya, estoy fuera de lugar aquí porque todos parecen mucho más inteligentes', la obligará a desarrollarse. No se me ocurre un desafío mejor", comenta. Únase a clubes de lectura, tome clases, forme grupos de discusión y de escritura o simplemente pase algún tiempo con personas con las que conversar sea un desafío.

Cómo mejorar la memoria cotidiana

Las cosas pequeñas son las que la pueden volver loca a una: ¿Dónde dejé esos papeles? ¿Cómo se llama aquel tipo? ¿Se me volvería a olvidar el pan? ¿Cuál es su número de teléfono? "Dentro del panorama general de las cosas se trata de lapsos menores de la memoria. Es posible que se hagan más frecuentes y molestos conforme envejezca, pero no necesariamente deben ser motivo de preocupación —asegura la Dra. Wagster—. Quizá tarde más en recordar un

nombre que a los 25 años, pero probablemente lo logre, aunque se tome unas cuantas horas".

A fin de evitar que estos problemas nimios de la memoria se conviertan en grandes dolores de cabeza, pruebe algunas de las siguientes técnicas para desarrollarla.

Ponga atención. Sin duda le echa la culpa a su memoria muchas veces cuando no recuerda algo, pero con frecuencia esa culpa le corresponde por igual a la falta de atención. Si no pone atención, su memoria no cuenta con la oportunidad de absorber y almacenar la información, indica la Dra. Adams-Price. Por ejemplo, cuando le presenten a alguien deténgase a escuchar y a pensar en el nuevo nombre, e incluso repítalo en voz alta. Haga lo mismo al concertar una cita.

Cobre conciencia de su subconsciente. Lleve un registro mental de todas las cosas pequeñas que normalmente hace sin pensar, sugiere el Dr. Scheibel. Por ejemplo, si nunca recuerda dónde dejó las llaves del carro, cada vez que las ponga en alguna parte deténgase y dígase a sí misma de manera deliberada: "Puse las llaves del carro en la mesa". "Tener que reiterar cada acción que se realiza es una nueva forma de pensar", explica el Dr. Scheibel.

Localice los _loci_. ¿Guarda los tomates (jitomates) en el baño? Suena como una locura, pero en este tipo de imaginería se basa un antiguo sistema griego para ayudar a recordar que se llama el método _loci_. De acuerdo con el método _loci_ hay que imaginar que lo que se quiera recordar se encuentra en un lugar específico. Digamos que desea hacer una lista mental para ir a comprar comestibles, por ejemplo. La Dra. Adams-Price dice que se imagine la leche en el sofá, el pan en la reproductora de CD y las manzanas en la mesa del centro (ratona). Luego, cuando necesite recordar el artículo, imagínese todas las cosas en su sala. Al recordar los sitios específicos, como el sofá, se acordará de la leche.

JUEGUE CON SU MENTE

Desafiar su mente no necesariamente implica tomar un curso por correspondencia sobre la ciencia de los cohetes espaciales. Está permitido divertirse. Los juegos y los rompecabezas, adivinanzas o crucigramas, por ejemplo, pueden poner a prueba su memoria, capacidad para el pensamiento estratégico y otras habilidades mentales. A continuación mencionaremos seis juegos que pueden ayudar a mejorar su memoria y su funcionamiento mental, de acuerdo con Carolyn Adams-Price, Ph.D., profesora adjunta de Psicología y directora del programa de Gerontología en la Universidad Estatal de Misisipí en Starkville.

- ❦ *Bridge.* Este juego recurre tanto a la estrategia como a la memoria, proporcionándole un ejercicio mental completo.

- ❦ Ajedrez. Si bien involucra más la estrategia que la memoria, el ajedrez desafía al cerebro al obligarlo a planear varias jugadas por adelantado.

- ❦ Criptogramas. Según la Dra. Adams-Price los criptogramas son uno de los mejores juegos para ejercitar el cerebro. Hace falta pensar mucho y resolver problemas.

- ❦ Crucigramas. Resolverlos trabaja los músculos del vocabulario y de la memoria.

- ❦ *Tetris.* Este juego de video implica hacer que encajen piezas de diversas formas a alta velocidad. Requiere habilidades espaciales, es decir, la capacidad de unir los objetos visualmente. Las habilidades espaciales mejoran con la práctica, pero no se utilizan a menudo en la vida cotidiana. Tetris brinda una forma divertida de ponerlas a punto.

- ❦ *Minesweeper.* Se trata de otro juego de computadora. Se hace clic en una cuadrícula para tratar de evitar las bombas ocultas. Jugarlo requiere mucho pensamiento lógico.

Represente las palabras con imágenes. Muchas personas recuerdan mejor lo que ven que lo que oyen. Por lo tanto, piense en lo que necesita recordar en forma de una imagen visual. Por ejemplo, supongamos que le presentan a un hombre llamado Ricardo, dice Sandra Monastero, una psicóloga del Hospital Friends en Filadelfia. Mentalmente imagínese a su nuevo conocido como Ricardo Corazón de León. Lo puede ver en su mente como un león o vestido de rey. Suena algo tonto, pero funciona.

Acuérdese del alfabeto. Si no recuerda el nombre de una persona, recite el alfabeto mentalmente. "Muchas veces recibirá la pista que requiere para recordar el nombre en cuanto llegue a la letra con la que este empieza", afirma la Dra. Adams-Price.

Divida y venza a los números. Teléfonos celulares, números de bíper, direcciones de correo electrónico, claves de seguridad: realmente uno parece tener que recordar un sinfín de números. Tantos dígitos se confunden muy fácilmente en el cerebro. A fin de facilitarse las cosas divida los números en partes, sugiere Monastero. Digamos que su número de identificación personal para el cajero automático es 7241. Grábeselo como "setenta y dos, cuarenta y uno" en lugar de "siete, dos, cuatro, uno". Divídalo en dos números en lugar de cuatro.

Organícese

Si usted es de las personas que archivan todos sus papeles importantes bajo la "C" de "Cosas", es posible que también sea de las personas que lo pierden todo, empezando desde las llaves de su carro, y a las que hasta las horas se les van. "La falta de organización es parte del problema. Es más probable que las personas que no están bien organizadas olviden dónde pusieron las cosas", indica la Dra. Adams-Price.

El antídoto es el mismo que se usaría para arreglar una habitación desordenada: ponga orden. Le diremos por dónde empezar.

Adquiera una agenda. Una agenda puede servirle como depósito principal de información, opina Monastero. Utilícela para apuntar números telefónicos, horarios, listas de cosas que hacer, citas y todo lo demás que necesite saber. Al hacerlo estará restándole mucho estrés a su memoria. Asegúrese de dividir su agenda en el menor número posible de secciones. Un exceso de secciones puede abrumarla y resultar contraproducente.

Observe sus horas. Un estudio llevado a cabo por la Universidad de Arizona examinó a dos grupos, uno de jóvenes y uno de personas mayores, a diferentes horas del día. Los investigadores descubrieron que los jóvenes mostraban un mejor rendimiento por la noche, mientras que las personas mayores obtenían mejores resultados por la mañana. Es posible que sus ritmos circadianos personales afecten el funcionamiento de su memoria, comenta el Dr. Mitchell. Si bien el estudio científico encontró que la mañana les daba mejores resultados a las personas conforme envejecían, el Dr. Mitchell le aconseja determinar la hora óptima para usted. "Si tiene la opción, programe las cosas importantes que debe hacer a esa hora", recomienda.

Ponga las cosas donde las verá. Ojos que no ven, corazón que no siente, ¿verdad? Y mente que no toma en cuenta. Este suele ser el problema, sobre todo si se le olvida tomar la medicina o deja los papeles y otras cosas importantes. Por lo tanto, póngalos donde los tendrá que ver, sugiere Monastero. Le daremos algunos ejemplos: meta los medicamentos a la taza para el café, deje los documentos sobre el despertador. "Asegúrese de tener que mover el objeto para llegar a otra cosa", indica la experta.

Designe lugares especiales. Acostúmbrese a dejar los objetos en sitios designados de manera especial para cada uno de ellos. Siempre deje las llaves de su carro sobre la mesa al lado de la puerta, por ejemplo; siempre deje sus anteojos (espejuelos) para leer sobre la mesita de noche. Monastero también recomienda asignarles un lugar especial a los materiales de trabajo del siguiente día. "La noche anterior, reúna todas las cosas que necesitará para el día siguiente en un lugar específico. De este modo, al llegar la mañana no tendrá que ponerse a pensar en dónde puso las cosas ni en qué tendrá que hacer ese día", afirma la psicóloga.

Pinte su mundo de colores. Los colores llamativos le ayudarán a localizar los objetos que pierde con frecuencia. Ponga sus llaves en llaveros grandes de colores. Áteles un cordón de algún color llamativo a sus anteojos para leer. Cuando estos colores intensos le salten a la vista no le costará tanto trabajo encontrar los objetos perdidos, dice Monastero.

Prefiera lo pequeño. Un proyecto grande o la necesidad de recordar una cantidad extraordinaria de datos abruma a cualquiera. Esa sensación de desánimo induce a dejar la tarea para más tarde, lo cual significa que terminará haciendo un montón de trabajo en el último momento e inevitablemente se le olvidará algo. En lugar de perderse ante la totalidad de lo que tiene que hacer, divida un proyecto grande en diversas tareas más pequeñas, sugiere Monastero. Enfrente y termínelas una por una. De esta forma el proyecto se volverá más manejable y menos agobiante.

Hágalo ahora mismo. Cuando el gurú de la teoría de la conducta y profesor de Harvard, B. F. Skinner, se enteraba de que iba a llover, se ponía de pie en ese mismo instante y colocaba el paraguas en la puerta para que no se le fuera a olvidar, cuenta el Dr. Mitchell. La mejor forma de no olvidar algo es encargándose de ello lo más

¿Por qué recuerdo con detalle mi boda, pero no me acuerdo de lo que cené el sábado pasado?

Por la misma razón por la que se acuerda del día, la hora exacta y hasta cómo era el tiempo cuando nacieron sus hijos o qué estaba haciendo cuando falleció un ser querido: su memoria es "de lámpara (bombilla) de *flash*".

La memoria de lámpara de *flash* entra en acción cuando se vive un acontecimiento tan significativo que se repite mentalmente durante años, hasta que el momento queda congelado en el tiempo.

Para bien o para mal, su boda fue un momento determinante en su vida. Durante varias semanas antes de la gran noche es posible que haya repasado minuciosamente cada detalle una y otra vez: su vestido, sus zapatos, su peinado, el pastel (bizcocho, torta, *cake*), la música, los invitados, etc.

Después, en vista de que se trató de un recuerdo tan importante lo repasó una y otra vez en su mente, probablemente en tantas ocasiones que nunca se le olvidará.

En lo que se refiere a la cena del sábado pasado, ¿qué tuvo de especial? Probablemente no fue muy distinta de la del sábado antepasado o del sábado anterior a ese. Así que ¿por qué demonios debería de acordarse? Al fin y al cabo no fue precisamente un baile de último año.

Información proporcionada por la experta
Carolyn Adams-Price, Ph.D.
Profesora adjunta de Psicología y directora del programa de Gerontología
Universidad Estatal de Misisipí
Starkville

mientos, lo cual le ayudará al intentar recuperar la información", explica la Dra. Wagster.

Viva una vida que valore la memoria

No debemos olvidar que el cerebro forma parte del cuerpo. Al igual que el resto de este necesita lo fundamental: una buena nutrición y ejercicio. Sin estas, su cerebro —sin importar lo bien que lo prepare— nunca funcionará al límite de capacidad. A continuación le daremos algunas sugerencias que le ayudarán a cuidar y a alimentar su materia gris.

Levántese y ande. Hacer ejercicio con regularidad beneficiará a su memoria. Tan sólo una simple caminata de 50 minutos a paso rápido tres o cuatro veces a la semana bastará, según Robert E. Dustman, Ph.D., científico investigador de carrera y director de investigación en neuropsicología en el Centro Médico Veterans Affairs de Salt Lake City. Los científicos a cargo de un estudio que abarcó a 45 hombres y mujeres entre los 55 y los 70 años de edad observaron que quienes empezaron un programa de caminatas obtuvieron mejores resultados en diversas pruebas de memoria visual y flexibilidad mental.

"Tiene sentido que el ejercicio aeróbico sea bueno para el cerebro porque es bueno para el sistema cardiovascular, el cual representa la puerta de entrada al cerebro", comenta el Dr. Dustman, quien diseñó el estudio.

pronto posible, indica.

Haga listas. Anote la información. Así se le quitará un peso de encima a su mente en lo que se refiere a recordar. Las listas también obligan a organizar las ideas. "Aunque se le olvide la lista tomó el tiempo para organizar sus pensa-

Disfrute las fresas y las espinacas. Es posible que ambos alimentos ayuden a combatir los efectos del envejecimiento en el cerebro. Investigaciones recientes demuestran que un extracto ya sea de fresas o de espinacas ayuda a retrasar en las ratas estos problemas.

"Sí tienen un efecto positivo al reducir el deterioro cognoscitivo asociado con el envejecimiento, por lo menos en las ratas", afirma la Dra. Wagster. Si bien aún es preciso confirmar estos hallazgos en relación con las personas, la experta recomienda seguir una alimentación equilibrada que incluya alimentos ricos en antioxidantes, como las fresas y las espinacas.

Sírvale suplementos de C y de E. Las vitaminas C y E son antioxidantes, por lo que se piensa que protegen al cerebro contra los daños normales del envejecimiento. Si bien debe obtener la mayoría de sus nutrientes de una alimentación llena de frutas, verduras y cereales integrales, es posible que necesite agregar una mayor cantidad de estos antioxidantes, señala el Dr. Scheibel, así que tome un suplemento diario de 400 unidades internacionales de vitamina E y 1,000 miligramos de vitamina C. "Los datos están apuntando cada vez más en el sentido de que ambas protegen al cerebro", afirma.

Abastézcase de la B. Las vitaminas B tiamina, vitamina B_6 y vitamina B_{12} contribuyen a mantener sano el cerebro, dice el Dr. Scheibel. Si no obtiene una cantidad suficiente de estas tres vitaminas del complejo B a través de su alimentación, pruebe un buen suplemento de las vitaminas del complejo B, sugiere.

Si no dispone de suficiente tiamina, el cerebro no aprovecha la glucosa al máximo. Cuando esto sucede, no rinde a toda su capacidad. Se necesitan por lo menos 1.5 miligramos al día. Algunas buenas fuentes alimentarias son el salvado de arroz, la carne de cerdo y de res, los chícharos (guisantes, arvejas) frescos, los frijoles (habichuelas) y el germen de trigo.

Por su parte, la vitamina B_6 ayuda a producir neurotransmisores, las sustancias químicas que les permiten a las células cerebrales comunicarse. Tome por lo menos 2 miligramos al día, que encontrará ya sea en un suplemento o en una buena fuente alimentaria como el plátano amarillo (guineo, banana), el aguacate (palta), el pollo, la carne de res o el huevo.

Por último, requiere la vitamina B_{12} para asegurar la producción de mielina, una capa grasosa que aísla las fibras nerviosas. Si no obtiene una cantidad suficiente de B_{12} es posible que padezca pérdida de la memoria y confusión. Necesita 6 microgramos diarios y los puede obtener a través de un suplemento o bien de fuentes alimentarias como las almejas, el jamón, la carne de cordero, las ostras (ostiones) cocidas, la centolla *(king crab)*, el arenque, el salmón o el atún.

Adáptese al cambio con facilidad

Si se encontrara sola en una isla desierta, ¿cuál sería su primera prioridad: (a) construir una lancha para escapar; o (b) construir una choza donde vivir?

Si eligió la opción (b) es una sobreviviente. Los sobrevivientes no se resisten a las situaciones malas. Se adaptan a ellas e incluso saben salir adelante.

Tal es la lección que Al Siebert, Ph.D., aprendió al entrevistar a personas que sufrieron terribles calamidades y vivieron para contar sus historias. Sobrevivieron naufragios en alta mar. Atrapados en las cimas de montañas, soportaron muchos días de un frío que hubiera podido ser mortal. Anduvieron a la deriva, solos, a través de oscuras selvas pluviales del trópico. En todos los casos los mantuvo con vida la misma habilidad básica: su capacidad de adaptarse.

"No hubo enfrentamientos entre un individuo mítico y el mar, la montaña o los elementos. Hubo un individuo que vivió *con* el mar, un individuo que vivió *con* los elementos. No se resistieron a sus situaciones sino que se adaptaron a ellas y salieron adelante", explica el Dr. Siebert, un profesor adjunto semirretirado de la Universidad Estatal de Portland en Oregón y autor de varios libros sobre la supervivencia.

¿A qué queremos llegar con todo ello? Son pocas las que entre nosotras tendrán que sobrevivir en un páramo ártico o hallar comida en el desierto. La mayoría de los cambios a los que nos enfrentamos son mucho más ordinarios: la oficina se reorganiza, por ejemplo, llegan vecinos nuevos o nos divorciamos. No obstante, de todas formas les podemos aprender algo a las personas que han experimentado cambios extremos. La lección que nos dan es importante porque los cambios, ya sean grandes o pequeños, son lo único en la vida que nadie puede evitar.

Un mundo eternamente cambiante

No todos los cambios son tristes o difíciles. Muchas veces pueden ser felices y gratificantes, como cuando se tiene un bebé o se logra un ascenso en el trabajo. No obstante, algunas personas —sobre todo al envejecer— perciben los cambios como una amenaza.

"Tal vez la gente le tenga miedo al cambio porque no saben a dónde los va a llevar. Quizá teman no poder ya recurrir a nada, y lo desconocido llega a dar miedo —afirma Peggy A. Stock, Ed.D., rectora del Colegio Westminster en Salt Lake City y conferencista sobre el tema del cambio—. A veces simplemente parece más seguro quedarnos con lo que conocemos".

Ya sea seguro o no, los beneficios de adaptarse al cambio superan en mucho los riesgos. Adaptarse le ayudará a hacer frente a lo que suceda en un momento dado. La persona que se resiste al cambio terminará estando fuera de sincronización con el resto del mundo, indica el Dr. Siebert, lo cual no es divertido. Estar fuera de sincronización con las personas y el mundo a su alrededor tal vez le produzca una sensación de aislamiento e impotencia, de que la vida ha seguido adelante, dejándola atrás.

En lugar de concentrarse en los riesgos del cambio, piense en las oportunidades que le brinda. Un acontecimiento inesperado e incluso negativo en apariencia puede impulsar su vida hacia una dirección positiva, por un camino que de otro modo quizá nunca hubiera recorrido.

Uno de los hombres a quienes el Dr. Siebert entrevistó llevaba 20 años trabajando para la misma oficina de gobierno. De repente lo asignaron a otro departamento, luego a otro y a otro más, y así sucesivamente durante los siguientes 6 años. En lugar de resistirse a estas transferencias o de sentirse contrariado, las aceptó como oportunidades desafiantes y decidió capacitarse con

---

PREGUNTAS Y RESPUESTAS

¿Por qué soy más tonta que una niña de 6 años cuando se trata de navegar la Internet?

La respuesta es: no es más tonta. Los niños no son más inteligentes en cuestiones de tecnología o de Internet; simplemente se acercan a estas cosas de un modo distinto a como usted lo hace.

Los niños tienen dos ventajas sobre los adultos cuando se trata de usar las computadoras. En primer lugar, crecieron con ellas. Una niña de 6 años no conoció un mundo sin direcciones en la *web*, navegadores o *laptops*. Navegar en Internet le parece tan natural como correr entre los juegos en el parque. Piense en algo que usted conoció de niña, pero que sus padres no hayan tenido en su infancia. Probablemente también la vieron como niña prodigio en lo que a esta actividad se refiere.

En segundo lugar, a los niños no les da miedo romper las cosas, incluyendo las computadoras. Para usted, por el contrario, la computadora probablemente es una máquina complicada. . . y una inversión de varios miles de dólares. Tiembla al pensar que oprimir el botón equivocado pudiera hacer desaparecer ese dinero en el ciberespacio. Una vez que comprenda que resulta prácticamente imposible descomponer una computadora escribiendo en el teclado o haciendo clic con el *mouse*, perderá su temor y se sentirá lo bastante segura para jugar en la red.

Información proporcionada por el experto
Alan I. Marcus
Profesor de Historia y especialista en Historia de la Tecnología
Universidad Estatal de Iowa
Ames

---

entusiasmo en sus nuevos puestos.

Al poco tiempo se convirtió en un elemento imprescindible de su nuevo departamento. Adquirió experiencia valiosa acerca de la oficina y subió tres niveles en el escalafón de salarios. "Si percibe el cambio como un reto para aprender, sacará ventaja de la situación y saldrá adelante. Las personas que conservan su capacidad de recuperarse en la vida y que aumentan su longevidad son las que se acercan al cambio con curiosidad. Hacen experimentos y se ponen a explorar como unos niños juguetones", señala el Dr. Siebert.

Desde luego entre el dicho y el hecho hay mucho trecho. Incluso las personas que viven cambios buenos, como comprar la casa de sus sueños o casarse, afirman que experimentan más estrés y tensión en sus vidas, agrega el Dr. Siebert. A continuación le daremos algunas pautas para facilitarle aunque sea un poco la tarea de buscarse un camino en un mundo cambiante.

Evoque sus éxitos. Piense en todos los cambios que ha manejado con éxito en el pasado: casarse, tener hijos, cambiarse de casa, entrar a un nuevo empleo. De esta forma recordará cuántas veces se ha impuesto al cambio. "Recordará lo bien que le hizo frente y sabrá que manejará la nueva situación igual de bien", afirma el Dr. Siebert.

Discútalo. Al trabajar con mujeres de entre 40 y 50 años que decidieron retomar sus estudios universitarios, el Dr. Siebert averiguó que les resultaba sumamente reconfortante y útil hablar con otras mujeres que se encontraban en situaciones similares. Localice a otras personas que estén viviendo o que hayan vivido un cambio semejante al suyo, recomienda el experto. Podrán darle consejos o simplemente la tranquilidad de saber que no está sola.

Adelántese a los hechos. Si se vislumbra un cambio en el horizonte, no reaccione de manera impulsiva. Por el contrario, prepárese. Si se trata de su trabajo, por ejemplo, aprenda algo

---

Hable como tecnóloga

Además de crear un mundo enteramente nuevo, la tecnología también da lugar a un lenguaje enteramente nuevo. Este nuevo vocabulario hace que muchas personas se sientan perdidas y confundidas, afirma Larry Rosen, Ph.D., profesor de Psicología en la Universidad Estatal de California en Dominguez Hills y coautor de un libro sobre cómo hacer frente al estrés que produce la tecnología.

No obstante, al igual que sucede con cualquier otro lenguaje, usted puede aprender unas cuantas frases o palabras clave para ayudarla a comunicarse con la sociedad tecnológica. A continuación le presentaremos una breve introducción a algunos de los términos más comunes de computación y su significado.

- Internet: una red global de computadoras que les permite a las personas compartir información y recursos.
- Ciber- (prefijo): una persona, sitio o cosa en Internet. Algunos ejemplos: ciberespacio, ciberpunk.
- Correo electrónico (corre e, *e-mail*): el correo que se envía por Internet o por medio de algún servicio en línea.
- Red mundial (*World Wide Web*): una colección de documentos de multimedia conectados entre sí. Los documentos de la red pueden incluir texto, imágenes, audio y video.

---

nuevo para que pueda cambiar de profesión, de ser necesario, o bien mejore sus bonos en su empleo actual, recomienda el Dr. Siebert. "Si se dice a sí misma: 'Tengo que aprender todo esto para ser competitiva en el mundo de hoy', no se resistirá al cambio. Por otra parte, si se le indica que debe hacer algo a fin de sobrevivir se sentirá más angustiada aún y reaccionará como víctima en lugar de como alguien que saldrá adelante", comenta el experto.

Cambie por el gusto de cambiar. Acostúmbrese al cambio haciendo algunas modificaciones agradables en su vida de modo voluntario, sugiere la Dra. Stock. Intente un deporte nuevo

- Navegador (*browser*): el programa que se utiliza para navegar por la red mundial.

- Buscador (*search engine*): un sitio que le permite realizar búsquedas en Internet indicándole una palabra o frase clave.

- Dirección o *URL* (siglas de *Uniform Resource Locator* o "localizador de fuentes unificado"): por lo común empieza con "www". La ubicación de un sitio específico.

- Navegar en Internet: pasar al azar de un sitio a otro en Internet. Sin buscar una página específica, sino sólo viendo lo que hay. Se parece al acto de recorrer los canales con el control remoto de la televisión.

- *CD-ROM*: este acrónimo en inglés significa "disco óptico de sólo lectura", lo cual se refiere a la información audiovisual guardada en un disco compacto que usted coloca en la unidad de CD-ROM (reproductora de CD) de la computadora. Esta unidad se parece mucho a la reproductora de CD que utiliza para escuchar música en su estéreo.

- *Spam*: No se refiere a la carne fría sino al correo electrónico no deseado. Por lo general se trata de propaganda que se recibe a través de la computadora.

como patinar con patines de navaja *(inline skating)* o golf, lea un nuevo género de libros, encuentre un nuevo pasatiempo. "El cambio puede ser divertido y gratificante —afirma la experta—. Hace que la vida mantenga su interés".

El cambio a la velocidad de la luz

Tecnología: una palabra que puede dar miedo. Todos los días las computadoras se hacen más rápidas, más poderosas y más intimidatorias. Invaden todo lo que hacemos, desde comunicarnos

por teléfono con un representante del departamento de servicio a clientes de alguna empresa hasta arrancar el carro. Están metidas en el despertador digital, en el reproductor de DVD, en la contestadora, en el cajero automático. Es asombrosa la cantidad de tecnología que debemos manejar en un solo día.

A menos que piense irse a vivir a una casita en la copa de un árbol en la selva, realmente no hay forma de evitar la tecnología. El progreso tecnológico es un tipo de cambio que todos debemos aguantar. Mantenerse al tanto de su evolución no es muy fácil ni se logra simplemente a través de la intuición. A pesar de que tenemos una extraordinaria capacidad de adaptación, la tecnología representa un obstáculo especial.

Así ocurre porque avanza tan rápido, según indica Larry Rosen, Ph.D., profesor de Psicología en la Universidad Estatal de California en Dominguez Hills y coautor de un libro sobre cómo hacer frente al estrés que produce la tecnología.

De acuerdo con el Dr. Rosen, a lo largo de la mayor parte de la historia escrita los avances tecnológicos por lo común tardaban años —a veces incluso décadas— en desarrollarse, y luego pasaba aún más tiempo para que fueran aceptados. Todo ese tiempo les daba a las personas el lujo de aprender, ajustarse y decidir de qué manera integrarían la nueva tecnología a sus vidas.

Casi al paso que ellos quisieran, las personas podían asimilar la importancia y las implicaciones de la rueda, la imprenta, el automóvil y el televisor. Por el contrario, la tecnología de hoy evoluciona a un paso tan acelerado que ha destruido ese mecanismo de defensa. Ya no contamos con el tiempo suficiente para aprender, ajustarnos y adaptarnos a una maravilla tecnológica antes de que la siguiente se presente en escena. El resultado es que nos sentimos intimidados, estresados y temerosos, según afirma el Dr. Rosen.

Los beneficios del "tecnocambio"

Es posible que la tecnología nos presente una fachada más desafiante que otros tipos de cambio, pero también nos abre un mundo de beneficios. A continuación le expondremos unas cuantas ventajas de las muchas que gozamos cuando nos mantenemos al tanto del avance tecnológico.

Nuevas perspectivas. Mantenerle el paso a la tecnología impide que el pensamiento se estanque. Y "al hacer algo tan de vanguardia se sentirá joven", opina Alan I. Marcus, profesor de Historia y especialista en la historia de la tecnología en la Universidad Estatal de Iowa en Ames.

Control. Adaptarse a las nuevas tecnologías le permite controlar aspectos importantes de su vida: qué llamadas aceptar, cuándo y dónde trabajar y cómo recibir las noticias, viajar, manejar el carro y proteger el hogar.

Mayor acceso. Desde nuevas recetas hasta conocimientos médicos completamente actualizados, informaciones importantes de todo el mundo estarán a su alcance.

Diversión. Además de ofrecerle juegos de computadora, la tecnología le permite hacer videos de sus amigos, escuchar música en su oficina y encontrar nuevas ideas para pasatiempos y formas de expresión creativa.

Contactos estrechos. Gracias al teléfono, el celular, la contestadora, el bíper y el correo

---

EL SÍMBOLO DE UN MUNDO QUE LE TEME A LA TECNOLOGÍA

Al igual que otras muchas tecnologías, la videocasetera (VCR) es una máquina demasiado compleja. "Las personas que la desarrollaron trataron de meterle todo, por lo cual no es fácil lograr las dos cosas que queremos que haga: reproducir cintas y grabar programas", afirma Larry Rosen, Ph.D., profesor de Psicología en la Universidad Estatal de California en Dominguez Hills y coautor de un libro sobre cómo hacer frente al estrés que produce la tecnología.

Sin embargo, ¿por qué la videocasetera se ha erigido en el símbolo máximo de la incapacidad de la persona mayor de utilizar la tecnología? Principalmente porque se encuentra por todas partes. Incluso quienes odian en serio a la tecnología tienen una videocasetera. Además, la videocasetera está a la vista. A diferencia de otras tecnologías escondidas en las oficinas, la videocasetera se aloja en la habitación que más se frecuenta en su casa: la sala o el salón de juegos.

Y ese 12:00 que se prende y se apaga constantemente le recuerda su fracaso en dominar esa caja de tornillos.

Debido a que todas las videocaseteras son diferentes entre sí, no hay reglas universales acerca de cómo operarlas.

---

electrónico se ha vuelto sencillísimo entrar en contacto con quien sea, sin importar que esté cerca o muy lejos. Puede enviar fotografías de sus hijos o nietos por video o correo electrónico. Puede utilizar un videoteléfono de Internet para ver a sus seres queridos y hablar con ellos los días de fiesta. "Recuerdo haber escuchado de niña que algún día tendríamos teléfonos con imagen. Pues ese 'algún día' ya llegó", afirma Ann Wrixon, presidenta y directora ejecutiva de *SeniorNet*, una comunidad en línea y sitio *web*.

Nuevos amigos. Ya sea que entre en contacto con ellos en línea o en una clase de computación, el uso de la tecnología le permitirá conocer a gente de todos los medios y edades.

No obstante, el Dr. Rosen le tiene unas cuantas sugerencias que le servirán de punto de partida para conquistar prácticamente cualquiera de estos pequeños monstruos mecánicos.

Lea el manual por partes. Algunos manuales están tan mal escritos que no ayudan en mucho, admite el Dr. Rosen. Para simplificar las cosas, lea sólo acerca de lo que piense utilizar. No se agobie con informaciones innecesarias.

Pegue las páginas a la máquina. Saque fotocopias a las páginas que más utiliza del manual o bien arránquelas, y péguelas a la videocasetera con cinta adhesiva. De esta forma las tendrá a la mano cuando quiera hacer algo, como programar la hora después de que se fue la luz.

Practique, practique, practique. La mayoría de las personas esperan hasta tener mucha prisa para salir o verse en necesidad de grabar algo importante antes de ponerse a pensar en cómo operar la máquina. Con las prisas se equivocan y su torpeza los pone más nerviosos que de costumbre. Finja que su videocasetera es un instrumento musical. Si lo practica con regularidad cuando no importe que le salga bien o no, estará lista para rendir bajo presión cuando realmente le haga falta.

Este trato con personas diversas la mantendrá activa y la llenará de energía.

Mejor aprovechamiento de las experiencias de la vida. Es posible que los niños prodigio de 20 años estén inventando las maravillas tecnológicas, pero las personas de 40 años o más son las que saben qué hacer con ellas. "Las personas con más experiencia de vida son las que utilizan la tecnología de las formas más innovadoras y emocionantes", indica Wrixon.

Cómo acercarse a la tecnología

Quizá sea bueno mantenerse al tanto, pero en vista de que todo se desarrolla con tal rapidez, ¿cómo se logra esta meta exactamente? ¿Dónde hay que buscar la información? A continuación le daremos algunas sugerencias para que se actualice en cuestiones tecnológicas y se mantenga al tanto de ellas durante toda su vida.

Lea la prensa popular. Muchos periódicos actuales cuentan con secciones semanales sobre tecnología que hablan de qué está pasando y qué se puede esperar, afirma el Dr. Marcus. Revistas populares de noticias como *Newsweek en Español* también cuentan con secciones sobre tecnología. La prensa que se dirige al público medio habla de las cosas con sencillez y no la agobiarán con mucha jerga tecnológica.

Tome una clase. Las bibliotecas públicas, los colegios comunitarios *(community colleges)*, las organizaciones sin fines de lucro y los centros de educación para adultos con frecuencia ofrecen clases para las personas que quieren aprender acerca de las nuevas tecnologías, particularmente las computadoras. Muchas veces estos cursos son divertidos, baratos y pensados para adultos. Tome una clase para aprender algo nuevo o para dominar un programa que ya utilice. Asegúrese de que el instructor maneje un lenguaje que pueda comprender, sugiere Wrixon.

La práctica hace al maestro. Al igual que sucede con cualquier otra cosa, usar la tecnología requiere práctica. "La entenderá con el tiempo. No tiene que aprenderlo todo en este instante", opina el Dr. Rosen. Trátese de su videocasetera o de las llaves automáticas de su carro, dedique un poco de tiempo a jugar con ellas hasta agarrarles la onda.

Haga frente a una cosa a la vez. No se proponga comprender la intrincada codificación de un programa de computadora. No hace falta. En cambio, aprenda una función a la vez. "Divídalo en pequeñas partes. No tiene que saberlo todo, sólo los procedimientos específicos de lo que quiera hacer", afirma Wrixon. Aprenda a mandar un correo electrónico, grabar un programa o escuchar un mensaje en la contestadora. Una vez que haya dominado una tarea agréguele otra, recomienda la experta.

Póngase una meta. Defina la razón por la que desea aprender a manejar cierta tecnología. ¿Quiere aprender a usar la Internet para estudiar la historia de su familia o aprender a utilizar una cámara de video para filmar a sus hijos? Contar con una meta hace más divertido aprender y le da un norte. Si sólo se propone aprender algo por sentirse obligada a hacerlo no contará con la misma motivación, opina Wrixon.

Rente o pida prestada la tecnología. Si no está segura de querer o necesitar un nuevo aparato no tiene la obligación de comprarlo, independientemente de lo que los demás parezcan estar haciendo, advierte el Dr. Rosen. Muchas tiendas ofrecen computadoras y otros equipos tecnológicos en renta. También puede pedirle a una amiga que le preste sus máquinas por un tiempo. De esta forma "podrá decidir si realmente le gusta y no sentirá la presión de adquirirlo hasta que sepa si lo quiere", afirma el experto.

Pruebe algo nuevo

Se ha dicho que la mediana edad ha llegado cuando una está sentada en su casa un sábado por la noche, el teléfono suena y tiene la esperanza de que la llamada sea para otra persona.

Más o menos a los 35 años, muchas personas han encontrado una forma de vivir con la que se sienten a gusto. Por lo común esta situación incluye cierta aversión a modificar las cosas.

"Las personas temen convertirse en extraños en sus propias vidas si no siguen los patrones que han establecido a lo largo de los años", afirma Maryann Troiani, Psy.D., una psicóloga clínica del Grupo Mercer en Barrington, Illinois, y coautora de un libro sobre el optimismo. Sin embargo, salirnos de los límites de nuestros pequeños y acogedores mundos es justamente lo que requerimos para mantenernos jóvenes, opina la experta. "Entre más abiertas se mantengan las personas ante las experiencias nuevas aprenderán más, desarrollarán más pasión y energía y su calidad de vida mejorará".

Así que ¿por qué no aprovecha la gran cantidad de experiencias nuevas que el mundo le ofrece? Se ha dicho que nunca es demasiado tarde para ser lo que se hubiera podido ser, así que

reflexione creativamente sobre el asunto. Puede empezar a practicar un deporte, viajar, hacer trabajo voluntario, pintar, esculpir, meditar, tomar clases, involucrarse con el mundo político de su comunidad, integrarse a un grupo de excursionismo, hacerse activista, estudiar Astronomía, aprender fotografía, hacer nuevas amistades, volverse experta en computadoras, mejorar sus habilidades culinarias, mejorarse usted misma. Las posibilidades son infinitas.

"El secreto de mantenerse joven es reinventarse a sí misma en cada década de la vida", opina Laura Barbanel, Ed.D., profesora y coordinadora del programa de posgrado de Psicología Educativa en el Colegio Brooklyn de la Universidad de la Ciudad de Nueva York.

Busque y encontrará

¿Cómo le puede hacer, pues, para encontrar las pasiones que le convengan hoy, estando consciente de que a los 50 ó 60 años e incluso después habrá de canalizar su energía hacia lo que más le importe al paso de los años?

Si no está segura de por dónde comenzar,

De mujer a mujer
El poder de un perrito

Elizabeth Goldstein, de 39 años, una fotógrafa en la ciudad de Nueva York, hace algunos años empezó a sentir un vacío interior que su carrera profesional no era capaz de llenar. Al ser víctima de la depresión en repetidas ocasiones, llegó a tener la impresión de que su vida carecía de un objetivo. No obstante, cuando empezó a trabajar como voluntaria en un refugio local para animales descubrió el poder curativo —y rejuvenecedor— del amor.

Los animales me han encantado desde siempre, aunque de niña no me permitieron tener una mascota. Mi padre insistió en que era demasiada responsabilidad y mi madre deseaba mantener la casa libre de bolas de pelos y huellas de patas lodosas.

Conforme pasaban los años empecé a toparme con la sensación de que mi vida carecía de una meta específica. Los años transcurrían y al final sería vieja y tendría que aceptar la realidad de no haber hecho nada para cambiar el mundo. Decidí no permitir que eso sucediera. Era hora de realizar algunos cambios.

Empecé por hacer un cambio positivo en un mundo pequeño, el de un animal sin hogar. Visité un refugio local para animales y a los 31 años adopté a mi primera mascota: una gata negra tímida y escuálida. La quise desde el primer momento que la vi, pero no pude dejar de pensar en los demás gatos y perros aún enjaulados en el refugio, a la espera de que alguien fuera a salvarles la vida.

Empecé a pasear a los perros del refugio, a asear a los gatos y a socializar a los animales traumados por sus experiencias con personas crueles. Al poco tiempo me integré al programa de adopción temporal del refugio, dentro del cual los voluntarios nos llevamos a los animales muy jóvenes o enfermos a nuestras casas, les brindamos los cuidados que necesitan y los devolvemos cuando están listos para ser adoptados.

Ocho años después sigo entusiasmadísima, trabajando de voluntaria. Y la actividad me ha dado un beneficio inesperado: me siento más joven y con más ánimos que cuando empecé. No hay nada tan curativo —y renovador— como dar y recibir amor. Marcar una diferencia en la vida de estos animales ha marcado muchísima diferencia en la mía.

---

siga los siguientes pasos sencillos.

Acérquese a sus amigos y familiares. Hablar con sus amigos y familiares —sobre todo con los más viejos— puede ayudarle a recordar las cosas que le encantaban cuando era más joven, afirma la Dra. Barbanel. Sus primeros pasatiempos, intereses y habilidades innatas, que olvidó cuando empezó a criar a sus hijos o a desarrollar su profesión, pueden convertirse en terreno fértil para la inspiración ahora que tiene la sabiduría y la madurez de su lado.

Hágase una prueba. Si piensa que las pruebas de aptitud son únicamente para los alumnos de secundaria (preparatoria) que no saben qué estudiar en la universidad, sólo acertó a medias. Una empresa de investigación ubicada en la ciudad de Nueva York, la Fundación Johnson O'Connor para la Investigación, les ha ayudado a cientos de miles de clientes desde hace más de 75 años a precisar sus talentos e intereses ocultos.

Una prueba típica mide las aptitudes musicales, la visualización estructural, el razonamiento inductivo, la memoria, la capacidad para producir una serie de ideas y otras muchas formas de brillantez que tal vez posea. Otras pruebas de aptitud simplemente le ayudan a empatar sus habilidades con sus intereses, de modo que pueda empezar a dedicarse a las cosas que sepa hacer muy bien y le encanten.

En vista de que algunas pruebas llegan a costar $120 o más por hora querrá buscar la mejor oferta disponible. Su directorio telefónico o la oficina de educación para adultos de su colegio comunitario (*community college*) más cercano son buenos lugares para empezar.

Hágalo usted misma. Si prefiere identificar sus pasiones por su propia cuenta y no la asusta escribir un poco, pruebe el siguiente método tripartito, recomienda la Dra. Troiani. Primero apunte sus mejores cualidades —las que muchas damos por sentadas—, como la amabilidad, la honestidad y la lealtad. Luego haga una segunda lista de las actividades que disfruta, que puede ser preparar postres, construir, aprender y cantar. En tercer lugar lo más importante: reflexione acerca de por qué cosa le gustaría que la recuerden cuando ya no esté y también apúntelo. Ahora busque los temas y patrones que se repitan en las tres categorías, como la creatividad o el deseo de ayudar a las personas. El resultado será una lista breve pero personalizada de los caminos que querrá explorar, indica la experta.

Hágalo realidad. Ahora que cuenta con una idea de lo que quiere hacer, ¿cómo puede hacerla realidad? Busque los recursos que estén

Alargavida
Cultívese

Ahora le daremos uno de los mejores pretextos que escuchará jamás para ir al teatro o a la ópera: podría ayudarle a vivir más tiempo.

Eso es lo que se dice en Suecia, donde un estudio científico amplio observó que las personas que asisten con frecuencia a acontecimientos culturales como el teatro, los museos o los deportes —incluso los sermones religiosos— de hecho viven por más tiempo que quienes no lo hacen.

A nadie sorprende que los conciertos, las obras de teatro y las películas excelentes puedan inspirar a alguien, pero ¿de qué forma *Les Misérables* va a ayudar a retrasar el reloj de su vida? Los investigadores suecos sugieren que la "excitación emocional indirecta" producida por estos eventos posiblemente fortalezca el sistema inmunitario y por lo tanto ayude al cuerpo a combatir las enfermedades. Sólo evite ver demasiadas películas con violencia, pues los responsables del estudio notaron que estas tal vez tengan el efecto opuesto.

a su alcance. Vaya a su biblioteca pública y librerías locales para investigar más acerca de los temas novedosos para usted. Póngase en contacto con hospitales, casas hogar para niños, refugios para animales y organizaciones religiosas acerca de la posibilidad de trabajar como voluntaria. Comuníquese con los colegios y las universidades locales para conseguir información acerca de los cursos que ofrezcan para adultos. Entre a los sitios *web* pertinentes para buscar pistas acerca de lo que pueda hacer así como para entrar en contacto con otros que compartan sus talentos e intereses.

Y luego muévase, dice la Dra. Barbanel. No tenemos tiempo que perder en el intento por retrasar el reloj.

Reavive el fuego de la pasión

¿Desearía ser veinteañera otra vez? El estudio Sexo en los Estados Unidos, que incluyó una encuesta de más de 3,000 personas, encontró que según sus propias afirmaciones las mujeres de entre 20 y 25 años tenían el menor número de orgasmos durante el acto sexual, mientras que las mujeres de entre 40 y 60 años tenían el mayor número de orgasmos.

Así es: las relaciones sexuales mejoran conforme envejecemos.

Y no sólo eso, pues entre más disfrutamos las relaciones sexuales, más juveniles nos sentimos. "Las mujeres me dicen que se trata de una época muy especial en sus vidas y que se sienten realmente jóvenes. Las relaciones sexuales son algo que continuará en sus vidas", indica Louise Merves-Okin, Ph.D., una psicóloga clínica y terapeuta matrimonial y familiar en Jenkintown, Pensilvania.

¿Pero cómo es posible? ¿No se supone que todo *empeora* conforme envejecemos, que todo se descompone y se echa a perder? Pues independientemente de lo que *se supone* que deba suceder, en las siguientes tres áreas de la vida las cosas definitivamente mejoran.

Nuestros cuerpos. Los adolescentes no son los únicos cuyas hormonas enloquecen. Muchos investigadores sobre sexualidad opinan que la mujer llega al apogeo de su vida sexual entre los 30 y los 40 años o incluso después, por obra de las hormonas, según explica Karen Donahey, Ph.D., coordinadora del programa de terapia sexual y matrimonial en el Centro Médico de la Universidad Northwestern en Chicago. A esas alturas las mujeres también nos sentimos más a gusto con nuestros cuerpos. Sabemos lo que nos gusta y lo que no nos gusta.

Además, después de la menopausia el riesgo de embarazarse deja de existir. "Muchas mujeres tienen más deseos sexuales después de la menopausia porque no necesitan preocuparse por evitar un embarazo", afirma Alice Kahn Ladas, Ed.D., una psicóloga que da consulta en la ciudad de Nueva York y en Santa Fe, Nuevo México, coautora de un libro sobre la sexualidad femenina.

Nuestros sentimientos. Las mujeres que han pasado de los 35 años tienden a encontrarse en relaciones sólidas y en un punto avanzado de sus carreras profesionales, se sienten a gusto con sus hijos y vida familiar y en términos generales tienen más confianza en sí mismas. Cuando todo lo demás anda bien en la vida, las relaciones sexuales muchas veces también son gratificantes. "Cuando estamos contentas con nuestras vidas encontramos mayor satisfacción sexual", señala la Dra. Donahey.

Nuestras circunstancias. Conforme llegamos a los 40 ó 50 años, las responsabilidades familiares se aligeran un poco. Los hijos se van de la casa o tienen ya suficiente edad para que dependan menos de nosotras. Tenemos la oportunidad de canalizar más energía emocional hacia nuestra vida amorosa. Para muchas de nosotras es entonces cuando realmente empezamos a divertirnos.

Desde luego no todo lo que obstaculiza una vida sexual satisfactoria se va de la casa junto con los hijos. Seguramente usted encontrará que la vida cotidiana a veces se especializa en interponerse en el camino al dormitorio (recámara), si usted se lo permite. No obstante, al adoptar el enfoque correcto logrará que la chispa siga viva durante el resto de su vida. Ahora le diremos cómo.

Cómo hacer tiempo para hacer el amor

Después de un día de mandados y quehaceres, de cocinar, hacer la limpieza y trabajar, es posible que ni piense en las relaciones sexuales o bien, si llega a hacerlo, que la idea sólo le produzca más agobio. "Lo escucho cada vez con mayor frecuencia en mi consultorio. Para cuando las personas toman un respiro avanzada la noche,

RECURSO REJUVENECEDOR

El acto sexual: ¿el verdadero elíxir de la juventud?

Olvídese de esa vuelta al pasillo de los artículos para cuidar la piel. De acuerdo con un grupo de investigadores en Escocia, el secreto para verse más joven se encuentra en su dormitorio (recámara).

Los científicos del Hospital Real de Edimburgo entrevistaron a 3,500 personas que se veían y se sentían más jóvenes de lo que eran en realidad. La encuesta encontró que estas personas de aspecto más joven tenían relaciones sexuales "significativamente mejores. . . en calidad y cantidad" que la persona común.

"Mejorar la calidad de la vida sexual puede ayudar a una persona a verse entre 4 y 7 años más joven —indica el Dr. David Weeks del Hospital Real de Edimburgo en Edimburgo, Escocia, en su libro sobre los secretos de la juventud—. Es el resultado de una reducción significativa en el estrés, de estar más satisfecho y dormir mejor".

lo último que quieren es tener relaciones sexuales", comenta la Dra. Adelaide Nardone, una ginecóloga de Mount Kisco, Nueva York.

Conforme la carga de trabajo y las responsabilidades familiares aumentan hay que renunciar a algo. Desafortunadamente este algo muchas veces es la vida sexual. Las más de las veces no existe ningún problema con la libido, pero la gente anda tan ocupada que simplemente se siente cansada, explica la Dra. Nardone.

Así que no se preocupe. Su vida sexual sólo necesita que se la cultive. "Usted dedica tiempo a las cosas que disfruta. Trata de ser creativa y de darles un toque especial a las cosas importantes en su vida. Lo mismo debe ocurrir con la sexualidad", indica la Dra. Merves-Okin.

¿Necesita un poco de ayuda para empezar? A continuación le daremos algunas ideas para que logre reencender la pasión en su vida.

Prográmelo. En el mundo ajetreado de hoy parece imposible hacer nada sin programarlo. Lo mismo sucede con las relaciones sexuales. "Haga el esfuerzo consciente de apartar el tiempo. Quizá parezca poco natural, pero funciona. Digo, un juego de tenis tampoco aparecerá súbitamente de la nada. Tiene que hacer los arreglos necesarios", opina Wendy Fader, Ph.D., psicóloga y terapeuta sexual en Boca Raton, Florida. Apúntelo en su agenda. Trate el asunto como si fuera otra junta (reunión) muy importante, porque de hecho *es* igualmente importante.

Cree el ambiente. Prenda unas velas, saque una botella de vino, ponga un CD de música romántica e incluso baile con su compañero en el dormitorio. Cuando cree un ambiente romántico las cosas muchas veces se darán solas. Que las relaciones sexuales sean una forma placentera de terminar el día, no una faena, sugiere la Dra. Merves-Okin.

Despierte temprano. Sin importar cómo le haya ido en el día, a las 11:00 P.M. probablemente esté demasiado exhausta para hacer el amor. No limite el sexo a la noche, recomienda la Dra. Nardone. Levántese media hora antes y haga el amor por la mañana, o tómese un descanso a la hora del almuerzo y cite a su compañero en casa.

Rapidito, rapidito. Aproveche esos minutitos que le sobran aquí y allá. "Hay toda clase de posibilidades para paréntesis sexuales —indica la Dra. Fader—. Un rapidito de 10 minutos está perfecto. No siempre tienen que ser sesiones maratónicas de 2 horas".

Despreocúpese de los hijos. Contrate a una niñera o pídale a algún familiar que los cuide

---

El reloj biológico: ¿Acaso la cuerda le está durando más?

Una mujer da a luz a su primer hijo a los 63 años. La edad *promedio* de las pacientes en una clínica de fertilidad de California es de 48 años. ¿Por qué las mujeres están esperando tanto para embarazarse? ¿Ha cambiado el reloj biológico?

De hecho el reloj no ha cambiado en absoluto. "Sigue haciendo tictac por su propia cuenta —según indica la Dra. Faith Frieden, directora de medicina maternal y fetal en el Hospital y Centro Médico Englewood en Nueva Jersey—. Sin embargo, las mujeres y la tecnología médica lo están llevando al límite".

El cuerpo de la mujer funciona de la misma forma que siempre. Todos los meses, al ovular, libera un óvulo que puede ser fecundado. Este proceso continúa hasta que termine su menopausia, por lo general un poco después de los 50 años. Siempre y cuando esté ovulando, la mujer tiene la posibilidad de embarazarse.

No obstante, la calidad y la cantidad de los óvulos disponibles disminuye conforme envejece, lo cual reduce su fertilidad. Apenas recientemente los descubrimientos realizados en el campo de la fertilidad han reforzado la posibilidad de

---

mientras ustedes disfrutan un fin de semana romántico en alguna parte o incluso sólo una cena sensual y relajante, sugiere la Dra. Nardone.

Dedique el día a pensar en hacerlo. "Cuando despierte por la mañana piense en tener relaciones sexuales. Si piensa en ello durante todo el día será más probable que suceda", opina la Dra. Fader. Deje que la expectativa crezca y se morirá de las ganas de regresar a casa.

Dígale sus deseos. Ahora que se ha mentalizado, su tarea es lograr que él haga lo mismo. "Seduzca a su compañero durante todo el día", recomienda la Dra. Fader. Déjele recaditos de amor con insinuaciones de lo que lo esperará cuando llegue a casa. Si es realmente audaz,

tener hijos a una edad más avanzada. "Las mujeres tienen la sensación de contar con más opciones gracias a la tecnología", afirma la Dra. Frieden.

Además, actualmente las mujeres son más sanas que sus homólogas de años atrás. Tienen la expectativa de vivir por mucho más tiempo que sus bisabuelas y de ser mucho más sanas en la mediana edad, de modo que llegan a esperar hasta después de los 35 o los 40 años para tener hijos. Mientras tanto, un gran número de mujeres se dedican a sus carreras profesionales, señala la Dra. Frieden.

Desafortunadamente los embarazos tardíos implican algunos riesgos. Un estudio científico que incluyó a 24,000 mujeres en la Universidad de California en Davis encontró que las madres primerizas mayores de 40 años tienen el doble de probabilidad de dar a luz por cesárea, además de ser mucho más probable que se enfermen de diabetes y presión arterial alta (hipertensión) a causa del embarazo. "Definitivamente es posible llevar el embarazo a buen término y lo más probable es que se logre, pero estas mujeres deben saber en qué se están metiendo —advierte la Dra. Frieden—. Desafortunadamente a una edad más avanzada los embarazos corren un mayor riesgo de anormalidades fetales, como el síndrome de Down".

ponga a prueba el arte de la seducción por teléfono. "Así se despejará el camino para que se junten. Es muy excitante", afirma la experta.

Dígale que lo ama. El acto sexual es la máxima expresión del amor que usted y su compañero sienten el uno por el otro. Desafortunadamente, conforme las vidas se van llenando de actividades a veces se olvida comunicar ese amor. Sin una sensación general de afecto y ternura, con frecuencia las relaciones sexuales también se quedan a mitad del camino. "La otra persona quiere saber que le interesa a usted y que usted lo ama —afirma la Dra. Merves-Okin—. Empiece por la mañana, dejándole un recado que diga: 'Estoy feliz por haberme casado contigo'.

Dígale 'te amo' todos los días, e indíquele qué es lo que ama de él".

Póngase ese vestidito negro. Después de vestir pantalones de mezclilla (mahones, *jeans*) y una sudadera todo el día, no se sentirá muy seductora. Sin embargo, si se pone un vestido de fiesta o un *body* erótico *(teddy)*, es posible que verse sexy la haga sentirse sexy. "Aunque sólo estén usted y su esposo póngase algo bonito. Se sentirá como una mujer", recomienda la Dra. Nardone.

Entren en contacto. El acto sexual no debe ser la única ocasión en que usted y su compañero se toquen. Tómense de las manos, abrácense, bésense, duerman abrazados. . . todos los días, sugiere la Dra. Merves-Okin. El simple afecto con frecuencia se transforma en una vida sexual maravillosa y llena de ternura.

Tómese tiempo para *no* hacer el amor. No sólo sus hijos necesitan que usted les dedique tiempo de calidad. Salga a caminar con su compañero o aparte 10 minutos diarios para hablar de cómo les fue a cada quien durante el día. "Cultiven un sentido de la unión", sugiere la Dra. Nardone. Este sentido de estar conectados suele promover un ambiente amoroso y cariñoso en el que las relaciones sexuales se dan estupendamente.

Cada noche es una experiencia nueva

Una paciente de la Dra. Nardone es una mujer soltera de 40 y tantos años. Un día llegó al consultorio desbordando felicidad acerca de un nuevo amor en su vida, un hombre de 40 y tan-

PREGUNTAS Y RESPUESTAS

¿Por qué tantas mujeres se sienten atraídas por hombres mayores?

El poder es un afrodisíaco fuerte para muchas mujeres, y los hombres mayores con frecuencia emanan poder desde la médula. No nos referimos a que ejerzan poder sobre las mujeres que los encuentran interesantes, sino que la madurez y la experiencia de un gran número de hombres mayores a menudo les permite controlar muchos aspectos de sus propias vidas. Las mujeres que ansían estabilidad pueden hallar irresistibles estas cualidades.

Es más probable que un hombre mayor haya ascendido sobre la escalera profesional, de modo que se encuentra en el pináculo de su carrera. A diferencia de sus homólogos más jóvenes, los caballeros mayores no cuestionan el propósito de sus vidas ni sus metas profesionales, ni tampoco están tratando de decidir si será buena idea hacer un posgrado. Suelen tener más confianza y estar más seguros de sí mismos y han vivido muchas cosas, de modo que saben qué quieren y cómo obtenerlo. Su naturaleza firme, sólida y poderosa definitivamente les gusta a algunas de las mujeres que anhelan la estabilidad.

En otros casos, los hombres mayores y las mujeres más jóvenes que ellos de cierta forma se hallan en la misma etapa de sus respectivas vidas. Digamos que una mujer de entre 35 y 40 años quiere sentar cabeza, comprar una casa y formar una familia. Es posible que un hombre más o menos de su misma edad aún no esté dispuesto a renunciar a su carrera profesional ni a su libertad, mientras que un cuarentón que tiene la impresión de haber logrado lo que se propuso en la vida posiblemente ande buscando justamente eso.

Información proporcionada por la experta
Louise Merves-Okin, Ph.D.
Psicóloga clínica y terapeuta matrimonial y
familiar
Jenkintown, Pensilvania

tos años también. Se deshizo en exclamaciones acerca del hecho de que hacían el amor dos veces al día. . . todos los días. ¿De dónde sacaba su inspiración esta pareja de mediana edad? De la novedad de su relación. Tenía chispa, romanticismo y espontaneidad, las cualidades justas que dan lugar a una vida sexual fabulosa.

Lo que muchas personas perciben como falta de deseo francamente es aburrimiento. Si bien pasar años con el mismo compañero engendra una intimidad y cercanía emocional que pueden aumentar el placer sexual, también crea la sensación de estar repitiendo una rutina. "Cualquier cosa que se haga durante 15 años tiene que terminar siendo aburrida —comenta la Dra. Fader—. Incluso las personas que dicen tener una vida sexual decente opinan que se trata de un proceso bastante previsible. Lo hacen de la misma forma cada vez. Tiende a ser monótono".

No se preocupe. No tendrá que arrojar a la basura una relación buena y sólida de años a cambio de alguien nuevo que reavive su pasión sexual. De hecho, combinar su madurez e intimidad con elementos novedosos y excitantes elevará su vida amorosa a dimensiones totalmente nuevas. Desde luego darle el sabor de lo nuevo a lo que es de sobra conocido requerirá un poco de creatividad y tiempo, pero realmente valdrá la pena el esfuerzo. Ahora le diremos cómo mantener la pasión al rojo vivo.

Cambie el contexto. Una vela aquí, un poco de música allá, unas cuantas flores: este tipo de pequeños cambios le darán la sensación de estar viviendo una experiencia completamente nueva. "Yo empezaría por prender una vela. Haga que parezca más incitante", sugiere la Dra. Fader.

Consiéntase con satén. No hay nada que diga "vamos a hacer el amor" con tanta claridad como unas sábanas de satén (raso). Lujosas, suaves y sexys, estas sábanas sedosas transforman un dormitorio cualquiera en un lugar exótico, afirma la Dra. Fader. Póngalas cuando quiera darle a entender a su compañero que esa noche sucederá algo especial.

Encuentre un nuevo lugar. ¿Siempre tiene relaciones en el dormitorio? ¿Por qué no en la cocina, el comedor o el baño? El simple hecho de hacer el amor en otra habitación de la casa puede sacarla del ámbito de lo ordinario, señala la Dra. Ladas. Si quiere llegar más lejos, rente un cuarto de hotel o salga el fin de semana a hacer el amor en un sitio totalmente nuevo.

Complázcanse de nuevas maneras. Para la mayoría de las parejas las relaciones sexuales tienen una meta específica y todo conduce hacia un solo objetivo: el orgasmo a través del coito. Esta circunstancia le resta mucha diversión al asunto, afirma Beverly Whipple, R.N., Ph.D., profesora de enfermería en el Colegio Rutgers de Enfermería de Newark, Nueva Jersey, y presidenta de la Asociación Estadounidense de Educadores, Consejeros y Terapeutas Sexuales. "Me gusta enseñarle a la gente a subir una 'escalera del placer'. Cada escalón es placentero en sí mismo y puede conducir al siguiente, pero no es imprescindible subir más". La Dra. Whipple recomienda tratar de complacerse el uno al otro sin llegar al coito. Experimente y encuentre otras cosas que disfruten, como acariciarse, besarse o abrazarse.

Averigüen qué más les gusta a sus cuerpos. Dediquen un día a tocarse el uno al otro en todo el cuerpo, desde los dedos de los pies hasta la coronilla. Prueben caricias suaves o más fuertes, parecidas a un masaje. Quizá descubran que otras muchas partes del cuerpo —como las orejas, los dedos de los pies y las rodillas— pueden ser sensuales y eróticas, afirma la Dra. Whipple. Estos descubrimientos les generarán muchas ideas nuevas para hacer el amor.

Inviertan los papeles. ¿Es usted siempre la seducida y él el seductor o a la inversa? Intercambien los papeles. Desempeñar el mismo papel cada vez que se hace el amor puede convertirse en una rutina, al igual que hacerlo en el mismo lugar de siempre a la misma hora de siempre, según indica la Dra. Merves-Okin. Adoptar papeles distintos lo puede convertir en una experiencia nueva.

Arréglese para la cama. Ponerse un negligé o cualquier otra prenda que parezca sexy puede darle un toque de lo extraordinario a su vida amorosa. "No tiene que ser un camisón muy breve. Puede ser algo que se vea bonito y le acaricie la piel agradablemente. O tal vez sólo quiera ponerse una bata bonita. Lo que sea que la haga sentirse sexy", afirma la Dra. Merves-Okin.

Cuide su cuerpo cambiante

Para cuando llegamos a los 50 años nuestras vidas pueden abrirse mucho más al placer sexual. Los hijos ya se fueron de la casa, tenemos más confianza en nosotras mismas y no nos preocupa quedar embarazadas. Sin embargo, nuestros cuerpos están experimentando cambios que podrían poner obstáculos a la vida sexual. "Hay algunos cambios físicos, pero no se trata de nada que no se pueda resolver", indica la Dra. Whipple.

El cambio más importante se da en lo que se

SÍMBOLOS SEXUALES
A CUALQUIER EDAD

"Símbolo sexual": dos pequeñas palabras que evocan toda una galería de imágenes de mujeres jóvenes bellas y voluptuosas.

Espere un momento. *¿Jóvenes?*

Un montón de mujeres nos han demostrado sin dejar lugar a dudas que una mujer puede ser sensual y sexy a la edad que sea. A continuación incluimos una breve lista de ellas, y hay muchas más por el estilo.

Mae West. A los 43 años, Mae West era la mujer con el salario más alto en los Estados Unidos, principalmente gracias a los papeles provocativos y a veces realmente subidos de tono que interpretaba. A los 62 años fue la estrella de su propio número de club nocturno (rodeándose de hombres musculosos). Y en 1978, a los 85 años, protagonizó la película *Sextette*.

Eartha Kitt. Conocida por sus interpretaciones provocativas y ardientes, a los 64 años Kitt representó a una mujer seductora en *Boomerang*, en la que compartió pantalla con Eddie Murphy. Las memorias que publicó en 1992 se titulaban *I'm Still Here: Confessions of a Sex Kitten* (Sigo aquí: confesiones de una casquivana).

Raquel Welch. Renombrada tanto por su belleza y atractivo sexual como por sus actuaciones, una encuesta que se les hizo a los lectores de la revista *Shape* la nombró una de las mujeres más sexys del mundo a los 57 años. Ha interpretado papeles desde brevísimos hasta protagónicos en películas filmadas tanto en los Estados Unidos como en el extranjero. También ha filmado varios videos de ejercicios y ha escrito dos libros sobre la buena forma física.

Sophia Loren. Ahora que anda por los 70 años, muchos aún consideran a la pechugona "diosa" italiana como un símbolo sexual. Interpretó el objeto de la atracción en la película *Grumpier Old Men* de 1995.

Susan Sarandon. En una película de 1999 filmada para la televisión, Sarandon, de 52 años, tenía una relación con un hombre de 25. No fue la primera vez que Sarandon demostrara que las mujeres mayores pueden resultarles sensuales y atractivas a hombres más jóvenes. Le llevaba 13 años al objeto de su amor en *White Palace*, 12 años a su novio en *Thelma y Louise* y 12 años a su amante en *Bull Durham* (el actor Tim Robbins, con el que Sarandon tiene dos hijos en la vida real).

refiere al estrógeno, explica la Dra. Whipple. A pesar de que en promedio llegamos a la menopausia pasando los 50 años de edad, el estrógeno a veces empieza a disminuir desde los 35. Un nivel bajo de estrógeno puede resecar la vagina, por lo que tener relaciones sexuales llega a ser doloroso o incómodo. "Muchas mujeres no relacionan este problema con el nivel del estrógeno porque a los 35 años ni siquiera han pensado todavía en este tipo de cambios", afirma la Dra. Whipple. No obstante, si no recibe tratamiento la falta de lubricación puede prolongarse durante toda la menopausia y después de esta.

Este tipo de cambios pueden ser desalentadores, pero quienes les hacen frente y se adaptan a ellos con frecuencia descubren que su vida sexual sigue siendo satisfactoria e incluso llega a ser mejor que nunca. "Hay que aceptar que el cambio es inevitable en todos los ámbitos de la vida. Lo que me gustaba a los 25 años no es lo que me gusta a los 40, pero eso no significa que lo que me gustaba a los 25 fuera mejor. No implica que su vida sexual haya terminado. Simplemente quiere decir que es distinta", señala la Dra. Donahey.

Las siguientes estrategias le ayudarán a sobrellevar las asperezas.

Manténgase abierta al cambio. La vagina de una mujer premenopáusica tarda de 6 a 20 segundos en lubricarse una vez excitada. En las mujeres posmenopáusicas esto tarda de 1 a 3 minutos. En lugar de temerles a estos cambios adáptese a ellos, sugiere la Dra. Donahey. Quizá usted y su compañero tengan que darse más tiempo al hacer el amor, usar artículos sexuales o encontrar otras formas de complacerse el uno al otro. Adaptarse a los cambios puede ser divertido y emocionante, opina la experta. Las parejas que tienen problemas durante esta fase muchas veces son las que insisten en seguir haciendo las cosas de la misma forma que siempre.

Aplique un lubricante. Pruebe un poco de lubricación artificial para que las relaciones sexuales sigan siendo agradables. Aplique los lubricantes solubles en agua que se venden sin receta (como *K-Y jelly*, *Replens* o *Astroglide*) justo antes del coito. Otros productos, como *Vagisil Intimate Moisturizer*, pueden utilizarse en cualquier momento. Incluso es posible convertir la aplicación de un lubricante en una parte placentera de la experiencia sexual, indica la Dra. Whipple, en lugar de verla como un problema.

Ejercite su pelvis. Existe un ejercicio para mejorar las relaciones sexuales, el ejercicio de Kegel, que fortalece los músculos del fondo de la pelvis. A fin de encontrar sus músculos pélvicos, dice la Dra. Ladas, haga de cuenta que quisiera detener el flujo de la orina. Una vez que los haya encontrado, apriételos, manténgalos apretados de 1 a 2 segundos y relájelos. Repita entre 5 y 10 veces para empezar. Trate de llegar a apretar sus músculos 10 segundos y a relajarlos otros 10 segundos 10 veces seguidas. La Dra. Ladas también recomienda hacer lo que llama "parpadeos rápidos": contraiga y relaje los mismos músculos pélvicos lo más rápido posible. Sugiere hacer 100 "parpadeos" todos los días.

Haga el amor todas las veces que pueda. En las mujeres que tienen relaciones sexuales dos veces o más a la semana la cantidad de estrógeno que circula por su sangre aumenta al doble que en el caso de las que no tienen relaciones sexuales con tanta frecuencia, indica la Dra. Whipple. Al hacer el amor con más frecuencia usted genera más estrógeno, lo cual lubrica la vagina y le facilita tener relaciones.

Recursos relajantes para dormir bien

La Bella Durmiente. ¿Recuerda su historia? Se pinchó el dedo con un huso y durmió cien años.

¡Descansar un poco siempre debería ser tan fácil! Sin embargo, de hecho la mayoría de los 84 millones de estadounidenses que padecen insomnio aunque sea de manera ocasional son mujeres. El insomnio es la incapacidad de dormir lo suficiente.

¿Cuánto es lo suficiente? De acuerdo con Peter Hauri, Ph.D., codirector del Centro para los Trastornos del Sueño de la Clínica Mayo en Rochester, Minnesota, esto varía de una persona a otra. Para algunos basta con sólo 4 horas, mientras que para otros 9 horas son indispensables. La persona común funciona muy bien con 7 u 8 horas de sueño.

Aunque no esté durmiendo lo necesario no tendrá que ingresar a una casa de reposo. Sin embargo, tal vez se sienta como si debiera estar ahí. Probablemente no sorprenderá a nadie que entre otras cosas la falta de sueño reduzca el nivel de energía y la habilidad para concentrarse, además de que puede ponerla de mal humor. En conjunto esto lo afecta todo, desde su rendimiento en el trabajo hasta sus relaciones personales y su habilidad para manejar un carro. Por no hablar de aquellos "problemas" tan importantes de los ojos: las feas bolsas y ojeras.

Por otra parte, dormir lo necesario puede ayudarla a pensar, verse y sentirse como una mujer más joven de la noche a la mañana. Piense en lo que el descanso le brindó a la Bella Durmiente. Cuando el guapo príncipe se enamoró de su rostro pacífico en reposo y la despertó con un beso, ¡ella tenía más de 100 años! Vaya recurso rejuvenecedor.

La conexión entre la mente y el cuerpo

Así que ¿por qué nos cuesta tanto trabajo a algunas de nosotras meternos debajo de las cobijas. . . y quedarnos ahí? Para empezar, es posible que las dificultades para dormir sean consecuencia de la gran cantidad de ocupaciones que se tienen, afirma el Dr. Meir Kryger, profesor de Medicina en la Universidad de Manitoba en Winnipeg, Canadá, y ex presidente de la Fundación Estadounidense para los Trastornos del Sueño. "En nuestra sociedad tenemos profesiones exigentes que se prolongan después de las 5:00 P. M. y actividades adicionales después de salir de la oficina. Podemos ver la televisión las 24 horas del día y quedarnos despiertos toda la noche navegando en Internet", explica.

Sin embargo, existen diversos factores más, tanto físicos como psicológicos, según indica el Dr. Martín Moore-Ede, Ph.D., director ejecutivo de Circadean Technologies, una empresa dedicada a la investigación y la consultoría en Cambridge, Massachussetts, que se especializa en reducir la fatiga generada en el ámbito laboral; ex profesor de Fisiología de la Escuela de Medicina de Harvard; y coautor de un libro sobre el sueño. A continuación mencionaremos algunas de las razones más comunes que impiden conciliar el sueño.

Enfermedades. La calidad del sueño es un barómetro de la salud. El insomnio puede ser resultado de una depresión o del dolor. Otra causa puede ser la apnea del sueño, una afección en la que se deja de respirar de 10 a 60 segundos a la vez, se despierta por unos momentos y luego se vuelve a dormir, a veces sin darse cuenta siquiera de que el sueño se interrumpió. El síndrome de las piernas inquietas, que hace que las piernas brinquen y obliga a moverlas para sentir alivio, también la puede mantener despierta. Y luego está el trastorno del

PREGUNTAS Y RESPUESTAS

¿Por qué las personas mayores se levantan temprano aun sin tener que hacerlo?

Varias etapas de la vida aportan cambios a nuestros patrones de sueño. Al parecer el envejecimiento hace que se reajuste el reloj biológico, lo cual nos lleva a percibir a una hora más temprana las señales internas que nos indican tanto a qué hora despertar como a qué hora dormirnos. Lo más probable es que esto se deba a modificaciones en la liberación de melatonina por nuestros cuerpos. Esta hormona es producida por la glándula pineal muy adentro del cerebro y regula el ciclo de vigilia y sueño.

Además, conforme envejezca es probable que note que tanto la duración como la calidad de su sueño experimentan cambios. Por ejemplo, entre más edad tenga, pasará menos tiempo en las etapas 3 y 4 del sueño profundo, mientras que por el contrario estará más tiempo (proporcionalmente) en las etapas 1 y 2, que son las más ligeras.

A causa de haber dormido menos satisfactoriamente es posible que se sienta grogui al día siguiente y se acueste más temprano por la noche. Debido a que el cuerpo sólo requiere cierto número de horas de sueño por noche, lo más probable es que despierte más temprano a la mañana siguiente. Eso a su vez posiblemente la lleve a acostarse temprano por la noche y de súbito habrá establecido un nuevo patrón de sueño.

Si así le ha sucedido y su reloj interno está desajustado, corríjalo acostándose 10 minutos más tarde cada noche durante 6 noches consecutivas. Continúe este régimen durante varias semanas, de ser necesario, hasta que pueda acostarse a la hora que desee. En cuanto a lo de levantarse temprano, relájese y disfrute el tiempo adicional del que ahora dispone.

Información proporcionada por el experto
Dian Dincin Buchman, Ph.D.
Ciudad de Nueva York
Autora de un libro sobre el sueño

movimiento espasmódico de los miembros, que hace dar patadas mientras se duerme. (Los cardenales/moretones/magulladuras en las piernas de su compañero le indicarán si tiene este problema).

Factores externos. Desde el punto de vista del estilo de vida particular, algunas causas comunes de los problemas para dormir son tomar alcohol o bebidas con cafeína a avanzadas horas de la noche, comer alimentos que produzcan acidez (acedía, agruras) o discutir con el compañero antes de acostarse, preocuparse por asuntos de trabajo que quedaron inconclusos y hacer ejercicio vigoroso después de las 6:00 ó 7:00 P. M. (De acuerdo con los expertos, las relaciones sexuales son la excepción a esta regla: *este* tipo de ejercicio de hecho puede ayudarla a soltar tensión y relajarse). Una cama incómoda o un dormitorio (recámara) demasiado iluminado, caliente o frío también se convierten en obstáculos para dormir bien.

Juegos mentales. Cuando últimamente le ha costado trabajo dormirse crece la probabilidad de que en el momento de tocar las sábanas empiece a preocuparse por si tendrá problemas para dormirse otra vez. Se trata de una ironía cruel del insomnio. "La gente aprende cierto comportamiento que les impide dormirse —explica el Dr. Kryger—. Se trata de un reflejo condicionado que se llama insomnio psicofisiológico, lo que significa que las personas relacionen el acostarse con tener un problema para dormirse. Esto les crea ansiedad, lo cual de

CASOS DE LA VIDA REAL
No sabe relajarse

A los 40 años, Rosemary vive la vida al máximo. Trabaja de medio tiempo como secretaria en la biblioteca local. Cocina para su familia, trata de hacer ejercicio con regularidad, coordina las actividades de la familia, les sirve de taxista a sus gemelos adolescentes y trata de conservar un matrimonio feliz. Los fines de semana limpia la casa, lava la ropa y compra los comestibles. También forma parte del comité de construcción de su iglesia, a veces se ofrece como voluntaria para distribuir periódicos en el hospital de su comunidad y participa de manera activa en un foro de correo electrónico sobre cuestiones ambientales. Su único vehículo para la relajación solía ser el baile de salón, pero se volvió tan buena que decidió dar clases y competir; de esta forma, su pasatiempo se convirtió en un segundo empleo.

A pesar de lo comprometida que está con sus actividades, hace poco se dio cuenta de que le duele la cabeza y no puede dormir por la noche. De hecho a veces se siente tan vieja, cansada e incapaz de controlar su vida que alterna entre perder el interés en todo lo que hace o bien tratar frenéticamente de mantenerse al tanto de las cosas, como si estuviera a punto de sufrir una crisis nerviosa. ¿Qué debe hacer?

La vida de Rosemary se ha convertido en un carrusel (caballitos) imparable y corre riesgo de caerse. Su personalidad es extrovertida y de manera natural tiende a elegir actividades en las que se relaciona con otras personas, pero desafortunadamente ha contraído demasiadas obligaciones y la recompensa que recibe es cada vez menor.

Desde el punto de vista positivo, Rosemary ha tratado de establecer un equilibrio en su vida al hacer ejercicio, cuidar a su familia y sólo trabajar de medio tiempo. No obstante, es una persona dinámica, y este tipo de personas suelen agregar cada vez más cosas a sus agendas, hasta desgastarse tanto física como psicológicamente de manera muy prematura. Con razón se siente vieja y cansada.

La solución es realizar ciertos cambios en su vida que le permitan salirse poco a poco, sin sobresaltos, de su situación estresante, y recuperar el entusiasmo y la energía juveniles a los que tiene derecho.

Debe empezar por apartar una hora diaria para dedicarse a sí misma: tomar un baño, escuchar música o hacer ejercicios de relajación como respiraciones rítmicas, relajación progresiva (para lo que se tensa y luego se relaja una parte del cuerpo a la vez) o entrenamiento autogénico (el cual consiste en técnicas de relajación autosugestiva, diciéndose cosas como "tengo los brazos calientes y pesados").

Una vez que empiece a liberar el estrés se dará cuenta de que se siente más alerta, fresca y capaz de concentrarse. A partir de este estado mental más centrado y calmado, Rosemary debe reflexionar acerca de su vida y prioridades. Entonces podrá simplificar su vida, concentrándose en los proyectos más importantes para ella y abandonando los menos prioritarios.

Si hemos de ser realistas, en vista de su tipo de personalidad de todas formas es probable que Rosemary siga estando más ocupada que la mayoría de las mujeres. Para conservar su salud tendrá que incorporar ejercicios de relajación a su rutina diaria. Por ejemplo, debe aprender a reconocer ciertos indicios tempranos de tensión —como el endurecimiento de los músculos de la mandíbula, el cuello y los hombros— y aprovechar estas señales como impulso para estirarse, respirar hondo y liberar el estrés de manera consciente.

Información proporcionada por la experta
Martha Davis, Ph.D.
Autora de un libro sobre la relajación y cómo
    reducir el estrés
Psicóloga
Departamento de psicología en el Centro Médico
    Kaiser Permanente
Santa Clara, California

hecho *sí* les impide relajarse y dormirse".

Cómo apagar las luces de manera natural

Descanse tranquila. Hay muchas cosas que puede hacer para asegurar una dichosa noche de sueño. Los expertos recomiendan las siguientes técnicas básicas.

Haga tiempo. Dése por lo menos entre 45 minutos y una hora para relajarse antes de ir a la cama. Permita que se desvanezca la tensión que quede de su largo día. Evite trabajar en sus finanzas familiares, ver las noticias de la noche o estimularse mentalmente de la forma que sea cuando falte poco para la hora de acostarse.

No observe el reloj. No deje el reloj al lado de la cama; de hecho lo mejor sería sacarlo del dormitorio, de ser posible. Cuando una olla se vigila no hierve nunca, y vigilar el reloj no le permitirá dormir.

Busque una válvula de escape más temprano. Haga ejercicio con regularidad durante el día e identifique todas las formas posibles para deshacerse de su estrés mientras esté despierta. El propósito es encontrarse libre de estrés físico y mental al llegar la hora de acostarse.

Consiéntase. Cree una cama y un dormitorio cómodos. Desde la temperatura de la habitación hasta la frescura de las sábanas, todo debe estar justo como le gusta cuando decida retirarse por la noche.

Cómo entregarse poco a poco a los brazos de Morfeo

No es ninguna casualidad que los niños, a quienes rara vez se les escucha quejarse de falta de sueño, cuenten con una elaborada rutina de rituales para la hora de acostarse. "Los rituales son las secuencias de comportamiento que le permiten sacar la tensión y prepararse para la cama; forman parte del proceso de relajación", explica el Dr. Moore-Ede. Aunque la rutina que usted elija no incluya ositos de peluche ni cuentos infantiles, a los adultos también nos hace falta un ritual para antes de acostarnos. Sin importar qué cosas reconfortantes haga —como ponerse su piyama favorita, acomodar las sábanas o lavarse los dientes—, realícelas en el mismo orden todas las noches y ejecute todas las que pueda también cuando ande de viaje. Establecer y observar un ritual de relajación que le funcione es un factor clave para evitar tener problemas para dormir.

Los expertos recomiendan los siguientes pasos relajantes. Quizá los quiera agregar a su ritual para antes de acostarse.

Relájese naturalmente. Las mezclas de infusiones herbarias tranquilizantes basadas en la manzanilla (como el *Sleepytime Tea* de Celestial Seasonings), la valeriana o la pasionaria (pasiflora, pasiflorina, hierba de la paloma, hierba de la parchita, *passionflower*) son remedios antiquísimos que se utilizan para ayudar a dormir debido a su capacidad para inducir la somnolencia. Por su parte, la leche tibia contiene triptofano, una sustancia química que también ayuda a conciliar el sueño, según explica el Dr. Moore-Ede.

Prepare el ambiente. Mientras se prepara para ir a la cama, reduzca la intensidad de las luces e ilumine su dormitorio con el brillo suave y cálido de las velas. Aproveche este motivo para escoger velas con aroma a lavanda (espliego, alhucema, *lavender*), una fragancia que se distingue por sus propiedades calmantes. (Sólo asegúrese de apagar las velas antes de acostarse).

Apacigüe sus sentidos. Olvídese de los programas de persecuciones, las telenovelas con sus dramas, las comedias malas acerca de situaciones de la vida diaria y el ruido en general de la televisión. En cambio, ponga música suave, que tradicionalmente ha sido una herramienta de relajación. Escoja jazz, música clásica, boleros o el estilo que prefiera, siempre y cuando sea suave y melodioso. Esto debería ayudarle a distraerse de sus problemas.

Ocupe su imaginación. Leer poesía, cuentos u otros textos relajantes puede ayudarla a distanciarse de su mundo de manera temporal. Las personas a las que realmente les cueste mucho trabajo dormirse probablemente deberían evitar las novelas de suspenso, la ciencia ficción de miedo y otros géneros que aceleren el pulso.

Cúbrase de calidez y cariño. Diversos estudios demuestran que acariciar un animal puede bajar la presión arterial, por lo que tal vez le convenga cepillar a su perro suavemente o acurrucarse con su gato antes de acostarse. Ambos métodos le brindarán un poco de terapia peluda de relajación.

Sumérjase. Meterse a una bañadera (bañera, tina) caliente por unos 20 minutos puede facilitar la transición de un día estresante a una noche tranquila. Conforme el calor ayude a abrir sus vasos sanguíneos y a relajar sus músculos cansados, deje que su mente se entretenga con pensamientos placenteros, indica el Dr. Kryger.

Calme la mente. La oración y la meditación también aportan paz y le ayudan a olvidar las preocupaciones del día. Requieren un poco de disciplina y también de práctica, pero vale la pena dedicarles unos minutos antes de acostarse.

Pruebe el poder de tocar. Si tiene la fortuna de contar con un compañero, intercambien masajes ligeros no muy estimulantes. Y aunque esté sola de todos modos puede recorrer su cuerpo con las manos suavemente. Aunque parezca ser una táctica bastante básica y sencilla, al emplearla se irá relajando poco a poco.

Respire con ritmo. Practicar la respiración rítmica puede ayudarla a distraer su atención de su mente y enfocarla en su cuerpo. También puede ayudar a relajarla. Para practicar esta técnica, simplemente respire de manera profunda —llenando de aire primero el vientre y luego los pulmones— y exhale despacio, dejándose invadir cada vez más por el sueño y la tranquilidad con cada exhalación.

Estírese y escape de la tensión. Estirar o tensar los músculos uno por uno por unos cuantos segundos y luego relajarlos ayuda a soltar la tensión. Y un cuerpo relajado concilia el sueño fácilmente, según afirma el Dr. Kryger.

Cuando todo lo demás falla

¿Y si a pesar de todo no logra conciliar el sueño? ¿Debe tomar medicamentos?

"Las pastillas para dormir y los tranquilizantes pueden ayudar a corto plazo —indica el Dr. Hauri—. Le permiten dormirse si se encuentra en otro huso horario y a toda costa necesita estar descansada y alerta, o si ha habido una muerte en la familia y el dolor y el estrés le impiden dormir. Sin embargo, si los empieza a tomar más de una o dos veces por semana puede haber problemas. Siempre que su incapacidad para dormir interfiera de manera grave con su funcionamiento diurno durante más de uno o dos meses, ha llegado el momento de buscar ayuda profesional", explica el experto.

De hecho, si padece insomnio crónico, opina el Dr. Moore-Ede, "debe tratar de evitar los medicamentos. Le irá mucho mejor si hace frente a las cuestiones ambientales y de estilo de vida que probablemente la estén manteniendo despierta".

CUARTA PARTE

Mejórese y manténgase saludable

Las razones por las que nos enfermamos

En inglés existe una palabra que describe un estado de equilibrio perfecto: *equipoise* o "aplomo y equilibrio". Se trata de un estado que buscamos en todos los ámbitos de la vida. Tenemos que cuidar a la familia, mantener la casa, trabajar en nuestra carrera profesional y satisfacer nuestras necesidades personales. Trabajamos, nos divertimos, comemos y descansamos. Y tratamos de no dedicarle a ninguna parte de nuestras vidas una cantidad tal de tiempo, energía o sentimientos como para que sufra alguna otra parte. Todas estamos conscientes de los riesgos de darle demasiada prioridad al trabajo por encima de la familia o de sólo trabajar y nunca divertirse (lo cual nos vuelve bastante aburridas). Un estado de equilibrio es mejor.

Nuestra salud funciona de la misma forma. La clave para mantenerse sano está en guardar el equilibrio entre todos los aspectos de nuestro *ser*: el físico, el emocional y el espiritual. Cuando así lo hacemos, sentimos y funcionamos de la mejor forma posible. Somos felices, creativas y productivas. Tenemos mucha energía, disfrutamos relaciones sólidas y somos más capaces de hacer frente a los factores de estrés en nuestras vidas.

En breve, somos sanas. Todo se encuentra en *equipoise*.

"Algunas personas lo llaman 'la zona' —indica la Dra. Elaine Ferguson, una doctora en medicina holística que trabaja en Chicago—. Es cuando se alcanza un estado de armonía".

La enfermedad, por el contrario, es un estado que carece de armonía. Funcionamos por debajo de nuestra capacidad máxima porque algún aspecto de nuestra salud está fuera de equilibrio, explica la Dra. Ferguson. Quizá padezcamos una enfermedad grave como el cáncer o un trastorno crónico como la artritis, o tal vez simplemente no nos sintamos lo mejor posible debido a dolores de cabeza recurrentes o por la fatiga.

"Para mí el bienestar y la enfermedad son un continuo, más que estados distintos entre sí", indica la Dra. Marcey Shapiro, una doctora en medicina holística que trabaja en Albany, California, y se especializa en medicina herbaria. En un extremo del espectro se encuentra la salud óptima y en el otro la enfermedad grave. "Muy pocos se encuentran en los extremos de la salud ideal o la enfermedad gravísima —señala la experta—. La mayoría estamos en algún punto intermedio".

Identifique los indicios

Los síntomas que a todos nos dan de vez en cuando —dolores de estómago, insomnio, tensión muscular— son señales de advertencia de que nos estamos alejando de un estado de salud óptimo. Es posible que ni siquiera nos hayamos enfermado de algún mal que pueda diagnosticarse, pero nuestros cuerpos tratan de decirnos que algo está fuera de equilibrio, explica la Dra. Ferguson.

"Todos poseemos esta inteligencia en el interior del cuerpo, que nos habla. El mensaje puede ser un dolor o un pensamiento, pero el cuerpo siempre nos avisa cuando algo anda mal", afirma la Dra. Shapiro.

A nosotros nos corresponde reconocer estas señales y ponerles atención. Hacer caso de las advertencias del cuerpo nos ayuda a volver al camino de la salud óptima, pero primero necesitamos saber en qué fijarnos. De acuerdo con los expertos, los siguientes síntomas físicos, emocionales y mentales comunes son indicio de un desequilibrio en la salud.

Tensión muscular. Los músculos, sobre todo del cuello, los hombros y la espalda, están llenos de nudos duros.

Fatiga. El nivel de energía anda tan bajo que apenas se logra llegar al final del día, desplomándose al regresar a casa de trabajar.

Falta de apetito. No se tiene hambre a la hora de comer y nada parece apetitoso.

Aumento o pérdida de peso. Se baja o se sube varias libras (o kilos) sin haber modificado los hábitos de comida ni de ejercicio.

Molestias y dolores. Se padecen dolores frecuentes sin explicación, como dolores de cabeza o de estómago o acidez (acedía, agruras).

MAMÁ SIEMPRE DECÍA

¿Leer con poca luz realmente me arruinará la vista?

Quizá leer con luz tenue le resulte difícil, pero no le perjudicará la vista. Las mamás probablemente les dicen a sus hijos que no lean en la oscuridad porque les cuesta trabajo hacerlo ellas mismas. Resulta que los ojos de los niños recogen más luz, de modo que requieren menos luz para leer que los adultos.

Si a su hija Daylín le gusta leer con una linterna (lámpara sorda) debajo de la frazada (cobija, manta, frisa), no hay necesidad de que cierre el libro. Puede terminar la historia y mamá puede descansar tranquila.

Información proporcionada por la experta
La Dra. Anne Sumers
Oftalmóloga
Portavoz de la Academia Estadounidense de
*   Oftalmología*
Ridgewood, Nueva Jersey

Dificultades para dormir. Durante varias noches seguidas se tienen dificultades para conciliar el sueño o para dormir de corrido.

Pérdida de cabello. Se observa más cabello que de costumbre en el cepillo o alrededor del desagüe de la ducha (regadera).

Mareos o desmayos. Se siente debilidad y mareos, sobre todo al ponerse de pie. Es posible que incluso haya desmayos.

Falta de aliento. Se pierde el aliento al caminar al carro o subir las escaleras.

Diarrea o estreñimiento. Las evacuaciones intestinales son más frecuentes que lo normal o bien menos frecuentes.

Ansiedad. Se siente tensión e irritabilidad y parece imposible escapar de las preocupaciones.

Pensamientos desorganizados. Cuesta trabajo concentrarse. Es posible que se pierdan cosas o se olviden las citas.

LOS MEDICAMENTOS, LAS MUJERES Y LOS HOMBRES

Las diferencias entre hombres y mujeres son tema de chistes y comentarios así como de análisis sociológicos y psicológicos. Se han tratado en novelas, películas y ensayos. Algunos han pretendido negar su existencia, mientras otros prefieren exaltarlas. Pero ahora los científicos en el campo de la biología de género han descubierto en realidad que los hombres y las mujeres estamos hechos de materias diferentes. "Las mujeres no son simplemente hombres menudos", indica Sherry Marts, Ph.D., directora científica de la Sociedad para la Investigación sobre la Salud de la Mujer, con sede en Washington, D. C. Resulta que somos diferentes en el nivel más elemental, el celular.

El descubrimiento se dio casi de manera accidental. Al estudiar diversos medicamentos, unos investigadores empezaron a darse cuenta de que algunas de esas sustancias funcionan mejor con las mujeres mientras que otros son más eficaces en los hombres. Considere el ibuprofeno (*ibuprofen*), por ejemplo, el cual se vende sin receta. Cuando se trata de bajar la fiebre y la inflamación, el ibuprofeno funciona más o menos igual en hombres y mujeres. No obstante, alivia el dolor de manera mucho más eficaz en los hombres.

Las diferencias no terminan ahí. También las enfermedades afectan a hombres y mujeres de distintas maneras. "Los hombres tienden a contraer enfermedades más urgentes y que suelen ser más letales. Las enfermedades de las mujeres con frecuencia se inician de manera más paulatina y pueden causar discapacidad mucho antes de morir", explica la Dra. Florence Haseltine, Ph.D., creadora del término *biología de género* y cofundadora y ex presidenta de la Sociedad para la Investigación sobre la Salud de la Mujer.

De acuerdo con la Dra. Haseltine, al averiguar por qué las enfermedades de autoinmunidad como la esclerosis múltiple son mucho más comunes en las mujeres y por qué las enfermedades cardíacas aparecen en las mujeres décadas después que en los hombres, sabremos más acerca de estos males y desarrollaremos mejores tratamientos tanto para mujeres como para hombres.

A consecuencia de estos descubrimientos, algún día los médicos tratarán la misma enfermedad de manera diferente según el sexo del paciente, predice la Dra. Marts.

"Se traducirá casi de inmediato en el ámbito cardíaco —opina la Dra. Haseltine—. Sin embargo, pienso que el área de investigación más emocionante es el estudio de las diferencias estructurales del cerebro y cómo se tratan los trastornos del cerebro como el derrame cerebral".

Depresión. Se anda con el ánimo por el suelo, sintiéndose abatido.

Fluctuaciones en el estado de ánimo. En lugar de ser tan agradable como siempre, se está de mal humor y gruñón gran parte del tiempo.

"Estas son las señales que se dan en el camino al pasar de un estado de salud óptima hacia la enfermedad —indica la Dra. Shapiro—. Por lo común las cosas empiezan por indicios menores que se van haciendo cada vez más fuertes si la gente no los atiende".

El problema es que resulta fácil atribuir estos síntomas al proceso del envejecimiento o al estrés de la vida cotidiana, de modo que terminamos por descartarlos tan pronto como aparecen.

"Nos concentramos tanto en el exterior en la

forma de pensar y de vivir que se nos ha enseñado que no ponemos atención a nuestros cuerpos ni a nuestras voces interiores", afirma la Dra. Ferguson. Y entre menos caso les hagamos a nuestros cuerpos, más nos alejaremos de la salud óptima.

La buena noticia es que las mujeres contamos con una herramienta natural que nos ayuda a mantenernos sintonizadas con nuestros cuerpos. Lo único que debemos hacer es aprovecharla.

La ventaja de las mujeres

Algunas personas lo llaman intuición. Otras dicen que es un sexto sentido. Como quiera que le diga, las mujeres estamos más en contacto con nuestros cuerpos, lo cual nos da una ventaja sobre los hombres en lo que se refiere a cuestiones de salud. "A los hombres se les enseña desde la infancia a hacer caso omiso del dolor en lugar de detenerse a atenderlo", opina Royda Crose, Ph.D., directora adjunta y profesora adjunta del Instituto Fisher para el Bienestar y la Gerontología en la Universidad Estatal Ball de Muncie, Indiana, y autora de un libro sobre la longevidad de las mujeres. Se sabe, por ejemplo, que los atletas profesionales hombres siguen jugando aunque estén lesionados.

Las mujeres, por el contrario, somos buenas para hacerles caso a nuestros cuerpos. Sabemos escucharlos mejor, en parte, porque el cuerpo femenino nos exige poner atención a los cambios que va experimentando. "El sistema reproductor nos mantiene sintonizadas con nuestros cuerpos", señala la Dra. Crose. Debido a la menstruación aprendemos a temprana edad que nuestros cuerpos experimentan cambios constantes y que nos sentimos diferentes, física y emocionalmente, a lo largo de estos ciclos. Sin embargo, la menstruación sólo es el principio de la comunicación corporal. Nuestros cuerpos se aseguran de que les pongamos aten-

ción de otras muchas maneras además de esta.

Cuando nos embarazamos, por ejemplo, el cuerpo vive cambios constantes a lo largo de 9 meses. Durante todo este tiempo experimentamos una faceta de ser mujer que nos enseña a sintonizarnos muy bien con nuestro bienestar físico, según indica la Dra. Crose.

Y aunque no estemos embarazadas, la mayoría nos hacemos un examen ginecológico al año y, después de los 40, también un mamograma. Con el tiempo desde luego experimentamos todos los cambios físicos de la menopausia, como sofocos (bochornos, calentones), cambios anímicos y la desaparición de la menstruación. "Se trata de otra etapa en la que el cuerpo experimenta cambios y nos volvemos sensibles hacia todo lo que sucede en nuestro interior", afirma la Dra. Crose.

Pida tiempo

Todos estos cambios físicos y consultas médicas nos hacen más conscientes de lo que ocurre dentro de nuestros cuerpos. Por lo tanto, nos encontramos en una mejor posición para reconocer los síntomas de una enfermedad cuando surjan. Sin embargo, reconocerlos no es suficiente. Tenemos que actuar. "Cuando percibimos señales de no sentirnos lo mejor posible, tenemos que detenernos a evaluar nuestras vidas —opina la Dra. Ferguson—. Les digo a mis pacientes que se pongan muy quietas y tranquilas y escuchen y permitan que sus cuerpos les indiquen qué hacer".

También tenemos que cuestionarnos a nosotras mismas así como nuestros hábitos y examinar las cosas que hemos estado haciendo, agrega la Dra. Heather Morgan, una doctora en medicina holística que trabaja en Centerville, Ohio.

Un gran número de acontecimientos pueden desequilibrarnos. Quizá nos contagiamos de un virus, lloramos la muerte de un ser querido o nos cuestionamos nuestras creencias espirituales, indica la Dra. Ferguson. Tal vez nos encontremos bajo mucho estrés, no estemos durmiendo lo suficiente o constantemente cambiemos los alimentos nutritivos por comida alta en grasa. "Todo, desde nuestras relaciones y emociones hasta lo que comemos, respiramos y tocamos, afecta nuestra salud", explica la experta. Nuestras hormonas, expectativas y desde luego también la herencia genética influyen en ello.

También el hecho de ser mujeres. "Los científicos apenas están comenzando a descubrir el enorme impacto que el sexo tiene en la salud", afirma Sherry Marts, Ph.D., directora científica de la Sociedad para la Investigación sobre la Salud de la Mujer, con sede en Washington, D.C.

Más allá de los bebés

La capacidad de dar a luz no es lo único que nos diferencia de los hombres. Ser mujer influye mucho en nuestra salud. "Estamos empezando a darnos cuenta de que definitivamente existen muchas diferencias fisiológicas entre los hombres y las mujeres", indica la Dra. Marts. Puesto que nuestros cuerpos son distintos de los de los hombres, varias enfermedades y tratamientos también nos afectan de diferente manera, afirma la experta.

Por ejemplo, las mujeres aparentemente somos más susceptibles que los hombres de sufrir los efectos de ciertas sustancias químicas, como el alcohol y los carcinógenos de los cigarrillos. Las investigaciones demuestran que en las mujeres la cirrosis del hígado apare-

HOSPEDADO EN EL HOSPITAL
PERO COMPLETAMENTE CONTENTOS

Todos nos hemos ido de pinta (hecho novillos, comido jobos) por lo menos una vez en la vida y hablado al trabajo para decir que estamos enfermos cuando apenas teníamos un pequeño resfriado (catarro). No obstante, algunas personas prácticamente convierten el fingirse enfermos en una profesión. Los médicos a veces los llaman "pacientes profesionales" o "vagabundos de hospital", porque viajan de hospital en hospital afirmando estar enfermos cuando en realidad no tienen ningún problema físico. Lo que tienen es un trastorno mental que se conoce como el síndrome de Munchausen.

Las vidas de las personas con este síndrome giran en torno a la práctica de fingir estar enfermos. "Lo típico es que tengan relaciones personales malas e historiales de trabajo irregulares", afirma el Dr. Marc Feldman, un experto en el síndrome de Munchausen, profesor adjunto de Psiquiatría en la Universidad de Alabama en Birmingham y autor sobre el tema.

Mienten acerca de sus síntomas o los exageran. Algunos incluso llegan al extremo de provocarse una enfermedad. Toman veneno, por ejemplo, utilizan sus propias heces para producirse infecciones y se someten a cirugías innecesarias. Si son descubiertos simplemente se van a otro hospital en otra ciudad.

A menudo buscan recibir así la atención, el cuidado y el interés en su persona de los que carecen en su vida cotidiana, explica el Dr. Feldman. O bien lo hacen por la emoción de engañar a personas muy preparadas y capacitadas. "Algunos pacientes lo describen como una adicción, como jugar o ser alcohólico", indica.

¿Cómo logran embaucar a tantos médicos? Para empezar se apoyan en las expectativas de estos. "Los médicos espe-

ce después de un período más breve de haber bebido mucho. Además, el cigarro nos conviene menos. Las mujeres tenemos entre un 20 y un 70 por ciento más riesgo de padecer cáncer del pulmón que los hombres en todos los

ran ver a pacientes enfermos que quieren estar bien, no a pacientes que están bien y quieren estar enfermos", dice el Dr. Feldman. Muchas de estas personas tienen conocimientos amplios acerca de las enfermedades que simulan. Algunos han trabajado en el ámbito médico como recepcionistas o enfermeras. Otros utilizan Internet para estudiar las afecciones que fingen. "Internet también les ha proporcionado un nuevo foro a los afectados por el síndrome de Munchausen", indica el experto. Se unen a grupos de apoyo en línea y afirman padecer enfermedades crónicas o incurables, solicitando la calidez y el apoyo del resto del grupo.

Otra forma de este síndrome, el síndrome de Munchausen por poderes, implica a un padre o una madre que finge que un niño está enfermo o que le induce la enfermedad a este a fin de asumir la posición de cuidador "responsable y consciente". De nueva cuenta se trata de recibir atención además de ver satisfechas otras necesidades más complejas, indica Judith Libow, Ph.D., coordinadora de servicios psicológicos y directora de capacitación en el departamento de psicología del Hospital Children's en Oakland, California. Por lo menos el 95 por ciento del tiempo la madre es la perpetradora, y se calcula que el 10 por ciento de estos casos terminan con la muerte, afirma la experta. La situación típica involucra a un niño muy pequeño que aún no sabe hablar, a una madre a la que le interesan los cuidados de la salud o que cuenta con capacitación en este campo, a un padre distante y a un médico que se entrega afanosamente a tratar de desentrañar el misterio de la enfermedad.

"Se dan aproximadamente tres millones de denuncias de abuso infantil todos los años en este país. Sería maravilloso saber cuántas corresponden al Munchausen por poderes —afirma el Dr. Feldman—. Todos los días me preguntan acerca del Munchausen por poderes".

niveles de exposición al humo del cigarrillo.

Las mujeres también sufrimos ciertas enfermedades con mayor frecuencia que los hombres. Más o menos el 75 por ciento de todas las personas que padecen enfermedades autoinmunitarias,

como la esclerosis múltiple y el lupus, son mujeres.

Cuando nos enfermamos, las mujeres experimentamos síntomas diferentes de los que sufren los hombres por la misma enfermedad. Un hombre que experimenta un ataque cardíaco, por ejemplo, probablemente sentirá un intenso dolor en el pecho, mientras que en el caso de una mujer es más probable que presente síntomas sutiles como dolor abdominal, náuseas y fatiga extrema.

Más allá de los síntomas, es posible que las enfermedades de hecho progresen de manera distinta en los hombres y las mujeres. Las mujeres con esclerosis múltiple, por ejemplo, tienden a pasar por períodos de remisión seguidos por recaídas, mientras que en los hombres que padecen esta enfermedad los síntomas suelen progresar de manera continua. Además, ciertas investigaciones sugieren que las mujeres con VIH pasan al SIDA con una carga viral menor que los hombres, lo cual significa que las mujeres tienen menos virus en la sangre cuando empiezan a sufrir infecciones oportunistas y otros síntomas de un caso plenamente desarrollado de SIDA.

Incluso hay diferencias entre los hombres y las mujeres en lo que se refiere a los tratamientos. El cuerpo de la mujer procesa y maneja los medicamentos de otro modo, y estos afectan sus sistemas corporales de diferente manera. El ibuprofeno *(ibuprofen)*, por ejemplo, es menos eficaz para aliviar el olor en las mujeres. Además, las mujeres solemos despertarnos de una anestesia 4 minutos antes, en promedio, que los hombres.

CASOS DE LA VIDA REAL

Suda la gota gorda y se enferma todo el tiempo

Suzanna, de 44 años, lo tenía todo: un hermoso hogar, un empleo emocionante como corredora de bolsa, dos hijas universitarias y un matrimonio de 25 años. De repente una noche su esposo le comunicó que quería divorciarse. En lugar de derrumbarse emocionalmente, Suzanna lo echó de la casa y se entregó de lleno al trabajo. Permanecía en la oficina 12 horas diarias, incluso los fines de semana. No tenía tiempo para desayunar ni almorzar, mucho menos para pensar en el divorcio. Al poco tiempo su cuerpo se rebeló. Empezó a sentirse aletargada y luego comenzó a enfermarse con frecuencia de resfriados (catarros) y dolores de cabeza. Sabe que se está agotando, pero piensa que es más importante superar esta crisis emocional ahora y corregir sus hábitos de salud más adelante. ¿Tendrá razón?

Si Suzanna no invierte un poco de tiempo y esfuerzo en su salud física y emocional podría convertirse en una corredora de bolsa encaminada hacia un desplomo. Los dolores de cabeza sin duda son consecuencia del estrés y la debilidad de su sistema inmunitario probablemente sea resultado del estrés y la mala alimentación. Tal vez corra peligro de padecer algo grave, como una enfermedad cardíaca.

Y tampoco se está cuidando en lo emocional. Es perfectamente normal sentirse triste y enojada y tener miedo al pasar por un divorcio. Debería consultar a un psicoterapeuta, quien podría ayudarla a enfrentar sus sentimientos y enseñarle formas más saludables de manejar el estrés.

Suzanna también puede hacer algunas cosas por cuenta propia. Necesita darse tiempo para desayunar y almorzar, además de empezar con un programa de ejercicio. De esta forma aliviaría el estrés, aumentaría su nivel de energía y mejoraría su bienestar emocional. Todas estas cosas tendrían un impacto positivo en su sistema inmunitario. Además, tiene que apartar todos los días un poco de tiempo y tranquilidad para entrar en contacto con sus sentimientos, quizá por medio del yoga o la meditación. Y antes que nada debe reunirse con sus amigas los fines de semana en lugar de aislarse en la oficina.

Información proporcionada por la experta
La Dra. Mary Claire Wise
Médico familiar holista
Rochester, Nueva York

Todo se reduce a algo que la mayoría sabemos de manera intuitiva: a fin de prevenir y curar las enfermedades no sólo tenemos que escuchar a nuestros cuerpos y mantenernos en equilibrio, sino también establecer hábitos de salud de acuerdo con nuestras necesidades especiales como mujeres. Conocer y practicar esas consumbres son clave para nuestra salud.

Los secretos de las saludables

No hay ningún animal más invencible que una mujer", dijo el poeta y dramaturgo griego Aristófanes. De cierta forma es posible que haya tenido razón. Si bien los hombres evidentemente poseen ciertas ventajas físicas sobre las mujeres en lo que se refiere a fuerza, estatura y tono muscular, cuando se trata de la longevidad, simplemente no hay comparación. De acuerdo con los datos documentados de mortalidad, las mujeres hemos vivido por más tiempo que los hombres por lo menos desde el siglo XVI. Actualmente solemos vivir un promedio de 5 años más, dado que la expectativa de vida del ser humano es de 79 años para las mujeres y de 74 para los hombres.

Sin embargo, nuestra predisposición a vivir por más tiempo no significa que podamos recostarnos a nuestras anchas y disfrutar de una mejor salud sin esfuerzo alguno. Para aprovechar nuestras ventajas biológicas tenemos que hacer todo lo posible por cuidarnos bien. A continuación nuestras expertas comparten los 10 hábitos saludables más importantes que todas deberíamos adoptar para asegurar que aprovechemos al máximo nuestra ventaja natural.

1. Mueva el cuerpo

El ejercicio mejora la salud cardiovascular, la cual a su vez ayuda a prevenir las enfermedades cardíacas, la presión arterial alta (hipertensión) y la diabetes, según explica Sherry Marts, Ph.D., directora científica de la Sociedad para la Investigación sobre la Salud de la Mujer, con sede en Washington, D.C. También le ayuda a verse mejor y a tener más energía y menos probabilidad de deprimirse. A fin de sacar el máximo provecho de su sudor, haga ejercicios tanto aeróbicos como con pesas. "También hay algunos datos que demuestran que el ejercicio de resistencia al peso previene la osteoporosis, de manera particular cuando se hace de veinteañera o treintañera", indica la experta.

Ponga su corazón a latir. "Camine y camine más rápido —recomienda Trudy L. Bush, Ph.D., profesora de Epidemiología y Medicina Preventiva en la Escuela de Medicina de la Universidad de Maryland en Baltimore—. Lo único que necesita es un par de tenis". En beneficio tanto de su corazón como de su cintura, el Colegio Estadounidense de Medicina Deportiva

Al andar descalza tal vez se ensucie los pies, pero no se le harán planos. Algunas personas nacen con los arcos descendidos que dan pies planos. Sus arcos también pueden descender si pasa mucho tiempo de pie sin contar con el soporte adecuado para arcos en los zapatos.

Su mamá probablemente le dijo que no anduviera descalza fuera de casa porque sabía de todos los peligros que acechaban ahí. Es posible lastimarse los pies al pisar un vidrio o un objeto oxidado. Las superficies duras, como el asfalto, se calientan y lastiman los pies. Si le duele el talón o tiene algún otro problema en los pies, caminar sobre concreto o asfalto puede agravar la condición. Es más, al andar descalza sobre superficies mojadas, como en una piscina (alberca) pública o en unas duchas (regaderas) comunes, es posible pescar los organismos microbianos que causan pie de atleta o las dolorosas verrugas plantares.

Información proporcionada por la experta
Pamela Colman, D.P.M.
Directora de asuntos de salud
Asociación Médica Podiátrica de los Estados
*   Unidos*
Bethesda, Maryland

sugiere que haga ejercicio aeróbico a una velocidad moderada entre 20 y 60 minutos al día de 3 a 5 días por semana.

Piense en las pesas. "Los ejercicios de resistencia, como levantar pesas, desarrollan y mantienen los músculos y los huesos, lo cual mejora la composición y la apariencia del cuerpo y acelera el metabolismo", dice Jennifer Layne, especialista en fuerza y acondicionamiento físico y fisióloga del ejercicio en el Centro Jean Mayer de Investigaciones sobre Nutrición Humana Especializado en el Proceso del Envejecimiento del Departamento de Agricultura de los Estados

Unidos en la Universidad de Tufts en Boston. Además, los ejercicios con pesas desarrollan la fuerza, lo cual facilita llevar a cabo las actividades de la vida cotidiana. El Colegio Estadounidense de Medicina Deportiva recomienda adoptar una rutina que consista en entre 8 y 10 ejercicios que trabajen los grupos principales de músculos, 2 ó 3 días por semana. Trate de hacer entre 8 y 12 repeticiones de cada ejercicio.

2. Nútrase con alimentos saludables y diversos

Una alimentación nutritiva y variada ayuda a disminuir el riesgo de padecer enfermedades cardíacas y ciertos tipos de cáncer, como el de colon. "Coma mucha fibra, frutas y verduras y consuma una cantidad razonable de grasa", recomienda la Dra. I-Min Lee, profesora adjunta de Epidemiología en la Escuela de Salud Pública de Harvard y profesora adjunta de Medicina en la Escuela de Medicina de Harvard. La Asociación Estadounidense del Corazón (o *AHA* por sus siglas en inglés) considera que no más del 30 por ciento de las calorías diarias es una cantidad razonable de grasa, de la que menos del 10 por ciento debe corresponder a las grasas saturadas contenidas en los productos animales. "También es importante vigilar el consumo total de calorías", indica.

Disfrute sus frutas y verduras. La AHA recomienda comer cinco o más raciones de verduras, frutas o jugos de fruta al día. Las frutas y las verduras contienen un montón de vitaminas, minerales y fibra y pocas calorías. Si comer frutas y verduras le suena aburrido —admitámoslo, a veces lo son—, Ann Gentry, *chef* y dueña del restaurante vegetariano orgánico Real Food Daily en Los Ángeles, sugiere que aumente su atractivo comprándolas frescas (de preferencia en el mercado de agricultores/*farmers' market)* y que ponga más cuidado en cómo las acomoda y sirve. "Tome en cuenta el color y la textura", indica Gentry. Ponga de tres a cinco verduras de distintos colores en cada plato, utilizando trozos grandes y pequeños y diversos cortes. La variedad en los colores corresponde a la variedad de nutrientes que obtendrá.

Contrólese con la carne. La AHA recomienda reducir el consumo diario de carne de ave, pescado o carne roja magra a no más de 6 onzas (168 g). Si unas costillas grasosas es lo único que la apasiona a la hora de la comida, trate de utilizar carnes diferentes, como cortes magros de caza, búfalo o avestruz, y agregue especias para darles sabor.

Expanda sus horizontes. Podrá disfrutar de un sinfín de alimentos sabrosos y saludables si abre la mente al igual que la boca y prueba comidas nuevas. "A fin de agregar más variedad a su alimentación, añada verduras exóticas como cidrayote (calabaza de invierno, *winter squash)* y experimente con las especias", indica la Dra. Bush.

Las especias básicas pueden darles mucho sabor a los alimentos. "Use albahaca, orégano, tomillo,

LOS 10 PRINCIPALES
ASESINOS DE MUJERES

Mujeres jóvenes (de 25 a 44 años)
1. Cáncer
2. Accidentes
3. Enfermedades cardíacas
4. SIDA
5. Suicidio
6. Homicidio
7. Derrame cerebral
8. Enfermedad hepática crónica y cirrosis
9. Diabetes
10. Neumonía y gripe

Mujeres de edad mediana (de 45 a 64 años)
1. Cáncer
2. Enfermedades cardíacas
3. Derrame cerebral
4. Enfermedad pulmonar obstructiva crónica
5. Diabetes
6. Accidentes
7. Enfermedad hepática crónica y cirrosis
8. Neumonía y gripe
9. Suicidio
10. Infección sanguínea

Mujeres mayores (de 65 años para arriba)
1. Enfermedades cardíacas
2. Cáncer
3. Derrame cerebral
4. Enfermedad pulmonar obstructiva crónica
5. Neumonía y gripe
6. Diabetes
7. Accidentes
8. Enfermedad de Alzheimer
9. Enfermedad renal
10. Infección sanguínea

romero *(rosemary)* y cilantro fresco —sugiere Gentry—. Y definitivamente agréguelos mientras esté cocinando". También recomienda cocinar con *miso*, una pasta de frijoles (habichuelas) de soya *(soybeans)*. "Ya sea que esté preparando sopas, pastas o salsas, el *miso* realmente rinde".

3. Cuide sus huesos con calcio

Antes de iniciar la era agrícola hace 10,000 años, al parecer los seres humanos éramos grandes consumidores de calcio. En la actualidad probablemente sólo comamos entre un cuarto y un tercio del calcio que consumían nuestros antepasados, lo cual no es suficiente. La osteoporosis afecta a 20 millones de mujeres que viven en los Estados Unidos, y una de las mejores formas de prevenir esta enfermedad es por medio del calcio. Ahora averiguará cómo aumentar su ingestión.

Coma lácteos. "Coma yogur y otros alimentos ricos en calcio", indica la Dra. Bush. Los Institutos Nacionales de la Salud sugieren consumir de 1,000 a 1,500 miligramos de calcio al día. Trate de elegir productos lácteos descremados o semidescremados como la leche descremada *(fat-free milk* o *nonfat milk)* o el queso bajo en grasa.

Supleméntela. "La mayoría de los estadounidenses no obtienen suficiente calcio de su alimentación", afirma la Dra. Lee. Para aumentar su consumo puede tomar suplementos.

Sin embargo, mantenga su consumo diario total derivado de alimentos y de suplementos por debajo de 2,500 miligramos, advierte la

DE MUJER A MUJER

Renunciar al vicio fue un proyecto familiar

Agatha Johnson-Page, de 57 años, fumó durante muchos años. Había tratado de dejar el cigarrillo anteriormente, pero la hipnosis y el abandonarlo de golpe no le funcionaron. Ahora, gracias a un medicamento popular y al apoyo de su familia, ha dejado el vicio para siempre. Esta es su historia.

Fumé mi primer cigarrillo a los 16 años. Mis amigas fumaban, así que lo probé y al poco tiempo quedé enganchada. En aquel entonces nadie sabía que pusiera en peligro la salud.

Fumé media cajetilla al día durante unos 20 años. Luego lo dejé de golpe, pero empecé a fumar otra vez 6 meses después cuando me hizo falta una forma de aliviar el estrés.

Desde entonces he tratado de dejarlo varias veces. Incluso fui a una sesión de hipnosis de grupo en la que todos tiramos los cigarrillos a la basura al salir.

Finalmente dos de mis hijos y yo lo dejamos juntos y ninguno de nosotros ha vuelto a fumar un cigarrillo desde junio de 1998. El sistema de apoyo que creamos realmente nos ayudó. Compartíamos nuestras historias de éxito, nos

Dra. Lila A. Wallis, profesora clínica de Medicina en el Colegio de Medicina Weill de la Universidad de Cornell en la ciudad de Nueva York y coautora de un libro sobre las mujeres. Las dosis más altas requieren supervisión médica.

4. Duerma lo suficiente

Es posible que la calidad del sueño determine no sólo el bienestar al día siguiente sino también la salud física futura a años de distancia. "Tal vez la privación de sueño reduzca las defensas del cuerpo y aumente el riesgo de sufrir enfermeda-

animábamos mutuamente y nos hablábamos cuando teníamos miedo de recaer. Dejarlo junto con mis hijos también me dio un incentivo adicional: no quería flaquear, porque no quería que ellos flaquearan.

Mi hija usó parches de nicotina y mi hijo y yo tomamos el medicamento *Zyban*, que se vende con receta. Después de la primera semana fumar ya no me resultó muy placentero. Y ahora ya no soporto oler el humo del cigarrillo. Me es desagradable.

Pensé que a mi edad, después de haber fumado durante unos 40 años, dejarlo no mejoraría mi salud. Pero me equivoqué. Antes siempre tosía y me sonaba la nariz en la mañana, pero desde que dejé de fumar ya no despierto con la nariz tapada. También soy capaz de sostener las notas por más tiempo cuando canto al manejar. Y me he vuelto una persona mucho más limpia y sana.

Sí subí unas libras, pero no permití que eso me desalentara. Supongo que será lo siguiente en que trabaje.

Varias de mis amigas siguen fumando y al principio me preocupó que fuera a volver a hacerlo cuando estuviera con ellas. Sin embargo, acabo de hacer un viaje de 4 días con dos de mis amigas y ni una sola vez se me antojó fumar. Fue mi gran prueba y la aprobé de la mejor manera.

des", indica la Dra. Lee. Se cree que cuando uno se duerme los glóbulos de la sangre que combaten las infecciones pasan del torrente sanguíneo a los tejidos, donde atacan los virus y las bacterias mientras usted descansa.

La privación de sueño también puede afectar el bienestar emocional. Es posible que se ponga más irritable y que disminuya su capacidad de mantener la atención, afirma Rosalind Cartwright, Ph.D., directora del Centro de Servicio e Investigación de los Trastornos del Sueño en el Centro Médico Rush-Presbyterian-St. Luke's de Chicago. He aquí algunas sugerencias que le ayudarán a mejorar sus patrones de sueño.

Si es posmenopáusica, reemplace las hormonas perdidas. "En vista de que las hormonas que perdemos debido a la menopausia están relacionadas con los trastornos de la respiración durante el sueño, es una buena idea tomar suplementos —señala la Dra. Cartwright—. Los suplementos hormonales también reducen las interrupciones del sueño a causa de sofocos (bochornos, calentones)".

Mantenga una rutina regular. "Si no duerme lo suficiente una noche, no se acueste más temprano a la siguiente", dice la Dra. Cartwright. Acostarse a dormir y levantarse a la misma hora todos los días le ayudará a establecer un ciclo regular de sueño y vigilia.

Pórtese bien antes de dormir. Las actividades que realiza justo antes de meterse a la cama pueden interferir con su sueño. "Evite las comidas pesadas o el alcohol antes de acostarse", recomienda la Dra. Cartwright. Una comida pesada puede producir acidez (acedía, agruras) y el alcohol, si bien da sueño, la despertará unas 3 horas después. Por otra parte, a pesar de que se ha demostrado que caminar promueve un sueño satisfactorio, no haga ejercicio menos de 4 horas antes de meterse a la cama, porque es posible que su cuenta de ovejas aumente a causa de los efectos estimulantes del ejercicio.

Que la siesta sea breve. "Si necesita extender las horas que pasa despierta, le ayudará hacer una siesta de 15 a 20 minutos a mediodía —afirma la Dra. Cartwright—. Las siestas más prolongadas la harán despertar con una 'resaca (cruda) de sueño' y posiblemente interfieran con su sueño en la noche".

5. Escape del estrés

"El estrés resulta de la idea de estar mal preparada para enfrentar las exigencias que se imponen a su mente y cuerpo", afirma la Dra. Margaret Caudill, Ph.D., codirectora del departamento de medicina del dolor en el Centro Médico Dartmouth-Hitchcock de Manchester, Nueva Hampshire. El estrés también puede deberse a una sobrecarga de actividades positivas, como cuando se organiza una boda. "Si no se controla, el estrés puede restarle tiempo al sueño y producir tensión muscular, palpitaciones, falta de aliento y los síntomas de un intestino irritable", advierte. A largo plazo es posible que el estrés provoque problemas crónicos de salud como presión arterial alta (hipertensión) y una disminución en las funciones inmunitarias. A fin de ayudar a liberar el estrés en su vida, tome en cuenta los siguientes consejos.

Escuche a su cuerpo. "Es importante que las personas identifiquen los síntomas del estrés", opina la Dra. Caudill. La mayoría sabemos cómo reaccionamos al estrés: el cuello se tensa, el estómago nos duele, no podemos dormir, de repente sentimos dolor de cabeza o nos ponemos irritables. La clave está en hacer caso de los síntomas pronto para poder tomar medidas rápidas y manejar la situación estresante que los esté causando.

Haga algo por sí misma. Si usted se parece a muchas mujeres, cuida a todos los demás a costa de la satisfacción de sus propias necesidades. Conviene comprometerse consigo misma, afirma la Dra. Caudill. "Haga algo de manera regular para aliviar la tensión", indica. No se

---

LOS PEORES HÁBITOS DE SALUD QUE UNA MUJER PUEDE TENER

Desafortunadamente no todas las decisiones que tomamos con respecto a nuestra salud son buenas. De hecho, en lo que se refiere a malos hábitos los siguientes encabezan la lista.

Fumar. A menos que haya estado escondida durante los últimos 30 años, sabe que fumar hace daño. Además de ser un factor de riesgo importante para las enfermedades cardíacas, el cáncer de pulmón y el derrame cerebral, fumar provoca enfisema, arrugas y pérdida de masa ósea. No obstante, a pesar de las repetidas advertencias, más o menos el 23 por ciento de las mujeres siguen fumando.

Asolearse. Aproximadamente el 80 por ciento de los casos de cáncer de la piel se deben a la exposición al sol. Es pagar demasiado por un buen bronceado. "Asolearse también promueve las arrugas y reseca la piel", indica Trudy L. Bush, Ph.D., profesora de Epidemiología y Medicina Preventiva en la Escuela de Medicina de la Universidad de Maryland en Baltimore.

Beber demasiado. "Beber grandes cantidades de alcohol definitivamente es algo que no se hace", afirma la Dra. I-Min Lee, profesora adjunta de Epidemiología en la Escuela de Salud Pública de Harvard y de Medicina en la Escuela de

---

requiere mucho: un poco de ejercicio o sólo respirar hondo varias veces.

Medite. "Concentrarse repetidamente en una palabra, frase, respiración o movimiento puede relajar durante y después de la meditación, lo cual llega a reducir los cambios relacionados con el estrés en su cuerpo", indica la Dra. Caudill. Medite una vez al día de 10 a 20 minutos a fin de rejuvenecer tanto su cuerpo como su mente.

6. Consulte al médico

Hacerse exámenes médicos anuales puede prevenir diversos males, como cáncer de mama

Medicina de Harvard. Un consumo excesivo de alcohol se ha asociado a un mayor riesgo de cáncer de mama y posiblemente ciertos tipos de derrame cerebral. En pequeñas cantidades el alcohol es aceptable, ya que reduce el riesgo de sufrir enfermedades cardíacas, opina la experta. A fin de conservar un estado de salud óptimo, limítese a tres o cuatro copas a la semana y sólo una al día, señala la Dra. Bush.

Sentarse en el sillón. Un estilo de vida sedentario la hace correr el peligro de padecer una larga lista de problemas, como enfermedades cardíacas, osteoporosis, obesidad y depresión, dice la Dra. Lila A. Wallis, profesora clínica de Medicina en el Colegio de Medicina Weill de la Universidad de Cornell en la ciudad de Nueva York y coautora de un libro sobre la mujer. Cualquier tipo de movimiento que la separe del sillón es mejor que ninguno. Para obtener los mejores resultados, la Dra. Wallis sugiere que practique con regularidad una actividad repetitiva que incremente su ritmo de respiración y cardíaco.

Malos hábitos alimentarios. Una alimentación alta en grasa saturada, azúcar y carne y muy baja en verduras y alimentos integrales probablemente afectará su cuerpo de manera negativa y puede provocar enfermedades cardíacas, cáncer y problemas gastrointestinales crónicos.

y de cuello del útero u osteoporosis, afirma la Dra. Wallis. Hágase los siguientes análisis.

Mándese hacer un mamograma. "El índice de mortalidad por cáncer de mama va a la baja, lo cual probablemente se deba a la detección de lesiones tempranas por medio del mamograma", indica la Dra. Paula Szypko, una patóloga de *North State Pathology Associates* en High Point, Carolina del Norte, y portavoz del Colegio de Patólogos Estadounidenses. El mamograma puede descubrir tumores premalignos y no invasivos tempranos antes de que se detecten mediante el tacto. La Dra. Szypko sugiere hacerse un mamograma al año después

de los 40 años. "Además, examínese usted misma una vez al mes y que su médico la examine una vez al año", recomienda la patóloga.

Prevenga el cáncer con la prueba de Papanicolau. "El índice de mortalidad por cáncer de cuello del útero ha disminuido de manera significativa desde que la prueba de Papanicolau (o prueba citológica) se difundió hace casi 50 años. Pasó del número uno a ni siquiera estar entre las primeras 10 causas", dice la Dra. Szypko. Los efectos preventivos de la prueba son tremendos. El 80 por ciento de las mujeres que mueren por cáncer de cuello del útero no se hicieron una prueba de Papanicolau durante 5 años. Por sí sola, esa estadística demuestra la importancia de hacerse esta prueba anualmente sin fallar. La Dra. Szypko recomienda hacerse una prueba de Papanicolau al año desde los 18 años. "Muchas mujeres creen que no necesitan la prueba de Papanicolau si ya no pueden tener hijos, pero el 60 por ciento de los casos de cáncer de cuello del útero se dan en mujeres de más de 55 años", indica.

Revise el resto de su cuerpo. Además de la prueba de Papanicolau y del mamograma, debe recibir una vacuna anual contra la gripe así como un análisis del colesterol y una revisión de su presión arterial, opina la Dra. Bush. Las mujeres mayores de 45 años deben hacerse un escáner óseo por medio de una absorciometría con doble haz de rayos X (*dual-energy x-ray absorptiometry* o *DEXA* por sus siglas en inglés) para detectar la osteoporosis, una afección que afecta más a la mujer que al hombre. Si tiene más de 50 años, también debe hacerse revisar cada 5 a 10 años para ver si tiene cáncer rectal o de colon.

7. Abróchese

"Sólo son unas cuantas cuadras". "No quiero arrugar mi vestido". La lista de pretextos podría alargarse. Sin embargo, cada hora alguien se muere por no haberse puesto el cinturón de seguridad. Y si la amenaza contra su vida no la convence, quizá lo haga la amenaza contra su billetera (cartera). En 16 estados y el Distrito de Columbia (Washington), la ley con respecto a los cinturones de seguridad le permite a un policía detenerla y levantarle un acta específicamente por no haberse abrochado el cinturón. Realmente no hay pretexto para no invertir los 3 a 7 segundos que tardará en abrocharse el cinturón de seguridad.

Si de todas formas se niega terminantemente a ponerse el cinturón cuando maneje sola, por lo menos hágalo delante de sus hijos. De lo contrario les estará enviando el mensaje de que está bien manejar sin cinturón de seguridad. El Colegio Estadounidense de Médicos de Urgencias (o *ACEP* por sus siglas en inglés) informa que cuando el conductor no lleva un cinturón de seguridad los pequeños pasajeros sólo se lo pondrán el 30 por ciento del tiempo, en comparación con el 94 por ciento de los pequeños pasajeros de los conductores que se abrochan el cinturón de seguridad.

Y acuérdese de que *todos* los pasajeros deben ponerse el cinturón de seguridad. De acuerdo con el ACEP, al estrellarse a 55 millas (88 km) por hora, un pasajero del asiento de atrás que no se haya puesto el cinturón de seguridad puede volar hacia el frente con fuerza suficiente para lesionar de gravedad o incluso matar a una persona que va sentada adelante. Por lo tanto, en beneficio de su propia seguridad y la de sus pasajeros, asegúrese

de que todo mundo se abroche el cinturón.

Por último, haga hincapié en ponerse el cinturón correctamente. De acuerdo con la Asociación Estadounidense del Automóvil (o *AAA* por sus siglas en inglés), cuando un cinturón de seguridad se usa de manera incorrecta puede causar más daño que bien. El cinturón debe atravesar sus caderas y pelvis, pecho y un hombro. Cuando se deja detrás del cuerpo llega a tener como consecuencia que la persona se pegue con la cabeza en el tablero, mientras que si se lo pone debajo de la axila puede fracturarle las costillas y producir graves lesiones internas.

8. Renueve sus relaciones

"A las personas que poseen una conexión emocional con otros les va mejor en lo que se

---

POR QUÉ LAS MUJERES VIVIMOS POR MÁS TIEMPO QUE LOS HOMBRES

Se ha documentado desde hace cientos de años y se sabe desde hace miles: las mujeres vivimos por más tiempo que los hombres. Pero, ¿por qué? A continuación algunas posibles causas son expuestas por Royda Crose, Ph.D., directora adjunta y profesora adjunta del Instituto Fisher para el Bienestar y la Gerontología en la Universidad Estatal Ball de Muncie, Indiana, y autora de un libro sobre la longevidad de las mujeres.

La testosterona es problemática. "Al parecer la testosterona se asocia a una personalidad más activa, impulsiva y agresiva, lo cual puede derivar en conductas riesgosas", indica la Dra. Crose. De jóvenes es más probable que un hombre muera en un accidente, se suicide o sea víctima de un homicidio que una mujer. Más adelante en la vida, la testosterona aumenta el nivel del colesterol lipoproteínico "malo" de baja densidad y hace que disminuyan las lipoproteínas "buenas" de alta densidad, por lo cual los hombres tienen más riesgo de enfermarse del corazón.

El estrógeno protege. "Los científicos médicos piensan

que las mujeres premenopáusicas disfrutan un efecto de protección contra las enfermedades debido al estrógeno", afirma la Dra. Crose. Se piensa que el estrógeno protege a las mujeres contra las enfermedades cardíacas, la osteoporosis y posiblemente también contra trastornos cerebrales como la enfermedad de Alzheimer.

La "X" elimina la enfermedad. "Los científicos opinan que las mujeres tienen una ventaja al poseer dos cromosomas X, porque el segundo cromosoma X sirve de respaldo en caso de que algo salga mal con un gen del primero", explica la Dra. Crose.

Las peras son más saludables que las manzanas. Las mujeres solemos subir de peso de la cintura para abajo —en las caderas, el trasero y las piernas—, lo cual nos da una forma más bien parecida a una pera, mientras que los hombres tienen una forma parecida a la manzana. "Se piensa que el perfil de obesidad con forma de manzana es un fuerte indicador de mayor presión arterial alta (hipertensión), diabetes, enfermedades cardíacas y derrame cerebral", comenta la Dra. Crose.

refiere a su riesgo de enfermarse que a quienes carecen de tal conexión", indica la Dra. Lee. Los efectos del aislamiento son aún peores para las personas que padecen alguna enfermedad crónica. Por ejemplo, los enfermos de la arteria coronaria que cuentan con un cónyuge o confidente tienen un 30 por ciento más de probabilidades de sobrevivir que los pacientes solitarios. "Trátese de la iglesia, del compañero o de la amiga, el simple hecho de contar con apoyo ayuda", afirma. Y usted puede mantenerse conectada de varias formas.

Construya una red de apoyo. "Las personas con buena salud social mantienen relaciones interdependientes y complementarias en las que cada persona le ayuda a la otra —afirma Royda Crose, Ph.D., directora adjunta y profesora adjunta del Instituto Fisher para el Bienestar y la

Gerontología en la Universidad Estatal Ball de Muncie, Indiana, y autora de un libro sobre la longevidad de las mujeres—. Tales relaciones interdependientes brindan una red de seguridad importante para sobrevivir durante toda la vida, pero resultan particularmente cruciales en la vejez".

Mantenga vivo su amor. A fin de conservar su vigor, las relaciones amorosas requieren un influjo constante de energía fresca. Trate a su compañero con espontaneidad, ya sea que a última hora tomen la decisión de pasear por el parque o de viajar a las Bahamas. Y acuérdese de reír, lo cual refuerza el espíritu de regocijo que los unió en un inicio, indica la Dra. Crose.

Explore su espiritualidad. Las actividades religiosas pueden aportar significado a su vida y darle satisfacciones personales fuera de su familia. "Los vínculos espirituales y religiosos proporcionan motivación y esperanza, actitudes que llegan a promover la longevidad", dice la Dra. Crose.

9. Ríase con ganas

La risa es la respuesta fisiológica al humor. Las investigaciones indican que produce beneficios fisiológicos como un mayor número de anticuerpos, una disminución en la cantidad de hormonas del estrés y un umbral de dolor más alto. "La risa también es buena para su salud emocional", opina la Dra. Bush.

De acuerdo con un estudio llevado a cabo por la Universidad Loma Linda en California, la presión arterial de los pacientes de ataques cardíacos bajó, disminuyeron sus hormonas del estrés y se redujo su necesidad de medicamento cuando agregaron un video humorístico de 30 minutos a su rehabilitación cardíaca.

10. Póngase un pasatiempo

"Las mujeres dedicamos demasiado tiempo a hacer cosas para los demás", afirma la Dra. Bush. Realizar una actividad para usted misma le proporcionará una fuente de placer que podrá reducir el estrés en su vida y aumentar su bienestar, indica la experta. A fin de incorporar una actividad nueva a su vida, intente lo siguiente.

Recuerde su juventud. "Reviva un pasatiempo que haya tenido con anterioridad", sugiere la Dra. Bush. Trátese de pintar, de jugar a la baraja o incluso de recorrer los centros comerciales, si antes lo disfrutaba, hágalo de nuevo.

Trabaje la tierra. La jardinería es un pasatiempo excelente, indica la Dra. Bush. Se ha demostrado que trabajar en el jardín despierta la creatividad y el optimismo, además de que en lo físico quema calorías y puede hacer que baje la presión arterial.

Vuélvase voluntaria. "Pienso que trabajar como voluntaria, la idea del altruismo, es importante —opina la Dra. Caudill—. Se ha demostrado que las personas que establecen vínculos con otros y ayudan a los demás son más sanas".

La actividad de voluntaria puede enriquecer su vida conforme aprenda nuevas habilidades y forje nuevas relaciones, dice la Dra. Crose.

Su mejor defensa

De ser cierto que comer una manzana al día mantiene alejado al médico, seguramente estamos comiendo muchas manzanas, porque los médicos no nos consagran mucho tiempo. De hecho, un médico de atención elemental típico pasa menos de 13 minutos con cada paciente cada 6 meses.

Eso no deja mucho tiempo para practicar la medicina preventiva básica que podría ayudar a mantenernos sanos. En una encuesta llevada a cabo en 1998 por el Fondo del Commonwealth, sólo el 55 por ciento de las mujeres interrogadas informaron que se les había hecho una prueba del colesterol en la sangre durante el año anterior. Casi el 40 por ciento indicó que no se les habían hecho reconocimientos físicos ni pruebas de Papanicolau (pruebas citológicas). Una de tres no se había sometido a revisiones clínicas de las mamas. Y una de cada seis no había recibido atención preventiva durante el mismo lapso de tiempo.

Sin embargo, el tiempo que nos dedican los médicos no es el único problema. La falta de incentivos —las aseguradoras no les compensan a los médicos la mayoría de los cuidados preventivos— también tiende a desalentarlos en cuanto a la posibilidad de sugerir medidas de precaución que pudieran tener un impacto en la salud de las mujeres a largo plazo, según lo señala la Dra. Linda Hyder Ferry, profesora adjunta de Medicina Preventiva y Medicina Familiar en la Escuela de Medicina de la Universidad de Loma Linda en California. Además, muchos médicos simplemente no han recibido una capacitación adecuada en cuestiones de atención preventiva.

"A los médicos tradicionalmente no se les enseña a ser buenos asesores en cuestiones de prevención —indica la Dra. Ferry—. Realicé mi propia encuesta de todas las escuelas de Medicina en los Estados Unidos. La encuesta incluyó preguntas acerca de la preparación que está disponible en relación con el tabaco. Los resultados fueron desalentadores. El consumo del tabaco es la principal causa evitable de muerte en los Estados Unidos, pero la mayoría de las escuelas de Medicina no exigen ningún entrenamiento clínico para ayudar a los pacientes a dejar de fumar. La capacitación en cuestiones de nutrición es aún peor".

Por lo tanto, nos guste o no, la responsabilidad de realizar cuidados preventivos es una carga que descansa principalmente sobre nuestros propios hombros.

"Las mujeres tienen que convertirse en sus propias defensoras del consumidor. Es preciso que lean todo lo posible acerca de cuidados preventivos porque la mayoría de los médicos, a menos que se hayan tomado el tiempo por cuenta propia de aprender acerca de estas cuestiones, probablemente no les proporcionarán las mejores estrategias de prevención", indica la Dra. Ferry.

Coma con calidad para evitar enfermarse

La Pirámide de Alimentos del Departamento de Agricultura de los Estados Unidos es un punto de partida excelente para ayudar a las personas a prevenir muchas enfermedades, según afirma Jennifer Brett, N.D., una naturópata de Stratford, Connecticut. De acuerdo con la pirámide, las mujeres debemos comer de 6 a 11 raciones diarias de pan, cereal, arroz y pasta; de 2 a 4 raciones de frutas, como manzana, fresa y plátano amarillo (guineo, banana); de 3 a 5 raciones de verduras, como brócoli, tomate (jitomate) y lechuga; de 2 a 3 raciones de leche, yogur, queso y otros productos lácteos; y de 2 a 3 raciones de carne, carne de ave, pescado, frijoles (habichuelas), huevo o frutos secos. Las grasas tienen que utilizarse con moderación. No obstante, la pirámide es sólo una de las muchas herramientas que las mujeres debemos aprovechar para mantener nuestra salud.

"La salud deriva de lo que se haga todos los

LOS MEJORES ALIMENTOS
PARA DISFRUTAR UNA MEJOR SALUD

Consumir productos naturales más orgánicos puede ayudarla a mantener su salud, afirma Jennifer Brett, N.D., una naturópata de Stratford, Connecticut. Muchos de los productos comerciales que se encuentran en los estantes de una tienda de comestibles típica en la actualidad contienen sustancias químicas, hormonas y otros ingredientes no naturales que pueden producir alergias a los alimentos y comprometer la salud en general. La mayoría de las tiendas de productos naturales ofrecen alimentos básicos cultivados de manera natural así como otros productos orgánicos. Para empezar, considere agregar los siguientes alimentos naturales a su lista de compras.

- **Alimentos para un hígado saludable.** La remolacha (betabel), la zanahoria, la alcachofa, el limón, la chirivía (pastinaca), las hojas de diente de león (amargón) y el berro contribuyen a mantener sano el hígado.

- **Amaranto.** Esta proteína casi completa contiene un montón de calcio y otros nutrientes vitales. Está disponible en forma de semilla, harina o inflado.

- **Arrurruz** (*arrowroot*). Para espesar sus salsas y otros alimentos use arrurruz en lugar de maicena, la cual llega a provocar estreñimiento, diarrea y pérdida de vitaminas. Además, el arrurruz deja menos regusto que la

---

días. Todas las pastillas del mundo no compensarán unos cimientos malos. Por lo tanto, hay que empezar con una nutrición equilibrada —afirma la Dra. Brett—. Desde luego los individuos también tienen necesidades específicas que deben tomarse en cuenta. Una mujer que padece infecciones vaginales recurrentes, por ejemplo, puede ayudarse a prevenirlas si consume alimentos que contengan menos azúcar, almidón y otros carbohidratos refinados".

A pesar de que las necesidades alimentarias de cada mujer difieren un poco entre sí, las siguientes pautas generales, aunadas a la pirámide de

maicena. Es el sustituto perfecto para las personas alérgicas al maíz (elote, choclo).

- Escanda (*spelt*). Este miembro de la familia del trigo con frecuencia puede ser tolerado por personas alérgicas al gluten o al trigo así como por personas con enfermedad celíaca. Contiene más proteínas y fibra que el trigo.

- Hierba dulce de Paraguay (*Stevia rebaudiana*). Conocida en inglés como *stevia* o *honey leaf*, la hierba dulce de Paraguay es un edulcorante herbario fuerte libre de los efectos secundarios poco saludables de los edulcorantes artificiales. De 1 a 3 gotas bastan perfectamente para endulzar una taza de té.

- Huevos. Cómprelos de granja u orgánicos para obtener un mejor sabor y nada de hormonas.

- Levadura alimenticia. Las levaduras —como la de cerveza— están repletas de nutrientes, incluyendo las vitaminas del grupo B. Espolvoree levadura sobre sus palomitas (rositas) de maíz (cotufo), panes o cereales.

- Millo (mijo). Este cereal integral sabroso y libre de gluten es muy nutritivo y fácil de digerir.

- Pimienta de cayena. Esta pimienta roja es un buen sazonador para muchos alimentos y ayuda a despejar las mucosidades y a reducir el colesterol. También es posible que mejore la circulación sanguínea. Este sustituto excelente de la pimienta negra se ofrece con picante leve, regular o fuerte.

alimentos, pueden ayudar a brindarle la mejor nutrición posible.

Disfrute las frutas y las verduras. Coma las frutas y verduras frescas que le gusten, experimente con otras nuevas y consuma una gran variedad de todas, recomienda la Dra. Brett. Los fitoquímicos (sustancias químicas de las plantas) que contienen posiblemente ayuden a proteger contra enfermedades tan catastróficas como el cáncer, los males cardíacos y el derrame cerebral. Nadie sabe con certeza cómo funcionan los fitoquímicos, pero los investigadores sospechan que varias mezclas de compuestos neutralizan los radicales libres, las moléculas inestables que dañan o destruyen las células saludables. En vista de que los fitoquímicos trabajan por grupos, se necesitan muchos para cambiar las cosas. Ninguna fruta o verdura contiene por sí sola todos los fitoquímicos que hacen falta. Entre mayor sea la variedad de frutas y verduras que consuma, mejor estará de salud.

Favorézcase con frijoles. Los frijoles blancos pequeños, los frijoles pintos, las habas blancas *(lima beans)* y otros tipos de frijoles prácticamente carecen de grasa y son excelentes fuentes de proteínas que pueden disminuir de manera radical o incluso eliminar la necesidad de incluir carnes llenas de grasa en el chile con carne *(chili)*, los guisos (estofados) y las ensaladas.

A fin de reducir los gases que provocan, remoje los frijoles durante toda la noche en un tazón (recipiente) de agua y use agua limpia para cocinarlos. Ciertos productos vendidos sin receta como *Beano*, que contiene la enzima alfa-galactosidasa, también pueden ayudar a prevenir los gases al descomponer los azúcares en el sistema digestivo.

Que la carne no conquiste su plato. Evite que la carne llene su plato de tal forma que ya no quepan las frutas ni las verduras. En cambio, limítese a no más de 6 onzas (168 g) de carne cocida al día. Utilice una pequeña ración de carne (de 2 a 3 onzas/56 a 84 g después de cocinada) para complementar, no dominar, cada comida. O bien ríjase por la siguiente pauta: por cada bocado de carne tome cuatro bocados de frutas, verduras, frijoles y cereales.

Sustitúyala por soya. La soya contiene isoflavonas, unas sustancias que bloquean la formación de vasos sanguíneos alrededor de los tumores nuevos, evitan la multiplicación de las células cancerosas e impiden la absorción del estrógeno, que promueve los tumores. Por lo tanto, en lugar de carne de res, pollo u otras carnes prepare el plato principal de sus comidas a partir de productos de soya como el *tofu*, que se consigue en la mayoría de las tiendas de comestibles.

Consuma calcio. La leche viene enriquecida con vitamina D, que el cuerpo necesita para absorber el calcio, el cual ayuda a prevenir la osteoporosis, una enfermedad degenerativa de los huesos que nos afecta a las mujeres cuatro veces más frecuentemente que a los hombres. Tomar 2½ a 3 vasos de leche descremada al día puede ayudarle a alcanzar la meta de ingerir 1,000 miligramos de calcio a través de la alimentación. Otras buenas fuentes de calcio son el yogur, el queso *Cheddar*, las sardinas (con sus espinas), el *tofu* y el jugo de naranja (china) enriquecido con calcio.

Aguante el aliento. Comer media cebolla o un diente de ajo al día ayuda a regular las bacterias y otros organismos tanto en los intestinos como en el tracto reproductor. La cebolla y el ajo también contienen un gran número de compuestos antioxidantes que combaten el cáncer y las enfermedades cardíacas.

Anule los alimentos hidrogenados. Alimentos como los productos panificados comerciales y las margarinas con frecuencia contienen muchísimos aceites hidrogenados o parcialmente hidrogenados. Esto significa que se agregó hidrógeno a la grasa insaturada para lograr que se solidificara. El proceso crea grasa saturada y ácidos transgrasos, una combinación horripilante que eleva los niveles de las lipoproteínas de baja densidad (o *LDL* por sus siglas en inglés), es

DE MUJER A MUJER
Tuvo que obligar a sus médicos a hacerle un diagnóstico

Desde los 17 años, Dede Wilson de Cincinnati sufría problemas gastrointestinales que tenían perplejos a sus médicos. Un especialista tras otro y años de pruebas no consiguieron llegar a la raíz del problema. Finalmente Dede se hizo el diagnóstico sola. Al principio sus médicos se burlaron de ella, pero al poco tiempo se dieron cuenta de que sus instintos habían acertado. Esta es su historia.

En un inicio no tenía la menor idea de cuál pudiera ser el problema. Almorzaba, por ejemplo, y luego me enfermaba del estómago. Me daban náuseas, vomitaba, tenía diarrea y me dolía el estómago. El médico de la familia no tenía idea de qué pudiera ser. Simplemente lo descartó como algo de los nervios y me recetó *Valium*.

Con el tiempo me mandaron con un gastroenterólogo. De nueva cuenta las pruebas salieron negativas, así que me hizo un diagnóstico fácil: síndrome del intestino irritable. Soporté meses de medicamentos inútiles.

Luego empecé a tener sangrados irregulares, lo cual me pareció raro, ya que estaba tomando píldoras anticonceptivas para ayudar a regular mi menstruación. Eso fue lo que

decir, el colesterol malo que tapa las arterias. Por lo tanto, si encuentra la palabra "hidrogenado" *(hydrogenated)* en la etiqueta de un alimento, devuélvalo al estante de la tienda.

Apoye su salud. A veces resulta difícil obtener cantidades adecuadas de todos los nutrientes que se necesitan para mantenerse saludable, aunque la alimentación sea bien equilibrada. Por lo tanto, tome un multivitamínico al día. Debe incluir el 100 por ciento de la Cantidad Diaria Recomendada (o *DV* por sus siglas en inglés) de calcio, magnesio, niacina, hierro, ácido fólico y cromo, así como de las vitaminas A, C, D, E y B₁₂. De manera particular, las vitaminas antioxidantes que vienen en

me convenció. Todas mis tías me habían dicho que tenía endometriosis. Tenían razón. De hecho es cosa de familia: siete de nosotras la tenemos. No obstante, lograr que mis médicos lo creyeran significó una lucha tremenda. Cada vez que mencionaba la endometriosis me rebatían. Dijeron que era totalmente imposible que la tuviera porque apenas tenía poco más de 20 años. Finalmente sentí tanto dolor que me comuniqué con mi ginecólogo y le exigí que me tratara. Me hizo una laparoscopía y por fin diagnosticó la enfermedad correctamente. Me sentí agradecida porque la había encontrado, pero no estuve a gusto con su tratamiento ni con su trato. Así que una vez más me puse a buscar a otro médico. Y a otro más. Tardé 4 años, pero ahora estoy viendo a un médico que realmente escucha lo que me preocupa.

Mi consejo para otras mujeres: no se deje relegar a un segundo plano por su médico. Tratar la endometriosis es una tarea de equipo. Cuando veo un artículo sobre la enfermedad que me parece le pudiera ayudar a mi médico a comprenderla mejor, se lo envío. No quiero ser simplemente una persona acostada en el consultorio tapándose el cuerpo desnudo con un lienzo. Quiero que sepa quién soy y cómo afecta mi vida esta enfermedad.

estos suplementos ayudan a prevenir las enfermedades cardíacas y otras lesiones de los tejidos.

Regularice su rutina de ejercicios

Desde hace mucho tiempo se sabe que el ejercicio hecho con regularidad reduce el riesgo de las mujeres de padecer enfermedades cardíacas y derrame cerebral, pero eso no lo es todo.

Es posible que en las mujeres que hacen ejercicio durante una hora al día el riesgo de sufrir cáncer de mama también disminuya en un 20 por ciento, de acuerdo con los resultados obtenidos por el Estudio de la Salud de las Enfermeras, uno de los trabajos más amplios (abarcó a 121,701 mujeres) que jamás se haya hecho sobre la salud de las mujeres. Otros investigadores que han evaluado los datos contenidos en el Estudio de la Salud de las Enfermeras encontraron que las mujeres que hacían la mayor cantidad de ejercicio a la semana tenían un riesgo bastante menor de contraer diabetes del tipo II que las mujeres que no hacían tanto ejercicio.

Los ejercicios de resistencia al peso, como caminar y correr, también pueden ayudarnos a conservar nuestra masa ósea y evitar la osteoporosis, que es el adelgazamiento y desgaste de los huesos que ocurre cuando envejecemos, según indica la Dra. Marianne Legato, fundadora y directora de la Sociedad para la Salud de la Mujer en el Colegio de Médicos y Cirujanos de la Universidad de Columbia en la ciudad de Nueva York y autora de un libro sobre la salud de la mujer.

El simple hecho de caminar 40 minutos por día cuatro veces a la semana puede reforzar muchísimo la capacidad del cuerpo para defenderse contra innumerables enfermedades.

Descanse tranquila

El sueño le ayuda al cuerpo a reconstruir el tejido muscular y a reponer las sustancias químicas del cerebro. Sin el sueño adecuado —normalmente de 7 a 9 horas por noche— es posible que se sienta con menos energía y más irritable, le cueste más trabajo concentrarse y esté más expuesta a sufrir accidentes, según afirma la Dra. Brett. Tomar de 200 a 300 miligramos de calcio y magnesio todas las noches puede ayudarla a

(continúa en la página 240)

SU ÁRBOL DEL CONOCIMIENTO

Investigue su historia familiar de enfermedades hablando con sus padres, abuelos, tías, tíos y hermanos. Si un pariente consanguíneo padece una enfermedad o siente una molestia, no debe entregarse al pánico pero sí estar consciente de que corre más riesgo.

Entre más parientes consulte, mejor. También tiene que averiguar algo acerca de sus estilos de vida.

Por ejemplo, ¿solían beber o fumar?

Debe ponerles más atención a los males graves pero que puedan prevenirse, como el cáncer, la presión arterial alta (hipertensión), la diabetes, el alcoholismo, las enfermedades cardíacas y la depresión.

El ejemplo de árbol genealógico que se representa abajo indica una forma de anotar los antecedentes médicos de su familia. (Los familiares difuntos

Ejemplo de un árbol genealógico

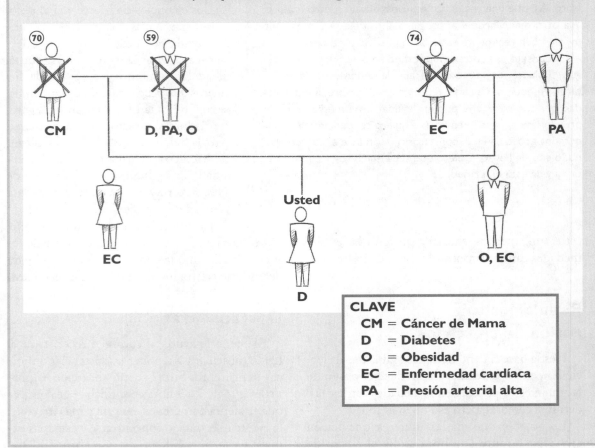

CLAVE

CM = Cáncer de Mama
D = Diabetes
O = Obesidad
EC = Enfermedad cardíaca
PA = Presión arterial alta

están tachados y la edad que tenían al morir se encuentra rodeada por un círculo al lado).

Organice sus datos en una gráfica como la que se muestra en el ejemplo. Así podrá ver los historiales médicos de varios de sus parientes al mismo tiempo. Tendrá que asignar una letra a cada cuestión médica o enfermedad que haya ocurrido en su familia y colocar esta letra debajo de cada familiar afectado. Utilice la clave para anotar qué males representan las letras. Si su pariente murió, también apunte la edad que tenía al morir.

Cuando su árbol genealógico médico esté lo más completo posible, repáselo con su doctor para comprender sus riesgos de manera más clara.

Su árbol genealógico

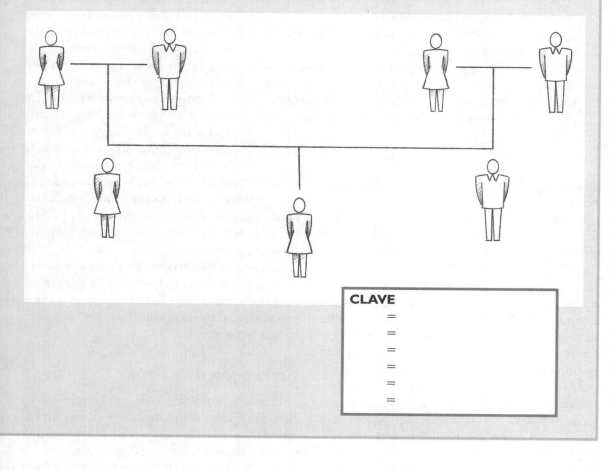

CLAVE
=
=
=
=
=
=

descansar más mientras duerme, agrega la experta.

Se ha demostrado que la valeriana, un remedio herbario, tiene propiedades tranquilizantes y sedantes parecidas a las del medicamento diazepam *(Valium)*, que se vende sólo con receta, pero sin sus efectos secundarios. Además, la valeriana no causa adicción. La Dra. Brett sugiere tomar 2 cápsulas de 400 miligramos 30 minutos antes de acostarse. La valeriana también se vende en forma de té, pero de acuerdo con la Dra. Brett este apesta a calcetines (medias) viejos y sucios, por lo que es posible que sea difícil de tomar. No utilice la valeriana junto con medicamentos que faciliten dormirse o que regulen los estados anímicos, ya que puede intensificar sus efectos. Es posible que les provoque palpitaciones cardíacas y nerviosismo a personas sensibles. Si usted siente que la estimula de la forma que sea, deje de usarla. La valeriana se vende en la mayoría de las tiendas de productos naturales.

De acuerdo con la Dra. Brett los siguientes consejos también le ayudarán a dormir mejor.

Observe un horario. Trate de acostarse y de despertarse más o menos a la misma hora todos los días.

Relájese antes de retirarse. Tómese unos momentos antes de irse a la cama para descargar el estrés del día por medio de la meditación o de respiraciones profundas. Y evite agotarse haciendo ejercicio una o dos horas antes de acostarse. La estimulación física y psicológica podría acelerar sus revoluciones.

Tome té herbario o leche. La leche contiene mucho L-triptofano, el cual les ayuda a algunas personas a dormir. Tomar una taza de té herbario antes de irse a la cama es otro ritual tranquilizante que puede ayudar a relajar.

Absténgase del alcohol y la cafeína. Cualquiera de estas sustancias tomada hasta 8 horas antes de acostarse trastocará sus patrones naturales de sueño.

Aligere el estómago. Una cena abundante o merienda (refrigerio, tentempié) a altas horas de la noche puede hacerla dar vueltas en la cama sin conciliar el sueño mientras su tracto digestivo trabaja horas extras.

Estrangule el estrés

Hay más probabilidad de que las mujeres —particularmente si son madres— se sientan estresadas que los hombres. Así lo afirma una encuesta llevada a cabo por *Roper Starch Worldwide*, una empresa de investigación y consultoría en mercadotecnia con sede en la ciudad de Nueva York.

Mientras que el 21 por ciento de las mujeres de 30 países afirman sentir una cantidad inmensa de estrés, sólo el 15 por ciento de los hombres comparten este sentimiento. Entre las mujeres más estresadas en el mundo figuran las que trabajan de tiempo completo y tienen hijos menores de 13 años; casi una de cada cuatro experimenta estrés prácticamente todos los días. Un número mayor de mujeres solteras que de hombres solteros en todo el mundo sufre un intenso estrés cotidiano, y el número de las mujeres separadas o divorciadas que sufren estrés rebasa el de los hombres separados o divorciados que lo padecen, en una proporción de 3 a 2.

Desde luego el exceso de estrés es más que simplemente un fastidio. A veces nos hace más susceptibles de padecer infecciones y desequilibrios hormonales, según advierte la Dra. Brett. La meditación, el yoga y otras técnicas pueden ayudar mucho a reducir el estrés que se siente y a su vez disminuir el riesgo de enfermarse.

Escuchar música es el método más importante para contrarrestar el estrés en la vida de más de la mitad de las mujeres del mundo, de acuerdo con Roper Starch Worldwide. Leer, caminar y darse un baño o una ducha (regaderazo) son otras formas muy difundidas de relajarse.

Realice un peregrinaje anual

Hacerse reconocimientos físicos y análisis médicos con regularidad puede ayudar a detectar

PREGUNTAS Y RESPUESTAS

¿Cómo me harán un mamograma si tengo los senos muy pequeños?

A pesar de que las mujeres de senos más pequeños llegan a preocuparse de si es posible hacerles un mamograma adecuado, deben saber que el tamaño de sus senos no importa, aunque usen copa A o AA. Los técnicos rara vez tienen que tratar a las mujeres de senos pequeños de manera diferente que a las de senos más grandes. La compresión es la misma. No duele más ni menos por tener los senos más pequeños.

Sin embargo, la indicación realmente importante es que las mujeres de senos pequeños deben hacerse un mamograma al año después de los 40 años, al igual que cualquiera. Algunas mujeres de senos más pequeños quizá piensen que corren menos riesgo de padecer cáncer por tener menos tejido mamario. Sin embargo, esto no es cierto. El cáncer de mama no es más común entre las mujeres de senos grandes que entre las de senos más pequeños. Sin importar cuánto tejido mamario tengamos, todas las mujeres enfrentamos el mismo porcentaje de riesgo que cualquier otra mujer de nuestra edad.

Información proporcionada por la experta
La Dra. Deborah Capko
Cirujana de las mamas y directora médica
*   adjunta*
Instituto para el Cuidado de la Mama en el Centro Médico de la Universidad de Hackensack
Nueva Jersey

pequeños problemas físicos antes de que se hagan grandes. El tipo y el número de pruebas que necesitará cada año depende de muchos factores, entre ellos su edad y antecedentes médicos. No obstante, existen varios exámenes cruciales a los que las mujeres mayores de 40 deben someterse, según la Dra. Legato. Es posible que algunos de ellos le resulten familiares y ya formen parte de su vida, pero quizá otros no lo sean. En este caso, pregúntele a su médico acerca de la posibilidad de agregarlos a su calendario de cuidados médicos de rutina.

- Una lectura de la presión arterial *(blood pressure reading)* por lo menos una vez al año por parte de un médico o una enfermera. La presión arterial alta (hipertensión) (resultados regulares por arriba de 140/90) es un conocido factor de riesgo para el derrame cerebral y las enfermedades cardíacas.

- Un mamograma *(mammogram)* realizado por lo menos cada 2 años después de los 40 puede ayudar a detectar el cáncer de mama.

- Un examen de tacto de las mamas *(manual breast exam)* por parte de un médico entendido una vez al año, además del mamograma.

- Un reconocimiento completo de la piel de los pies a la cabeza *(head-to-toe skin exam)* por parte de un médico entendido, una vez al año.

- Una prueba de colesterol una vez al año. En vista de que las enfermedades cardíacas son la principal causa de muerte entre las mujeres, la Dra. Legato piensa que vigilar el nivel total de colesterol así como el colesterol LDL "malo", las lipoproteínas de alta densidad (o *HDL* por sus siglas en inglés) y los triglicéridos representa un elemento esencial de la atención preventiva.

- Una prueba del funcionamiento de la tiroides *(thyroid-function test)* cada año después de los 50. Para esta prueba se analiza una muestra de sangre en el laboratorio.

- Una densimetría ósea *(bone-density screening)* para ayudar a determinar el riesgo de padecer osteoporosis. Esta prueba sólo se tiene que hacer una vez.

- Una prueba de estradiol en plasma *(serum estradiol test)* cada 2 años después de los 45. Un nivel bajo de estradiol en sangre (menos de 50 picogramos/decilitro) puede indicar que hace falta una terapia de reposición hormonal.

Cómo ser una detective de la salud

Tanto en las librerías como en Internet abundan los recursos para obtener información sobre la salud o acerca de alguna enfermedad en particular que tal vez la esté afectando. Podrá encontrar los siguientes libros en la biblioteca pública.

- *Mayo Clinic Family Health Book* (El libro de la salud familiar de la Clínica Mayo) y *The American Medical Association Family Medical Guide* (La guía médica familiar de la Asociación Médica de los Estados Unidos), cuando se utilizan en conjunto, proporcionan información elemental de salud en un lenguaje fácil de entender. El *Mayo Clinic Family Health Book* proporciona información acerca de más de 1,000 enfermedades y trastornos. La *The American Medical Association Family Medical Guide* incluye ilustraciones y diagnósticos de síntomas comunes.

- *Health Care Almanac: Every Person's Guide to the Thoughtful and Practical Sides of Medicine* (El anuario para el cuidado de la salud: la guía de todos sobre el aspecto serio y práctico de la medicina), de la Asociación Médica de los Estados Unidos, está organizado en orden alfabético con las direcciones de asociaciones médicas e información diversa con respecto a la salud.

- *La enciclopedia de la salud y el bienestar emocional de la mujer* está concebido para responder a muchas inquietudes que las mujeres tenemos acerca de nuestra salud.

➤ *Nuestros cuerpos, nuestras vidas,* por el personal del Boston Women's Health Book Collective, sigue considerándose como la mejor opción para proporcionar a las mujeres un panorama amplio de los cuidados de la salud.

En cuanto a información que se actualice constantemente, las bibliotecas tanto médicas como públicas cuentan con bases de datos electrónicas así como conexiones a Internet. Fíjese en los siguientes sitios de Internet.

➤ Healthfinder (www.healthfinder.gov), un sitio del gobierno, ofrece una interfase temática con buscador y ligas adicionales a organizaciones profesionales, instituciones académicas y bibliotecas.

➤ El sitio del Colegio Estadounidense de Obstetras y Ginecólogos (www.acog.org) aborda diversos temas de salud de la mujer.

➤ CancerNet (http://cancernet.nci.nih.gov), del Instituto Nacional del Cáncer, proporciona información actualizada sobre el cáncer en relación con su diagnóstico y tratamiento así como los médicos y las instalaciones especializados en esta enfermedad.

➤ El Centro Nacional de Información sobre la Salud de la Mujer (www.4woman.org) se encuentra a cargo del Departamento Estadounidense de Salud y Servicios Humanos. Este sitio se distingue por presentar noticias actualizadas relacionadas con la salud, información para el consumidor y ligas a diccionarios y glosarios médicos.

➤ El sitio de la Sociedad Norteamericana de la Menopausia (www.menopause.org) analiza estudios científicos relacionados con la menopausia.

➤ Un electrocardiograma *(electrocardiogram, EKG)* cada año. Más de uno de cada tres ataques cardíacos que nos dan a las mujeres son silenciosos, es decir, ocurren sin ninguna señal externa o aviso previo. Un EKG puede ayudar a determinar si su corazón ha sufrido algún daño durante el año anterior.

➤ Una prueba de sangre fecal oculta *(fecal occult blood test)* cada año después de los 50. Este análisis revelará cualquier sangre oculta en su excremento, lo cual puede ser una señal de advertencia de cáncer del colon y otras enfermedades.

➤ Un examen rectal digital una vez al año. Para realizar esta prueba, que la Dra. Legato recomienda encarecidamente, un médico introduce un dedo de la mano enguantada en el recto y por medio del tacto determina si hay tumores, anormalidades o indicios de sangrado.

"Lo aplico todo el tiempo —indica la Dra. Legato— y pienso que las vidas de muchas más mujeres se salvarían, en lo que se refiere a la muerte por cáncer de colon, mediante la detección temprana de pólipos en el colon. Estos pólipos tardan años en hacerse cancerosos, pero todos se vuelven malignos en algún momento. Algunas de las principales formas de detección son mediante el simple reconocimiento digital o analizando el excremento en busca de sangre".

Además de todas estas pruebas, asegúrese siempre de efectuar usted misma reconocimientos mensuales de su piel y mamas en casa, recomienda la Dra. Ferry.

Maneje sus medicamentos

Los medicamentos pueden curar, pero también llegan a hacer daño. De hecho, en la antigua Grecia la palabra *pharmakos,* la raíz etimológica de "farmacia", significaba tanto remedio como veneno. Por lo tanto, tenga cuidado al tomar medicinas. Sobre todo debe estar al pendiente de posibles problemas si combina los medicamentos.

La Dra. Ferry insiste en que su médico de cabecera debe estar enterado de todos los medicamentos que toma, tanto de los que se venden con receta como de los vendidos sin receta. Y no olvide los remedios herbarios y otros tratamientos alternativos que tal vez esté ingiriendo. Al igual que cualquier otro medicamento, estos remedios pueden producir efectos secundarios o bien hacer reacción con otras sustancias medicinales. Algunas hierbas, como el chaparro (chaparral, gobernadora), pueden provocar hepatitis y otros daños al hígado. Y antes de salir con un nuevo medicamento del consultorio de su médico, del despacho del especialista en cuidados alternativos o bien de la farmacia, asegúrese de saber perfectamente cómo se toma. Siempre haga las siguientes preguntas:

- ¿Cómo se llama el medicamento y qué hace?
- ¿Con qué frecuencia debo tomarlo?
- ¿En qué momento debo tomarlo?
- Si se me olvida tomarlo, ¿qué debo hacer?
- ¿Qué efectos secundarios puede haber y debo reportarlos?
- ¿Necesitaré pruebas periódicas de la sangre o de la orina para vigilar algún efecto adverso?
- ¿Existe información sobre este medicamento que pueda llevar a casa?

Además, conserve una lista de todos los medicamentos que está tomando —de nueva cuenta incluyendo los medicamentos vendidos sin receta y los tratamientos complementarios— y sus dosis en un sitio fácil de encontrar en su cartera (bolsa) o billetera (cartera), sugiere la Dra. Ferry. Podría resultar sumamente útil en caso de una emergencia, si se encuentra incapacitada y no puede comunicarse con los profesionales de la salud que estén tratando de salvarle la vida.

Tome su salud en sus manos

Muchas de nosotras invertimos más tiempo y esfuerzo en encontrar a un buen estilista que a un buen médico. ¿Y quién nos culparía por ello? Buscar a un médico intimida. Todos llenan las paredes de sus consultorios de diplomas —escritos en latín, que nadie entiende—, de modo que los suponemos muy bien preparados. Y a la mayoría no les agrada precisamente que unas personas que no saben nada de medicina los entrevisten acerca de su competencia profesional. No obstante, encontrar al médico correcto es algo que todas tenemos que hacer, y debemos hacerlo ahora que estamos bien, no cuando vayamos camino al hospital.

Para complicar el asunto aún más, las mujeres enfrentamos problemas de salud especiales con los que nuestros médicos deben de estar familiarizados. ¿Puede su médico darle consejos específicos a usted como mujer, por ejemplo, acerca de cómo prevenir las enfermedades cardíacas? ¿Puede responder a sus dudas sobre la terapia de reposición hormonal? ¿Sabe lo suficiente acerca de las medicinas alternativas —hierbas, suplementos y otras por el estilo— para sostener una conversación inteligente acerca de los tratamientos alternativos que usted está empleando? Quizá cuente tanto con un médico convencional como con uno de medicina alternativa. ¿No sería maravilloso que los dos pudieran juntarse a hablar sobre el cuidado de su salud de vez en cuando? ¿No sería bonito que el equipo dedicado a cuidar su salud se ajustara a usted tan bien como su estilista? A continuación le diremos cómo lograrlo.

Cómo encontrar al doctor perfecto

Actualmente dos tipos de médico desempeñan el papel que antes le correspondía al médico general: el médico familiar y el internista. Si bien los doctores de ambas especialidades reciben una preparación semejante, hay algunas diferencias significativas entre ellos.

Los médicos familiares estudian Medicina General para adultos al igual que Pediatría, Ginecología, Obstetricia y los procedimientos quirúrgicos que pueden llevarse a cabo en el consultorio. Por lo tanto su preparación es

¿Será mejor que mi médico sea mujer en lugar de hombre?

Es cierto que resulta más probable que los médicos mujeres den consejos acerca de cómo prevenir las enfermedades. También tienden a saber escuchar mejor y a interrumpir menos a sus pacientes. No obstante, en promedio sólo dominan estas habilidades un poco mejor —en un 10 por ciento— que los médicos hombres. De hecho, las diferencias entre las médicos mujeres en sí muchas veces son mayores que la diferencia promedio entre los médicos hombres y mujeres.

Por lo tanto, erigir al género femenino en su primera prioridad al buscar a un médico no necesariamente le conseguirá al mejor médico de su zona. Probablemente sea mejor buscar a un médico, hombre o mujer, que la anime a hacer preguntas, la escuche, explique las cosas con claridad y la trate con respeto.

No obstante, cuando se trata de reconocimientos personales íntimos, tanto las mujeres como los hombres tendemos a sentirnos más a gusto, más capaces de franquearnos, con alguien de nuestro propio género y grupo étnico. Una mujer incomodada por un reconocimiento pélvico o de mama por lo común prefiere consultar a una ginecóloga. Tal vez esta sea una de las razones por las que la mayoría de los ginecólogos ahora sean mujeres.

Información proporcionada por la experta
La Dra. Erica Frank
Profesora adjunta del departamento de Medicina
*   Familiar y Preventiva*
Escuela de Medicina de la Universidad de Emory
Atlanta

Pueden ofrecer algunos cuidados preventivos, vigilar la presión arterial y el colesterol y hacer revisiones para comprobar el funcionamiento de la tiroides y detectar el cáncer de colon. No obstante, la ginecología de hecho es una especialidad médica quirúrgica y las habilidades del ginecólogo se aprovechan mejor en lo relacionado con las enfermedades de los órganos reproductores.

Una de las mejores formas de encontrar a un médico competente es pidiendo una recomendación, pero no se dirija a cualquiera. De ser posible, lo ideal es que les pregunte a personas que trabajen en el campo de la medicina. Los médicos y las enfermeras de las salas de urgencias muchas veces se encuentran en una buena posición para juzgar las habilidades de los médicos locales. Si lo que usted busca es a un ginecólogo, pregúnteles a parteras y enfermeras, recomienda Karla Morales, vicepresidenta de comunicaciones en la Sociedad Médica del Pueblo, una organización sin fines de lucro de Allentown, Pensilvania, que atiende al consumidor de los servicios de salud.

Los servicios de recomendación de médicos también pueden ayudar hasta cierto punto, pero tiene que estar consciente de sus limitaciones. Se anuncian en el directorio amarillo y por lo común los administra un hospital local que sólo incluye a los médicos que trabajan en él, o bien una sociedad médica del condado, que es una organización de membresía pagada.

En el nivel más simple, estos servicios simplemente les dan a quienes los llaman los nombres

amplia. Los internistas, por el contrario, se preparan más a fondo en el diagnóstico y el tratamiento de los males que afectan a los adultos, como la diabetes y las enfermedades cardíacas.

Los ginecólogos a veces también actúan como médicos de atención elemental para las mujeres.

¿Ofrece su médico todo lo que debería?

Ya sea que el médico en el que esté pensando sea convencional o alternativo, usted tendrá que revisar sus referencias y otros aspectos más subjetivos de su ejercicio, indica Karla Morales, vicepresidenta de comunicaciones en la Sociedad Médica del Pueblo. Hable al consultorio del médico para pedir esta información. Es una buena forma de averiguar si su personal trata a los pacientes con amabilidad y si está dispuesto a responder a sus preguntas. Las siguientes son algunas de las que debería hacer.

- ¿Acepta el médico a pacientes nuevos?
- ¿Cuenta el médico con certificación profesional (*board-certification*)? La certificación profesional significa que ha recibido preparación adicional y aprobado el examen riguroso de un tribunal nacional de profesionistas en el campo de su especialidad. La certificación profesional es una forma importante de que los médicos juzguen la preparación de sus colegas. Tenga presente que no es probable que los doctores de medicina alternativa cuenten con certificación profesional.
- ¿Acepta el médico que se haga una cita só-lo para conocerlo? ¿De cuánto tiempo? (Lo común serían de 10 a 15 minutos). ¿Cuánto cuesta una cita de este tipo?
- ¿En qué hospitales cuenta el médico con privilegios para ingresar, tratar u operar a sus pacientes? Los privilegios son los derechos concedidos a un médico por un comité de revisión del hospital, de acuerdo con la necesidad de médicos del hospital, así como las calificaciones del médico.
- ¿Acepta el médico llamadas telefónicas de sus pacientes? ¿A qué horas? ¿Tiene correo electrónico? El personal del médico con frecuencia puede contestar preguntas por teléfono, pero debe contar con acceso al médico mismo si lo cree necesario.
- ¿Da consulta por la noche o los fines de semana?
- ¿Cuánto tiempo por adelantado tiene reservado para citas de rutina? ¿Qué tan rápido puede responder a una emergencia?
- ¿Trabaja el médico con un grupo? ¿Cuántos doctores forman parte de este grupo? ¿Todos cuentan con certificación profesional? ¿Quién respalda al médico cuando está de vacaciones?
- ¿Trabaja con médicos alternativos o llega a mandar a sus pacientes con alguno?

de los médicos que aparecen en su lista de miembros, la cual van rotando. Por el contrario, los mejores servicios de recomendación proporcionan información básica con respecto a la certificación profesional y las especialidades de sus médicos. Y la mayoría eliminan a los médicos que causan problemas o que han sido objeto de numerosas quejas. "Sin embargo, estos servicios no proporcionan verdaderas comparaciones ni información negativa acerca de los médicos", explica Morales. Para obtener esta información

póngase en contacto con el American Board of Medical Specialties (Tribunal Estadounidense de Especialidades Médicas) ubicado en 1007 Church Street, Suite 404, Evanston, IL 60201.

Cómo recorrer la ruta alternativa

Si lo que busca es a un médico que ejerza la medicina alternativa, considere a un naturópata o

N.D. Un N.D. cuenta con preparación en todas las áreas de la medicina alternativa, incluyendo la nutrición y los remedios herbarios. Busque a uno que pertenezca a la American Association of Naturopathic Physicians (Asociación Estadounidense de Médicos Naturópatas o *AANP* por sus siglas en inglés). Todos estos médicos se han graduado en uno de los cuatro colegios estadounidenses o canadienses reconocidos por el Consejo sobre la Educación Médica Naturopática.

A fin de encontrar a un N.D. cerca de donde usted vive, puede revisar el sitio *web* de la AANP en www.naturopathic.org. A cambio de una módica suma también puede recibir una lista de los miembros de la AANP a nivel nacional así como un folleto que describe a los naturópatas y los servicios que ofrecen. Solicítela a la AANP en la siguiente dirección: 3201 New Mexico Avenue, NW Suite 350, Washington, D.C. 20016.

Once estados otorgan una licencia a naturópatas y cuatro estados (Connecticut, Montana, Washington y Alaska) les exigen a los proveedores de seguros médicos que cubran los servicios de los naturópatas. En los estados donde los naturópatas no cuentan con licencia cualquiera puede afirmar que es naturópata, así que es importante examinar sus referencias y estudios.

¿Y los dentistas?

Si lo que anda buscando es un dentista, los expertos de nueva cuenta sugieren que les pida ayuda a personas conocidas de su confianza, incluyendo a profesionales de la salud como su médico. También puede consultar por teléfono a los profesores de la escuela de dentistas más cercana a su domicilio, la cual con frecuencia estará asociada a una escuela de Medicina. Más o menos tres de cada cuatro dentistas también pertenecen a la Asociación Dental Estadounidense (o

---

QUÉ BUSCAR EN UN HOSPITAL DE PRIMERA

Por lo general su médico, no usted, elige el hospital en el que será sometida a cirugía. Por lo tanto, si desea ir a un hospital en particular tendrá que hacerse paciente de un médico que cuente con privilegios de operación o de atención ahí. Los médicos buenos tienen más probabilidad de afiliarse con un hospital bueno, pero ¿cómo puede usted estar segura de que su médico la está enviando al mejor hospital para *su* problema? De acuerdo con Karla Morales, vicepresidenta de comunicaciones para la Sociedad Médica del Pueblo, hay que considerar lo siguiente.

- ¿Cuenta el hospital con acreditación? Más o menos el 80 por ciento de los hospitales en los Estados Unidos han sido acreditados por la Joint Commission on Accreditation of Healthcare Organizations (Comisión Conjunta sobre la Acreditación de Organizaciones de Salud) o bien The American Osteopathic Association (la Asociación Osteopática Estadounidense). Esto significa que cada tres años las instalaciones se inspeccionan basándose en una larga lista de puntos.

- ¿Es el personal de primera? Los médicos que la tratarán en el hospital deben contar con la certificación de las sociedades profesionales en su especialidad. También debe averiguar si el hospital está preparado para tratar su enfermedad en particular o para realizar la cirugía que usted requiere. ¿Con qué frecuencia tratan a personas con su enfermedad? ¿Qué resultados han tenido? Puede empezar hablando por teléfono a la oficina administrativa del hospital para obtener respuestas a estas preguntas. Diversos estudios demuestran que los hospitales adquieren mayor pericia en los procedimientos que realizan con frecuencia y que sus resultados también mejoran.

❦ ¿Se compone el personal de puras enfermeras registradas (o *R. N.* por sus siglas en inglés)? Los mejores hospitales han dado este paso al reemplazar a las enfermeras prácticas y de otro tipo con las R. N. mejor capacitadas.

❦ ¿Cuál es la dotación de personal? Asegúrese de que el hospital cuente con suficiente personal. Una enfermera por cada tres a ocho pacientes puede ayudar a asegurarle buena atención. Es posible obtener información acerca del número de enfermeras de un hospital con el hospital mismo, la filial en su estado de la Asociación Estadounidense de Enfermeras o la Asociación Estadounidense de Hospitales.

❦ ¿Cuál es el índice de infección del hospital? El promedio nacional de infecciones adquiridas en los hospitales va al alza, pero la mayoría pueden evitarse. De hecho, el Estudio Harvard del Ejercicio Médico de 1991 encontró que es posible prevenir el 70 por ciento de las infecciones de heridas cuando se observan los procedimientos correctos.

❦ ¿Cuál es el índice de morbilidad (complicaciones no mortales) y de mortalidad del hospital en lo que se refiere a su procedimiento? Si bien esto no le dirá todo, le proporcionará un punto de referencia para comparar un hospital con otro.

Pídales información a su médico y a los hospitales locales, pero diríjase también a otros profesionistas de la salud, del clero o del ámbito empresarial. Si existen diferencias grandes de calidad entre los hospitales, lo más probable es que sus fuentes se lo digan. Si hay un médico en su región a quien se respete mucho por su trabajo, averigüe en qué hospital trabaja.

ADA por sus siglas en inglés), lo cual significa que tienen cierto interés en seguirse actualizando así como en mantener un consultorio profesional, según indica Kimberly Harms, D.D.S., una dentista de Farmington, Minnesota, y asesora en atención al consumidor para la ADA. La ADA puede proporcionarle una lista de sus miembros que se encuentran en la región donde usted vive. Solicítela a la siguiente dirección: ADA, 211 East Chicago Avenue, Chicago, IL 60611. También puede solicitar esta información por correo electrónico en el sitio *web* de la asociación, www.ada.org.

El personal que trabaja con el dentista debería permitirle ir a conocer el consultorio o bien hacer una cita con el único fin de conocer al dentista y de hablar de sus inquietudes, opina la Dra. Harms. Un buen dentista contará con un consultorio limpio y bien organizado así como con personal amable; empleará las técnicas adecuadas de esterilización, incluyendo un tapabocas y guantes; la interrogará de manera exhaustiva acerca de sus antecedentes dentales y médicos antes de trabajar con usted; y planteará abiertamente las opciones de tratamiento y sus honorarios, afirma la experta. Actualmente muchos dentistas trabajan con una higienista dental que le limpiará los dientes, así que también la querrá conocer.

Por cierto, los títulos "D.D.S." y "D.M.D." básicamente significan lo mismo.

Todo acerca de los orientadores y terapeutas

Cualquiera que alguna vez haya lidiado con una depresión le confirmará que el bienestar emocional influye de manera importante en nuestra capacidad para disfrutar de buena salud en general. No obstante, ubicar al terapeuta justo puede tener sus bemoles. Si nunca ha recurrido a ninguno, quizá ni sepa en qué fijarse.

Las siguientes pautas le ayudarán a identificar a un terapeuta que cuente con calificaciones profesionales adecuadas además de representar la mejor opción personal para usted.

Debe sentirse a gusto. Es preciso que confíe en la persona lo suficiente para hablar con franqueza sobre sus pensamientos, sentimientos y comportamiento, indica Faith Tanney, Ph.D., una psicóloga que da consulta en Washington, D.C. "Quizá se sienta cuestionada o no esté de acuerdo con algunas cosas, pero debe tener un sentimiento fundamental de confianza en el terapeuta y la impresión de que la escucha, de que usted le interesa y de que la comprende".

Es posible que requiera unas dos sesiones para decidir si se siente a gusto con un terapeuta en particular, afirma la Dra. Tanney.

El terapeuta debe conducirse de manera profesional. Los psicólogos y otros expertos en salud mental deben adherirse a un código de ética que incluye la confidencialidad y la observancia de ciertos límites. Estos límites les imponen no tener una relación ajena al ámbito profesional con una clienta mientras esta se encuentre en tratamiento; no tratar a nadie con quien ya tengan una relación de otra naturaleza, como un amigo, empleado o estudiante; no tener ningún tipo de contacto sexual con la clienta; y establecer los acuerdos financieros de manera clara y honesta.

Algunas de las señales de advertencia que pueden indicar una falta de profesionalismo por parte del terapeuta son que se atrase a menudo para comenzar o terminar las sesiones, que acep-

Preguntas y respuestas

¿Por qué las personas a veces entran al hospital estando bien y salen enfermos?

Los hospitales están llenos de enfermos y las enfermedades a veces se contagian. Los agentes de contagio pueden transmitirse a través del aire, por medio del contacto humano directo, en las toallas y las sábanas, a través del personal de limpieza, mediante el contacto con heridas quirúrgicas y por el uso de catéteres urinarios, tubos de drenaje y tubos de ventilación. Diversos estudios demuestran que la mayoría de las personas no contraen una infección adquirida en el hospital hasta por lo menos 72 horas después de haber sido admitidas, de modo que algunas infecciones posiblemente no se manifiesten hasta después de haber sido dado de alta del hospital.

¿Cómo puede protegerse? Pregúntele a su médico acerca de los antecedentes del hospital con respecto a las infecciones. (Es posible que el personal del hospital mismo le dore la píldora). Asegúrese de que todo el personal del hospital que entre en contacto con usted se lave las manos. Pídales que lo hagan en su cuarto y en su presencia.

Existe una mayor probabilidad de que las enfermeras que usan uñas falsas alberguen organismos perjudiciales que las

te llamadas telefónicas durante las sesiones, que la confunda con otros clientes, que olvide lo que le ha comentado en sesiones anteriores o que hable de sí mismo en lugar de concentrarse principalmente en usted, informa la Dra. Tanney.

El terapeuta debe definir los objetivos del tratamiento junto con usted. En esta época de atención médica controlada, usted tendrá suerte si su aseguradora le paga seis sesiones de tratamiento. Para aprovechar su tiempo de la mejor manera posible, concéntrese en los asuntos principales y defina objetivos que ayuden a resolverlos, recomienda la Dra. Tanney. Para

que no usan este tipo de uñas. De acuerdo con un estudio reciente, el 68 por ciento de las enfermeras que usaban uñas falsas tenían bacterias dañinas en las manos incluso después de habérselas lavado, así que pídales a las enfermeras que usan estas uñas que se pongan guantes antes de darle su tratamiento.

Si la preocupa que una compañera de cuarto enferma tenga algo de lo que pueda contagiarse, pregúntele a su médico o enfermera cuál es el riesgo que corre. Cambie de cuarto de inmediato si hay cualquier posibilidad de infección.

Si se estará sometiendo a un procedimiento que requiere eliminar vello o pelo, niéguese a ser afeitada (rasurada) la noche anterior a la intervención quirúrgica. Se logra un bajo índice de infección al usar depiladores químicos o maquinillas de peluquero para eliminar el vello o pelo la mañana de la cirugía.

Si le pusieron un catéter urinario, una enfermera debería revisarlo con regularidad para asegurarse de que esté drenando correctamente. Es posible que esto le ayude a evitar una infección del tracto urinario.

Información proporcionada por la experta
Karla Morales
Vicepresidenta de comunicaciones
Sociedad Médica del Pueblo

ello es necesario que el terapeuta centre toda su atención en usted.

El terapeuta debe darle confianza en sí misma. Un buen terapeuta no procura resolverle los problemas. En el mejor de los casos le brindará observaciones útiles y le ofrecerá nuevas formas de ver su situación, sirviendo más como catalizador para ayudarle a desarrollar la capacidad de resolver sus problemas por sí sola, comenta la Dra. Tanney.

El terapeuta debe contar con buenas referencias. Muchos tipos diferentes de profesionistas, entre ellos los siguientes, practican la psicoterapia. Los psiquiatras en esencia son médicos, y con algunas excepciones se trata de los únicos profesionistas de la salud mental con autorización para recetar medicamentos. Los psicólogos clínicos o terapeutas psicopedagógicos *(counseling psychologists)* (sus títulos son Ph.D., Psy.D. o Ed.D.) dedican 7 años en promedio a estudios de posgrado para adquirir conocimientos y pericia en cuestiones de conducta humana, diagnóstico y tratamiento. Los trabajadores sociales clínicos (que tienen el título M.S.W.) cuentan con títulos de maestría en trabajo social y se han preparado para brindar asesoría individual, familiar y de grupo, poniendo énfasis en el aprovechamiento de los recursos comunitarios. Las enfermeras psiquiátricas son enfermeras que han recibido preparación avanzada para prevenir y tratar problemas de salud mental. Y los terapeutas matrimoniales y familiares cuentan como mínimo con un grado de maestría y son especialistas en sus respectivos campos.

La licencia o autorización oficial para ejercer *(licensure)* es una referencia importante. Le permite estar segura de que se ha realizado una evaluación independiente de la capacitación y la experiencia del profesionista. Todos los estados otorgan licencias a los médicos, psicólogos, enfermeras y trabajadores sociales, y prácticamente todos también a los terapeutas matrimoniales y familiares. La mayoría de las compañías de seguros exigen esta licencia para pagar los servicios de salud mental recibidos; además, la licencia también le garantiza que podrá emprender acciones jurídicas si la atención que se le brinda no es la apropiada.

¿Cuándo debe despedir al médico?

¿Qué debe hacer si está viendo a un médico que simplemente no le agrada? Ninguno es perfecto y usted tiene que evaluar sus fuertes y debilidades. Quizá prefiera hablar de sus motivos de insatisfacción con él antes de ponerse a buscar a otro. Tal vez sea posible que se reconcilien.

Como sea, la mayoría de los expertos opinan que ha llegado el momento de poner fin a la relación si su médico la menosprecia o la juzga, no aplica un criterio médico sólido, pide la misma prueba varias veces cuando hubiera bastado con una, no realiza reconocimientos físicos minuciosos o le resta importancia a los efectos secundarios o riesgos graves de un tratamiento. De igual manera debe pensar en acudir a otro médico si el suyo se resiste a sus intentos de hablar con él o la intimida a tal grado que se siente incapacitada para opinar; si no le interesan sus preocupaciones e inquietudes; si pasa por alto las causas psicológicas y sociales de las enfermedades al igual que los problemas de salud asociadas al trabajo; o si muestra falta de respeto hacia usted o alguna otra persona o la insulta a usted o a alguien más.

Evite las enfermedades

Las enfermedades cardíacas se dan en mi familia. Por lo tanto, simplemente me van a dar o no. En realidad no hay nada que pueda hacer al respecto".

¿Le suena familiar?

Quizá las enfermedades cardíacas no sean lo que la preocupa. Tal vez se inquiete por algún otro "mal de la vejez", como la diabetes, el cáncer o la osteoporosis. Cualquiera que sea la enfermedad, es fácil imaginársela atravesada en su camino, esperándola como un abismo ineludible. La herencia genética, como todos lo sabemos, es el programa de nuestras vidas. Pensamos que encierra nuestro destino, de la misma forma en que los pueblos de la Antigüedad pensaban que su destino estaba escrito en los astros.

Pues le tenemos una gran noticia: su destino no está escrito ni en los astros ni en sus genes. Lo tiene en sus propias manos.

"Es cierto que algunas enfermedades posiblemente tengan un elemento genético, pero las pruebas demuestran claramente que otros factores ambientales —como el estilo de vida— desempeñan un papel clave", indica Julie Buring, Sc.D., profesora de Atención Ambulatoria y Prevención en la Escuela de Medicina de Harvard y el Hospital Brigham and Women's de Boston. "El hecho de que nos dé una enfermedad como el cáncer o un mal cardíaco, por ejemplo, no está totalmente fuera de nuestro control. Podemos hacer muchas cosas para reducir el riesgo que corremos", dice.

Es más, nunca es demasiado tarde para hacer cambios positivos en su vida, aunque sea una fumadora cincuentona con sobrepeso. "Quizá piense que debió haber tomado decisiones más saludables de adolescente —y es cierto que entre más pronto las tome, mejor—, pero hemos observado que incluso cuando personas ya mayores dejan de fumar o se ponen a hacer ejercicio su salud en general se ve beneficiada grandemente", señala la Dra. Buring. Quiere decir que más vale tarde que nunca.

En promedio, a una mujer de 40 años aún le quedan otros 40 de vida. Por lo tanto, empiece a hacer cambios saludables ahora mismo y se sentirá igual de bien —o incluso mejor— durante la segunda mitad de su vida que durante la primera.

Ponga su salud a prueba de genes

Gracias a los hombres y las mujeres vestidos de batas blancas que han cumplido con un sinnúmero de horas de investigación en los laboratorios, sabemos ahora que podemos tomar medidas de prevención específicas para reducir el riesgo de contraer muchas enfermedades al envejecer. Usted puede poner en práctica de inmediato las siguientes 10 medidas clave, las cuales le ayudarán a mantenerse sana y sentirse joven.

Tire el tabaco. Cáncer de pulmón, enfermedades cardíacas, derrame cerebral, presión arterial alta, osteoporosis. La lista de las enfermedades relacionadas con el envejecimiento que los fumadores tienen un alto riesgo de contraer es muy larga. Por no hablar de las arrugas o de los dientes manchados que dan una apariencia mucho mayor que la que correspondería a la edad de la persona. Si no fuma, levante la mano derecha y jure que nunca lo hará. Y luego dése una palmadita en la espalda. Si fuma, deje de hacerlo. "Sin duda alguna es una de las mejores cosas que puede hacer por su salud", opina la Dra. Elizabeth Ross, una cardióloga del Washington Hospital Center en Washington, D.C.; portavoz de la Asociación Estadounidense del Corazón y autora de un libro sobre la salud cardíaca de la mujer. A los pocos minutos de haber fumado su último cigarrillo, su presión arterial y pulso volverán a la normalidad. Y después de sólo 24 horas disminuirá

DE MUJER A MUJER

Transformó su estado de salud con una estrategia simple

Presión arterial altísima (hipertensión), las molestias de la artritis y 15 libras (7 kg) de más le dieron a Jennie Cargill de 71 años, de Cleveland Heights, Ohio, un incentivo muy importante para modificar su alimentación y su programa de ejercicio. No obstante, conforme se deshacía del peso extra recibió una recompensa adicional: fue como si hubiera retrasado el reloj. Esta es su historia.

Tenía unas 15 libras de sobrepeso cuando fui a que me hicieran la prueba del estrés. Había tenido que enfrentar muchos problemas familiares y mi presión arterial estaba alta. Sin embargo, estaba a punto de averiguar qué tan alta. Los médicos me conectaron una serie de alambres antes de que me montara en la estera mecánica (caminadora, *treadmill*).

"Bien, dígame su presión", pidió el técnico.

"220 sobre 110", le contestó la enfermera.

El técnico vaciló y preguntó: "Disculpe, ¿lo que me dijo es su presión arterial?".

"Así es".

Bueno, después de eso ni siquiera me permitieron someterme a la prueba del estrés; tenía la presión arterial demasiado alta. Un poco más tarde mi médico me llevó aparte y me dijo: "Fíjate, realmente tenemos que hacer algo al respecto". Él sabe que cuando se muestra serio o preocupado le hago caso.

Inmediatamente me recetó un medicamento para bajar mi presión arterial alta. Ya estaba tomando un diurético y otro medicamento por problemas del corazón, pero no quería depender de los medicamentos.

Siempre he hecho ejercicio —tenemos muchos parques aquí— y trataba de caminar por lo menos 2 ó 3 millas (3 ó 5 km) al día. Sin embargo, decidí que quería hacer más. Por lo tanto, empecé a caminar aún más rápido. Al poco tiempo podía recorrer una milla (1.6 km) en 15 minutos. Además, me inscribí a una clase de ejercicio para personas mayores y tonifiqué y estiré mis músculos durante 1½ horas 4 días a la semana.

También leí en alguna parte que la fibra contribuye a sentirse satisfecha. Empecé a comer un cereal que se llama *Fiber One* y posteriormente cambié a *Post Shredded Wheat*, que tiene menos sodio. Cuando quería una merienda (refrigerio, tentempié), en lugar de tomar unas papitas fritas o algo así comía un puñado de cereal y tomaba una taza de té. O bien comía requesón y fruta, que sabía tenían poca grasa y calorías. Y para la cena comía frijoles (habichuelas) o alguna otra cosa que me dejara satisfecha, junto con pollo o pescado.

Para mí resulta más fácil comer así. La gente me decía: "Pues simplemente deberías hacer dieta". Sin embargo, no quería hacer una dieta. Quería una nueva forma de comer. Si uno decide que no va a comer pay (pastel, tarta, *pie*) ni pastel (bizcocho, torta, *cake*), simplemente hay que decir: "No voy a comer nada de pastel". Eso es más fácil que decir: "Bueno, no comeré pastel de chocolate" o "no comeré pastel de vainilla". Es muy sencillo.

Después de 4 a 6 semanas empecé a sentirme mejor. La ropa me quedaba más holgada y mi artritis parecía haber mejorado. De repente podía subir y bajar volando las escaleras. No estoy segura de qué me ayudó más, pero probablemente fue una combinación de cosas. Perder peso, el pescado de mi alimentación: ambas cosas posiblemente ayuden a mantener mi agilidad.

Mi presión arterial también bajó muchísimo. La última vez que fui a ver a mi médico estaba en 134 sobre 82. Él quedó muy contento. Me dijo que continuara con el buen trabajo.

Le dije a mi hija que voy a cumplir 100 años. Incluso estoy leyendo un libro acerca de cómo lograrlo. Sin embargo, no es mi única meta: quiero sentirme de maravilla, como ahora, durante los próximos 29 años.

su riesgo de sufrir un ataque cardíaco.

Agregue actividades. Cerca de cinco millones de adultos que radican en los Estados Unidos dicen que no realizan ninguna actividad física durante su tiempo libre. Vaya que es mucha inmovilidad. Y resulta que hay más mujeres inactivas que hombres. Todo el mundo sabe que el ejercicio hace bien, así que ¿por qué hay tantas mujeres aún pegadas al sillón? Quizá no han encontrado una actividad divertida que tengan ganas de volver a realizar. O tal vez piensen que no tienen tiempo. Sin embargo, se requiere mucho menos tiempo de lo que usted se imagina.

"No es preciso acudir al gimnasio todos los días ni volverse maratonista para gozar los beneficios del ejercicio —afirma la Dra. Buring—. Prácticamente todas podemos cumplir con las recomendaciones actuales en cuanto a ejercicio físico". Se trata de acumular 30 minutos de actividad física moderada en total la mayoría de los días de la semana. Pasear al perro, trabajar en el jardín, limpiar la casa: todo cuenta.

¿Necesita otra razón para cambiar su sillón reclinable (butacón, reposet) por una estera mecánica (caminadora, *treadmill*)? ¿Qué tal 250,000 razones? Esta cifra corresponde al número de muertes por año que se pueden atribuir en los Estados Unidos al hecho de no practicar alguna actividad física con regularidad. Es más, hacer ejercicio con regularidad ayuda a prevenir todo, desde las enfermedades cardíacas y la diabetes hasta el cáncer de mama y la osteoporosis.

Controle su peso. No es ningún secreto que tendemos a subir de peso al envejecer. Una cintura cada vez más gruesa quizá parezca un aspecto inofensivo y natural del envejecimiento, pero no es así. "En este país subimos un promedio de 7 libras (3 kg) por década", informa la Dra. Buring.

A esta velocidad el peso se acumula rápidamente. Si usted pesaba 125 libras (57 kg) a los 20 años, significa que la pesa (báscula) marcará 160 libras (73 kg) cuando cumpla 70. Este índice de aumento de peso incrementará el riesgo de que usted padezca varias enfermedades, entre ellas diabetes, afecciones cardíacas, artritis e incluso cálculos biliares.

Bajar de peso no es fácil. Por lo tanto, la mejor táctica es no subirlo para empezar. "Concéntrese en mantener su peso en lugar de tratar de perder las libras de más después de haberlas subido", sugiere la Dra. Buring.

Si ya subió un poco de peso, trate de sólo bajar 10 libras (5 kg). Incluso una pequeña reducción del peso mejorará su salud bastante si tiene un problema como artritis o presión arterial alta, afirma la Dra. Buring.

Llene su plato de frutas y verduras. Así es. Una de las claves para disfrutar una vida larga sin enfermedades se halla en la sección de frutas y verduras de cualquier tienda de comestibles. De hecho un estudio científico de 52 italianos de 70 años o mayores observó que los centenarios sanos comían más del doble de verduras que los más jóvenes.

El resultado no sorprende, ya que consumir cinco raciones de frutas y verduras al día se asocia a una reducción del riesgo de padecer varias

PREGUNTAS Y RESPUESTAS

¿Por qué a los hombres se les anima a tomar una aspirina al día para mantener la salud de su corazón, pero a las mujeres no?

De hecho, algunas mujeres con enfermedades cardíacas muy bien podrían disfrutar el ligero y beneficioso efecto anticoagulante de una aspirina al día. El problema es que aún no sabemos lo suficiente acerca de los problemas cardíacos en la mujer como para hacer este tipo de recomendación.

¿Por qué? Durante años la mayoría de los expertos médicos suponían que las enfermedades cardíacas eran un problema exclusivamente masculino. De hecho, las encuestas demostraban que uno de cada tres médicos no estaba consciente de que las enfermedades cardíacas fueran la principal causa de muerte en las mujeres. Dos de cada tres pensaban que las mujeres tenían los mismos síntomas que los hombres al enfermarse del corazón. Y un porcentaje aún mayor opinaba que si alguna mujer se llegaba a enfermar del corazón, le iba "mejor" que a los hombres.

El resultado fue que se hicieron relativamente pocos estudios sobre las enfermedades cardíacas en la mujer. Sin embargo, poco a poco la información ha ido apareciendo. Para empezar, ya sabemos que las mujeres se enferman del corazón a una edad un poco más avanzada que los hombres. Mientras que la vasta mayoría de los hombres se ven afectados entre los 45 y los 55 años de edad, las investigaciones demuestran que la mayoría de las mujeres no presentan una enfermedad cardíaca hasta después de los 55, fenómeno que se atribuye en parte a los niveles de estrógeno.

Aparentemente el estrógeno ayuda a mantener alto el

enfermedades, entre ellas cáncer y derrame cerebral. Los investigadores han identificado toda clase de elementos saludables en estos alimentos. Además de ser una fuente natural de antioxidantes, vitaminas, minerales y fibra, las frutas y las

nivel del colesterol lipoproteínico "bueno" de alta densidad (o *HDL* por sus siglas en inglés), además de controlar el colesterol lipoproteínico "malo" de baja densidad (o *LDL* por sus siglas en inglés). No obstante, al pasar por la menopausia y perder estrógeno, el nivel total de colesterol de una mujer puede empezar a parecerse más al de un hombre, lo cual eleva el riesgo de padecer una enfermedad cardíaca. De hecho esto ocurre a tal grado que para los 65 años de edad el nivel de colesterol de una mujer incluso puede rebasar el de un hombre.

Por estas razones y otras más, algunos expertos efectivamente recomiendan que las mujeres con un mayor riesgo de enfermarse del corazón, como aquellas que tienen un pariente que murió de un ataque cardíaco, pueden considerar tomar una aspirina al día. No obstante, aunque este sea su caso no vaya corriendo al botiquín. Existen pruebas de que posiblemente aumente el riesgo de sufrir un derrame cerebral o de que se eleve la presión arterial, lo cual evidentemente sería un problema para alguien que ya padece presión arterial alta (hipertensión). Y se ha observado que la aspirina descompone el estómago, además de provocar asma y alergias.

Hasta que se sepa más, el mejor consejo sería el siguiente: si usted corre riesgo de enfermarse del corazón, haga ejercicio durante 30 minutos al día, consuma menos grasa, encuentre la forma de aliviar el estrés y hable con su médico acerca de si la aspirina le conviene.

Información proporcionada por la experta
La Dra. Elizabeth Ross
Cardióloga y portavoz de la Asociación Estadounidense del Corazón
Washington Hospital Center
Washington, D.C.

verduras también contienen fitonutrientes como quercetina, licopeno, flavonoides y ácido elágico, los cuales potencialmente protegen el corazón y combaten el cáncer.

Consuma poca grasa. El exceso de grasa afecta al cuerpo de muchas formas desagradables. Para empezar puede tapar las arterias del corazón así como los vasos sanguíneos del cerebro, lo cual aumenta el riesgo de padecer enfermedades cardíacas y derrame cerebral. El exceso de grasa también puede estimular en demasía la vesícula biliar y crear las condiciones perfectas para que se produzcan los dolorosos cálculos biliares. Y desde luego el exceso de grasa puede engordar, lo cual aumenta el riesgo de sufrir otras enfermedades, como cáncer y diabetes.

La mayoría de los expertos están de acuerdo en que una alimentación baja en grasa significa que no más del 25 por ciento de las calorías (y de preferencia menos) deben provenir de la grasa. Sin embargo, no todas las grasas son malas. El principal tipo de grasa que debe limitarse en la alimentación es la saturada, la cual se encuentra en alimentos como la carne, la mantequilla y los productos lácteos. Según los investigadores, la mejor forma de reducir la grasa saturada es limitando las raciones de carne a entre 3 y 4 onzas (84 y 112 g) al día, usar poca o nada de mantequilla, optar por lácteos bajos en grasa y cocinar con aceite de maíz (elote, choclo), *canola* u oliva.

Otras grasas de las que hay que cuidarse son los ácidos transgrasos que se hallan principalmente en la margarina así como en las meriendas (refrigerios, tentempiés) empacadas. Es posible que sean tan dañinos para el corazón como la grasa saturada. Puede reducir los ácidos transgrasos que consume al emplear margarina libre de tales ácidos *(trans-free margarine)* (se identifica porque los aceites parcialmente hidrogenados o *"partially hydrogenated oils"* no aparecen entre la lista de ingredientes) en lugar de margarina normal y al limitar su consumo de meriendas que contengan aceite parcialmente hidrogenado.

Funcione mejor con fibra. Es posible que una alimentación alta en fibra baje el riesgo de padecer varias enfermedades, entre ellas los males cardíacos, diabetes, presión arterial alta, obesidad y diverticulosis. Asimismo, diversos estudios pequeños sugieren que llenarse con fibra puede reducir el riesgo de sufrir cáncer de colon. ¿De qué forma la fibra protege contra una variedad tan grande de enfermedades? Para empezar, funciona como esponja al pasar por el cuerpo, absorbiendo las sustancias potencialmente perjudiciales como el colesterol y ligándose al excedente de estrógeno en el tracto digestivo; a continuación elimina estas sustancias a través del excremento. La fibra también llena el estómago, por lo que se come menos.

El problema es que la mayoría de las personas sólo ingieren de 11 a 13 gramos de fibra al día, lo cual corresponde más o menos a la mitad de los 25 a 35 gramos que los expertos recomiendan. A fin de cambiar el aspecto de su plato agregándole fibra, disfrute más alimentos como frutas, verduras, frijoles (habichuelas), panes de cereales integrales, cereales de caja, arroz y pasta.

Complemente su alimentación. El cuerpo requiere vitaminas, minerales y otros nutrientes importantes para funcionar lo mejor posible. Si todos nos alimentáramos con poca grasa y muchas frutas y verduras todos los días, probablemente satisfaríamos nuestras necesidades de estos nutrientes vitales, según afirma la Dra. Buring. Sin embargo, muchos no lo hacen. Por eso

RESPIRE HONDO PARA COMBATIR LAS ENFERMEDADES

Respire hondo. ¿Se da cuenta de cómo su vientre se siente como si se estuviera llenando de aire? Es posible que no respire así la mayor parte del tiempo sino que inhale de manera superficial y breve, inflando el pecho en lugar del abdomen.

Algunos médicos piensan que la respiración superficial priva al cuerpo de tal manera del oxígeno que esta falta puede producir enfermedades, por lo que les enseñan a sus pacientes a respirar correctamente. Por tonto que suene, afirman que así la salud mejora de manera significativa y que incluso puede contribuir a alargar la vida, de manera muy parecida al ejercicio aeróbico. A continuación tres médicos explican el vínculo que existe entre la respiración y la salud.

➤ "El cuerpo humano está diseñado para desechar el 70 por ciento de sus toxinas a través de la respiración. Sólo un pequeño porcentaje de toxinas se desechan a través del sudor, la defecación y la orina. Si la respiración no funciona de la manera más eficiente posible, el cuerpo no se puede librar de las toxinas adecuadamente. Si menos del 70 por ciento de las toxinas se liberan a través de la respiración, otros sistemas del cuerpo, como los riñones, deben trabajar horas extras. Esta sobrecarga de trabajo puede preparar el camino

es importante tomar un suplemento multivitamínico y de minerales que cubra la Cantidad Diaria Recomendada (o *DV* por sus siglas en inglés) de la mayoría de los nutrientes. Imagíneselo como una póliza de seguros para los días en que su alimentación no sea la adecuada. Sin embargo, no vaya a pensar que por tomar unas vitaminas ya no tiene necesidad de alimentarse de manera saludable, hacer ejercicio o dejar de fumar, añade la Dra. Buring.

Otra buena razón para tomar un multivitamínico son las pruebas cada vez más numerosas de que complementar la alimentación de esta forma posiblemente ayude a proteger contra las

para varias enfermedades", apunta Gay Hendricks, Ph.D., un psicólogo, en su libro *Conscious Breathing* (La respiración consciente).

❧ "Respirar sin duda es lo más importante que se hace en la vida. Y respirar *correctamente* sin duda es lo más importante que pueda hacer para *mejorar* su vida. Si le interesa prevenir las enfermedades, la respiración indicada puede ayudarla a protegerse contra la angina de pecho, las enfermedades cardíacas, las infecciones respiratorias y la fibromialgia. También le ayudará a tener una vida más larga, con más energía y libre de estrés", señala el Dr. Sheldon Saul Hendler, Ph.D., un especialista en medicina interna, en su libro *The Oxygen Breakthrough* (El descubrimiento del oxígeno).

❧ "Surtir de oxígeno adecuadamente todas las partes del cuerpo es crucial para la salud y el bienestar (. . .) La respiración es el proceso por medio del cual el oxígeno entra al torrente sanguíneo a través de los pulmones. Por lo tanto la respiración adecuada y corregir los trastornos comunes de la respiración es el no va más en aeróbicos", escribe Robert Fried, Ph.D., un profesor de Psicología, en su libro *The Breath Connection* (La conexión respiratoria).

Por lo tanto, si desea estar tranquila con respecto a su salud, trate de respirar hondo. Es posible que le funcione.

enfermedades. "Las personas que toman un multivitamínico al día tienen menos probabilidad de sufrir un ataque al corazón", afirma la Dra. Kathryn Rexrode, profesora en la Escuela de Medicina de Harvard y médico adjunto en la división de medicina preventiva del Hospital Brigham and Women's de Boston.

Tal vez estos beneficios se deban al hecho de que nutrientes como el folato, la vitamina B$_6$, la vitamina E y el betacaroteno promueven la salud del corazón, según se ha descubierto. También es posible que el folato ayude a prevenir el cáncer de colon y del cuello del útero así como derrames cerebrales. La vitamina D reduce el riesgo de padecer cáncer de colon y osteoporosis. El calcio posiblemente disminuya el riesgo de sufrir cáncer rectal, además de prevenir la osteoporosis. La vitamina C y el magnesio pueden contribuir a fortalecer los huesos y a mantener la presión arterial bajo control. El mineral selenio puede proteger la próstata de un hombre contra el cáncer. Y estudios han demostrado que el betacaroteno evita el cáncer en los animales de laboratorio.

En vista de que toda esta protección viene incluida en una sola pastilla, no sorprende que uno de cada dos doctores en medicina tome suplementos o vitaminas. "Los beneficios de tomar un multivitamínico no se han demostrado por completo —afirma la Dra. Rexrode—. Por otra parte, es bastante barato y seguro".

Limítese a una copa. Si bien una copa diaria de alguna bebida alcohólica puede bajar el riesgo de morir, sobre todo por una enfermedad cardíaca, tomar más de una aumenta el riesgo de sufrir muchísimas enfermedades más, entre ellas cáncer de mama, derrame cerebral y osteoporosis, según explica la Dra. Marianne Legato, profesora de Medicina en el Colegio de Médicos y Cirujanos de la Universidad de Columbia y fundadora y directora de la Sociedad para la Salud de la Mujer en Columbia, ubicados ambos en la ciudad de Nueva York, así como autora de un libro sobre la salud de la mujer. Es más, muchos especialistas en cardiología ni siquiera les recomiendan a sus pacientes que tomen una copa al día.

"Si no beben o beben con poca frecuencia, no les sugiero que comiencen a hacerlo —indica la Dra. Legato—. Si beben, les digo que se limiten a una copa al día". Por lo tanto, si de vez en cuando disfruta una buena botella de Lambrusco, sírvase sólo una copa y vuelva a ponerle el corcho para seguir otro día.

Hágase analizar. La mayoría de las mujeres se hacen una prueba de Papanicolau (prueba citológica) una vez al año como parte de su revisión ginecológica anual. Sin embargo, no se trata de la única prueba que una mujer debe hacerse con regularidad y que potencialmente puede salvarle la vida. Después de los 40 años, el examen médico anual de todas las mujeres también debe incluir un mamograma (hay que hacérselo desde más joven si existen antecedentes familiares de cáncer de mama) y una revisión de cáncer de piel, por ejemplo. Más adelante en este capítulo hablaremos de otros análisis que las mujeres no debemos pasar por alto.

Conozca sus factores de riesgo. Muchas enfermedades son hereditarias. Es prudente estar al tanto de lo que eso significa en su caso. Si alguno de sus padres o hermanos tuvo un mal como cáncer de colon o de mama, por ejemplo, usted debe hacerse las pruebas recomendadas desde más joven, indica la Dra. Buring. Lo mismo cabe decir de la diabetes.

Independientemente de sus antecedentes familiares debe hacerse revisar con regularidad la presión arterial y el colesterol. En el caso del colesterol, eso quiere decir cada 5 años, si sus niveles son normales. Lo "normal" se define como un índice total de colesterol de 150 o menos, con una proporción del colesterol total con respecto a las lipoproteínas de alta densidad (o *HDL* por sus siglas en inglés) de 4.0 o menos. Esta proporción, que le indica qué cantidad de su colesterol total es colesterol HDL o "bueno", es un indicador más exacto del riesgo que una mujer tiene de contraer una enfermedad cardíaca que los índices de colesterol total, HDL, lipoproteínas de baja densidad (o *LDL* por sus siglas en inglés) o triglicéridos, según afirman

los médicos. Si su colesterol está alto, debe volvérselo a medir 4 meses después.

En lo que se refiere a la presión arterial, la Asociación Estadounidense del Corazón sugiere que se la haga revisar por lo menos una vez cada 2 años. Una lectura óptima sería de menos de 120 sobre 80, y la normal es de menos de 130 sobre 85. Si tiene una lectura más alta, decida junto con su médico con qué frecuencia debe volver a revisársela.

"La presión arterial alta (hipertensión), que aumenta de manera significativa el riesgo de padecer un derrame cerebral, es una enfermedad silenciosa. Puede tenerla durante años sin saberlo —indica la Dra. Buring—. Y puede llevar una alimentación saludable y no obstante tener alto el colesterol si existen antecedentes familiares. Por eso debe hacerse revisar con regularidad tanto la presión arterial como el colesterol".

Es importante conocer ambos niveles porque cuando están altos se asocian a un mayor riesgo de sufrir males graves como enfermedades cardíacas y derrame cerebral, comenta la Dra. Buring. Si este es su caso, puede hacer ciertas cosas para bajarlos, como ejercicio y adoptar una alimentación baja en grasa. En algunos casos es posible que el médico quiera recetarle medicamentos para ayudar a bajar su colesterol.

Evite las enfermedades antes de que empiecen

Conforme envejecemos empezamos a sentirnos. . . viejas, pues. Quizá aminoremos el paso un poco, por lo que nuestro cuerpo también se hace más lento. Las articulaciones nos duelen un poco más y resulta más difícil digerir la comida. Entonces es cuando prevenir las enfermedades se convierte con frecuencia en una prioridad en nuestras vidas, porque queremos ser lo más sanas posible y vivir todo lo que podamos, con todo y articulaciones adoloridas. Y es cierto que entre más viejas seamos, más riesgo tendremos de desarrollar ciertas enfermedades. No obstante, es posible prevenir casi todas las enfermedades que acortan la vida o que nos retienen el paso. Desde las medidas alimentarias hasta la detección temprana, a continuación le presentaremos las mejores estrategias preventivas contra las enfermedades más comunes que afectan a las mujeres.

Artritis

La artritis. Se trata de la principal causa de discapacidad entre los adultos radicados en los Estados Unidos, y hay una mayor probabilidad de que afecte a las mujeres que a los hombres. Por lo menos 26 millones de mujeres en los Estados Unidos padecen algún tipo de artritis. La más común, la osteoartritis, suele darse con mayor frecuencia en las personas mayores y normalmente aparece entre los 45 y los 65 años de edad. Así ocurre porque el cartílago alrededor de las articulaciones llega a deteriorarse después de años de desgaste. Sin el cartílago que los proteja los huesos se rozan entre sí, lo cual produce dolor, rigidez e hinchazón. Varias áreas son particularmente vulnerables, entre ellas las rodillas, las caderas, las muñecas, los dedos de las manos y de los pies, el cuello y la baja espalda.

Muchas personas pueden padecer osteoartritis sin darse cuenta porque carecen de síntomas, según señala la Dra. Yvonne Sherrer, directora de investigaciones clínicas en el Centro para Reumatología, Inmunología y Artritis en Fort Lauderdale, Florida. Probablemente se deba al hecho de que ciertos factores en el estilo de vida, los cuales se describen abajo, pueden evitar que los síntomas se manifiesten. Los expertos recomiendan las siguientes acciones clave para evitar que la osteoartritis —o por lo menos sus síntomas— molesten sus huesos.

Pierda peso. Entre más pese, más estrés deberán soportar algunas de sus articulaciones. Y entre más estrés imponga a sus articulaciones, más desgaste sufrirán. En realidad tiene mucho sentido. "Sabemos que si mantiene un peso corporal ideal tendrá menos probabilidad de padecer problemas de osteoartritis en las rodillas", explica la Dra. Sherrer. Si tiene sobrepeso, bajar sólo de 10 a 20 libras (5 a 9 kg) puede reducir de manera significativa el riesgo de que los síntomas de la osteoartritis se manifiesten, dice la experta.

Entréguese al ejercicio. Unos músculos fuertes dan lugar a articulaciones más saludables. Así ocurre porque los músculos débiles no son capaces de proteger de manera eficaz la articulación que rodean y con el tiempo es posible que esta se desalinee, según indica la Dra. Sherrer. El resultado es que ciertas partes de la articulación pueden verse expuestas a mucha presión. No obstante, al hacer ejercicio con regularidad aumenta la fuerza muscular, lo cual ayuda a proteger las articulaciones de manera adecuada y también las hace más flexibles. Las mejores actividades son las que no someten las articulaciones a mucho estrés, como caminar y nadar.

No exagere el ejercicio. Es más probable que los atletas consumados tengan osteoartritis porque tienden a abusar de sus articulaciones, y el abuso acelera el proceso de desgaste, afirma la Dra. Sherrer. "Si abusa de sus articulaciones tendrá que pagar el precio —indica la experta—. Y los atletas son el grupo de personas que más se conoce por abusar de sus articulaciones".

Cáncer

El cáncer es la segunda causa de muerte en los Estados Unidos después de las enfermedades cardíacas. Más de la mitad de las muertes por cáncer en las mujeres se deben al cáncer de pulmón, mama y colorrectal.

El riesgo de sufrir cáncer aumenta con la edad. Considere el cáncer colorrectal, por ejemplo.

Entre 1993 y 1995, una de cada 150 mujeres entre 40 y 59 años de edad presentó este tipo de cáncer. Tomando en cuenta el margen de edades de 60 a 79 años, la proporción dio un salto a una de cada 32.

"En la mayoría de los tipos de cáncer que afectan a los adultos ocurre un aumento muy dramático con la edad", afirma el Dr. Demetrius Albanes, investigador sénior en la División de Estudios sobre la Prevención del Cáncer del Instituto Nacional del Cáncer en Bethesda, Maryland. Los científicos no están seguros del motivo por el que el cáncer es en gran medida una enfermedad que afecta a personas mayores, indica, pero sostienen la teoría de que se requieren muchos años de exposición a diversos carcinógenos para que con el tiempo se den los daños genéticos que dan por resultado el cáncer. Y piensan que el debilitamiento de nuestras defensas internas con la edad también influye en la aparición de la enfermedad.

Existe por lo menos un tipo común de cáncer que representa una excepción a la regla del envejecimiento. Se trata del melanoma, un tipo de cáncer de la piel que puede ser mortal. "El melanoma de hecho es una enfermedad de jóvenes —señala la Dra. Jessica Fewkes, profesora adjunta de Dermatología en la Escuela de Medicina de Harvard—. Si consideramos al grupo más grande de afectados, su edad promedio es de alrededor de 40".

Ya sea que tenga 30, 40 ó 60 años, puede tomar medidas para bajar su riesgo de sufrir cualquier tipo de cáncer. Lo más importante resulta obvio: no fume. El cigarrillo tiene la culpa de hasta el 90 por ciento de todos los casos de cáncer de pulmón, y el cáncer de pulmón mata a

LA ENFERMEDAD DE ALZHEIMER: ARMANDO EL ROMPECABEZAS

Enfermedad de Alzheimer. Estas palabras siembran temor en los corazones de muchas mujeres. Se debe en parte a que hasta los años 80 no sabíamos mucho acerca de este mal. Ahora sí.

Muchos procesos complejos ocurren poco a poco en los cerebros de los pacientes de Alzheimer. Para empezar, un fragmento proteínico que se llama beta-amiloide se acumula alrededor de las neuronas, donde forma unos depósitos densos que se llaman placas. Dentro de estas neuronas se encuentran hilos retorcidos o enredados de fibra. En las regiones atacadas por la enfermedad de Alzheimer, algunas neuronas se mueren. Otras pierden sus conexiones o *sinapsis* con las neuronas vecinas. "Fundamentalmente, el cerebro empieza a morir", indica la Dra. Claudia Kawas, profesora adjunta de Neurología y directora clínica del Centro de Investigación Johns Hopkins sobre la Enfermedad de Alzheimer en Baltimore.

Un mayor número de mujeres que de hombres presentan la enfermedad de Alzheimer, probablemente porque las mujeres solemos vivir por más tiempo, afirma la Dra. Kawas. Los únicos factores de riesgo conocidos para esta enfermedad son la edad y la herencia genética. "El riesgo de padecer la enfermedad de Alzheimer se duplica cada 5 años después de los 65 años de edad". Las personas con antecedentes familiares de la enfermedad enfrentan casi el doble de riesgo.

aproximadamente 25,000 mujeres más al año que el de mama. Si usted fuma, renunciar al tabaco ahora mismo puede reducir su riesgo de manera espectacular. Cinco años después de haber abandonado el vicio, el peligro de morir de cáncer de pulmón que enfrenta la ex fumadora baja más o menos a la mitad. Y después de 10 años sin humo, el riesgo es semejante al de una persona que nunca ha fumado.

Mantener el peso dentro de un margen saludable y llevar una alimentación baja en grasa

Actualmente no existe una cura de la enfermedad de Alzheimer, pero los investigadores se están concentrando en tres posibles tratamientos.

El primero es el estrógeno. Un estudio con duración de 14 años que abarcó a más de 8,000 mujeres observó que las que recibían la terapia de reposición hormonal tenían un 35 por ciento menos de probabilidades de desarrollar la enfermedad de Alzheimer.

El segundo se basa en los medicamentos antiinflamatorios no esteroídicos como el ibuprofeno. De acuerdo con un estudio, las personas que tomaban ibuprofeno con frecuencia bajaban a la mitad su riesgo de padecer la enfermedad de Alzheimer.

El tercero utiliza antioxidantes como la vitamina E. Un estudio que abarcó a 341 personas enfermas de Alzheimer en su etapa media observó que quienes tomaban altas dosis de vitamina E eran capaces de aumentar el tiempo que dedicaban a sus actividades diarias en un 25 por ciento. Tomar suplementos de vitamina E también retrasó su ingreso a hogares de ancianos en 7 meses en promedio.

Probablemente no se ha encontrado una sola causa o tratamiento porque no existe tal, opina la Dra. Kawas. "En cambio, pienso que descubriremos que la enfermedad de Alzheimer es como el cáncer, en el sentido de que hay varios tipos de la misma enfermedad de los que cada uno responde a tratamientos diferentes".

dietética también son tácticas que pueden ayudar a bajar el riesgo de padecer cáncer de pulmón, de mama y de colon, indica el Dr. Albanes. Lo mismo cabe decir del ejercicio hecho con regularidad, agrega el experto. De hecho, un estudio científico que abarcó a más de 1,800 mujeres halló que las moderadamente activas corrían un 50 por ciento menos riesgo de padecer cáncer de mama. Las mujeres que realizaban actividades más vigorosas como nadar o correr por lo menos una vez a la semana tenían un 80 por ciento

menos de probabilidades de desarrollar cáncer de mama que las inactivas.

Ya sea que el cáncer se dé con frecuencia en su familia o no, puede reducir aún más su riesgo de padecerlo por medio de las siguientes medidas preventivas.

Recuerde la regla de cinco por día. La próxima vez que se siente a comer, recuerde la siguiente frase: el alimento que cocino determina mi destino. Quizá suene exagerado, pero las investigaciones lo respaldan.

Un análisis de más de 200 estudios científicos demostró que una alimentación alta en productos agrícolas reduce a la mitad el riesgo de sufrir cáncer. Consumir muchas frutas y verduras puede ayudar a prevenir los tres principales asesinos cancerosos: cáncer de pulmón, de mama y de colon, indica el Dr. Albanes. Los investigadores no piensan que exista un solo componente en las frutas y las verduras que proteja contra el cáncer sino más bien varios, como el betacaroteno que se halla en la batata dulce (camote) y la zanahoria; la vitamina C del pimiento (ají, pimiento morrón) verde y los cítricos; y los fitonutrientes como los isotiocianatos contenidos en el brócoli. A fin de aumentar sus probabilidades de mantenerse libre de cáncer, procure comer por lo menos cinco frutas y verduras al día.

Fíjese en la fibra. Es posible que haya oído que la fibra no protege tanto contra el cáncer de colon como se solía pensar. Esta opinión se basa en los resultados de un estudio que abarcó a casi 89,000 enfermeras que obtenían la mayor parte de su fibra de las frutas y las verduras, pero que comían muy poca fibra de salvado de trigo, que según los hallazgos de otros muchos estudios

Alargavida
Un corazón lento alarga la vida

La caja rápida. La comida rápida. El discado rápido. En el mundo de hoy, con sus velocidades frenéticas, "rápido" con frecuencia equivale a "calidad". Sin embargo, en lo que se refiere a la longevidad resulta que despacio es mejor. Las investigaciones demuestran que las mujeres cuyo corazón late más lentamente viven por más tiempo.

Un estudio de más de 7,000 mujeres francesas encontró que aquellas cuyo ritmo cardíaco en reposo era más bajo tenían menos probabilidad de morir casi de cualquier causa que quienes tenían ritmos cardíacos más rápidos. ¿Cuál es la mejor forma de bajarle la velocidad al corazón? Haciendo ejercicio aeróbico con regularidad, afirman los expertos. Sólo asegúrese de ver a un médico antes de iniciar cualquier programa de ejercicio.

previene el cáncer de colon. Se están haciendo más investigaciones para confirmar los beneficios de la fibra, pero hasta que concluyan tenga presente que incluso los autores del estudio que involucró a las enfermeras opinan que de todos modos es muy importante tener una alimentación alta en fibra.

¿De qué forma podrá la fibra prevenir el cáncer de colon? Al hacer que el excremento abandone el cuerpo más rápidamente. Esto es importante porque entre menos tiempo pasen en el colon los compuestos dañinos del excremento, menos probabilidad hay de que hagan daño.

También es posible que una alimentación alta en fibra reduzca el riesgo de sufrir cáncer de mama. Esto se debe a que la fibra suele ligarse al estrógeno en el tracto digestivo para luego sacarlo del cuerpo, según explica el Dr. Albanes. Entre menos se exponga una mujer al estrógeno a lo largo de su vida, menos probabilidad tiene de padecer cáncer de mama.

Cancele lo carbonizado. Una encuesta de más de 900 mujeres encontró que las que con frecuencia comían carne bien cocida como hamburguesas, bistec de res y tocino tenían una probabilidad casi cinco veces mayor de presentar cáncer de mama que las mujeres que preferían la carne entre término inglés y medio. De acuerdo con los investigadores, es posible que este fenómeno se deba a la exposición a unos compuestos causantes de cáncer que se llaman aminas heterocíclicas, las cuales se forman cuando la carne y el pescado se cocinan a altas temperaturas. Es posible que pueda reducir su riesgo de sufrir cáncer de mama al quitar el bistec de la parrilla antes de que las orillas se carbonicen y se pongan negras.

Piense en un multivitamínico. Existen algunas pruebas de que un mayor consumo del mineral selenio así como de varias vitaminas, como la A y la E, además de algunos carotenoides como el betacaroteno, reducen el riesgo de padecer cáncer, indica el Dr. Albanes. "También estamos examinando de cerca el folato dietético", agrega el experto. Además, por lo menos un estudio que abarcó a 930 personas sugiere que tomar calcio adicional quizá ayude a prevenir el cáncer de colon. Si bien aún no se cuenta con pruebas realmente convincentes, no perjudicará a nadie tomar un suplemento multivitamínico y de minerales al día.

Póngase loción antisolar (filtro solar). A menos que trabaje en un submarino será inevitable que pase un poco de tiempo en el sol. Lo mejor que puede hacer para proteger su piel contra los rayos dañinos del Sol es usar una loción antisolar. "Recomiendo una loción antisolar con un *SPF* (las siglas en inglés de "factor de protección solar") de por lo menos 15 y plena protección contra los rayos UVB y UVA", dice la Dra. Fewkes. Y si va a pasar un buen rato al aire libre debe volver a aplicar la loción antisolar cada 2 ó 3 horas, agrega la experta.

Póngase a prueba. El cáncer es una enfermedad misteriosa. Uno puede hacer todo bien, desde no fumar hasta llevar una alimentación saludable, y con todo encontrar una bolita que resulta ser maligna. Tal vez se deba a que la enfermedad con frecuencia tiene un componente genético, sobre todo en el caso del melanoma, el cáncer de mama y el cáncer de colon. En vista de que no puede reducir su riesgo de sufrir cáncer en un 100 por ciento, es importante someterse a análisis capaces de detectar un tumor antes de que aparezcan los síntomas, pues se trata de la etapa en que existe mayor probabilidad de curarse.

A fin de ayudar a detectar el cáncer de mama desde su etapa inicial, las mujeres deben hacerse un mamograma al año a partir de los 40 años de edad así como autorreconocimientos todos los meses, de acuerdo con el Instituto Nacional del Cáncer. También deben hacerse un examen clínico de la mama como parte de su revisión ginecológica anual. Algunos médicos sugieren que comiencen a hacerse mamogramas anuales a los 50 años, pero las investigaciones demuestran que las mujeres menores de 50 años cuyo cáncer de mama se descubrió a través de la mamografía tienen un 90 por ciento de probabilidades de sobrevivir. Cabe comparar esta cifra con el índice de supervivencia del 77 por ciento para las mujeres cuyo cáncer se descubrió durante un examen clínico de la mama.

Para detectar el cáncer colorrectal —que tiene un alto índice de curación cuando se descubre pronto—, las mujeres de más de 50 años deben hacerse un análisis de sangre fecal oculta por lo menos cada 2 años. Un estudio llevado a cabo a lo largo de 18 años por investigadores de la Universidad de Minnesota halló que este simple análisis puede ocasionar una reducción del 33 por ciento en el número de muertes cuando la prueba se hace cada año. Cuando se hace cada 2 años, la baja en el número de muertes es del 21 por ciento.

En lo que se refiere a prevenir el cáncer de piel, debe consultar a un dermatólogo para que le revise todo su cuerpo todos los años si tiene 41 o más, y cada 3 años entre los 20 y los 40 años de edad. Además, es preciso que esté atenta a cualquier cambio en sus pecas o lunares, pues resulta que más o menos la mitad de todos los melanomas los descubre el paciente.

Diabetes

La diabetes afecta a más de 15 millones de personas en los Estados Unidos, de los que aproximadamente 8 millones son mujeres. La mayoría de los diabéticos tienen 65 años o más. Por dos razones la enfermedad se hace más común conforme envejecemos. Tendemos a subir de peso gradualmente a lo largo de los años, lo cual aumenta el riesgo de enfermar de diabetes. Y el mal con frecuencia se queda sin diagnosticar durante muchos años, por lo que las personas mayores aparentemente son más propensas a sufrirlo. Sin embargo, lo más probable es que en realidad sea mucho más común de lo que parece entre la población de mediana edad, según indica la Dra. Judith Gore Gearhart, profesora adjunta de Medicina Familiar en el Centro Médico de la Universidad de Misisipí en Jackson.

Las personas que sufren la diabetes del tipo II, que se da en edad adulta, tienen un elevado nivel del azúcar conocido como glucosa en su sangre. Esta acumulación de azúcar puede deberse a dos causas: el cuerpo no produce suficiente insulina, la cual se utiliza para descomponer y aprovechar la glucosa; o bien la insulina ya no realiza su trabajo adecuadamente. Con frecuencia se trata de una combinación de ambos factores. Un elevado nivel de glucosa puede provocar muchas complicaciones, entre ellas ceguera y enfermedades renales o del sistema nervioso. Además, los diabéticos tienen entre dos y cuatro veces más probabilidades de sufrir una enfermedad cardíaca o un derrame cerebral que los adultos que no tienen diabetes.

Sí existen varios factores clave en el estilo de vida que pueden bajar de manera significativa el riesgo de padecer diabetes. Las siguientes sugerencias de nuestros expertos le ayudarán a prevenir la enfermedad y el gran número de complicaciones que la acompañan.

Cuide su peso. Las personas con sobrepeso tienen mucha más probabilidad de contraer diabetes. "Conforme una persona sube cada vez más de peso se vuelve resistente a la insulina", afirma la Dra. Gearhart. Esto significa que los receptores celulares que le ayudan a la insulina a trabajar ya no son sensibles a esta. Los receptores son como una cerradura de la que la insulina es la llave, pero cuando se es resistente a la insulina las dos cosas no encajan. "Bajar de peso mejora la sensibilidad a la insulina y ayuda muchísimo a controlar la glucosa —indica la experta—. De hecho, muchas personas son capaces de controlar su diabetes sin medicamentos cuando han perdido peso suficiente".

Muévase. Cuando se hace con regularidad, el ejercicio también puede mejorar la sensibilidad a la insulina y ayudar a bajar de peso, afirma la Dra. Gearhart. De hecho el ejercicio aeróbico mejora el nivel de glucosa en sangre y la respuesta a la insulina de manera casi inmediata, por lo menos de forma temporal. Y si lo hace todos los días el efecto se vuelve de largo plazo, según explica John Duncan, Ph.D., un fisiólogo del ejercicio en el Centro para la Investigación sobre la Salud de la Mujer de la Texas Woman's University en Denton. Por eso se recomienda a los diabéticos que hagan ejercicio 5 días a la semana, afirma.

Pida la prueba. La diabetes tiende a heredarse. Si usted tiene antecedentes familiares de diabetes —o bien si tiene sobrepeso, presión arterial alta (hipertensión), colesterol alto o cualquier síntoma como sed intensa o la necesidad de orinar con frecuencia—, consulte a su médico acerca de la posibilidad de hacerse un análisis de glucosa en plasma en ayunas *(fasting plasma glucose test)*, el cual mide la cantidad de glucosa en su sangre después de haber ayunado durante 8 horas. Entre más pronto detecte la diabetes, más pronto la podrá controlar. "Muchas personas padecen la enfermedad durante varios años antes de que se les diagnostique —indica la Dra. Gearhart—. La consecuencia es que posiblemente sus órganos ya hayan sufrido daños".

Cualquiera de 45 años o más debe hacerse la prueba, ya sea que tenga antecedentes familiares de diabetes o no. Si los resultados son normales, debe repetirla cada tercer año después de eso.

Enfermedades cardíacas y derrame cerebral

Si se les preguntara a la mayoría de la gente cuál es la principal causa de muerte de las mujeres, probablemente dirían que el cáncer de mama. Sería una suposición lógica pero equivocada. Las enfermedades cardíacas son el principal asesino de hombres *y también* de mujeres en los Estados Unidos. De hecho, el riesgo de que una mujer se muera de un ataque cardíaco es cinco veces mayor que el de morir de cáncer de mama.

La mayoría de las mujeres no están conscientes del peligro de sufrir una enfermedad cardíaca porque piensan que se trata de un mal masculino. En efecto, muchos médicos pensaron lo mismo durante bastante tiempo, indica la Dra. Ross. Según la experta, todo mundo probablemente se ha concentrado en los hombres porque tienden a presentar las enfermedades cardíacas una década antes que las mujeres. "Pensamos que posiblemente sea el estrógeno el que nos protege a las mujeres antes de llegar a la menopausia", agrega.

El derrame cerebral —que es como un ataque al corazón que se da en el cerebro— es la tercera causa de muerte en los Estados Unidos. Un derrame cerebral por lo común ocurre cuando se bloquea un vaso sanguíneo en el cerebro, ya sea por un coágulo de sangre o por la misma acumulación de depósitos que puede causar un ataque cardíaco. El resultado es que se priva a una parte del cerebro de sangre y oxígeno, por lo que sus células se mueren.

Los ataques cardíacos y los derrames cerebrales ocurren de repente, pero las condiciones que los causan tardan años en desarrollarse. Para empezar, el colesterol que tapa las arterias se acumula lentamente a lo largo del tiempo. Tendemos a subir de peso gradualmente al envejecer. Y la mayoría de los diabéticos —uno de los principales factores de riesgo para las enfermedades cardíacas y el derrame cerebral— tienen 65 años o más. La presión arterial alta (hipertensión), otro importante factor de riesgo para ambas enfermedades, es más común en las mujeres de 55 años o más. "Son muchos los factores de riesgo que contribuyen a las enfermedades cardíacas y al derrame cerebral —afirma la Dra. Ross—. Y muchos de estos factores de riesgo se vuelven más comunes conforme envejecemos".

En vista de que las dos enfermedades cuentan con muchas causas y factores de riesgo semejantes, la mayoría de las medidas que puede tomar para prevenir la una también sirven para evitar la otra. Considere la alimentación, por ejemplo.

ALARGAVIDA
Obtenga los beneficios del vino sin tomar alcohol

Todas hemos escuchado las noticias acerca del alcohol: una copa de vino tinto al día puede reducir el riesgo de padecer una enfermedad cardíaca. No obstante, incluso para las que no tenemos la costumbre de descorchar el *Chianti* hay formas de disfrutar los beneficios que el vino brinda a la salud. Una de ellas es tomando un vaso de jugo de uva.

Los flavonoides que se encuentran tanto en el vino tinto como en el jugo de la uva morada ayudan a evitar que las plaquetas de la sangre se aglutinen, de modo que habrá menos probabilidad de que formen coágulos que puedan provocar un ataque cardíaco. Un estudio llevado a cabo por investigadores de la Universidad de Wisconsin encontró que las personas que tomaban 2 vasos de 5 onzas (150 ml) de jugo de uva morada al día durante una semana reducían en un 60 por ciento la tendencia a formar coágulos de sangre. Sólo asegúrese de que sea jugo de uva morada preparado con uvas *Concord*. Los jugos de uvas rojas y blancas no tienen el mismo efecto.

Una alimentación baja en grasa y alta en fibra previene tanto las enfermedades cardíacas como el derrame cerebral, al mantener bajos el peso y la presión arterial y limpias las arterias. Cuando el peso se controla —sobre todo las libras que suelen adherirse a la cintura— se reduce el riesgo de sufrir ambos males. Lo mismo cabe decir de a la reducción del estrés. Cuando se sufre estrés el cuerpo produce unas sustancias químicas que con el tiempo pueden hacer que las arterias y los vasos sanguíneos se endurezcan, lo cual prepara el camino para que el colesterol se acumule, explica la Dra. Ross. Por lo tanto, encuentre formas de liberar el estrés. Haga ejercicio, tome un baño caliente, lea una novela romántica. Lo que sea que le funcione.

Hay muchas formas más de evitar las enfermedades cardíacas y el derrame cerebral. A continuación le proporcionaremos las siguientes estrategias adicionales para ayudar a poner tanto su corazón como su cerebro a prueba de enfermedades.

Venza el vicio. De acuerdo con los expertos a quienes consultamos, lo más importante que las mujeres podemos hacer para reducir el riesgo de padecer enfermedades cardíacas es dejar de fumar o, lo que sería mejor aún, evitar fumar desde el principio. "Si deja de fumar hoy, su riesgo de sufrir enfermedades cardíacas bajará mañana —indica la Dra. Ross—. Los pacientes siempre señalan que los daños ya están hechos, por lo que no importa que dejen de fumar o no. Claro que importa". A los 3 meses de haber renunciado al cigarrillo mejora la circulación sanguínea. Después de 1 año el riesgo de padecer una enfermedad cardíaca baja a la mitad de lo que sería en el caso de una fumadora. Y a los 15 años el riesgo es el mismo de alguien que nunca ha fumado.

Fumar también es un factor de riesgo para el derrame cerebral. De hecho, probablemente sea el segundo factor de mayor riesgo después de la presión arterial alta, afirma la Dra. Rexrode. Así sucede porque fumar hace que los vasos sanguíneos se estrechen, acelera la formación de depósitos y facilita la aparición de coágulos sanguíneos. Por lo tanto, apagar los cigarrillos para siempre beneficiará su corazón *y también* su cabeza.

Forje su físico. Hacer ejercicio con regularidad previene las enfermedades cardíacas y el derrame cerebral de varias formas. Para empezar, la actividad física reduce la presión sanguínea y el nivel de estrés y mejora el nivel de colesterol al elevar el índice de HDL. También le ayuda a mantenerse delgada. Los ejercicios aeróbicos, como caminar a paso rápido, andar en bicicleta y nadar, ayudan a mantener su sistema cardiovascular en excelente forma. "El ejercicio combate todas las cosas que aumentan nuestro riesgo de sufrir enfermedades cardíacas y derrame cerebral", indica la Dra. Ross.

Consuma sus calabacitas y cantaloupes. Las frutas y las verduras contienen todo tipo de compuestos beneficiosos para el corazón y el cerebro, desde antioxidantes hasta minerales como el potasio, que ayuda al reducir la presión arterial, explica la Dra. Ross. De hecho, un estudio que abarcó a más de 87,000 enfermeras observó que las mujeres que comían más frutas y verduras tenían un 40 por ciento menos de probabilidades de sufrir un derrame cerebral que las que comían menos. Y los expertos dicen que disfrutar por lo menos cinco raciones de frutas y verduras al día también es bueno para el corazón.

Recurra a la reposición. Las mujeres que han seguido la terapia de reposición hormonal tienen un índice entre un 40 y un 50 por ciento más bajo de enfermedades cardíacas, afirma la Dra. Legato. El efecto protector del estrógeno ayuda a explicar por qué el índice de enfermedades cardíacas aumenta muchísimo en las mujeres después de la menopausia. El estrógeno protege al corazón de varias formas. En primer lugar, la hormona tiene un efecto positivo sobre el colesterol. Conserva el nivel de HDL, que es el colesterol "bueno". También puede hacer que baje la presión arterial al mantener los vasos sanguíneos relajados y bien abiertos.

"Creo que todas las mujeres deben considerar la terapia de reposición hormonal —dice la Dra. Ross—. Es posible que una de las terapias más novedosas con respecto al estrógeno de hecho también proteja contra el cáncer de mama".

La terapia de reposición hormonal posiblemente también ayude a prevenir los derrames cerebrales. De acuerdo con un estudio que comparó a las usuarias a largo plazo del estrógeno postmenopáusico con quienes no lo tomaban, las mujeres que tomaban estrógeno disfrutaban una reducción del 73 por ciento en su riesgo de morir de problemas vasculares como el derrame cerebral, entre otros. En vista de todos los posibles beneficios del estrógeno, las mujeres realmente deberían hablar con sus médicos acerca de si la terapia de reposición hormonal es lo indicado para ellas, afirma la Dra. Ross.

Elija la "E". Los antioxidantes como la vitamina E pueden ayudar a proteger su corazón contra los estragos de los radicales libres, unas moléculas perjudiciales de oxígeno producidas por el cuerpo que dañan todos sus tejidos. Es posible que las malvadas moléculas de los radicales libres hagan que el colesterol se adhiera a las paredes de las arterias y las tape. La vitamina E puede ayudar a prevenir la acumulación de colesterol al eliminar los radicales libres antes de que hagan daño.

Las pruebas son tan convincentes que algunos médicos incluso les recomiendan esta vitamina a sus pacientes. "Les sugiero a mis pacientes que tomen suplementos de vitamina E porque puede resultar difícil obtener la suficiente por medio de una alimentación baja en grasa", indica la Dra. Ross, quien propone que las mujeres tomemos entre 200 y 400 unidades internacionales (UI) al día.

En lo que se refiere al derrame cerebral, las investigaciones no han demostrado con claridad que la vitamina E lo prevenga, afirma la Dra. Rexrode. "Hay muchos más datos convincentes con respecto a las enfermedades cardíacas", agrega.

Protéjase con frutos secos. Las investigaciones demuestran que los frutos secos como la almendra, la nuez y el cacahuate (maní) pueden formar una parte importante de una alimentación saludable para el corazón. Un estudio llevado a cabo a lo largo de 10 años que abarcó a más de 86,000 mujeres por parte de un grupo de investigadores de la Escuela de Salud Pública de Harvard llegó a la conclusión de que en las mujeres que comían más de 5 onzas (140 g) de frutos secos a la semana la probabilidad de sufrir una

enfermedad cardíaca disminuía más o menos en un tercio en comparación con las que comían menos de 1 onza (28 g) al mes. Las grasas insaturadas que se hallan en los frutos secos ayudan a bajar el colesterol y posiblemente sean las responsables del efecto protector de este alimento, indican los investigadores. Además, los frutos secos contienen una gran cantidad de otras sustancias saludables para el corazón: vitamina E, potasio, magnesio, proteínas y fibra. Por lo tanto, si viaja a menudo en avión no rechace las nueces de la India (anacardos, semillas de cajuil, castañas de cajú).

Cuide sus dientes. ¿Qué conexión hay entre los dientes, el corazón y el cerebro? Resulta que las bacterias que causan las enfermedades de las encías pueden viajar a través del torrente sanguíneo hasta el corazón, donde llegan a dañar las paredes o las válvulas, según explica la Dra. Ross. También es posible que las bacterias liberen factores de coagulación que pueden desencadenar un ataque cardíaco o un derrame cerebral, agrega la experta. Algunos indicios comunes de una enfermedad de las encías son encías rojas e hinchadas y sangrado después del cepillado. A fin de mantener saludables sus encías —y también el corazón y el cerebro—, cepíllese los dientes por lo menos dos veces al día, límpieselos con hilo dental una vez al día y visite al dentista con regularidad, sugiere.

Osteoporosis

Diez millones de personas padecen osteoporosis en los Estados Unidos, y el 80 por ciento de estas personas son mujeres. El problema es que se puede no saber que se tiene la enfermedad hasta que los huesos se debilitan tanto que un golpe o una caída menor causa una fractura. De hecho, una de cada dos mujeres sufrirá una fractura asociada a la osteoporosis en algún momento de su vida, de acuerdo con la Fundación Nacional para la Osteoporosis. Las mujeres somos más propensas a contraer osteoporosis porque la brusca caída en el nivel del estrógeno durante la menopausia acelera la pérdida de masa ósea.

Como sea, los médicos les explican a las mujeres que en realidad no se trata de una enfermedad de la vejez. "Se ha declarado que la osteoporosis no es una enfermedad geriátrica sino pediátrica, y en gran medida es cierto", indica el Dr. Stanley Wallach, profesor clínico de Medicina en la Escuela de Medicina de la Universidad de Nueva York, codirector del Centro para la Osteoporosis en el Hospital para Enfermedades de las Articulaciones y director del Colegio Estadounidense de la Nutrición, ubicados todos en la ciudad de Nueva York. Eso se debe a que el comportamiento que lleva a la osteoporosis —como no consumir suficiente calcio— con frecuencia empieza desde la infancia. No obstante, los médicos están de acuerdo en que nunca es demasiado tarde para recuperar masa ósea. Sólo debe estar consciente de que entre más edad tenga, empezará con menos masa ósea.

Aunque no sea una adolescente, los expertos opinan que las siguientes cinco estrategias le ayudarán a fortalecer su esqueleto.

Aliméntese con los nutrientes correctos. Llevar una alimentación rica en calcio desde niña es la mejor manera de formar y mantener huesos fuertes, indica la Dra. Sherrer, autora de un libro sobre la osteoporosis. No obstante, muchas adolescentes y mujeres jóvenes evitan la leche, el queso y otras fuentes de calcio. Estos alimentos suelen ser altos en grasa, y en la cultura de los Estados Unidos las niñas se preocupan por su peso desde una edad muy temprana, afirma la Dra. Sherrer. Por lo tanto, no están formando la masa ósea adecuada durante los años más importantes de su desarrollo y terminan fomentando el riesgo de padecer osteoporosis más adelante en la vida.

Incluso las mujeres que ya hayan dejado muy atrás la adolescencia pueden beneficiarse de consumir suficiente calcio. Quizá no sea posible *agregar* masa ósea pero sí mantener la que se tenga, opina el Dr. Wallach. En pocas palabras, las mujeres premenopáusicas necesitan consumir 1,000 miligramos de calcio al día a través de la alimentación y suplementos, además de 400 UI de vitamina D, la cual le ayuda al cuerpo a absorber el calcio. Las mujeres posmenopáusicas requieren aún más: 1,500 miligramos de calcio y entre 600 y 800 UI de vitamina D.

Actívese. La actividad física es otra medida clave de prevención que debe iniciarse a una edad temprana y continuarse a lo largo de la vida. Hecho con regularidad, el ejercicio —el aeróbico, como caminar a paso rápido, y también el levantamiento de pesas ligeras— no sólo fortalece y conserva los huesos sino también puede incrementar la masa ósea. Al formar y fortalecer los músculos —que están sujetos a los huesos— también se forma masa ósea, explica la Dra. Sherrer. Trate de integrar a su vida por lo menos 30 minutos de un ejercicio de resistencia al peso, como caminar a paso rápido, al menos tres veces por semana. Otras actividades de resistencia al peso —lo cual simplemente significa que se tiene que sostener el peso del propio cuerpo— incluyen correr, bailar, jugar tenis e incluso a los bolos (boliche). Nadar y andar en bicicleta, por el contrario, no son ejercicios de resistencia al peso.

Mida su masa ósea. Las mujeres deben hacerse una densimetría ósea más o menos al iniciar la menopausia, seguida por un *screening* aproximadamente un año después de que esta comenzó, indica el Dr. Wallach. Así los médicos pueden comparar los números para ver si se ha perdido hueso (o no ha adquirido el suficiente). Si usted cuenta con antecedentes familiares de osteoporosis debe hacerse el análisis desde antes. La prueba típica se llama DEXA, unos rayos X rápidos e indoloros que miden la densidad de la cadera y la espina dorsal.

Considere la terapia de reposición hormonal. Tomar estrógeno sintético una vez que el cuerpo ha dejado de producir esta hormona puede reducir grandemente el riesgo de padecer osteoporosis. Las mujeres que no toman estrógeno llegan a perder hasta el 20 por ciento de su masa ósea durante los 5 a 7 años que siguen de la menopausia, lo cual las hace más susceptibles de padecer osteoporosis. La terapia de reposición hormonal ayuda al conservar la masa ósea que se tenga y en algunos casos le agrega más, indica la Dra. Sherrer. Al igual que sucede con cualquier medicamento vendido con receta, la terapia de reposición hormonal no carece de riesgos. Ciertos tipos de estrógeno, si se toman de manera inadecuada, pueden causar un pequeño aumento en el riesgo de sufrir cáncer de mama. Por lo tanto, hable con su médico para ver si la terapia de reposición hormonal es lo indicado para usted.

Evite los tres grandes peligros. Otra forma de prevenir una mayor pérdida de masa ósea es participando lo menos posible en las convenciones sociales, opina el Dr. Wallach. "A lo que me refiero con eso es a fumar, tomar alcohol y consumir demasiada cafeína —explica—. Todas estas cosas promueven la pérdida de masa ósea a la edad que sea".

¿Y cuánto es demasiado? Fumar el número que sea de cigarrillos es perjudicial, no sólo para los huesos sino también para el sistema cardiovascular, indica el Dr. Wallach. Una bebida alcohólica al día está bien, pero más de eso puede debilitar los huesos. En lo que se refiere a la cafeína, más de tres tazas de café al día o el equivalente en bebidas de cola puede hacer que se pierda masa ósea. Por lo tanto, limítese a tomar el café descafeinado.

Problemas digestivos

Varios problemas digestivos tienden a aparecer casi sin que nos demos cuenta conforme envejecemos. Uno de ellos es la diverticulosis, una afección particularmente común en las personas mayores de 50 años, en la que la membrana mucosa de revestimiento del intestino sobresale y forma diminutas bolsitas que se llaman divertículos. Estas bolsas se producen debido a la presión acumulada por las materias de desecho en el colon. El fenómeno suele ser indoloro, pero si las bolsas se infectan puede dar lugar a una enfermedad dolorosa más grave que se llama diverticulitis.

Además, las personas mayores tienen una probabilidad cinco veces mayor de padecer estreñimiento, y el estreñimiento crónico puede producir diverticulosis así como hemorroides (almorranas). Por si fuera poco, la gente mayor de 60 años suele tener una menor cantidad de ácido en el estómago, lo que la hace más propensa a sufrir gastritis, una inflamación de la membrana mucosa de revestimiento del estómago.

Por último, los dolorosos cálculos biliares afectan aproximadamente a una de cada cinco personas mayores de 65 años, en su mayoría mujeres, en parte porque la vesícula biliar posiblemente ya no se contraiga de la misma forma cuando envejecemos, según explica la Dra. Melissa Palmer, una gastroenteróloga y hepatóloga de Plainview, Nueva York. Por lo tanto es posible que la materia contenida en la vesícula —que le ayuda al cuerpo a digerir la grasa— forme piedras duras, las cuales pueden tapar los ductos de la vesícula o bien las que conducen al intestino delgado.

Existen tratamientos para todas estas molestias de la digestión, pero usted también puede tomar ciertas medidas que posiblemente ayuden a prevenirlas. Estas medidas preventivas —dietéticas y de otro tipo— podrán evitarle cualquier problema de digestión hasta los 70 años y aun después.

Llénese de fibra. Una alimentación alta en fibra puede ayudar a prevenir diversos problemas digestivos, entre ellos estreñimiento, hemorroides, diverticulosis y quizás incluso los cálculos biliares. La razón principal es que reduce la presión que se llega a producir en el intestino, según explica la Dra. Susan Gordon, profesora de Medicina en la Universidad MCP-Hahnemann de Filadelfia. Los expertos recomiendan consumir entre 25 y 35 gramos de fibra al día. Trate de repartir su consumo de fibra incluyendo en cada comida alimentos como salvado con pasas *(raisin bran)*, avena, un sándwich (emparedado) de pan de trigo integral, brócoli o una manzana. O bien puede tomar semilla de pulguera (zaragatona, *psyllium*), la cual es un suplemento natural de fibra que se encuentra en productos como *Metamucil*, indica la experta.

Lave su tubería. Otra forma de reducir la presión en los intestinos es tomando una cantidad suficiente de líquidos. "Necesita suficientes líquidos para el buen funcionamiento intestinal en general —indica la Dra. Gordon—. Y para que la fibra funcione correctamente hacen falta suficientes líquidos en los intestinos". Una buena regla general es tomar por lo menos 8 vasos de 8 onzas (240 ml) de líquidos como agua y jugos todos los días. Por cierto, las bebidas que contienen cafeína o alcohol de hecho hacen perder más líquido del que se consume debido a su efecto diurético. Por lo tanto, no los incluya en su cuenta de los 8 vasos diarios.

Pierda peso poco a poco. Las mujeres con sobrepeso son más propensas a tener cálculos biliares, indica la Dra. Gordon. No obstante, bajar de peso demasiado rápido también puede aumentar el riesgo de padecer esta dolorosa molestia. Lo mismo sucede con las dietas con rebote, es decir, bajar y volver a subir de peso con frecuencia. Esta es una razón por la que los médicos recomiendan no perder más de 1 a 2 libras (456 a 900 g) por semana.

Sepárese del sillón. La actividad física puede contribuir a mantener la regularidad de sus evacuaciones. El ejercicio acelera el metabolismo, aumenta el flujo de sangre a los intestinos y ayuda a los desechos a pasar por el cuerpo más rápidamente, dice la Dra. Gordon.

Revise sus medicamentos. Si usted con frecuencia toma aspirina o medicamentos antiinflamatorios no esteroídicos como *Advil* contra la artritis o alguna otra afección, es posible que esté aumentando su riesgo de sufrir problemas digestivos. Estos medicamentos —cuando se toman todos los días— a veces lesionan el estómago, lo cual llega a causar afecciones crónicas como gastritis y úlceras, comenta la Dra. Gordon. Si no existe la posibilidad de reducir la cantidad de medicamentos, es posible que tomar pastillas con capa entérica ayude, pero no eliminará el riesgo, advierte la Dra. Palmer.

Quinta Parte

Los mejores defensores de los doctores para males graves y menores

Resfriados, dolor de garganta y gripe

El resfriado (catarro) común le cuesta a la economía estadounidense 15 millones de días laborales perdidos cada año. La gripe aumenta esta cifra aún más. ¿Y qué? Si usted tiene un resfriado o una gripe en este momento, lo que quiere es alivio, no estadísticas.

Desafortunadamente, como todo mundo sabe, no hay manera de curar un resfriado o una gripe una vez que se ha dado el contagio. Sin embargo, lo que sí existen son medidas que usted puede tomar para ayudarle a su cuerpo a enfrentar la enfermedad y a curarse lo más pronto posible. Mejor aún, hay estrategias que usted puede aplicar para evitar estas enfermedades por completo.

Los factores de riesgo

El factor de riesgo más obvio en lo que se refiere al contagio de resfriado o gripe es exponerse a los gérmenes que lo causan. Sin embargo, "exponerse" no necesariamente significa colocarse justo frente a la línea de fuego de un estornudo o una tos, según comenta la Dra. Carlene Muto, directora de control de infecciones y epidemiología en la división de enfermedades infecciosas del Centro Médico de la Universidad de Pittsburgh. Si bien ambas enfermedades llegan a transmitirse por el aire, de hecho es más probable que los resfriados se propaguen mediante el tacto. "Lo único que tiene que hacer es tocar algo que una persona enferma haya tocado o en lo que haya tosido o estornudado, y luego tocar su propia cara, nariz o boca", indica la Dra. Muto.

La época del año es otro factor de riesgo. Los resfriados y la gripe tienen su temporada favorita: el otoño y el invierno, afirma la Dra. Muto. Así ocurre porque cuando hace frío se pasa más tiempo bajo techo, en contacto estrecho con otras personas, y hay más oportunidad de infectarse de gérmenes así como de infectar a los demás.

La temporada del rinovirus (un virus que causa el resfriado común) llega a su punto máximo en septiembre y a principios de octubre. Es posible que el inicio del nuevo año escolar también contribuya al contagio, ya que las enfermedades respiratorias se propagan más fácilmente en el salón de clases y luego se llevan a casa con los demás miembros de la familia.

Algunos investigadores también creen que el ciclo menstrual, las alergias que afectan la nariz y la garganta y el estrés emocional ponen su parte para hacer a alguien más propenso a resfriarse.

Las personas cuya inmunidad se ha visto debilitada a causa de alguna otra enfermedad, nutrición deficiente, estrés o fumar no corren un mayor riesgo de exponerse al virus; no obstante, una vez expuestos a un virus de resfriado o de gripe es posible que sus cuerpos sean menos capaces de combatir la infección, opina la Dra. Muto. Algunos tipos de alergias respiratorias también alteran las membranas mucosas de la nariz y la garganta, aumentando la vulnerabilidad a las infecciones virales.

Por otra parte, también es cierto que si se acaba de tener un resfriado es menos probable que pesque otro enseguida. Estamos expuestos a más de 100 tipos de virus del resfriado y cada uno es distinto. Cuando se enferma de alguno de ellos se desarrolla inmunidad contra ese virus en particular por un lapso de aproximadamente 2 años. También se produce una inmunidad general que protege contra los otros 99 virus del resfriado durante más o menos un mes.

La prevención

Los pasos para prevenir el resfriado y la gripe son sencillos y eficaces, pero es preciso que se mantenga alerta, rompa con hábitos viejos y cree otros nuevos.

INFLAMACIÓN DE LA GARGANTA POR ESTREPTOCOCOS

Definitivamente hay que tomar en serio las bacterias conocidas como estreptococos. Las infecciones de la garganta que causan fluctúan entre leves y graves. En los casos graves es posible que se dé fiebre, escalofríos, dolor de cabeza y dolor abdominal. La enfermedad puede simplemente invadir la garganta, provocando un dolor intenso, o bien volverse mortal al introducirse al torrente sanguíneo, donde los venenos que produce pueden provocar el síndrome del choque tóxico o bien dañar el corazón o los riñones.

La inflamación de la garganta causada por estreptococos se difunde de la misma forma que los resfriados (catarros) y la gripe: a través del contacto con una persona infectada. Los niños con frecuencia la llevan a casa y a veces infectan a otros miembros de la familia. Los síntomas suelen presentarse de 1 a 3 días después de exponerse e incluyen dolor y enrojecimiento de las amígdalas o la garganta; fiebre; ganglios linfáticos inflamados en el cuello y a veces puntos blancos de pus en las amígdalas o al fondo de la garganta.

Con sólo mirar la garganta es difícil saber si la inflamación se debe a estreptococos o si se trata de algún otro tipo de infección. "Incluso los médicos sólo logran un diagnóstico acertado a través de la inspección visual más o menos un 60 por ciento del tiempo", indica la Dra. Berrylin Ferguson, profesora adjunta de Otolaringología en el Centro Médico de la Universidad de Pittsburgh. Por eso hacen un toque vigoroso en el fondo de la garganta para obtener un cultivo de bacterias y confirmar el diagnóstico de inflamación de la garganta por estreptococos. Por otra parte, si el médico sospecha que de eso se trata es posible que simplemente le dé antibióticos. Un tratamiento de penicilina durante 10 días es lo normal y es importante tomar el medicamento durante los 10 días completos, aunque la garganta le deje de doler pronto.

Escape de los estornudos. Manténgase alejada de las personas que tienen tos o están estornudando mucho. Si no puede evitarlas por completo trate de no acercarse demasiado y acorte sus visitas lo más posible.

Lávese. Muchas veces con eso basta para eliminar de las manos cualquier virus desagradable que se encuentre en espera de que lo transporte a su nariz o boca.

Baje las manos. Para asegurarse doblemente de que ningún germen del resfriado o de la gripe entre a su cuerpo, mantenga las manos alejadas de su cara incluso después de habérselas lavado.

Desinfecte. Tres horas es el tiempo máximo que los rinovirus sobreviven en superficies externas al cuerpo humano. Limpiar estas superficies con un desinfectante que mate los virus puede ayudar a evitar que estas enfermedades se propaguen.

Vacúnese. Vacunarse cada año contra la gripe es una de las cosas más generosas que puede hacer por sí misma. Así que hágalo.

Pruebe un multivitamínico. Son tantas las vitaminas y los minerales que aseguran que la inmunidad sea realmente buena que sería un error concentrarse en algunos y descuidar a los demás, afirma la Dra. Rachel Wissner, un médico familiar de Baton Rouge, Luisiana. Un buen suplemento multivitamínico debería cubrir sus necesidades nutritivas básicas.

Corte la grasa. Las grasas, sobre todo las poliinsaturadas, tienden a suprimir el sistema inmunitario. Reduzca su consumo total de grasa para que constituya el 25 por ciento o menos del total de las calorías que consume a diario, sugiere la Dra. Wissner.

Libere el estrés o sufrirá un revés. Cuando se sufre estrés psicológico

CÓMO USAR UN TERMÓMETRO

Lo que es una temperatura normal para una persona tal vez no lo sea para otra, afirma la Dra. Clarita E. Herrera, instructora clínica de Atención Básica en el Colegio de Medicina de Nueva York en Valhalla. En términos generales, una lectura oral normal sería de 98.6°F (37°C). Las lecturas rectales por lo común se ubican un grado arriba, en 99.6°F (37.6°C), y las lecturas axilares se quedan de 0.5 a 1 grado por debajo de las orales.

Los termómetros de mercurio solían considerarse el estándar ideal, el más preciso, para medir la fiebre, pero los termómetros digitales que hay actualmente funcionan igual de bien y son más seguros, ya que no se rompen.

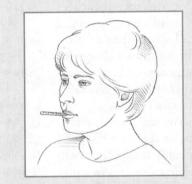

Para utilizar un termómetro de mercurio, agítelo para bajar el mercurio sacudiendo la muñeca rápidamente, hasta que quede en menos de 96°F (35.6°C). Coloque la cubeta debajo de su lengua, justo a un lado del centro. Mantenga los labios cerrados y respire por la nariz. (Si tiene la nariz tapada puede medirse la temperatura por vía rectal o axilar). Deje el termómetro durante 4 minutos.

Los termómetros digitales son seguros, precisos y rápidos. Busque uno cuyo margen de precisión no varíe en más de 0.2 grados. Algunos ofrecen un margen de precisión de 0.02 grados, pero es posible que salgan un poco más caros. Con la mayoría de los termómetros digitales las lecturas se obtienen en un minuto. La temperatura se despliega de manera muy semejante a los números en un reloj digital de pulsera.

El termómetro digital puede usarse debajo de la lengua, en el recto o en la axila. Ya que apagar el termómetro despeja la pantalla, no hay necesidad de agitarlo antes. Por lo común un pitido o una serie de pitidos indican que la lectura se realizó.

Los termómetros para el oído (infrarrojos) son precisos, rápidos y relativamente cómodos, pero se requiere cierta preparación para usarlos correctamente. Siga con cuidado las indicaciones que vengan en el envase. La fiebre se mide colocando el extremo del termómetro —que tiene forma de un pequeño cono— en el conducto auditivo externo. El termómetro por lo común da la lectura al cabo de segundos.

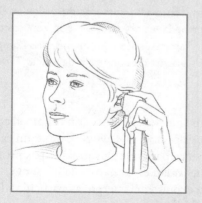

El calor despedido por el tímpano y el tejido de alrededor se utiliza para calcular la temperatura del cuerpo. El termómetro convierte la temperatura a una lectura oral o rectal y la despliega sobre una pantalla digital.

durante mucho tiempo se llegan a inhibir varios beneficios de la respuesta inmunitaria, como la actividad natural de las células defensoras, la respuesta de las células T y la producción de anticuerpos. Si está sufriendo muchos resfriados tal vez deba considerar el estrés como un posible factor, dicen los expertos.

Hay muchas formas de reducir el estrés: hacer ejercicio, meditar, ejercicios de respiración. Lo importante es encontrar un equilibrio que le funcione bien. No sorprende que los mismos nutrientes que ayudan a prevenir contra los resfriados y la gripe, como las vitaminas C y E y el cinc, influyan en la producción por parte del cuerpo de las hormonas del estrés así como de las hormonas que ayudan a inducir un estado de relajación.

Señales y síntomas

Los síntomas del resfriado (catarro) por lo común se manifiestan entre 2 y 3 días después de ocurrido el contagio. Pueden incluir dolor de garganta, tos, dolor de cabeza, estornudos y una nariz tapada que gotea. También es posible que tenga una fiebre baja de menos de 100°F (37.8°C).

Los síntomas de la gripe por lo común se manifiestan entre 2 y 4 días después de ocurrido el contagio. Probablemente usted experimente dolor de cabeza, escalofríos y tos seca, a los que seguirán dolores en todo el cuerpo, fiebre, congestión nasal y dolor de garganta. La gripe es sumamente contagiosa y el virus se puede propagar durante 3 ó 4 días después de haberse manifestado los síntomas.

¿A quién debo ver?

Los resfriados son una de las principales causas de consultas al médico familiar y la gente con frecuencia recibe antibióticos contra un resfriado cuando en realidad no los necesitarían. La causa del resfriado es un virus, no una bacteria, y los antibióticos no le hacen nada. "No obstante, a veces un resfriado puede provocar una infección bacteriana secundaria del oído medio o de los senos nasales, caso en el cual los antibióticos pueden hacer falta —indica la Dra. Muto—. Una fiebre alta, falta de aliento, glándulas muy hinchadas, dolor facial intenso en los senos nasales o una tos persistente que produce mucosidad son indicios de que posiblemente tenga algo más que un simple resfriado y de que debe ver pronto a un médico".

¿Qué debo esperar?

Los síntomas del resfriado duran de 2 a 14 días, pero dos tercios de las personas infectadas se recuperan en el curso de una semana.

Los virus de la gripe, por el contrario, afectan a todo el cuerpo y es posible que se sienta cansada durante varias semanas. Dése hasta 2 semanas para ir volviendo poco a poco a su rutina normal. De esta forma se recuperará más pronto que si se presiona, opina la Dra. Muto.

Consejos que curan

Muchos médicos tradicionales le dirán que no pueden hacer mucho por usted cuando está resfriada excepto aconsejarle que descanse mucho y

P R E G U N T A S   Y   R E S P U E S T A S

¿Realmente necesito vacunarme contra la gripe todos los años?

Vacunarse contra la gripe es una de las mejores gangas que la medicina ofrece. Realmente puede protegerla contra esta enfermedad y, si nos imaginamos lo peor, incluso salvarle la vida.

La vacuna contra la gripe (*influenza vaccine*) en realidad es un virus muerto o una mezcla de virus, y funciona estimulando al sistema inmunitario para que produzca anticuerpos. Si su cuerpo se expone al virus, estos anticuerpos están listos para atacar. Además, la parte del sistema inmunitario que produce anticuerpos de hecho tiene memoria. Por lo tanto, si ha producido anticuerpos contra un virus en particular en una ocasión y se ve expuesto al mismo virus de nueva cuenta, puede echar a andar la producción mucho más rápido la segunda vez. Es casi como si la plantilla ya estuviera lista.

Todos los años se prepara una vacuna en contra de las variedades de gripe que se considera más probable que ataquen, con base en el análisis de los brotes que se han dado en todo el mundo.

La vacuna se recomienda a todas las personas de 65 años o mayores así como a las personas de cualquier edad que padezcan enfermedades crónicas del corazón, los pulmones o los riñones, diabetes, sistemas inmunitarios comprometidos o bien casos graves de anemia o de asma. También se les

tome muchos líquidos. En cuanto al caldo de pollo, es posible que ayude. Tomar un caldo caliente sirve para que fluyan las capas protectoras de mucosidad en la nariz y la garganta, lo cual a su vez expulsa del cuerpo las partículas del virus del resfriado.

Los médicos convencionales también sugieren lo siguiente.

Tome sus medicamentos. Si le va a dar gripe puede tomar medicamentos antivirales vendidos con receta como amantadina *(Symmetrel)* o

recomienda a quienes viven en hogares de ancianos o en otros sitios donde hay personas con afecciones médicas crónicas, a los trabajadores de la salud y a aquellos que comparten su hogar con alguien que pertenezca a cualquiera de las categorías mencionadas. También los niños o los adolescentes que estén tomando una terapia de aspirina de largo plazo y por lo tanto corran riesgo de desarrollar el síndrome de Reye después de una infección gripal deben vacunarse, al igual que las mujeres que durante la próxima temporada de la gripe (de noviembre a abril) se encontrarán en el segundo o tercer trimestre de su embarazo (por eso los meses de septiembre a mediados de noviembre son la mejor época para hacerse vacunar).

A la mayoría de las personas la vacuna contra la gripe no les produce efectos secundarios, pero a algunos les duele en el punto de la inyección o bien padecen dolor de cabeza y una ligera fiebre durante más o menos un día después de haber sido vacunados.

Se espera que dentro de poco esté disponible una vacuna en forma de rociador nasal en lugar de inyectada. Con el tiempo tal vez se demuestre que esta inhalación preventiva protege aún más que la inyección.

Información proporcionada por la experta
La Dra. Clarita E. Herrera
Instructora clínica de Atención Básica
Colegio de Medicina de Nueva York
Valhalla

rimantadina *(Flumadine)*. Si lo hace dentro de los primeros 2 días de haber empezado los síntomas, los medicamentos antivirales llegan a disminuir la severidad de estos y la duración de la gripe. No obstante, estos remedios sólo sirven con cierto tipo de gripe, el A.

En cambio, es posible que su médico le recomiende un polvo vendido con receta que se inhala a través de la boca y se llama zanamivir *(Relenza)*. De acuerdo con un estudio, este medicamento reduce la duración de la gripe en uno o dos días. También reduce la posibilidad de pescar la gripe en un 72 por ciento. El medicamento funciona con dos tipos de gripe, la A y la B. La presentación en pastilla de oseltamivir *(Tamiflu)*, otro medicamento antiviral contra la gripe, también está disponible con receta.

Use un humidificador. El aire seco reseca las membranas nasales y las vuelve menos resistentes a los ataques por virus. Mantenga la humedad del aire entre un 35 y un 45 por ciento, recomienda la Dra. Muto. El aire acondicionado puede resecar al mismo grado que la calefacción, así que querrá ajustar también su sistema de enfriamiento. Si se le tapa la nariz por la noche, mantenga un vaporizador al lado de la cama para recibir el efecto directo del aire húmedo.

Alternativas que alivian

Existen cientos de remedios herbarios y nutricionales que usted misma puede aplicar y que llegan a minimizar los síntomas del resfriado o de la gripe, le ayudan a recuperar su energía más pronto y la protegen contra infecciones futuras. "Lo importante es elegir los que le funcionen mejor en vista de los síntomas que tenga", afirma Jasmine Carino, N.D., una naturópata que trabaja con el Colegio Canadiense de Medicina Naturopática en Toronto. Los detalles son los siguientes.

No escatime la vitamina C. Necesita tomar de 1,000 a 3,000 miligramos diarios de vitamina C para reducir los síntomas del resfriado, indica la Dra. Carino. "Querrá aumentar la dosis hasta que empiece a soltarse del estómago y luego reducirla un poco". De acuerdo con los estudios que utilizaron este rango de dosis, los síntomas y la duración de los resfriados disminuyen más o menos en un 30 por ciento. Las dosis menores de 1,000 miligramos resultaron ineficaces.

Tome de 250 a 500 miligramos de vitamina C con varias horas de diferencia a lo largo del día en cuanto se dé cuenta de que le va a dar un resfriado, y siga tomando la vitamina durante varios días más aunque sus síntomas empiecen a reducirse.

Si ha sufrido cálculos renales o biliares tome una dosis más pequeña de hasta 1,000 miligramos al día.

Échese equinacia. "De las docenas de hierbas que se usan para tratar los resfriados y la gripe, la equinacia (echinácea), es una de las mejores", afirma la Dra. Carino. La equinacia contiene un surtido diverso de componentes activos que estimulan varias funciones del sistema inmunitario para armar una respuesta contra un virus o una bacteria.

De nueva cuenta lo mejor es empezar a tomar la equinacia en cuanto note las primeras señales de un resfriado o una gripe. La cantidad que tome dependerá de la gravedad de sus síntomas. Para los peores resfriados tome de ½ a 1 cucharadita de equinacia en presentación líquida (tintura/*tincture* o extracto) cada 2 horas. Conforme los síntomas mejoren, vaya disminuyendo la dosis y la frecuencia poco a poco hasta llegar a ¼ cucharadita tres veces al día, indica la Dra. Carino.

No tome equinacia si es alérgica a otras plantas de la misma familia, como la ambrosía, el áster y el crisantemo. No la utilice tampoco si padece tuberculosis o un problema de autoinmunidad, como lupus o esclerosis múltiple.

Sane con cinc. Tal vez logre reducir la duración de algunos síntomas, como dolor de

PREGUNTAS Y RESPUESTAS

¿Por qué la enfermedad de Lyme no se contagia a través de la garrapata ordinaria. . . y qué es la garrapata del ciervo, por cierto?

Borrelia burgdorferi, el organismo con forma de espiral que transmite la enfermedad de Lyme, puede desplazarse de las tripas a las glándulas salivales de la garrapata en tan sólo dos especies: la garrapata del ciervo (*deer tick*) del nordeste y medio oeste de los Estados Unidos, y la garrapata del Pacífico (*Pacific tick*) en el noroeste del país. Una vez que el organismo se encuentre en las glándulas salivales de la garrapata puede ser inyectado al torrente sanguíneo del organismo que esta haya elegido para su merienda (refrigerio, tentempié), trátese de animales o de seres humanos. Por lo general es preciso que la garrapata permanezca agarrada de 36 a 48 horas para que se transmita el organismo de la enfermedad de Lyme. Por lo tanto, se cuenta con cierto tiempo para quitarla mientras el riesgo de contraer la enfermedad de Lyme aún permanece bajo.

La garrapata del ciervo es más pequeña que la ordinaria del perro, que se reconoce con mayor facilidad. En su fase de ninfa la garrapata del ciervo tiene el tamaño de una semilla de

garganta, tos y congestión nasal, de 8 a 4 días si toma tabletas o pastillas de gluconato de cinc, de acuerdo con un estudio realizado por la Clínica Cleveland. ¿Cuánto necesita tomar para obtener este efecto? En el estudio llevado a cabo en Cleveland, los participantes tomaron en promedio de 4 a 8 pastillas de 13.3 miligramos de cinc al día. La dosis resultó eficaz. Algunos efectos secundarios que pueden producirse son náuseas y un regusto desagradable. La eficacia del cinc para aliviar los síntomas del resfriado es discutida. Se piensa que en esta aplicación el cinc ayuda a detener la duplicación viral o impide que los virus penetren en las células.

amapola. No obstante, cuando se atiborra de sangre llega a inflarse hasta cinco veces. La garrapata del ciervo adulta tiene más o menos el tamaño de una semilla de sésamo (ajonjolí) y puede hacerse tan grande como una pasa cubierta de chocolate después de haber chupado sangre durante varios días.

A veces es difícil distinguir entre la garrapata del ciervo harta de sangre y la garrapata ordinaria. Si a usted la pica una, tal vez quiera guardarla y pedirle a alguien del departamento de salud local que identifique la especie. La mayoría de los médicos no recetan antibióticos para una picadura de garrapata del ciervo a menos que se manifiesten los síntomas de la enfermedad de Lyme: sarpullido alrededor de la picadura, dolor de cabeza, fiebre, el cuello tieso, dolores y molestias en general y fatiga. No obstante, si está embarazada al sufrir la picadura se recetan antibióticos profilácticos. A las personas que viven en regiones donde la enfermedad de Lyme está muy difundida se les recomienda vacunarse. Se requieren tres inyecciones: dos con un mes de diferencia, normalmente en abril y mayo, y una un año después de la primera.

Información proporcionada por la experta
La Dra. Clarita E. Herrera
Instructora clínica de Atención Básica
Colegio de Medicina de Nueva York
Valhalla

Tome las pastillas de cinc cuando sienta que la garganta le va a doler o que un resfriado va a comenzar y hasta 2 días después de haberse recuperado, indica la Dra. Carino. Encontrará las pastillas de gluconato de cinc en la farmacia.

Aguante el azúcar. El azúcar inhibe la fagocitosis, es decir, el proceso mediante el cual los virus y las bacterias son englobados y luego destruidos por los glóbulos blancos, explica la Dra. Carino.

Inhale vapor herbario. Agregue una cucharadita de albahaca, tomillo u orégano seco a una olla de agua tan caliente que esté echando vapor e inhale este vapor durante varios minutos para despejar los senos nasales y aliviar las membranas mucosas, recomienda la Dra. Carino. "Es maravilloso. Tienen propiedades mentoladas que ayudan a reducir la congestión". A fin de hacer sus vaporizaciones de manera segura, retire la olla de la estufa y colóquela sobre una superficie estable y resistente al calor. Cuélguese una toalla sobre la cabeza y los hombros para encerrar el vapor. Mantenga la cara a por lo menos 12 pulgadas (30 cm) del agua para evitar quemarse.

Mueva el cuerpo. El ejercicio moderado fortalece la inmunidad. Se requiere más o menos media hora de ejercicio aeróbico para que vuelvan a circular los glóbulos blancos —componentes clave del sistema inmunitario— pegados a las paredes de los vasos sanguíneos. Los estudios también demuestran que aumenta el número de algunas células del sistema inmunitario por lo menos de manera temporal después de haber hecho ejercicio. En el caso ideal usted debe hacer media hora de ejercicio aeróbico 5 días a la semana.

Si ya pescó alguna enfermedad, escuche a su cuerpo y fíjese en sus síntomas, dice la Dra. Carino. Algunas personas encuentran que se sienten mejor después de haber hecho ejercicio, sobre todo si los hace sudar; otros tienen más necesidad de reposar.

Permita un poco de fiebre. La fiebre tiene un propósito definido: ayudar al sistema inmunitario a destruir al enemigo. Un adulto puede tener fiebre de hasta 102°F (38.9°C) durante uno o dos días sin peligro alguno para combatir el resfriado, afirma la Dra. Carino. Beba muchos líquidos y repose para apoyar a su cuerpo durante estos momentos.

Herpes labial, labios agrietados y problemas de las encías

Un beso apasionado entre amantes. La risa sonora de los amigos. Una sonrisa tierna entre madre e hijo. Podemos agradecerle a la boca algunos de los placeres más sencillos de la vida. Así que démosle el respeto que merece.

"Lo mejor que una mujer puede hacer para mantener su boca saludable por dentro es cepillarse los dientes y usar hilo dental con regularidad —afirma Esther Rubin, D.D.S., una dentista de la ciudad de Nueva York—. Los cuidados personales adecuados pueden prevenir la mayoría, si no es que todos los problemas de los dientes y las encías".

Una higiene dental deficiente puede producir problemas más adelante, empezando por gingivitis y terminando por periodontitis, un deterioro grave de las encías que puede resultar en la pérdida de dientes si no recibe tratamiento oportuno. A fin de evitar de entrada cualquier problema dental, debe hacer lo siguiente.

Gingivitis

La gingivitis es una enfermedad de las encías que se da cuando la placa dental (una capa parecida a pegamento compuesta por bacterias, alimentos y saliva) invade las grietas cálidas e incitantes en el arranque de las encías y debajo de ellas. Ahí se endurece en forma de sarro (al que a veces se le dice cálculo), lo cual produce inflamaciones e infecciones.

Si se deja sin tratar, la gingivitis puede convertirse en periodontitis, una afección que se caracteriza por el retraimiento grave de las encías y en última instancia la destrucción de la mandíbula, que detiene los dientes en su lugar. Sin embargo, la gingivitis no tiene ni por mucho que llegar tan lejos. Combine las siguientes estrategias con el hábito de cepillarse los dientes y de usar el hilo dental con regularidad a fin de combatir la gingivitis y mantener sanas sus encías. Si sus encías siguen sangrando cada vez que se cepilla los dientes, haga una cita con su dentista.

Prepare su propia pasta de dientes herbaria. Mezcle una cucharada de la hierba hidraste (sello dorado, acónito americano, *goldenseal*) seca con suficiente agua para formar una pasta. Luego cepíllese los dientes como normalmente lo haría. El hidraste, que se consigue en las tiendas de productos naturales, puede ayu-

DE MUJER A MUJER

Curó su gingivitis y conservó su sonrisa

Henrietta Johnson, de 43 años, dueña de un servicio para mascotas en la ciudad de Nueva York, corría peligro de perder sus dientes antes de recurrir a remedios naturales para transformar su situación. Esta es su historia.

De niña tenía dientes excelentes: ni una sola caries en toda la boca. Luego, alrededor de los 19 ó 20 años, empecé a tener un aluvión de caries. Mis encías también estaban mal. Comía una manzana y sangraban, que es una señal clásica de gingivitis. En ese entonces me lavaba los dientes una vez al día y no usaba hilo dental.

Luego, durante una cita de rutina hace algunos años, mi dentista encontró una bolsa de 10 milímetros entre mi muela inferior de atrás y la encía de alrededor. Bolsas más pequeñas se estaban formando alrededor de otros dientes también. Fundamentalmente corría peligro de que mis encías con el tiempo soltaran mis dientes.

Mi dentista sugirió cirugía de las encías para reparar la bolsa más grande, pero dije: "Debe ser posible hacer otra cosa". Estaba decidida a curarme las encías yo sola.

Empecé a lavarme los dientes dos veces al día con la pasta de dientes *Weleda Salt*. Aún lo hago. No contiene sacarina y la sal ayuda a apretarme las encías. Por la noche agrego dos gotas de aceite de melaleuca (*tea tree oil*) a la pasta de dientes. (Los aceites esenciales pueden ser tóxicos si se tragan, así que no aplique este remedio a niños). Se trata de un antiséptico natural —fuerte, por cierto— que mata las bacterias que dañan las encías. También uso hilo dental dos veces al día. Y tomo la coenzima Q_{10} todos los días. Refuerza la inmunidad del cuerpo y es un tratamiento excelente para las enfermedades de las encías. Por último voy a que me limpien los dientes cuatro veces al año, en lugar de las dos veces que suelen recomendarse.

Después de seguir este régimen durante un año, mis encías han experimentado una gran mejoría. No me duelen, no sangran, no tengo picazón (comezón) y no están hinchadas. ¿Y la bolsa de 10 milímetros? De acuerdo con mi dentista, de hecho se encogió a 8 milímetros. Las otras bolsas también se hicieron más pequeñas. Si sigo con la rutina —de mantener limpias estas bolsas— creo que mis encías estarán bien. Y lo mejor de todo es que habré evitado la cirugía.

dar a curar unas encías enfermas e inflamadas. (Si es alérgica a las plantas de la familia de la margarita, es posible que el hidraste le provoque una reacción alérgica).

Cepíllese con bicarbonato de sodio. Mezcle el bicarbonato de sodio con una cantidad suficiente de agua oxigenada (peróxido de hidrógeno) para formar una pasta. Frote la mezcla suavemente sobre sus encías con un cepillo de dientes. Déjesela por unos minutos y enjuague.

Tome un té tranquilizador. Agregue dos cucharadas de hierba seca de anís y dos cucharadas de salvia *(sage)* seca (ambas se obtienen en las tiendas de productos naturales) a una taza de agua recién hervida. Deje las hierbas en infusión durante 10 minutos, cuele el té y tómeselo. Repita según le haga falta para aliviar sus encías adoloridas.

Aplique ajo en abundancia. El ajo es el antibiótico de la naturaleza. Ayuda a combatir las bacterias que forman la placa, lo cual reduce la probabilidad de que se aniden en su boca. Puede incrementar su consumo de ajo fresco simplemente agregándolo a la mayoría de sus comidas. ¿La preocupa que su aliento huela a ajo? Entonces tome suplementos de ajo: 250 miligramos diarios.

Consuma esta coenzima. La coenzima Q_{10} es un compuesto natural que posiblemente ayude a tratar la gingivitis y que promueve la salud de las encías al incrementar el flujo de oxígeno a las células. Encontrará los suplementos de coenzima Q_{10} en las tiendas de productos naturales.

Corra por la C. La vitamina C puede ayudarles a los tejidos de las encías a resistirse al ataque bacteriano que luego puede derivar en gingivitis. Tome 500 miligramos tres veces al día.

Nota: A algunas personas les da diarrea al tomar altas dosis de vitamina C. Si así le sucede, reduzca la dosis a un nivel tolerable para usted.

Decoloración dental

Conforme se acerca su cumpleaños número 40, muchas mujeres observan que la blancura de sus dientes se va perdiendo poco a poco. La capa externa —el esmalte— se va desgastando paulatinamente de manera natural a lo largo de los años. Debido a que el material debajo del esmalte es más oscuro, su sonrisa radiante empezará a apagarse.

A menos que usted padezca una deficiencia de calcio, la cual requeriría la intervención de un médico, la decoloración dental es en esencia un problema cosmético. Las siguientes sugerencias combatirán las manchas y darán nueva vida a su sonrisa.

Blanquéelos bien. Como alternativa natural a los productos de blanqueo casero, que

> ## ¿Hormonas enloquecidas causan encías sangrantes?
>
> Usted se lava los dientes. Usa el hilo dental. Y con todo le sangran las encías. ¿Cuál es el problema?
>
> Es mujer.
>
> La menstruación, el embarazo, la menopausia y la píldora anticonceptiva causan cambios hormonales que reducen la capacidad de los tejidos de las encías de la mujer para combatir las bacterias que producen la gingivitis, afirma Barbara A. Rich, D.D.S., una dentista de Cherry Hill, Nueva Jersey.
>
> La montaña rusa hormonal puede afectar la capacidad de las encías para volverse duras o menos penetrables (lo que los dentistas llaman queratinización), formando una de las barreras que normalmente evitan que las bacterias invadan y dañen los tejidos de las encías, explica la Dra. Rich.
>
> Tener encías sangrantes también puede ser indicio de que la salud física y emocional de una mujer está fuera de equilibrio, indica Andrea Brockman, D.D.S., miembro del consejo de la Asociación Dental Holística que trabaja en el Centro Valley Green para Odontología Holística en Filadelfia. El estrés crónico, una alimentación deficiente y la falta de sueño pueden debilitar el sistema inmunitario y permitir que las bacterias que dañan las encías se multipliquen.

llegan a irritar las encías, busque un preparado llamado *Peelu* en su tienda de productos naturales. Se trata de un blanqueador hecho de un extracto de raíz de árbol y se vende como pasta de dientes o en forma de polvo.

Mastique para mitigar las manchas. Después de tomar café o té mastique un poco de chicle (goma de mascar) sin azúcar. De esta forma se estimulará la producción de saliva, lo cual ayudará a eliminar los restos de estas bebidas antes de que causen manchas.

O tome agua. ¿Se le acabó el chicle? Entonces haga buches con un poco de agua. Con eso bastará para limpiarle los dientes e impedir que se manchen.

Para evitar que le sangren las encías debe reducir su consumo de carne roja, azúcar, alimentos procesados, cafeína y alcohol, dice la Dra. Brockman. "Pueden hacer sumamente ácida la saliva, y las bacterias prosperan en un ambiente ácido". Evite fumar y coma más pescado, cereales integrales y frutas y verduras crudas. Además, regálese suficiente sueño refrescante, ejercicio aeróbico y aire fresco y practique alguna técnica para reducir el estrés.

Si sus encías ya se infectaron utilice los aceites esenciales de melaleuca (*tea tree oil*), lavanda (espliego, alhucema, *lavender*), eucalipto o menta (*peppermint*) para inhibir el crecimiento de las bacterias y eliminar la infección lo más pronto posible, sugiere la Dra. Brockman. Si usted utiliza un aparato de irrigación pulsante como *Water Pik* o *Hydro Floss*, agregue hasta cinco gotas de uno de estos aceites esenciales a 5 onzas (150 ml) de agua destilada en el tanque. "Los aceites penetrarán los tejidos gingivales y permanecerán dentro", señala la Dra. Brockman.

También puede mezclar hasta cinco gotas de alguno de los aceites con unas cuantas onzas de agua destilada y enjuagarse la boca con la mezcla dos o tres veces al día. (Los aceites esenciales pueden ser tóxicos si se pasan, así que no aplique este remedio a niños).

Rechinamiento de dientes

La mayoría de las mujeres a las que les rechinan los dientes ni siquiera lo saben hasta que alguien se lo dice. Así ocurre porque el rechinamiento de dientes (que también se llama bruxismo) con frecuencia se da durante el sueño.

El rechinamiento de dientes puede provocar varios problemas, entre ellos dolores de cabeza, dolor de mandíbula, dientes sensibles y trastorno temporomandibular, es decir, el mal funcionamiento de las articulaciones de la mandíbula. Si con regularidad los dientes o la cara le duelen al despertar, consulte a un dentista.

Afortunadamente puede hacer varias cosas es-

tando despierta para aliviar el dolor de mandíbula y acabar con el hábito de que le rechinen los dientes. Los dentistas recomiendan lo siguiente.

Domine el dolor con calor. Empape una toalla con agua tibia, exprímala y úsela para envolver una bolsa de agua caliente. Aplique esta compresa a su cara de 15 a 20 minutos, fijándose con frecuencia en que no se vaya a quemar su piel.

Tome té herbario antes de dormir. ¿Piensa tomar una copa antes de acostarse para ayudarla a relajarse? Algunas investigaciones indican que tomar alcohol antes de acostarse puede exacerbar el rechinamiento de dientes. Mejor disfrute una taza de té herbario.

Siga los círculos. Vaya a la tienda de artículos para oficina más cercana y compre una o dos planas de etiquetas circulares anaranjadas. Péguelas en todas partes: el espejo, el tablero del carro, la puerta del refrigerador. Cada vez que vea una de ellas tómelo como incentivo para separar los dientes. Este sencillo truco desalentará el rechinamiento de dientes.

Dientes sensibles

El relámpago de dolor causado por un diente sensible puede amargar muy pronto cualquier experiencia que debería ser grata, como tomar un vaso de limonada bien fría.

Si tiene un diente sensible quizá decida evitar el estímulo que provoca el dolor. Como medida temporal está perfecto, pero realmente necesita que su dentista le revise el diente para determinar qué es lo que anda mal. Mientras tanto, las siguientes medidas de autoayuda minimizarán las molestias.

EL CEPILLO Y EL HILO: HÁGALO BIEN

Lleva toda la vida cepillándose los dientes, así que ¿por qué necesita que le den instrucciones acerca de algo tan elemental? Porque probablemente no lo está haciendo bien.

"Muchas mujeres piensan que se están limpiando los dientes muy bien, pero nunca han recibido instrucciones y no usan la técnica adecuada", observa Esther Rubin, D.D.S., una dentista de la ciudad de Nueva York.

1. Coloque el cepillo a un ángulo de 45 grados en relación con el arranque de sus encías. Muévalo en corto hacia adelante y atrás para limpiar la superficie externa de sus dientes y luego la interna.

Lavarse los dientes a conciencia tarda por lo menos 3 minutos, no los 51 segundos que se dan la mayoría de las mujeres. Es importante lavarse los dientes y usar el hilo dental porque en conjunto ambas cosas impiden la formación de sarro, una capa pegajosa de bacterias, mucosidad y partículas de alimentos que recubre los dientes y con el tiempo produce caries y gingivitis (encías sangrantes e hinchadas).

Los dentistas están de acuerdo en que la forma más fácil y eficaz de mantener sanos los dientes y las encías es practicando una buena higiene bucal. Para hacerlo correctamente siga estos tres pasos y termine cepillándose la superficie de la lengua, que puede albergar bacterias y contribuir al mal aliento.

2. Cepille las superficies dentales con las que mastica.

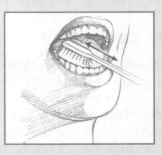

Vénzalo con vaselina. La vaselina no se siente ni sabe muy bien al aplicarse dentro de la boca, pero aliviará un diente sensible por un rato. Simplemente aplíquela al diente afectado.

Alívielo con aceite. Si la sensibilidad del diente se debe a una escoriación o erosión en el arranque de las encías, el aceite de oliva puede ayudar. Vierta una pequeña cantidad en una cacerola y caliéntelo hasta que empiece a humear. Humedezca un hisopo (escobilla, cotonete, *cot-*

Lo ideal sería cepillarse los dientes cinco veces al día: por la mañana, a la hora de acostarse y después de cada comida. Después de por lo menos una de estas sesiones debe usar el hilo dental. "Personalmente opino que el hilo dental es la mejor inversión que una persona puede hacer en términos de salud dental —afirma la Dra. Rubin—. Usar el hilo dental correctamente puede salvarle los dientes".

Asegúrese de escoger el hilo dental indicado para usted. Si sus amalgamas (empastes, tapaduras) son ásperas o si tiene los dientes muy juntos, el hilo dental con cera le funcionará mejor. El hilo dental sin cera es más delgado, pero también se deshilacha más fácilmente. Si tiene los dientes muy separados o si le cuesta trabajo usar el hilo dental, la cinta dental es una buena elección.

Para usar el hilo dental debidamente siga estos cinco pasos.

1. Corte un pedazo de hilo dental de unas 18 pulgadas (45 cm) de largo. Enrolle los extremos alrededor de los dedos medios de ambas manos hasta que sólo quede expuesto un tramo de hilo de entre 6 y 8 pulgadas (15 a 20 cm) de largo.

2. Pellizque el hilo dental entre el pulgar y el índice de una mano. Con el índice de la otra mano introduzca más o menos una pulgada (2.5 cm) de hilo entre sus dientes.

3. Deslice el hilo suavemente hacia arriba y abajo y adelante y atrás entre sus dientes.

4. Pegue el hilo dental a la base de cada diente. Muévalo suavemente de un lado a otro debajo del arranque de las encías.

5. Para extraer el hilo utilice el mismo movimiento de un lado a otro mientras lo sube y separa de sus dientes. Nunca lo jale bruscamente ni lo fuerce, porque podría lastimar los delicados tejidos de sus encías.

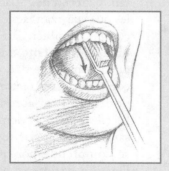

3. Limpie la parte interna de sus dientes delanteros sosteniendo el cepillo en posición perpendicular a sus encías. Mueva el cepillo de la encía hacia el filo cortante de sus dientes: hacia arriba en los de abajo y hacia abajo en los de arriba.

ton swab) con el aceite caliente y agítelo brevemente en el aire para enfriarlo un poco. Seque el diente afectado con un pañuelo de papel o bola de algodón y dése unos toques de aceite tibio en las encías. Repita el tratamiento según le haga falta. (Un tratamiento puede durar meses).

Reduzca los refrescos. Si está tomando mucho refresco (soda) de cola y cerveza de raíz *(root beer)*, disminuya la cantidad. Los refrescos más oscuros contienen elevados niveles de ácido

Si se supone que son muelas del juicio, ¿por qué el dentista tiene tantas ganas de sacármelas?

Las muelas del juicio o terceros molares son los últimos dientes en desarrollarse y aparecer en la boca. Se llaman así porque normalmente se presentan durante los últimos años de la adolescencia o apenas rebasados la veintena, es decir, cuando uno está a una edad a la que se le dice del juicio.

Los dentistas normalmente las sacan porque la mayoría de la gente no tiene suficiente espacio en la boca para acomodarlas. Además, muchos dentistas piensan que si sacamos a estos grandotes antes de que se formen plenamente nuestro juicio se verá beneficiado. Guardar las muelas del juicio "por si acaso" hay espacio para ellas puede provocar problemas más adelante en la vida. Ahora le diremos por qué.

Cuando a una muela del juicio se le abandona a sus propios recursos es posible que quede atrapada o "impactada" de manera parcial debajo de los molares de los 12 años (a los que se les dice así porque normalmente aparecen a esta edad), donde puede crecer hacia cualquier lado. Los alimentos se acumulan con facilidad alrededor de la muela del juicio parcialmente impactada (alojada) así como alrededor del molar de junto, lo cual puede causar un absceso o una enfermedad de las encías.

¿Y por qué la naturaleza nos dio unos dientes demasiado grandes para acomodarlos? Aparentemente tuvieron un propósito hace mucho tiempo, aun antes de que existieran dentistas. La evolución nos indica que en el pasado los seres humanos teníamos las mandíbulas más grandes, lo cual hacía falta para roer los alimentos antes de que se inventaran los utensilios adecuados.

Información proporcionada por la experta
Heidi Hausauer, D.D.S.
Portavoz de la Academia de Odontología General
Universidad del Pacífico
Castro Valley, California

fosfórico, el cual se especializa en extraer el calcio del cuerpo, incluyendo los dientes.

Sustituya un cepillo más suave. Un diente puede volverse sensible debido a un cepillado demasiado agresivo, sobre todo con un cepillo de cerdas duras. Esta combinación puede hacer que se retraiga la encía y exponer la superficie de la raíz. Use un cepillo dental de cerdas más suaves y adopte una técnica de cepillado más suave.

Labios agrietados (partidos)

Los labios realizan un trabajo fabuloso para proteger los dientes, pero sufren muchos abusos al hacerlo. En vista de todo el trajín que deben soportar es sorprendente la poca protección con la que cuentan. Carecen de los aceites naturales que suavizan la piel del resto del cuerpo. También carecen de melanina, el pigmento que protege un poco contra los daños del sol. Al combinar estos factores con la exposición al sol abrasador, vientos fuertes o el calor dentro de las casas, desprovisto de toda humedad, se comprende por qué los labios llegan a agrietarse a veces. Unos cuantos días de tiernos cuidados seguramente bastarán para restaurar sus labios. Ahora le diremos qué hacer. (Si tiene los labios muy agrietados consulte a su médico. Es posible que necesite un preparado que sólo se venda con receta).

Recurra al viejo remedio. Para unos labios agrietados no hay nada mejor que la vaselina.

Gáneles con grasa. Si tiene la piel grasa, anda fuera de casa y no tiene bálsamo para los labios a la mano, pase un dedo por un lado de su nariz para recoger un poco de grasa de su piel. Úntesela en los labios para aliviar la resequedad temporalmente.

Luche contra las levaduras con yogur. Si las comisuras de su boca se ven rojas y agrietadas es posible que se trate de levaduras (un hongo) que se han multiplicado en exceso, quizá a causa de antibióticos o del estrés. Vaya al supermercado y compre yogur con cultivos activos vivos (revise la etiqueta). Luego haga buches con el yogur varias veces al día. Los cultivos activos vivos contienen el *Lactobacillus acidophilus*, una bacteria beneficiosa que controla la levadura.

Proteja sus labios. Siempre aplique un bálsamo para labios con un factor de protección solar (o *SPF* por sus siglas en inglés) de 15 o más antes de salir al aire libre.

Olvídese de la lengua. Pasarse la lengua por los labios para humedecerlos es muy natural. Desafortunadamente el aire hace que se evapore la humedad y deja los labios más resecos que nunca.

Herpes labial

No hay nada que arruine una bella sonrisa tanto como un feo herpes labial (fuego, boquera, pupa). Y si ya le dio una vez es probable que le vuelva a dar muchas veces más.

Puede usted echarle la culpa de esta persistencia al herpes simple del tipo I, el virus que causa el herpes labial. El 90 por ciento de los portadores del virus se contagiaron durante la infancia. Permanece al acecho en el organismo para siempre, latente entre los ganglios nerviosos debajo de la superficie de la piel y a la espera de que algo lo active.

En el caso de las mujeres ese algo suele ser el estrés. Cuando se encuentra bajo estrés, su resistencia a las enfermedades baja y el virus aprovecha la oportunidad para provocar un brote.

Si ha padecido herpes labial antes, probablemente ya conozca lo que los médicos llaman el pródromo, una especie de comezón preliminar alrededor de la zona donde un herpes labial está a punto de manifestarse.

Un herpes labial por lo común se prolonga durante una o dos semanas. Utilice los siguientes remedios naturales para minimizar las molestias y reducir la duración del brote.

Aplíquele la ley del hielo. En cuanto sienta que le va a brotar un herpes labial, envuelva un cubo de hielo con un pañuelo y sosténgalo directamente sobre el herpes durante unos 5 minutos. Repita cada 2 a 3 horas. Ningún virus, incluyendo el herpes simple del tipo I, puede sobrevivir en un ambiente frío.

Ablándelo. Mezcle ablandador de carne con unas gotas de agua para formar una pasta. Aplique esta pasta al herpes labial y sosténgala con una toallita seca durante 5 a 10 minutos. Repita cada 2 a 3 horas durante el primer día del brote y luego reduzca los tratamientos a tres veces al día. Continúe hasta que se cure.

Liquídelo con lisina. Antes del advenimiento del aciclovir *(Zovirax)*, un medicamento contra el herpes labial que se vende con receta, la gente les tenía una fe ciega a las propiedades preventivas y curativas de la lisina. Este aminoácido contrarresta la argenina, una sustancia contenida en varios alimentos que parece provocar herpes labial en algunas personas. Las tabletas de lisina se consiguen en las farmacias y las tiendas de productos naturales.

Supérelo con cinc. El cinc, un mineral esencial, es imprescindible para que las heridas se curen adecuadamente —sobre todo en lo que se refiere a la producción de células— y ayuda a deshacerse más pronto del herpes labial. Durante un brote tome 30 miligramos de cinc al día con alimentos o agua. Una vez que el herpes se haya curado, reduzca la dosis a 15 miligramos diarios.

Nota: Si piensa tomar más de 20 miligramos de cinc al día es buena idea informar al médico.

Busque un bálsamo protector. Si ha padecido herpes labial en alguna ocasión, ponerse un bálsamo labial con un SPF de 30 en todo momento puede ayudar a prevenir otro brote. Encontrará bálsamos labiales con SPF alto en las tiendas de productos deportivos y la farmacia. (Durante un brote utilice un hisopo para aplicar el bálsamo a sus labios y al borde externo del herpes labial. De esta forma el virus no se pasará al bálsamo).

Déjelo en paz. Si tiene herpes labial no lo jale, lo estire ni lo toque de otra manera. Podría darle un caso muy doloroso de herpes en la mano, sobre todo si el fluido de la vesícula se introduce debajo de un padrastro.

Asma y enfisema

Inhale, exhale. Inhale, exhale.

A la mayoría de nosotros esta función elemental del cuerpo no nos exige que la pensemos de manera consciente. No obstante, los más o menos 17 millones de asmáticos radicados en los Estados Unidos *sí* tienen que pensar en ello, porque un repentino ataque de asma les puede producir sibilancia, tos, constricción del pecho. . . y ocasionalmente la imposibilidad de respirar. Cada año la enfermedad mata a más de 5,400 personas en los Estados Unidos.

Funciona de la siguiente manera: algún factor ambiental —con frecuencia un alérgeno como el polen, los ácaros del polvo o una infección viral— invade los bronquios —encargados de meter y sacar el aire del cuerpo— y provoca una inflamación. Los músculos de alrededor se aprietan y los bronquios se llenan de mucosidad, lo cual dificulta la respiración.

El asma es otra de las enfermedades que parece tener un sesgo sexista, pues envía a las mujeres a la sala de urgencias con una frecuencia casi dos veces mayor que a los hombres. Sin embargo, no tenemos que resignarnos a ser sus víctimas. Es posible mantener a distancia, parar en seco e incluso rechazar esta amenaza crónica contra nuestro aire gracias al arsenal terapéutico que está disponible hoy en día.

Los factores de riesgo

A pesar de que los factores ambientales y los alérgenos al parecer afectan la evolución del asma, aún no podemos definir su papel con exactitud. "Sabemos que los virus y la exposición a alérgenos pueden exacerbar la enfermedad, pero en realidad no sabemos si la causan", indica la Dra. Rebecca S. Gruchalla, Ph.D., directora de la división de alergias e inmunología en el Centro Médico del Sudoeste de la Universidad de Texas en Dallas.

No obstante, por lo pronto la lista de factores de riesgo que por lo general se aceptan en relación con los ataques de asma incluye aspectos genéticos, ambientales, hormonales, alergénicos, infecciosos, climáticos y fisiológicos. La Dra. Marianne Frieri, Ph.D., directora del programa de capacitación en alergias e inmunología en el Centro Médico del Condado de Nassau–Hospital Universitario North Shore en

East Meadow, Nueva York, y profesora adjunta de Medicina en la Universidad Estatal de Nueva York en Stony Brook, los enumera de la siguiente forma.

Hormonas. Los cambios hormonales ordinarios que se dan debido a la menstruación y el embarazo, así como posiblemente la terapia de reposición hormonal en el caso de las mujeres posmenopáusicos, pueden provocar asma.

Oficios. Enfermeras, maestras, empleadas de guarderías: estas profesiones —cuyo ejercicio en gran parte corresponde a mujeres— reportan problemas significativos en los lugares de trabajo. Entre ellos figuran alergias al látex por parte de las enfermeras y, en lo que se refiere a todos estos campos de trabajo, infecciones virales propagadas por pacientes o alumnos y reacciones a la caspa de animales sobre la ropa y al polvo.

Irritantes. El polen de las plantas, el moho, los hongos, el humo del tabaco o de la madera, la contaminación atmosférica, los gases químicos, los olores fuertes (incluyendo el perfume) y los aerosoles pueden hacer que las vías respiratorias se estrechen y se tapen. El hábito paterno o materno de fumar es particularmente perjudicial para los niños asmáticos, de acuerdo con un estudio canadiense. Después de seguir a un grupo de niños durante 6 años, los investigadores observaron que quienes aún padecían asma mostraban una probabilidad casi cuatro veces mayor de tener madres que fumaban mucho, en comparación con los niños cuyos síntomas habían desaparecido.

Caspa de animales. La caspa (no el pelo) y la saliva de los gatos así como la caspa de los perros pueden provocar un ataque de asma.

Cucarachas. Las alergias a las cucarachas ponen en riesgo particularmente a la población

ENFISEMA

¿Qué preferiría usted: (a) sufrir una muerte prematura, (b) pasar el resto de su vida amarrada a un tanque de oxígeno, (c) desarrollar un tórax en campana o (d) lanzar un gruñido cada vez que exhale? Esta pregunta de opción múltiple tiene un aspecto especialmente deprimente: si se llegara a enfermar de enfisema le podrían tocar las cuatro cosas.

El enfisema es la causa más común de muerte por una enfermedad respiratoria en los Estados Unidos. El dato es trágico porque es posible prevenirlo casi por completo. Hasta el 90 por ciento de los casos pueden atribuirse al tabaquismo. (El resto se deben a una deficiencia genética hereditaria). Además, se toma su tiempo: "El enfisema puede significar un deterioro largo y lento", afirma la Dra. Monica Kraft, pulmonóloga y profesora adjunta de Medicina en el Centro Judío Nacional de Medicina e Investigación en Denver.

La misma palabra describe la enfermedad. Su raíz griega significa "inflar" y ese es el problema: los pulmones se inflan en demasía debido a una respiración ineficiente. Con el enfisema los sacos de aire en los pulmones se estiran en exceso

de las zonas urbanas deprimidas.

Ácaros del polvo. En las almohadas, los colchones, las alfombras y los animales de peluche nuestras vías respiratorias —no los ojos— detectan el excremento de estos diminutos visitantes.

Infecciones respiratorias. Los resfriados (catarros) y la gripe pueden provocar problemas de asma.

Ejercicio. El asma inducido por ejercicio es muy común y puede controlarse con medicamentos. Las investigaciones sugieren que tomar agua antes, durante y después de hacer ejercicio es importante para las asmáticas. Es posible que las mujeres con esta enfermedad empiecen con un déficit de hidratación que puede empeorar su asma.

Aire frío y seco. Según se lo confirmarán al-

o se rompen. De este modo los pulmones pierden elasticidad, se atrapa aire en el pecho y hay que esforzarse más para respirar (de ahí el tórax en campana y los gruñidos al exhalar).

En la mayoría de los más de dos millones de personas con enfisema en los Estados Unidos, la enfermedad estuvo presente durante años antes de diagnosticarse. El primer síntoma suele ser la falta de aliento. Con el tiempo es posible que haga falta oxígeno suplementario o incluso un transplante del pulmón.

Si bien el enfisema prefiere a los hombres por un margen de más del 50 por ciento, las mujeres los estamos alcanzando.

No obstante, la nube de humo negro que se cierne en torno a esta enfermedad causada por fumar sí deja pasar algunos rayos de luz después de todo. "Nunca es demasiado tarde para dejar de fumar —asegura la Dra. Kraft—. Sabemos que los pacientes que fuman sufren un deterioro acelerado en el funcionamiento pulmonar", informa, pero al poco tiempo de renunciar al humo el índice de deterioro del ex fumador iguala el de una persona que nunca ha fumado.

gunos corredores y esquiadores, respirar aire frío y seco puede provocar un ataque de asma.

Medicamentos. La aspirina, el ibuprofeno (*ibuprofen*) y otros medicamentos antiinflamatorios no esteroídicos (o *NSAIDs* por sus siglas en inglés) también llegan a ser culpables.

Ansiedad. El estrés y las preocupaciones tal vez no produzcan el ataque por sí solos pero pueden contribuir a que este se dé.

Alimentos. Particularmente los niños pueden mostrarse sensibles a la leche, el huevo, el cacahuate (maní), los frutos secos, la soya, el trigo y el pescado. La sensibilidad a los mariscos es más común en los adultos.

Rinitis alérgica. Conocida también como fiebre del heno, esta afección también es peligrosa. Aflige a más de tres cuartos de los asmáticos.

La prevención

Evitar problemas desde el comienzo es una parte importante en la prevención del asma. Manténgase alejada de los factores de riesgo y los alérgenos que puedan provocarle un ataque. Si esta solución no es factible, tratamientos como las inyecciones contra las alergias o la "inmunoterapia" pueden disminuir su sensibilidad.

La segunda línea de defensa es la detección temprana. "Al inicio el asma es completamente reversible", afirma la Dra. Martha V. White, directora de investigación en el Instituto para el Asma y las Alergias del Washington Hospital Center en Washington, D.C. No obstante, una vez que la inflamación de las vías respiratorias se ha asentado los daños llegan a ser permanentes. Los pulmones desarrollan tejido cicatrizal que a veces no puede revertirse. Como sea, incluso en este punto una vigilancia adecuada puede ayudar a mantener los ataques bajo control.

"Lo que la mayoría de las personas no saben acerca del asma es que en realidad es muy, muy posible controlarlo", indica la Dra. White. Los casos de asma van desde el ligero hasta el que amenaza la vida, así que es importante saber dónde se ubican sus síntomas. Ahí es donde entra un aparato llamado medidor de flujo máximo (*peak flow meter*).

Fundamentalmente se trata de un pequeño tubo en el que se sopla dos veces al día para ver qué tan despejadas o cerradas se encuentran las vías respiratorias grandes. En vista de que el asma rara vez recrudece sin dar señales de advertencia desde horas antes del ataque, el medidor funciona como un "termómetro del asma", explica la Dra. White, y sirve para detectar los problemas antes de que aumenten.

Los medicamentos son una parte normal de la vida de muchas mujeres asmáticas. A las que tienen la forma más leve de la enfermedad a menudo se les recetan sólo medicamentos de alivio rápido o "rescate". Se trata de broncodilatadores que se toman a través de inhaladores según sea necesario. Funcionan despejando las vías respiratorias en más o menos 10 minutos. En los casos más graves de asma se utilizan regularmente unos medicamentos antiinflamatorios llamados medicamentos controladores, a fin de frenar los síntomas. La mayoría de estos medicamentos, que incluyen esteroides, también se administran a los pulmones por medio de inhaladores.

A excepción de las personas con casos muy leves de asma, la mayoría de la gente requiere tratarse con ambos tipos de medicamentos, señala la Dra. White. Tomar la medicina tal como lo indique el médico es clave para hacer frente a esta enfermedad, pero no todo mundo sigue este consejo.

"A menudo la gente piensa que los medicamentos controladores deben hacer efecto enseguida, pero estos antiinflamatorios tardan un poco —afirma la Dra. White—. Es como cuando se toma un antibiótico: tarda uno o dos días en surtir efecto". Las personas que piensan que su medicamento no hace efecto lo bastante rápido tienden a depender exclusivamente de los medicamentos de rescate, lo cual los deja más vulnerables a los ataques.

La Dra. White ofrece los siguientes consejos para que las personas con asma puedan respirar más fácilmente con (y sin) el inhalador.

CASOS DE LA VIDA REAL
Su bronquitis simplemente no quiere desaparecer

Anna, de 43 años, lleva años administrando una guardería en su casa y había tenido muy buena suerte no sólo en el negocio sino también en relación con su salud. A diferencia de los asistentes a quienes ha contratado, nunca había sido víctima de los numerosos virus del resfriado (catarro) y de la gripe que los niños llevaban al centro. No obstante, este año resultó distinto. A pesar de que nunca ha fumado, descansa bien, hace mucho ejercicio y toma bastante vitamina C, se enfermó de un resfriado que simplemente no quiere desaparecer. Empezó con la garganta rasposa, pero el problema rápidamente le bajó al pecho. Ahora, 8 semanas después, tiene que toser fuerte a veces, expele mucosidad y le falta aliento. El médico le sacó una radiografía de los pulmones, pero no hay indicio de enfermedad. ¿Qué debe hacer?

Es posible que Anna no padezca bronquitis. Esta palabra suele usarse con un sentido muy amplio para describir varias enfermedades respiratorias, pero en su caso la tos y la mucosidad tal vez se deban a otra causa.

Al trabajar en una guardería los niños a su cargo definitivamente la exponen a muchos virus diferentes. Es probable que haya contraído una infección de las vías respiratorias superiores debido a uno de estos virus, lo cual resultó en lo que llamamos vías respiratorias nerviosas o reactivas. Esto significa que los bronquios que les suministran aire a sus pulmones están respondiendo más a diversos estímulos, entre ellos los alérgenos, los irritantes y los virus. En consecuencia es posible que sus vías respiratorias se hayan

Intente inhalar al instante con este sustituto. ¿No tiene el broncodilatador a la mano y siente que le sobreviene un ataque? Tómese una taza de café o un refresco (soda) de cola con cafeína, sugiere la Dra. White. La composición química de la cafeína es muy parecida a la de uno de los medicamentos de rescate.

estrechado e inflamado, produciendo tos y falta de aliento.

Otra gran posibilidad es que Anna esté sufriendo una afección subyacente de asma causado de manera exclusiva por una infección viral. Sabemos que —al igual que el aire frío, el humo, los olores fuertes o alérgenos como la ambrosía —, la infección viral es uno de los estímulos que pueden provocar un ataque de asma. Tome nota de que Anna está tosiendo y no resollando: existe un síndrome que se llama asma con tos, en el cual sólo se tose en lugar de producir el resuello clásico del asma.

Hace falta examinar la mucosidad que Anna está expeliendo con su tos. Si es transparente indicaría una infección viral y vías respiratorias nerviosas. Si es verde, es posible que padezca una infección bacteriana además de una posible alergia, y probablemente le daría un antibiótico. Si sufre de asma y está expeliendo mucosidad amarilla, el problema puede ser una alergia en lugar de la infección. La única forma de precisarlo es con un microscopio, así que tomaría una muestra y examinaría las células.

Anna debe consultar a un especialista ya sea en asma o en alergias a fin de precisar exactamente qué está causando sus síntomas, para luego tomar las medidas apropiadas. Si en efecto resulta que tiene asma, tal vez pueda evitar que empeore e incluso revertir sus problemas de respiración.

Información proporcionada por la experta
La Dra. Rebecca S. Gruchalla, Ph.D.
Directora de la división de alergias e inmunología
Centro Médico del Sudoeste de la Universidad de
*   Texas*
Dallas

farmacia, comuníquese con su médico y pídale que hable a la farmacia con la receta del inhalador, para que usted pueda pasar por él. Dependiendo de las distancias, es posible que este método resulte más rápido y seguro que tratar de ir hasta su casa a por el inhalador.

Guárdese de guardarlo en el carro. El calor y el frío extremos pueden echar a perder los inhaladores, así que no lo deje en el carro.

Cualquier cambio que le pueda hacer al medio en el que se mueve a fin de minimizar la exposición a los agentes que causan los ataques representa una forma más de evitar que el asma controle su vida. Los expertos en alergias y asma recomiendan las siguientes estrategias para combatir las causas comunes que se dan en la casa y mejorar su respiración.

Cancele la caspa. Reduzca la caspa al mínimo bañando a su mascota una vez a la semana (o consiguiendo que otra persona lo haga).

Ayúdese con agua caliente. Lave toda la ropa de cama (incluyendo las almohadas), la ropa y los animales de peluche con agua caliente por lo menos una vez a la semana para controlar los ácaros del polvo. Unas fundas especiales contra ácaros (*mite covers*) también pueden ayudar.

Asee la alfombra una vez a la semana. A los ácaros del polvo esa felpa corta les encanta aún más que a usted.

Seque el sótano. Utilice un deshumidificador para secar los sótanos y los baños húmedos, sitios predilectos del moho y los hongos.

Corra las cucarachas. Deshágase de estos insectos con ácido bórico y trampas.

Un último recurso. Si no tiene a la mano ni el inhalador ni una bebida con cafeína, tome agua caliente. De acuerdo con la Dra. White puede aliviar las molestias del pecho.

Trabaje a través del teléfono. Si le da un ataque estando fuera de casa y tiene la oportunidad de utilizar un teléfono y de pasar por una

Salude sólo a los sanos. Evite el contacto con personas que tienen un resfriado (catarro) o gripe a fin de disminuir sus probabilidades de contagio.

Huya del humo. No fume ni permita que nadie lo haga en su casa.

Puede significar todo un reto facilitar la respiración cuando ande fuera de casa, pero pruebe las siguientes recomendaciones para viajar a gusto.

Prepárese para la partida. Antes de iniciar un largo viaje en carro, encienda el aire acondicionado o la calefacción y abra las ventanillas por unos 10 minutos antes de subirse. Esto ayuda a eliminar los ácaros del polvo y los mohos que están al acecho en el sistema de ventilación, los tapetes y la tapicería.

Organice su horario. Evite viajar en carro durante el día a la hora de máxima contaminación. La calidad del aire es mejor temprano por la mañana o ya tarde por la noche.

Solicite un "seguro de viaje". En los vuelos internacionales que permitan fumar, pida un asiento lo más lejos posible de los fumadores. Si su asma a veces llega a agravarse a tal grado que requiere oxígeno adicional, es posible que sienta esta necesidad a 35,000 pies (10,668 m) de altura. Haga arreglos con la línea aérea con mucha anticipación para que le proporcionen oxígeno suplementario.

Cárguelo. Cuando esté de viaje guarde su inhalador en la cartera (bolsa) o en la maleta que sube al avión, no en el equipaje registrado que está fuera de su alcance y puede perderse.

Sea chocante para comer. Si ciertos alimentos le provocan una reacción asmática, cuídese de lo que se sirve en el avión. Nadie a bordo

El peso es la razón principal por la que muchas mujeres, particularmente al pasar por la menopausia, vuelven a fumar después de años de haber renunciado al humo. Cuando hablamos con mujeres que dejaron de fumar y luego recaen, es el factor más importante que mencionan.

Las mujeres y las jóvenes aprenden muy pronto que una forma de controlar el peso es fumando en lugar de comer. Efectivamente es cierto que en promedio las fumadoras pesan menos que quienes no fuman, y cuando las mujeres menopáusicas experimentan el aumento de peso común durante esta etapa de la vida algunas deciden regresar a los cigarrillos.

No obstante, también está en juego otro factor. Son cada vez más los datos que indican que la capacidad para resistirse al tabaquismo o a cualquier adicción está asociada al sentido del empoderamiento. Lo interesante es la forma en que esto se refleja en el ámbito de la medicina: menos del 5 por ciento de los médicos fuman. Si bien las enfermeras también están dejando de fumar o bien es menor el número de ellas que lo empieza a hacer, hay una enorme brecha en sus filas: el índice de tabaquismo entre las enfermeras practicantes con licencia (o *L.P.N.* por sus siglas en inglés) es más o menos 1½ veces el índice de tabaquismo entre las enfermeras

va a saber qué ingredientes contienen los platillos preparados, así que de ser posible coma en casa y llévese unas meriendas (refrigerios, tentempiés) para el avión.

Señales y síntomas

Las señales de advertencia del asma pueden variar de una persona a otra y de un ataque a otro. Si ya se le ha diagnosticado con asma, una

registradas. Y las L.P.N. cuentan con menos educación formal y tienden a ganar menos dinero.

Esta "brecha" en el hábito de fumar refleja la relación general que existe entre los ingresos, el poder y el tabaquismo, independientemente de cuestiones de género. Entre más baja la posición socioeconómica de una persona, más aumenta el riesgo de que fume.

Además, muchas mujeres usan el cigarrillo para premiarse. Trabajan en uno o dos empleos remunerados durante todo el día y luego llegan a casa a trabajar el resto de la velada. Fumar les permite distraerse un momento o bien descansar en medio de tantas exigencias. La industria del cigarrillo aprovecha esta situación con anuncios que muestran una imagen muy intensa: una mujer en un jardín . . . sola . . . calmada . . . fumando.

En términos generales el número de fumadoras de 18 años y mayores está bajando. Por el contrario, el número de fumadoras tiende a aumentar entre las jóvenes menores de 18. Por lo tanto, lo que estamos observando es un descenso pasajero en el tabaquismo entre las adultas, el cual se verá compensado con creces por la siguiente generación.

Información proporcionada por la experta
La Dra. Barbara A. Phillips
Profesora de Medicina Pulmonar y de Cuidado
Intensivo
Centro Médico de la Universidad de Kentucky
Lexington

¡Que no cunda el pánico!

Algunas afecciones bastante menores pueden despertar la sospecha errónea de que se trata de asma. La Dra. White menciona las siguientes.

Indigestión. Puede provocar la sensación de tener el pecho oprimido que caracteriza al asma.

Infecciones de los senos nasales. No se respira libremente, por lo que es posible interpretar mal a estas dolorosas impostoras.

Congestión nasal. Tratar de respirar por la nariz completamente tapada es como querer tomar un batido (licuado) con una pajita (popote) de papel mojada, afirma la Dra. White. Abra la boca para que se le facilite la respiración.

Bronquitis. La tos, la sibilancia y la constricción del pecho que la caracterizan llegan a asemejarse mucho al asma.

"Fundamentalmente, si siente molestias en el pecho y le cuesta trabajo respirar haga que la revisen", aconseja la Dra. White.

¿A quién debo ver?

Con frecuencia un médico de cabecera es el primero y último al que se consulta. Cuando se requiere a un especialista suele tratarse de un alergista e inmunólogo o bien de un especialista en enfermedades de los pulmones. Si piensa que sus síntomas son de asma debe recibir tratamiento, advierte la Dra. Frieri. Aplazar la atención es peligroso, pues los pulmones pueden sufrir daños permanentes.

A diferencia de los médicos generales que siempre andan faltos de tiempo, un especialista

baja en la indicación del medidor de flujo máximo es señal segura de un ataque. Otros síntomas muy comunes son dificultades para respirar o sibilancia; tos crónica, sobre todo por la noche; respiración agitada; falta de aliento; constricción o molestias en el pecho. Con frecuencia los ataques de asma se ven acompañados por los síntomas de la rinitis alérgica, como fatiga, garganta seca, dolor de cabeza, congestión de la cabeza u ojos llorosos con comezón.

Vuelve una vieja enemiga: la tuberculosis

Ya no pensamos mucho en la tuberculosis. Es una enfermedad que creíamos haber vencido. . . hasta hace poco.

Después de 1953, cuando comenzaron los programas de control de la tuberculosis a nivel nacional, el número de casos reportados empezó a disminuir de manera constante. No obstante, a partir de 1985 el índice de esta enfermedad aumentó nuevamente y llegó a su difusión máxima en 1992. Los expertos piensan que el fenómeno tal vez se haya debido a la epidemia del SIDA, que les suprimió el sistema inmunitario a un gran número de personas. Afortunadamente la mejora en los programas de control de la tuberculosis ha vuelto a reducir el índice de esta enfermedad. En 1998 sólo se dieron 18,361 casos, el número más bajo desde 1953.

La tuberculosis es una infección que se transporta por el aire, lo cual significa que puede propagarse mediante la tos, los estornudos, la risa o incluso cantar. No obstante, para enfermarse habría que exponerse de manera prolongada a la presencia de una persona infectada. Normalmente ataca los pulmones, pero también puede afectar otros órganos y tejidos.

Entre los síntomas de la tuberculosis están tos prolongada y con sangre, fiebre, escalofríos o sudores nocturnos, aletargamiento, debilidad, pérdida inexplicable de peso y falta de apetito. Tienen un mayor riesgo de contraer esta enfermedad quienes entran en contacto regularmente con personas infectadas o poblaciones de alto riesgo, como les ocurre a los maestros, los trabajadores de la salud y los custodios de las prisiones; los pobres y quienes cuentan con una atención médica deficiente; las personas con sistemas inmunitarios deprimidos y los ancianos. Si usted tiene motivos para pensar que pudo haberse expuesto a la tuberculosis o si muestra los síntomas de la misma consulte a su médico de inmediato, ya que la enfermedad puede extenderse si no recibe tratamiento.

A fin de detectar la tuberculosis, los médicos utilizan la prueba intradérmica de Mantoux, para la que se inyecta una pequeña cantidad de tuberculina en las capas superiores de la piel del antebrazo, o bien una prueba de tuberculina de multipuntura, la cual utiliza punciones múltiples que contienen el material de prueba. Los resultados se revelan claramente entre 2 y 3 días después de efectuada la prueba: bultos definitivamente elevados sobre la piel son un indicio de resultados positivos. También es posible que su médico le mande radiografías del pecho y pruebas del esputo.

Si las pruebas resultan positivas no significa el fin de su vida cotidiana actual. La mayoría de los casos de tuberculosis —más del 90 por ciento— pueden curarse con medicamentos, pero hay que tomarlos regularmente durante 6 meses y muchas veces por más tiempo. Ciertos medicamentos recién aprobados combinan los tres fármacos principales en una píldora o bien requieren dosis menos frecuentes.

No obstante, cuando la tuberculosis ordinaria recibe un tratamiento incorrecto o incompleto puede convertirse en una tuberculosis resistente a diferentes medicamentos (o *MDR TB* por sus siglas en inglés),

puede tardar 40 minutos o más en recopilar con detalle su historial personal, indica la Dra. Frieri. "Al proporcionar su historial personal necesita concentrarse en todos los factores que posible-mente estén contribuyendo a su asma: el entorno laboral y de la casa, la presencia de gatos o perros, qué usa para hacer la limpieza, si tiene hijos o no, etcétera. Luego hay afecciones como la fiebre del

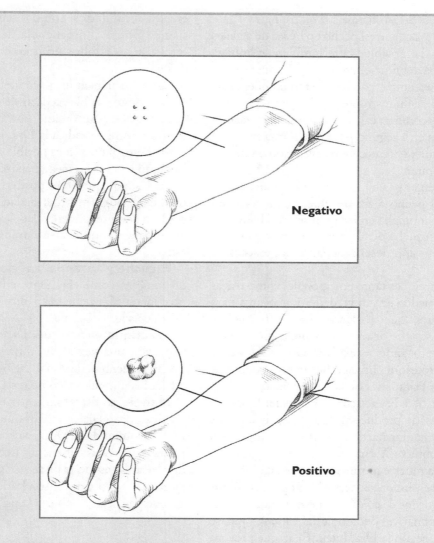

Negativo

Positivo

variedad de la afección que no responde a dos o más de los principales medicamentos terapéuticos, y esta resistencia se extiende junto con la enfermedad. El índice de respuesta a la MDR TB se desploma a menos del 50 por ciento.

heno, las infecciones de los oídos y la sinusitis. ¿Estornuda, respira con sibilancia o tose? ¿Cuáles son los antecedentes familiares de problemas respiratorios entre los padres y los abuelos?"

¿Qué debo esperar?

Al hacerle un reconocimiento físico el médico se concentrará en sus vías respiratorias superiores e inferiores. Se asomará a sus oídos, nariz y garganta y le auscultará el pecho en busca de señales de sibilancia. Posiblemente también se le haga una prueba del funcionamiento pulmonar que se llama espirometría, para la que tendrá que respirar dentro de un instrumento calibrado que mide elementos como su capacidad pulmonar y cuánto aire exhala en 1 segundo. De esta forma se detectará cualquier obstrucción o restricción en su forma de respirar.

También es posible que se le saque una radiografía del pecho a fin de ubicar con exactitud cualquier anomalía en los pulmones, o bien se le haga una prueba de alergias para averiguar qué sustancias están desencadenando las reacciones alérgicas.

Las reacciones tanto emocionales como físicas al asma pueden ser un verdadero problema para las mujeres que padecen esta enfermedad. "Cuando se sufre de asma se siente como si se estuviera sofocando —explica Dorothea Lack, Ph.D., profesora clínica adjunta en el departamento de Psiquiatría de la Universidad de California en San Francisco—. El recuerdo de un ataque pasado produce ansiedad anticipada, que puede aumentar hasta convertirse en un nuevo ataque", observa. Y en medio de este ataque el temor a una muerte inminente es abrumador.

Estos sentimientos de ansiedad pueden significar uno de los desafíos más grandes que enfrenta una asmática debido a la cadena que se establece, según la Dra. Lack. El ataque provoca pánico, el pánico agrava el ataque y así sucesivamente.

Además, la tensión puede aumentar debido a los efectos secundarios que los medicamentos contra el asma causan a veces. Estos efectos pueden parecerse mucho a un estado de ansiedad. Un estudio de más de 1,800 asmáticos dirigido por la Dra. White demostró que aproximadamente en el 60 por ciento de los casos los medicamentos produjeron diversos efectos secundarios, como temblores y nerviosismo. Como consecuencia de ello, hasta un tercio de los adultos omitían o disminuían las dosis.

"Con frecuencia un paciente llega aparentemente con un problema de ansiedad, y luego uno averigua que está tomando un broncodilatador contra el asma —indica la Dra. Lack—. Entonces se tiene que ver si es posible ajustar su medicamento y se le enseña a relajarse".

En vista de que no es posible estar profundamente relajado y sentir ansiedad al mismo tiempo, la experta recomienda las siguientes medidas clave para tranquilizarse durante un ataque de asma.

Escuche y aprenda. Las cintas de relajación disponibles comercialmente enseñan a utilizar imaginería para calmar el pánico que forma parte de un episodio de asma.

Practique, practique. Escuche las cintas de relajación una vez al día durante 30 días para practicar técnicas de visualización, cómo tensar y relajar los músculos y cómo respirar hondo.

Manéjelas durante un mes. Practique las técnicas de relajación diariamente durante un mes, recomienda la Dra. Lack. A continuación podrá practicarlas con menos frecuencia y con todo evocar la respuesta de relajación cuando le haga falta. "No obtendrá resultados instantáneos, así que persevere", exhorta la psiquiatra.

Consejos que curan

Si bien el asma no puede curarse, lo más parecido a una cura son las inyecciones contra las alergias, afirma la Dra. White, siempre y cuando el asma esté asociado principalmente a una alergia. De lo que se trata es de reducir el número de factores que provocan la enfermedad. "Entre más factores pueda eliminar, mejor podrá tolerar los que resten", opina.

Las inyecciones contra las alergias funcionan

igual que las vacunas: se le inyecta la sustancia que provoca el problema en dosis pequeñas cada vez mayores a lo largo de varios meses. A partir de ahí se pueden aplicar dosis de mantenimiento durante varios años. Conforme aumente su inmunidad contra el alérgeno que le provoca el asma, reducirá su malestar de manera significativa.

Si bien los medicamentos controladores y de rescate son eficaces para aliviar la inflamación y despejar las vías respiratorias despúes de un ataque, es posible que en el futuro los reemplacen medicamentos que impidan el problema desde el principio. Actualmente la principal defensa para controlar la inflamación son diversos tipos de esteroides inhalados (aunque también es posible tomarlos en forma líquida o como pastilla). En cuanto a los ataques agudos, varias clases de broncodilatadores aflojan los músculos alrededor de las vías respiratorias a manera de que la respiración normal se reanude. Entre las apariciones más novedosas están los inhibidores de leukotrieno *(leukotriene inhibitors)*.

¿Qué es lo que nos guarda el futuro? Es muy posible que una inyección no específica contra las alergias llamada *anti-IgE* logre controlar todas las alergias así como el asma al suprimir la reacción alérgica. En pruebas clínicas ha resultado "mucho más eficaz para controlar el asma de lo que me hubiera imaginado", informa la Dra. White. No obstante, faltan varios años para que se introduzca al mercado. También se están desarrollando otros dos medicamentos igualmente interesantes, los cuales interrumpirían el proceso de inflamación aun antes que el anti-IgE.

No obstante, mientras tanto los expertos recomiendan que se ciña a las instrucciones de su médico y que colabore con él a fin de resolver todas sus necesidades. "Tratar el asma es un asunto que puede variar mucho. No es cuestión de simplemente empezar a tomar medicamentos y seguir haciéndolo durante un año", explica la Dra. White. Si usted puede anticiparse a los brotes, los cuales a veces se dan justo antes de la menstruación, o si sabe que andará al aire libre durante la hora de más polen, hable con su médico acerca de la posibilidad de aumentar la dosis de su medicamento controlador de manera temporal, sugiere la experta.

"Las personas que no les ponen atención a sus síntomas son las que pueden terminar en la sala de urgencias", advierte la Dra. Cruchalla.

Alternativas que alivian

"Es posible andar detrás de los síntomas del asma para siempre, pero la clave está en tratar las causas", opina Beverly Yates, N.D., una doctora naturópata que ejerce en Seattle. Además de sostener los beneficios de los medicamentos con esteroides para enfrentar los ataques graves, afirma que el tratamiento con medicamentos naturales puede disminuir —y a veces incluso eliminar— la necesidad de inhaladores y pastillas. Colabore con su médico para hallar las alternativas correctas para su caso.

La Dra. Yates aprueba las siguientes estrategias basadas en suplementos y hierbas para contribuir a bajar el impacto del asma.

Aumente los ácidos. Aumente su consumo de ácidos grasos omega-3 comiendo pescados de agua fría como salmón y caballa (escombro, macarela), aceite de oliva extra virgen, semillas de girasol y semillas de calabaza (pepitas). La Dra. Yates recomienda una proporción de cinco a una de ácidos grasos omega-6 (como se hallan en la carne roja) a ácidos grasos omega-3. Sugiere comer estos alimentos por lo menos una vez —y de preferencia entre tres y cinco veces— a la semana. Si opta por suplementos tome 200 miligramos de ácidos grasos omega-3, sugiere, y continúe con su alimentación normal. (Si tiene una alimentación occidental común probablemente ya está recibiendo una cantidad suficiente de ácidos grasos omega-6).

Despéjese con *ginkgo*. Esta hoja asiática ayuda a bloquear la constricción de los bronquios. Se recomiendan unos 200 miligramos al día. Tal como sucede con cualquier remedio herbario, no vaya a esperar una mejoría inmediata. "Las hierbas, al igual que los alimentos medicinales, requieren de tiempo —afirma la Dra. Yates—. Por lo común les digo a mis pacientes: 'Por cada año que ha tenido el problema, déme un mes para obtener resultados'". No obstante, recomienda descansar de los suplementos con regularidad: una semana de descanso por cada semana que los tome. No combine el *ginkgo* con medicamentos antidepresivos inhibidores de la MAO, aspirina u otro medicamento antiinflamatorio no esteroídico o bien anticoagulante.

Respire mejor con este aceite. Particularmente a las mujeres cuyos síntomas se recrudecen justo antes de su menstruación, la Dra. Yates les recomienda tomar 1 cucharadita de aceite de prímula (primavera) nocturna *(evening primrose oil)* dos veces al día durante la semana previa a la menstruación a fin de reducir la inflamación de las vías respiratorias. A manera de alternativa, la experta sugiere tomar de 1,500 a 3,000 miligramos de cápsulas de aceite de prímula nocturna repartidos a lo largo del día, con los alimentos.

Maximice el magnesio. El calcio puede ser un agravante para algunas personas con asma, informa la Dra. Yates, y estas mismas personas con frecuencia padecen una deficiencia de magnesio, el cual posiblemente ayude a relajar los músculos lisos de las vías respiratorias. Hasta 400 miligramos al día pueden ayudar, indica, pero si usted tiene problemas con el corazón o el riñón consulte a su médico antes de tomar magnesio en dosis mayores de 350 miligramos. Además, es posible que el magnesio les provoque diarrea a algunas personas.

Cálmelo con *coleus forskohlii*. Hay algunas pruebas de que esta hierba posiblemente sea igual de eficaz para calmar la inflamación que algunos medicamentos contra el asma que se venden con receta, pero sin el efecto secundario del nerviosismo. La dosis normal es de 50 miligramos dos o tres veces al día. En vista de que posiblemente incremente el efecto de los medicamentos contra el asma o la presión arterial alta (hipertensión), *no* vaya a tomar el *coleus forskohlii* sin la supervisión de un médico y siempre consulte a su médico antes de ajustar sus medicamentos contra el asma vendidos con receta.

La Dra. Yates también aboga por otras dos medidas para ayudar a que el aire fluya libremente: los masajes y el yoga.

Masajes. El pecho y la cavidad respiratoria superior pueden beneficiarse de los masajes, los cuales ayudan al cuerpo a deshacerse de los productos de desecho que el asma contribuye a acumular.

Respiración de poder. Los ejercicios de respiración del yoga son una herramienta excelente, declara la Dra. Yates. "Si un ataque está relacionado con el estrés, podrá utilizar su respiración para calmar las cosas antes de que empiecen los problemas".

Depresión

Marilyn Monroe luchó contra ella, igual que Natalie Wood y la princesa Diana. Incluso Carmen Miranda tuvo que combatir la sofocante cortina de humo de la depresión mientras cantaba sambas brasileñas con una sonrisa en los labios y una canasta de frutas sobre la cabeza.

La depresión. Está tan difundida que se le ha llamado "el resfriado (catarro) común de las enfermedades mentales". Una de cada cuatro mujeres experimentará una depresión profunda en algún momento de su vida. Es decir, vivirá sentimientos de tristeza y desesperanza, de un sufrimiento inconsolable y de culpabilidad, los cuales se prolongarán por más de 2 semanas e interferirán con su trabajo, sus relaciones e incluso sus hábitos alimenticios y del sueño.

Algunas mujeres enfrentan un desafío diferente en forma de una depresión más leve pero de mayor duración que se llama distimia (palabra griega que significa "mal humor"). Este tipo de depresión hace que la vida parezca monótona, gris e invariablemente triste. Tal estado por lo general dura más de 2 años y es posible que termine convirtiéndose en una depresión profunda.

No obstante, a diferencia del resfriado común, la depresión no puede imponerse en su vida si usted no lo desea. Cuenta con un arsenal eficaz de armas que puede utilizar para luchar en su contra.

Los factores de riesgo

La mujer cuya madre o padre sufrió una depresión alguna vez tiene una probabilidad entre dos y tres veces mayor que la normal de deprimirse también. Por lo tanto, los antecedentes familiares de depresión obviamente son un fuerte factor de riesgo. No obstante, las mujeres acumulamos factores de riesgo aún más poderosos a lo largo de la vida que no tienen nada que ver con la herencia genética.

Por ejemplo, tres de cada cuatro personas que padecen depresión pueden remitirla a algún momento de mucho estrés en sus vidas: la muerte de un cónyuge, la pérdida del empleo, un divorcio o una enfermedad. "No es raro que las personas enfermas de gravedad estén deprimidas, y a veces su depresión se queda sin diagnosticar —afirma Carol Landau, Ph.D.,

EL TRASTORNO BIPOLAR

Todos tenemos nuestros altibajos, pero la gente que sufre el trastorno bipolar tiene altos más altos y bajos más bajos. Padecen períodos de depresión, con sus síntomas típicos, y ratos de manía. La manía con frecuencia se presenta como un estado de ánimo expansivo o irritable, autoestima inflada, poca necesidad de dormir, locuacidad, facilidad para distraerse o la tendencia a hacer cosas placenteras que pueden tener consecuencias dolorosas, como salir a gastar mucho dinero a lo loco o bien tener una aventura extramatrimonial. Algunas formas del trastorno bipolar también causan agitación, paranoia, alucinaciones o ira. La mayoría de las personas con el trastorno bipolar tienen muchos intervalos de "normalidad" entre sus períodos de depresión o manía.

Al igual que en el caso de la depresión, la causa del trastorno bipolar es un desequilibrio en la composición química del cerebro y puede heredarse. Por lo común se trata con medicamentos. El litio sigue siendo un medicamento "antimanías" muy popular, pero otros más nuevos también pueden ayudar, al igual que algunos antidepresivos y antipsicóticos. También sirve mantener un horario regular que incluya horas establecidas para dormir y hacer ejercicio, además de evitar la cafeína, el alcohol, la marihuana y otras sustancias que alteren el estado de ánimo.

se depriman, en comparación con las que afirman tener matrimonios felices, lo cual sugiere que una relación estresante puede representar un factor de riesgo mucho más fuerte que los antecedentes familiares. Sin embargo, esto no significa que las relaciones malas necesariamente causen depresión, indica Bonnie Strickland, Ph.D., profesora de Psicología en la Universidad de Massachusetts en Amherst. "Tal vez las mujeres que ya están deprimidas tiendan más a percibir el lado negativo de sus relaciones. O quizá elijan a compañeros inadecuados. O bien la depresión exacerbe el estrés del matrimonio. Definitivamente es una cuestión que debe investigarse".

Por último, el haber tenido un episodio de depresión aumenta mucho el riesgo de sufrir otro. "Sin el tratamiento adecuado, más o menos la mitad de las mujeres que padecen depresión clínica experimentarán uno o varios episodios más", advierte la Dra. Strickland.

profesora de Psiquiatría y Conducta en la Escuela de Medicina de la Universidad Brown en Providence, Rhode Island—. Y a pesar de que tienen buenos motivos para sentirse tristes y deprimidas, la depresión clínica es una enfermedad grave". Necesitan tratamiento. "El tratamiento mejora la calidad de vida, independientemente de lo demás. Puede ayudar a comprender que incluso cuando la situación es difícil se cuenta con opciones en la vida", agrega.

Otro grupo de alto riesgo corresponde a las mujeres que afirman tener matrimonios infelices en los que no reciben apoyo. Hay una probabilidad 25 veces mayor de que estas mujeres

La prevención

Al igual que en el caso de cualquier otra enfermedad, evitar la depresión por completo es por mucho preferible a tener que luchar por librarse de esta noche oscura del alma. Si bien no existe forma de garantizar que usted nunca vaya a sufrir una depresión grave, tal vez sí sea posible reducir el riesgo.

Antes que nada debe cuidar su salud en general. Esto significa dormir lo suficiente, comer alimentos nutritivos y hacer ejercicio con regularidad. "El cerebro forma parte del cuerpo, de modo que al mantener sano el cuerpo se salvaguarda la salud del cerebro", afirma la Dra. Peg Nopoulos, profesora adjunta en el departamento de Psiquiatría de la Universidad de Iowa en Iowa City.

La depresión con frecuencia va de la mano con enfermedades, indica Michelle Nostheide, una trabajadora social de la Asociación Nacional para la Salud Mental en Alexandria, Virginia. Por lo tanto, llevar un estilo de vida saludable debe ser su primerísima prioridad para poder evitarla.

Su segunda prioridad se refiere a un estilo de vida activo. ¿Le gusta subirse a la montaña rusa? ¿Se la pasa mejor cuando dedica horas a recorrer los museos? Hacer las cosas que le gusten y rodearse de personas que disfruten acompañarla en estas actividades le ayudará a sentirse bien consigo misma, señala Nostheide. Por lo tanto, sea activa en este mundo. Muestre curiosidad, involúcrese, lea. Entre más productiva sea, mayor será la probabilidad de que logre prevenir las depresiones.

No obstante, una vez que empiece a sentir síntomas de una depresión —como cambios en sus patrones de sueño o en el apetito, dificultades para concentrarse, fatiga o falta de energía, o bien sentirse despreciable y desamparada— solicite ayuda profesional, recomienda la Dra. Nopoulos. No suponga que podrá curarse sola, advierte, de la misma forma en que no intentaría curarse sola de una bronquitis.

Señales y síntomas

Existen muchos niveles de depresión, desde la leve —que permite funcionar de manera más o menos normal— hasta la grave, la cual causa sentimientos profundos y persistentes de tristeza o desesperación que interfieren con el trabajo, las amistades, la vida familiar y la salud física.

Además de que las personas deprimidas de gravedad suelen sentirse desamparadas y desesperadas, tienden a culparse a sí mismas por sentirse así. Es posible que duerman de manera irregular o bien demasiado. Tal vez pierdan el apetito o bien coman demasiado. No obstante, independientemente de los síntomas que padezcan, las mujeres deprimidas tienden a sentirse abrumadas y exhaustas y es posible que dejen de participar por completo en ciertas actividades cotidianas, según la Dra. Ellen Leibenluft, presidenta de la unidad de trastornos afectivos en la división de pediatría y neuropsiquiatría del desarrollo del Instituto Nacional de Salud Mental en Bethesda, Maryland. Es posible que algunas también piensen en la muerte o en suicidarse. (Encontrará mayor información en la sección "El suicidio: ¿una epidemia entre las mujeres?" en la página 306).

¡Que no cunda el pánico!

Tenga presente que todo mundo se siente triste ocasionalmente. Es natural y emocionalmente saludable lamentar los acontecimientos deplorables. Los sentimientos de dolor pueden ser extremos, pero conforme el tiempo transcurra tenderán a perder intensidad por sí solos. "Permitirse reconocer y expresar todas sus emociones, trátese de tristeza, enojo, esperanza o felicidad, la deja ser auténtica —indica la Dra. Strickland—. Puede mejorar su vínculo con los demás e incrementar su autoestima". La tristeza no implica ensimismamiento ni aislamiento, como en el caso de la depresión.

Además, tenga presente que aunque esté deprimida la mayoría de las depresiones pueden tratarse con éxito. "Los avances que se han dado recientemente tanto en el campo de la psicoterapia como en el de los medicamentos antidepresivos significan que siempre habrá esperanza, sin importar qué tan desesperada parezca una situación", afirma la Dra. Landau.

¿A quién debo ver?

Si cuenta con un médico familiar con toda certeza podrá verlo o comunicarse por teléfono para hablar de sus preocupaciones. Algunos médicos familiares cuentan con experiencia en tratar depresiones y los que no, probablemente le recomendarán a un psiquiatra. Los psiquiatras pueden recetar medicamentos contra la depresión. Muchos también ofrecen psicoterapia o terapia verbal.

También puede hablar de sus problemas y aprender nuevas formas de enfocarlos con un psicólogo o un trabajador social clínico con licencia. Muchas mujeres deprimidas que requieren medicamento consultan tanto a un psiquiatra como a un psicólogo, quienes en estos casos colaboran estrechamente el uno con el otro.

¿Qué debo esperar?

Todas las experiencias de depresión son diferentes. Por ejemplo, es posible no darse cuenta de estar deprimida, sino ir a consultar al médico familiar de siempre debido a síntomas desagradables como una sensación general de fatiga o vagas molestias y dolores. Obtener un diagnóstico exacto muy bien puede significar el primer paso hacia la mejoría. "Para la mayoría de las personas es un alivio ponerle un nombre a lo que están experimentando", afirma la Dra. Strickland.

Es posible que el médico le recete antidepresivos, pero no espere resultados inmediatos. Tardarán en funcionar y a veces tendrá que probar varios medicamentos antes de hallar el indicado

EL SUICIDIO: ¿UNA EPIDEMIA ENTRE LAS MUJERES?

Tal como sucede en muchos ámbitos, las mujeres que intentan suicidarse lo hacen de manera distinta a sus homólogos masculinos. Los hombres tienden más a elegir recursos violentos e irreversibles —como un arma de fuego o saltar desde la ventana de un piso elevado—, mientras que las mujeres preferimos combinar los medicamentos con el alcohol, tomar sobredosis de drogas o envenenarnos con monóxido de carbono. Nuestra probabilidad de intentar suicidarnos es dos veces mayor que la de los hombres, pero es menos probable que lo llevemos a cabo. Nos llegan a detener o nos descubren antes de morir.

Las mujeres que padecen una depresión grave sin tratar corren mucho riesgo. Por su parte, entre las que reciben tratamiento por una depresión grave, el momento de mayor riesgo de suicidio son las primeras 3 semanas después de haber ingresado a un hospital, señala Rhoda Olkin, Ph.D., profesora de Psicología Clínica en la Escuela de Psicología Profesional de California en Alameda.

"Las personas sumamente deprimidas con frecuencia no disponen de los medios para suicidarse —explica—. Cuando la depresión empieza a aliviarse un poco ya cuentan con la energía para tratar de hacerlo".

La mayoría de las personas sienten el deseo de suicidarse durante no más de 48 horas a la vez, si bien es posible que experimenten varios períodos de este tipo antes de superar la tendencia por completo.

Entre las señales de que alguien está contemplando suicidarse se encuentran las siguientes:

para usted. "En realidad no hay forma de saber si un medicamento le funcionará hasta que lo haya tomado durante 8 o incluso 12 semanas", indica la Dra. Leibenluft. Las mujeres tan deprimidas que piensan suicidarse tal vez sean internadas en un hospital durante una parte de este tiempo. Y a las que padecen ansiedad además de

Perder la conexión. La persona se vuelve retraída y reservada.

Hacer arreglos finales. Empieza a arreglar sus asuntos, regalar cosas, modificar su testamento o hablar de irse.

Correr riesgos o adoptar un comportamiento autodestructivo. Es posible que empiece a hacer cosas que fácilmente podrían terminar en lesiones. Manejar con imprudencia temeraria es un buen ejemplo.

Una repentina mejoría en el estado anímico. Un cambio repentino en el estado de ánimo, de sombrío a soleado, puede anteceder un intento de suicidio.

Declaraciones directas o indirectas acerca del suicidio. No es cierto que la gente que habla de suicidarse no lo vaya a hacer. Sí llegan a intentarlo. Hay que tomar en serio incluso los chistes acerca del suicidio.

Pregúnteselo directamente: "¿Estás pensando en suicidarte?". Al contrario de lo que se suele pensar, no le estará metiendo ideas a la cabeza. Es posible que con ello abra la puerta a una comunicación franca, además de expresar su preocupación.

Luego pregunte: "¿Tienes un plan? ¿Un método? ¿Un medio? ¿Cuándo piensas hacerlo?". La existencia de planes concretos indica una crisis inminente.

Si le parece que una persona conocida está pensando en suicidarse, no la deje sola, dice la Dra. Olkin. Hágase cargo, ofrezca su apoyo, fíjese que no cuente con ningún medio para lastimarse. Si la situación parece crítica llévela a un centro de orientación para crisis, a la sala de urgencias de un hospital, a un centro de salud mental, con su psiquiatra o bien con su médico familiar.

la depresión se les llega a dar un tranquilizante de efectos más rápidos, como alprazolam *(Xanax)*.

El tiempo durante el cual tendrá que tomar estos medicamentos depende en parte de su historial médico, informa la Dra. Leibenluft. "Por lo común, si ya tuvo dos o más episodios de depresión, sobre todo si fueron graves, es posible que su médico le recomiende tomar antidepresivos por más tiempo". De esta forma, algunas personas alternan períodos de tomar antidepresivos con otros en que los dejan, mientras que otras personas los toman continuamente durante años. A veces un medicamento que ha funcionado bien durante varios años deja de servir. O ya no surte el mismo efecto que antes. Por lo tanto, es posible que el psiquiatra pruebe cambiar de medicamento o bien combinarlos.

Consejos que curan

Actualmente se les dan medicamentos antidepresivos a un número cada vez mayor de mujeres deprimidas, porque les han ayudado a muchas personas. "Puede hacer falta corregir los desequilibrios químicos del cerebro que causan la depresión", explica la Dra. Leibenluft.

Se ofrecen muchos medicamentos antidepresivos y su médico le hará un gran número de preguntas acerca de sus síntomas y salud en general a fin de determinar el que parezca ser el indicado para usted. Aproximadamente entre el 60 y el 70 por ciento de las personas capaces de tolerar los efectos secundarios de los antidepresivos experimentan una mejoría con el primer medicamento que toman. Algunos tienen que probar un segundo antidepresivo y otros un tercer medicamento, aunque esto es raro.

La psicoterapia tradicionalmente se ha considerado parte del tratamiento contra la depresión. No obstante, en esta época de atención médica controlada, una mujer tiene suerte si su seguro médico está dispuesto a pagar más que unas cuantas sesiones de terapia, indica la Dra. Strickland. Por lo tanto, los psicólogos se esfuerzan por encontrar terapias que surtan efecto en un breve período de tiempo, como la terapéutica cognitiva de la conducta, la psicoterapia de la comunicación *(interpersonal psychotherapy)* o alguna combinación de ambas.

"No es probable que se acueste en un sillón a hablar de su infancia —comenta la Dra. Strickland—. Tratará de modificar su conducta y de mejorar su estado anímico en el momento presente en lugar de hurgar en el pasado. En la terapéutica cognitiva de la conducta hablará de lo que quiere cambiar ahora y de cómo puede lograrlo. El psicólogo querrá saber qué la hace feliz y las condiciones que la llevan a sentirse deprimida. Examinará sus conductas y patrones de pensamiento, incluyendo los pensamientos negativos automáticos que pueden influir en su estado anímico, y aprenderá a cambiarlos".

En el curso de la terapia de la comunicación hablará de sus interacciones personales y sociales con los demás y analizará qué impacto tienen en su estado anímico. Fundamentalmente trabajará en mejorar sus relaciones a fin de sentirse mejor consigo misma. Las investigaciones han demostrado que tanto la psicoterapia cognitiva de la conducta como la de la comunicación son formas eficaces de tratar la depresión.

Alternativas que alivian

A las mujeres que intentan otra vía además de los medicamentos para tratar su depresión a menudo les va mejor a la larga. Aprenden a infundir en sus vidas un sentido del equilibrio, una perspectiva justa y cierto significado. Las siguientes sugerencias también apuntan a tener a raya la depresión.

Cultive a un confidente. Un estudio sociológico clásico que se realizó en los barrios bajos de Londres encontró que entre las mujeres el factor más sobresaliente de defensa contra la depresión era el hecho de contar con un confidente cercano, alguien frente al cual pudieran expresar todas sus emociones. "Esta libertad de expresar una gama plena de emociones —cualquier tipo de emociones— es lo que sostiene la salud mental, según los terapeutas", afirma Rhoda Olkin, Ph.D., profesora de Psicología Clínica en la Escuela de Psicología Profesional de California en Alameda.

Busque una distracción. Los hombres lo hacen más que las mujeres y tiende a inocularlos contra la depresión, comenta la Dra. Olkin. Desde luego un hombre puede optar por distraerse en el bar de la esquina, lo cual simplemente crearía otro problema. En cambio, las mujeres solemos rumiar nuestros problemas. "Aprender a distraerse de hecho forma parte de la terapéutica cognitiva de la conducta", explica la Dra. Olkin.

El ejercicio es una distracción ideal, pero un buen libro o película, un pasatiempo favorito o una mascota pueden funcionar igual de bien. Haga cosas que le gusten o que solían gustarle, y hágalas aunque no se sienta con ánimos para ello, recomienda la Dra. Olkin. "De esta forma dará inicio a un movimiento positivo que se extenderá a otras áreas de su vida".

Busque en su botiquín. Algunos medicamentos pueden causar depresiones. Entre los más comunes están los betabloqueadores, que se utilizan para reducir la presión arterial alta (hipertensión); una clase de antibióticos llamados quinolonas (*Levaquin* es uno de ellos); los medicamentos esteroides que se utilizan contra las enfermedades autoinmunes (pueden causar tanto depresiones como manías); grandes dosis de cualquier tipo de antiinflamatorio, como se llega a usar para tratar la artritis reumatoide; y los tranquilizantes de benzodiazepina, que con frecuencia se les recetan a las mujeres y que incluyen

MAMÁ SIEMPRE DECÍA

¿Por qué las mujeres tenemos más probabilidad de deprimirnos que los hombres?

Las mujeres tenemos una probabilidad dos veces mayor que los hombres de deprimirnos, pero nadie sabe por qué.

Algunos expertos afirman que los sistemas nervioso y hormonal de las mujeres responden a los factores estresantes de la vida de manera diferente a los de los hombres. Otros también opinan que a las mujeres se nos enseña a reprimir la ira, por lo que aprendemos a ponernos tristes en lugar de enojadas. Esta es una de las razones por las que a veces la psicoterapia incluye una capacitación de reafirmación personal (*assertiveness training*), la cual ayuda a las mujeres a manejar de manera eficaz las situaciones que provocan ira.

Además, a las mujeres nos enseñan a poner siempre una cara feliz y a asumir la responsabilidad del bienestar emocional de los demás, entre ellos de nuestros maridos e hijos. Cuando las cosas no andan bien con nuestras familias a veces nos culpamos y damos vueltas a lo que pensamos son nuestros defectos.

Por último, es posible que los hombres simplemente expresen de otro modo sus estados de ánimo sombríos. Algunos investigadores opinan que los hombres que tienen problemas de alcoholismo, violencia u otras conductas autodestructivas en realidad están deprimidos y se beneficiarían de recibir un tratamiento contra ello.

Por lo tanto, si incluimos a todos los tipos metidos en el bar de la esquina o que guardan cajas de cerveza detrás de los asientos de sus camionetas, las cuentas en realidad salen más o menos parejas.

Información proporcionada por la experta
Bonnie Strickland, Ph.D.
Profesora de Psicología
Universidad de Massachusetts
Amherst

---

tanto alprazolam *(Xanax)* como diazepam *(Valium)*. Pregúntele a su médico acerca de la posibilidad de que alguno de sus medicamentos esté causando su depresión. Quizá pueda cambiárselo por uno de acción semejante que no tenga un efecto depresivo.

Consulte a su médico acerca del corazoncillo. Esta hierba "aliviadepresiones" ha adquirido popularidad en años recientes. Su principal ingrediente activo, la hipericina, ayuda a regular los niveles de serotonina, una sustancia química cerebral que mejora el estado de ánimo, de la misma forma que algunos medicamentos antidepresivos, como fluoxetina *(Prozac)*, paroxetina *(Paxil)* y sertralina *(Zoloft)*. No obstante, debe tener presentes varios detalles para aplicar

el corazoncillo (hipérico, yerbaniz, *St. John's Wort*) de manera segura y eficaz. No se recomienda para tratar una depresión grave, el trastorno bipolar (maniacodepresivo) o trastornos que impliquen alucinaciones o pensamientos suicidas.

No tome corazoncillo si ya se está tratando con un antidepresivo vendido con receta o algún otro medicamento psicoactivo. Ocasionalmente causa efectos secundarios como agitación, falta de sueño y una mayor sensibilidad al sol, lo cual puede ocasionar quemaduras.

Busque un extracto estandarizado derivado del alcohol (el alcohol se elimina) que contenga un 0.3 por ciento de hipericina. Los expertos por lo común sugieren como dosis típica 300 miligramos tres veces al día. Deberá esperar de 4 a 6 semanas antes de notar una mejoría. Lo mejor es tomar corazoncillo sólo bajo supervisión médica experta.

Recétese un poco de ejercicio. Diversos estudios demuestran que el ejercicio hecho con regularidad puede tener los mismos resultados positivos que la psicoterapia para aliviar una depresión de leve a moderada, indica Kate Hays, Ph.D., autora de un libro sobre el tema del ejercicio y la psicoterapia. Pruebe caminar, correr o levantar pesas durante 20 minutos como mínimo tres veces a la semana, sugiere. El ejercicio tal vez ejerza una influencia bioquímica tanto inmediata como de largo plazo en su estado anímico.

Si simplemente no puede motivarse a hacer ejercicio trate de realizar alguna actividad física que disfrute, emprendiéndola de manera paulatina pero constante, recomienda la Dra. Strickland.

Pruebe los pescados grasos. Los ácidos grasos omega-3 que se hallan en los aceites de pescado posiblemente ayuden a aliviar los síntomas del trastorno bipolar, de acuerdo con un estudio preliminar presentado por investigadores del Hospital McLean en Belmont, Massachusetts. Los ácidos grasos tal vez inhiban la transmisión de las señales cerebrales que desencadenan las dramáticas fluctuaciones en el estado de ánimo que caracterizan a este trastorno. Los participantes en el estudio tomaron unos 10 gramos diarios de aceite de pescado en forma de cápsulas.

No obstante, las cápsulas de aceite de pescado pueden hacer sangrar la nariz, además de aumentar la propensión a sufrir cardenales (moretones, magulladuras) con facilidad. No las tome

¿SIRVEN LOS SUPLEMENTOS SAM-E PARA HACERNOS SONREÍR?

Casi suena demasiado bien para ser verdad. Un suplemento nutricional nuevo y muy popular que se está usando contra la depresión, la S-adenosilmetionina —o SAM-e ("Sammy") por sus siglas en inglés—, promete aliviar más rápido que los antidepresivos, causar un mínimo de efectos secundarios y proporcionar, además, otros beneficios para la salud. Desde hace años la SAM-e se utiliza en Europa para tratar la depresión y definitivamente promete mucho. Sin embargo, no se han realizado estudios amplios en los Estados Unidos para confirmar su eficacia y seguridad.

La SAM-e ocurre de manera natural en el cuerpo. Ayuda a estimular la producción de las sustancias cerebrales que regulan los estados de ánimo: la dopamina y la serotonina. Por lo común el cuerpo puede producir toda la SAM-e que requiere, pero la depresión reduce su nivel. De ahí la idea de tomar el compuesto en forma de suplemento para recuperar un nivel normal.

Es posible usar la SAM-e bajo supervisión médica junto con medicamentos antidepresivos o bien sola para tratar una depresión entre leve y moderada. Para una depresión menor la dosis normal es de 400 miligramos al día, pero puede

si padece un trastorno hemorrágico, presión arterial alta (hipertensión) no controlada o diabetes; si toma anticoagulantes o bien aspirina con regularidad; o si es alérgica a cualquier tipo de pescado. No las sustituya por aceite de hígado de pescado, el cual es alto en vitaminas A y D; ambas son tóxicas cuando se consumen en grandes cantidades.

Únase al universo natural. La depresión puede ser señal de que se ha desconectado del mundo natural y del alimento que puede brindar al alma, afirma Sarah A. Conn, Ph.D., una conferencista sobre Psicología en la Escuela de Medicina de Harvard y fundadora del Instituto de Ecopsicología del Centro para Psicología y

consumir con seguridad hasta 1,600 miligramos al día, señala el Dr. Richard Brown, profesor adjunto de Psiquiatría Clínica en la Universidad de Columbia en la ciudad de Nueva York y autor de un libro sobre cómo librarse de la depresión. El suplemento tiene que tomarse a primera hora de la mañana, en ayunas.

Las personas que padecen el trastorno bipolar no deben tomar la SAM-e sin supervisión médica, ya que cualquier tipo de antidepresivo puede llevarlos a un estado de manía, advierte el Dr. Brown.

A fin de proteger su estómago contra las irritaciones querrá que las píldoras cuenten con capa entérica, la cual impide que se disuelvan hasta llegar al intestino delgado. Unas cuantas buenas marcas mencionadas por el Dr. Brown son los productos de *Nature Made* (de *Pharmavite*), *Puritan Pride* y *General Nutrition Center*.

La SAM-e tiene una mayor probabilidad de funcionar si al mismo tiempo se consumen cantidades suficientes de folato y de las vitaminas B_{12} y B_6 a manera de apoyo. Trate de tomar 800 microgramos de ácido fólico (la forma sintética del folato), 1,000 microgramos de la vitamina B_{12} y 100 miligramos de la vitamina B_6, recomienda el Dr. Brown.

Cambio Social en Cambridge, Massachusetts. A fin de volver a conectarse, indica la experta, empiece pasando de 5 a 10 minutos diarios con "un ser natural". Puede tratarse de un árbol, una planta, un rincón de césped en el parque, incluso nubes o la vista desde la ventana. "Simplemente observe; ponga atención a los cambios —sugiere—. Luego empiece a abordar sus inquietudes más profundas: '¿Qué desea mi corazón? ¿Cómo puedo honrar ese deseo? ¿De qué forma me conecta con el mundo? ¿De qué modo me invita a entrar al mundo?'". De esta forma el mundo natural se convierte en un objeto de meditación que propiciará la revelación de su universo interior, indica la experta.

Ríjase por los ritmos naturales. La depresión también puede ser un síntoma de haberse dejado arrastrar a tal grado por la velocidad con la que se mueve la sociedad de consumo actual que se olvidó de cómo llevar las cosas con calma, afirma la Dra. Conn. "Si desarrollamos una relación constante con el mundo natural, podemos aprender mucho acerca de los ritmos naturales y la forma en que encajamos con la naturaleza. Esto puede incluir ajustar los patrones de sueño a la puesta y la salida del sol, caminar distancias cortas en lugar de manejar, cuidar un jardín o simplemente permanecer sentada y quieta".

Alumbre su ánimo. Las personas que se aletargan y se vuelven irritables durante los meses de invierno tal vez sufran en realidad el trastorno afectivo estacional (o *SAD* por sus siglas en inglés), una forma de depresión o trastorno bipolar que puede aliviarse con medicamentos así como mediante la exposición a la luz auténtica o simulada del sol, explica la Dra. Leibenluft. La gente con SAD por lo general se sienten peor en enero y febrero, cuando los días empiezan a alargarse otra vez, y se reaniman para marzo o abril. A fin de contrarrestar este efecto dé un paseo de 45 minutos por la mañana o a la hora del almuerzo. También puede conseguir cajas de luz que simulan el sol, pero lo mejor es usarlas sólo bajo supervisión médica. Tal vez también necesite dormir más durante los meses de invierno, ya que existen ciertas pruebas de que la gente que duerme más tiene menos síntomas asociados al SAD.

Organice su sueño. Ciclos irregulares de sueño y vigilia pueden contribuir a los síntomas de la depresión, afirma la Dra. Leibenluft.

Por lo tanto, regularícelos acostándose a la misma hora todas las noches y levantándose a la misma hora todas las mañanas. Entre más regular sea su patrón de sueño, más profundo dormirá. De manera particular no querrá acostarse tan tarde por la noche que esté dormida durante las horas de brillante luz matutina. Otra razón por la que el ejercicio tal vez sea tan útil en la lucha contra la depresión es que promueve un sueño profundo.

Ponga al maridito a ayudar con el trabajo doméstico. La socióloga Chloe Bird, Ph.D., de la Universidad Brown, ha encontrado que entre más tareas domésticas le tocan a la mujer, más probabilidad hay de que se sienta psicológicamente deprimida, sobre todo si trabaja fuera de casa.

"Es menos probable que el trabajo doméstico resulte monótono y ambos compañeros lo valorarán más si lo comparten", indica la Dra. Bird. Sugiere que las parejas dividan las tareas domésticas por partes iguales. En el caso ideal cada compañero debería encargarse de poco menos de la mitad. Las mujeres que se sienten menos sombrías no hacen más que el 46 por ciento. Y dése el obsequio de que un tercer miembro de la casa o bien un servicio de empleados domésticos realice las tareas restantes.

Artritis

El problema no es nuevo. Incluso los dinosaurios lo conocían. No obstante, a pesar de su reputación de afligir sólo a personas mayores, la artritis —un término general que abarca casi 100 enfermedades— no tiene preferencias en lo que se refiere a la edad. También llega a escoger como víctimas a niños, adolescentes y adultos jóvenes.

La palabra "artritis" significa inflamación o daño a las articulaciones, pero algunas variedades de este mal también afectan los músculos, la piel y los órganos internos. En vista de que las mujeres somos el blanco favorito de muchas formas de esta enfermedad, que a veces puede ser debilitante, las nuevas opciones de tratamiento y prevención son muy buenas noticias para nosotras. "Llevo más de 16 años trabajando en la investigación de la artritis y las cosas están cambiando —afirma Leigh F. Callahan, Ph.D., directora adjunta del Centro Thurston de Investigación sobre la Artritis en la Universidad de Carolina del Norte en Chapel Hill—. Reina un sentimiento positivo acerca del punto al que hemos llegado en tratar la artritis".

"Ya no vemos tantas sillas de ruedas en nuestras clínicas como antes —confirma la Dra. Melanie J. Harrison, una reumatóloga del Hospital para Cirugía Especial de la ciudad de Nueva York—. Menos personas llegan con las manos contraídas y los dedos destruidos".

La razón es que actualmente existen poderosos medicamentos nuevos con menos efectos secundarios que antes. Asimismo se están reuniendo cada vez más pruebas en el sentido de que el ejercicio moderado les ayuda a las personas con artritis, lo que ya se refiere a una de cada seis personas radicadas en los Estados Unidos. Por si fuera poco, la acupuntura está ganando terreno en lo que respecta al alivio del dolor, mientras que los médicos naturópatas han obtenido buenos resultados con suplementos como el sulfato de glucosamina. Más que nunca, cuando a una mujer se le dice que padece artritis no se trata del final de su vida activa sino del comienzo de un plan de acción.

Los factores de riesgo

A pesar de las diversas formas y nombres de la artritis (osteoartritis, artritis reumatoide, gota y muchos más), una cosa que no conocemos de esta enfermedad es su causa. Y eso hace más difícil precisar los factores de riesgo.

"Sabemos que algunas formas están asociadas a la genética. La osteoartritis está relacionada con el exceso de uso y abuso de las articulaciones. Y es posible que bacterias desencadenen algunas formas de la artritis en ciertas personas —explica Teresa J. Brady, Ph.D., consejera médica de la Fundación para la Artritis en Atlanta—. No obstante, estamos seguros de que definitivamente no se trata de una parte inevitable de la vejez".

La artritis más común es la osteoartritis, la cual se debe al desgaste. El cartílago que amortigua las articulaciones se degenera, por lo que un hueso roza con otro en sitios específicos como las manos, las rodillas, las caderas, los pies y la espalda. La artritis reumatoide, una enfermedad autoinmune de todo el cuerpo, afecta de distinta manera. El sistema inmunitario natural del cuerpo ataca los tejidos sanos de sus propias articulaciones y causa hinchazón y daños. Los siguientes factores pueden incrementar el riesgo.

Género. Más o menos el 74 por ciento de todos los casos de osteoartritis en los Estados Unidos, o sea, unos 15.3 millones, se dan en mujeres. La artritis reumatoide también prefiere a las mujeres, pues correspondemos más o menos a 1.5 millones de casos en los Estados Unidos, es decir, al 71 por ciento.

Lazos familiares. La herencia genética influye, sobre todo en lo que se refiere a la artritis

PREGUNTAS Y RESPUESTAS

¿Por qué se encuentra uno con el síndrome del túnel carpiano por todas partes hoy en día, aunque hace 20 años nadie lo conocía?

Hace 20 años no había tanta gente escribiendo en los teclados de computadoras.

El síndrome del túnel carpiano (o *CTS* por sus siglas en inglés) con frecuencia se asocia al movimiento repetitivo crónico de las manos y las muñecas en combinación con el exceso de fuerza. Esta combinación comprime al nervio que le da su sensibilidad al pulgar, el índice y el dedo medio del lado de la palma de la mano. El nervio pasa del brazo a la mano justo debajo del ligamento del carpo, el cual forma parte del túnel o canal carpiano. Su compresión puede dar por resultado entumecimiento y punzadas de dolor.

¿Y qué tiene todo esto que ver con los teclados de las computadoras? En la actualidad muchas personas se encuentran prácticamente encadenadas a sus computadoras y permanecen sentadas frente a ellas durante horas a la vez. En lugar de repartir su fuerza física entre muchos grupos musculares, efectúan los mismos movimientos de tecleo y utilizan el *mouse* una y otra vez, haciendo demasiada fuerza en muchos casos. Además, no mantienen rectas las muñecas y sostienen los brazos "listos para la acción" incluso cuando no están tecleando. En conjunto se trata de las condiciones perfectas para tener problemas.

Sin embargo, el uso de la computadora sólo es parte de la explicación. La otra corresponde al crecimiento *aparente* en el número de casos de CTS debido a los avances que se han logrado en el diagnóstico. La mejoría en las técnicas para detectar los problemas nerviosos ahora ayuda a identificar correctamente incluso casos de CTS que con anterioridad tal

reumatoide. Uno de los riesgos principales es tener a un padre, madre o hermano con la enfermedad, indica la Dra. Harrison.

Edad. Si bien la artritis afecta a todas las

vez se hubieran achacado a algo como insuficiencia en el riego sanguíneo.

Los siguientes pasos pueden ayudarle a aliviar el CTS.

Mime sus muñecas. Un soporte para las muñecas en el teclado no debe apoyar todo su peso siempre. Permita que sus manos floten por encima del soporte mientras escribe, como si estuviera tocando el piano.

Cambie de mano. Si es derecha le conviene más manejar el *mouse* de la computadora con la mano izquierda (y a la inversa). La tensión se alivia al descansar la mano dominante y, en el caso de los derechos, porque se elimina la necesidad de estirar el brazo hasta más allá del teclado numérico del lado derecho del teclado.

Perfeccione su postura. Mantenga la parte superior de la espalda en contacto con la silla a fin de evitar encorvar los hombros, lo cual puede hacer que se aprieten más sus músculos pectorales. Al tensarse estos músculos llegan a comprimir los vasos sanguíneos y los nervios que entran al brazo.

Tome tiempos fuera. Cuando no esté tecleando, apoye las manos en las piernas o déjelas colgando a sus costados para descansar los músculos y nervios.

Pruebe un *trackball*. Tiene que sujetarlo con menos fuerza que un *mouse* y le permite mantener la mano abierta y más relajada.

Controle la navegación. Cuando navegue en Internet coloque el tapete del *mouse* y el *mouse* sobre sus piernas e inclínese un poco hacia atrás en su silla. Así reducirá el estrés en su espalda, hombro, muñeca y dedos.

Información proporcionada por la experta
La Dra. Margit L. Bleecker
Directora
Centro para Neurología Ocupacional y Ambiental
Baltimore

edades, la osteoartritis se concentra de manera predominante en los mayores de 45.

Historial de daños a las articulaciones. Trátese de un desgarro en un ligamento de la rodilla que ocurrió cuando estaba esquiando, de una inflamación o de un movimiento repetitivo de la mano, cualquier herida o presión crónica sobre una articulación puede aumentar el riesgo de padecer osteoartritis.

Sobrepeso. ¿Tiene usted sobrepeso, 45 años o más y es de estatura promedio? Las investigaciones demuestran que si perdiera 11 libras (5 kg) o más a lo largo de 10 años, reduciría a la mitad su riesgo de desarrollar osteoartritis de la rodilla.

Inactividad. Existen pruebas de que el ejercicio no sólo ayuda a reducir el dolor, sino también disminuye el desgaste sufrido por las articulaciones al mantener fuertes los músculos de alrededor.

La prevención

No tiene que sentarse a aguardar el momento de convertirse en una estadística más de la principal causa de discapacidad en los Estados Unidos. Mejor vamos a decirle cómo evitar o reducir el impacto de la artritis.

Anticípese a los daños. Es posible retardar y en algunos casos incluso prevenir los daños a las articulaciones si la enfermedad se diagnostica y recibe tratamiento pronto. "No haga caso de los mitos acerca de la artritis —advierte la Dra. Sicy H. Lee, profesora clínica adjunta de Medicina en la Escuela de Medicina de la Universidad de Nueva York y médico del Hospital para Enfermedades de las Articulaciones, ubicados ambos en la ciudad de Nueva York—. Muchas personas piensan que no se puede hacer nada contra la artritis y no es cierto".

Empiece por los hechos. En vista de que el tratamiento puede variar de manera radical según los diferentes tipos de artritis, es importante saber cuál tiene, recomienda la Dra. Lee.

Pierda peso. Puede combatir la osteoartritis aligerando la carga sobre sus rodillas y caderas, que deben soportar el peso de su cuerpo. El sobrepeso tiene un efecto dominó, apunta la Dra. Callahan. Promueve la inactividad, lo cual hace que las articulaciones se muevan poco, y eso a su vez fomenta el entumecimiento de las articulaciones.

Levántese, salga y muévase. El ejercicio diario mantiene flexibles las articulaciones, atenúa el dolor y tonifica los músculos que apoyan las articulaciones. Si la Dra. Brady padeciera osteoartritis diseñaría un plan de ejercicio que la mantuviera activa sin agravar el dolor de sus articulaciones, como por ejemplo un programa que incluyera la natación, caminar o una bicicleta fija. No obstante, antes de comenzar con cualquier régimen de ejercicio consulte a su médico para decidir qué es lo indicado para usted.

Alimente sus articulaciones. Los expertos afirman que una alimentación equilibrada ayuda a mantener el peso y a nutrir las articulaciones, los músculos y los huesos. Hay indicios de que los ácidos grasos omega-3 —los cuales se encuentran en el salmón, las anchoas, la caballa (escombro, macarela), el atún y las sardinas— tal vez bajen el riesgo de padecer artritis reumatoide.

Rescate sus rodillas. Es posible que la vitamina C ayude a retardar la osteoartritis de la rodilla, de acuerdo con un estudio. Según este trabajo, quienes consumen más vitamina C (120

ARTRITIS REUMATOIDE

Muchos pacientes de la Dra. Melanie J. Harrison se ven y se sienten mejor hoy día y están pasando menos tiempo en el hospital. La razón es que "nuevos medicamentos y otras terapias han modificado los síntomas y el desarrollo de la artritis reumatoide que atendemos en nuestras clínicas", indica la reumatóloga del Hospital para Cirugía Especial en la ciudad de Nueva York.

Este cambio para mejor resulta particularmente grato debido a la gravedad de la artritis reumatoide (o RA por sus siglas en inglés). "La RA es una enfermedad que progresa rápidamente y puede causar mucha discapacidad en un lapso muy corto de tiempo", afirma la Dra. Harrison. Además, les da a las mujeres con una frecuencia hasta tres veces mayor que a los hombres. A diferencia de la osteoartritis, que sólo afecta las articulaciones, la artritis reumatoide es una enfermedad sistémica que invade todo el cuerpo.

Por razones aún desconocidas, el sistema inmunitario natural de la mujer con artritis reumatoide empieza a atacar los tejidos saludables de su propio cuerpo. Entre los síntomas figuran fatiga, anquilosamiento (sobre todo por la mañana), hinchazón y enrojecimiento de las articulaciones y bultos debajo de la piel, los cuales se llaman nódulos. La inflamación y los daños a las articulaciones que resultan de todo ello a veces provocan deformidades graves. La expectativa de vida llega a reducirse hasta en 3 años en las mujeres con artritis reumatoide, y la mitad de las personas que la padecen

miligramos o más o menos dos naranjas/chinas de tamaño mediano al día) experimentan menos dolor y pierden menos cartílago que quienes consumen menos vitamina C.

Aprenda para aliviarse. Asista a la escuela, pero que sea la "escuela de la artritis". La Fundación de la Artritis ofrece un curso de autoayuda disponible en la mayoría de los estados del país que le ayudará a comer correctamente y a manejar el dolor, entre otras cosas. Un estudio científico de este curso de 6 semanas encontró

ya no pueden trabajar más tras un lapso no mayor de 10 años después de haberse enfermado.

Sin embargo, este cuadro sombrío se está iluminando. "No vaya a pensar ni por un momento que un diagnóstico de artritis reumatoide es como una condena —indica la Dra. Harrison, reumatóloga y consejera médica de la Fundación para la Artritis en Atlanta—. Contamos con nuevos medicamentos que parecen alterar el curso de la enfermedad, así como muchos tratamientos adicionales que pueden ayudar con los síntomas". Estos medicamentos nuevos se conocen como "fármacos antirreumáticos que modifican la enfermedad" (o *DMARDs* por sus siglas en inglés); se encargan de reducir la inflamación causada por la artritis reumatoide, aparentemente retrasan su evolución y tal vez incluso la detengan por completo.

"Se concentran en los efectos graves de la RA, como el debilitamiento de los músculos y la contracción de las articulaciones debido a la falta de uso", explica la Dra. Harrison. Las técnicas de terapia física y ocupacional, sobre todo los ejercicios en el agua, son eficaces para fortalecer los músculos y aumentar la movilidad, apunta la experta.

Es más, se dispone actualmente de productos para facilitar las tareas cotidianas que se han vuelto difíciles a causa de la hinchazón y el dolor de las articulaciones, como unos aparatos de diseño ergonómico para ayudar a las personas a abotonar y desabotonar sus camisas.

que reduce el dolor en un 18 por ciento y ahorra cientos de dólares en consultas al médico.

Señales y síntomas

Un *swing* errado en el golf o un tropiezo en las escaleras pueden lastimarle una muñeca o rodilla temporalmente, pero cuidado con la molestia que se prolongue. Consulte a su médico si cualquiera de los siguientes síntomas persiste por más de 2 semanas dentro de una articulación o alrededor de ella: dolor, entumecimiento, hinchazón y dificultades de movimiento.

Una de las mayores diferencias entre las dos formas más comunes de artritis es el tipo de hinchazón que causan, indica la Dra. Harrison. "En la artritis reumatoide se da una hinchazón suave que se puede aplastar, a diferencia de la osteoartritis, con la que se da una hinchazón huesosa", afirma la reumatóloga. Otros indicios de la artritis reumatoide son el entumecimiento matutino de todo el cuerpo, una fatiga parecida a la de la gripe, fiebre y disminución del apetito.

¡Que no cunda el pánico!

Desde luego no cualquier dolorcillo en el codo significa que haya artritis. La enfermedad adopta tantas formas distintas que usted podría tener alguna variante menos conocida. ¿Qué otro significado pueden tener el entumecimiento o la fiebre?

La bursitis o la tendinitis, dos afecciones inflamatorias temporales de las articulaciones, llegan a parecerse a la osteoartritis, indica la Dra. Brady. Pueden manifestarse de repente y desaparecer al cabo de varios días o semanas.

Un virus también puede ser la causa de síntomas muy parecidos a los de la artritis reumatoide, de acuerdo con la Dra. Harrison. Dos culpables comunes son el parvovirus B19, cuyos síntomas febriles con frecuencia se transmiten de los niños en edad escolar a sus madres jóvenes, y la hepatitis C, que llega a causar hinchazón en las articulaciones pequeñas de las manos. Las diversas molestias y dolores generados

Mamá siempre decía

¿Tronarse los dedos realmente provoca artritis?

La respuesta sencilla es que no, hasta donde sepamos. Sin embargo, hay un par de explicaciones diferentes del sonido que se produce al tronarse los dedos. Una es que en realidad se revientan las burbujas de aire en el líquido sinovial de las articulaciones de los dedos, como cuando se revientan las burbujas de aire del chicle (goma de mascar). Otra explicación es que el sonido se produce cuando los tendones se jalan de golpe por encima de una pequeña protuberancia en los huesos, lo cual probablemente tiene más sentido.

No hay pruebas de que esta práctica lleve a la artritis. Solía hablar sobre la artritis delante de grupos y esta era una pregunta común. Como respuesta les decía: "Es posible que su abuela le haya dicho que no lo hiciera, pero lo más probable es que lo haya prohibido porque le caía mal".

Si bien abusar de una articulación o usarla en demasía puede conducir a la artritis, tronarse los dedos ejerce presión sobre la articulación por un instante y no significa un esfuerzo repetitivo y constante. Si alguien lo hace varias veces al día todos los días, no me preocuparía. A la vista de lo que sabemos hoy en día, este hábito probablemente no aumente el riesgo de sufrir artritis. En todo caso sólo hará que se enojen las personas que estén cerca.

Información proporcionada por la experta
Teresa J. Brady, Ph.D.
Consejera médica
Fundación para la Artritis
Atlanta

por los virus comunes de la gripe también pueden confundirse con la artritis.

El hormigueo y la falta de sensibilidad en los dedos que acompañan el síndrome del túnel carpiano pueden asociarse a la artritis reumatoide, pero también se producen sin relación alguna con una afección médica.

¿A quién debo ver?

Debe comenzar con su médico de cabecera y posiblemente quedarse con él, recomienda la Dra. Brady, siempre y cuando esté al corriente de los nuevos hallazgos en torno a esta enfermedad. Si bien un especialista en la artritis, como un reumatólogo o un endocrinólogo, no necesariamente representa el siguiente paso, la experta comenta: "Definitivamente necesita a alguien que se mantenga al día. Si su médico le dice: 'Oh, sólo es artritis, acostúmbrese a ella', será el momento de pedir otra opinión".

Es posible que le recomienden a un terapeuta físico u ocupacional para que le enseñe ejercicios que alivien o reduzcan los síntomas.

Pedir una segunda opinión a un experto en medicina alternativa es una opción que incluso el gobierno federal parece ansioso por explorar en estos días. La Dra. Callahan ha participado en un estudio por encargo de los Institutos Nacionales de la Salud, a fin de explorar las opciones alternativas para el tratamiento de la artritis. "Interrogamos a médicos y hallamos que el 49 por ciento recomendaría algún tipo de terapia alternativa", informa.

¿Qué debo esperar?

En vista de que no existe cura para la artritis, el tratamiento se concentra en controlar la afección. "Un plan adecuado de control tiene que ir más allá de los medicamentos, que es lo primero en lo que piensa la gente —observa la Dra.

Brady—. Son igualmente importantes las estrategias de autotratamiento, como perder peso, empezar una actividad física apropiada y tratar de disminuir la presión sobre las articulaciones afectadas".

Además de estas estrategias, los tratamientos más comunes incluyen baños calientes, compresas frías, proteger las articulaciones con aparatos ortopédicos y tablillas y, de ser necesario, someterse a una intervención quirúrgica para reemplazar las articulaciones gastadas.

No obstante, las mujeres que padecen artritis sufren más que sólo dolor en las articulaciones. También experimentan dolor emocional debido a la enfermedad. "De manera muy dramática, la artritis suspende la capacidad para funcionar —afirma Susan Brace, R.N., Ph.D., una psicóloga clínica que trabaja en Los Ángeles—. Cosas pequeñas, como partir los alimentos con un tenedor, llegan a ser imposibles. Esto despierta el temor de que tal vez no vayamos a ser independientes siempre".

La Dra. Brace recomienda las siguientes tácticas para hacer frente al impacto psicológico de la artritis.

Enrole a un equipo de apoyo. Sus seres queridos deben saber que usted en algún momento puede sentirse frustrada por no poder hacer ciertas cosas, lo cual tal vez le provoque enojo o desesperación. "Es importante expresar estos sentimientos y ser escuchada por las personas que están a su alrededor", indica.

Mantenga la chispa. "Afirme: 'No dejaré que esto me detenga'. No renuncie a la vida —exhorta la Dra. Brace—. La artritis puede dañarle

PREGUNTAS Y RESPUESTAS

¿Por qué las articulaciones truenan y crujen más conforme envejecemos?

El cartílago, los ligamentos y los huesos se desgastan en el interior de las articulaciones al rozarse unos con otros a lo largo de los años. Si su cuello truena al moverlo de cierta manera, o bien sus rodillas al subir o bajar las escaleras, tal vez no haya motivo de preocupación. Cuando una paciente me indica: "Me truenan las rodillas. ¿Debo preocuparme por ello?", le contesto: "Si no la molesta, no. No se preocupe".

Sin embargo, si los tronidos se ven acompañados por otros síntomas, como dolor al moverse, pudiera ser indicio de osteoartritis. Digamos que un médico le examina las rodillas porque truenan. Al moverlas de cierta forma usted siente dolor. Al examinar sus rótulas el médico palpa los fragmentos sueltos de cartílago que las están haciendo tronar. Además de eso, le duele al subir las escaleras. Todos estos síntomas en conjunto pueden ser señal de una osteoartritis temprana. Por el contrario, si usted se queja de que le truena el cuello, pero no le duele y domina todo su rango de movimiento, es posible que el médico simplemente le indique: "Deje de tronárselo; no lo fuerce". De hecho el tronar y crujir en general, sobre todo en una persona más joven, no tiene mucha importancia.

Información proporcionada por la experta
La Dra. Sicy H. Lee
Profesora clínica adjunta de Medicina
Escuela de Medicina de la Universidad de Nueva York
Ciudad de Nueva York

las articulaciones, cierto, pero su espíritu está hecho de otra materia".

Consejos que curan

Los profesionales médicos han hecho grandes avances a lo largo de los últimos años en lo que se refiere a tratar la artritis tanto con medicamentos como con ejercicio. A continuación le presentamos algunas de las armas más actualizadas que se están utilizando para luchar contra la enfermedad.

Inhibidores Cox-2. Calman tanto el dolor como la inflamación, pero con una gran diferencia en comparación con los medicamentos anteriores: no descomponen el estómago como sus primos, los medicamentos antiinflamatorios no esteroídicos (o *NSAIDs* por sus siglas en inglés).

DMARDs. Esta abreviación corresponde a las siglas en inglés de los medicamentos antirreumáticos que modifican la enfermedad. Dos de ellos, la leflunomida *(Arava)* y la ciclosporina *(Neoral)*, han sido aprobadas por la Dirección de Alimentación y Fármacos para frenar la artritis reumatoide. La ciclosporina es un medicamento desarrollado originalmente para prevenir el rechazo de órganos por parte de los pacientes de un transplante. Ambas sustancias de hecho frenan los daños de la enfermedad antes de que se vuelvan irreversibles.

Suplementos viscosos. Estos preparados sustituyen el ácido hialurónico, la sustancia resbaladiza —normalmente contenida en el líquido de la articulación— que la artritis elimina. A fin de aliviar el dolor de una osteoartritis entre leve y moderada de la rodilla, los suplementos viscosos se inyectan directamente en la articulación.

Ejercicio. "Un número cada vez mayor de estudios demuestran que caminar y otros tipos de actividades realmente les ayudan a las perso-

DE MUJER A MUJER

Ella utiliza el yoga para controlar el dolor de su artritis

Al igual que su madre, Lois S. Hazel padece osteoartritis de la espina dorsal. No obstante, a diferencia de aquella, esta profesional de la industria editorial de 54 años de edad, de Kintnersville, Pensilvania, emplea el yoga como un antídoto suave para sus síntomas. Ha obtenido más beneficios de los que esperaba. Esta es su historia.

Me estaba acercando a los 50 años cuando mi dolor de espalda me obligó a ver a un cirujano ortopédico. Me recomendó actividad física para fortalecer los músculos que apoyan la espalda y para aumentar mi elasticidad. Necesitaba un escape del estresante trabajo de mercadotecnia que estaba haciendo en ese momento, algo que me relajara (tengo la presión arterial alta). El yoga pareció una buena forma de lograr todas esas cosas.

Entré a una clase de Sivananda yoga para principiantes que se ofrecía en un centro cercano para la buena forma física y enseguida me enamoré de la actividad. Al igual que todas las disciplinas de yoga, el Sivananda hace énfasis en la respiración, el relajamiento y la postura correcta. El alivio al estrés se produjo casi de inmediato. Después de la primera clase hubiera podido dormir como un bebé, y al mismo tiempo me sentí renovada y serena.

Fue lo más asombroso que hubiera experimentado jamás, como una superdroga sin efectos secundarios malos. Regresé una y otra vez y aún puedo afirmar que después de 6 años nunca me ha decepcionado.

De vez en cuando la enfermedad se recrudece, lo cual es común para la osteoartritis. Se siente como si una mano enorme se metiera y me apretara la espina muy, muy

nas con artritis", afirma la Dra. Callahan. Andar en bicicleta, bailar, hacer yoga o bien ejercicios dentro del agua pueden ayudar a reducir el entumecimiento y el dolor.

fuertemente. El dolor literalmente me llega a quitar el aliento. Doy un grito ahogado, dejo lo que esté haciendo y hago unas respiraciones de yoga o por lo menos cambio de posición para obtener alivio. Me busco un lugar tranquilo para hacer algunos estiramientos de yoga y la mejoría siempre es perceptible.

El yoga también me ha ayudado a bajar la presión arterial, lo cual fue una bendición cuando hace poco me operaron de la boca. Antes de la intervención me calmé con unas respiraciones de yoga, y eso me ayudó a superar el procedimiento con un mínimo de estrés.

Me gusta hacer las cosas de manera natural, así que probé el sulfato de glucosamina y el sulfato de condroitina, que sé les funcionan muy bien a muchas personas con artritis. Mi cuñado, un terapeuta físico, me recomendó estos suplementos porque les habían funcionado de maravilla a algunos de sus pacientes. Después de 5 meses en realidad no observé ningún cambio, de modo que me quedé simplemente con el yoga, además de caminar todos los días y de tomar un analgésico vendido sin receta de manera ocasional. A fin de mantener fuertes los músculos de la espalda también hago ejercicios abdominales.

Empezar a hacer yoga fue una de las mejores decisiones que he tomado jamás con respecto a mi salud. Cuando el dolor ataca, con tan sólo acordarme de respirar y de concentrarme en conducir el aliento hacia mi espina definitivamente me sirve. Literalmente puedo sentir cómo esa mano gigantesca se afloja y se relaja.

La artritis debilitó mucho a mi madre durante los últimos años de su vida y no quiero terminar del mismo modo. El yoga me está ayudando a recorrer otro camino.

Alternativas que alivian

"El sulfato de glucosamina puede crear cartílago nuevo", declara Lorilee Schoenbeck, N.D., una naturópata de Shelburne, Vermont. Citando a colegas que han observado pruebas radiográficas de este fenómeno, la Dra. Schoenbeck dice que utiliza el suplemento particularmente en pacientes afectados de las rodillas, que por lo común suelen ser esquiadores. "Tengo a varios pacientes de más de 40 años que tuvieron que dejar de esquiar debido a la osteoartritis de las rodillas —relata—. El sulfato de glucosamina les ha permitido volver a vivir una temporada normal de esquí". La experta recomienda el siguiente régimen.

Déle tiempo. Con una dosis de 500 miligramos tres veces al día, el sulfato de glucosamina puede tardar entre 3 y 6 meses en dar resultados, indica la Dra. Schoenbeck. El suplemento por lo general se consigue en la farmacia o bien en la tienda de productos naturales.

Pruebe la condroitina. No todos los casos de osteoartritis responden al sulfato de condroitina, otro popular remedio. "La única forma de averiguarlo es probándolo", afirma la Dra. Schoenbeck. Más o menos la mitad de sus pacientes con osteoartritis dicen sentir menos dolor cuando toman entre 250 y 500 miligramos de sulfato de condroitina tres veces al día, además de su sulfato de glucosamina. No obstante, según agrega, algunos de sus pacientes obtienen alivio con la condroitina exclusivamente y otros no notan ninguna diferencia.

Agregue pescado. Los suplementos de aceite de pescado ofrecen la mayor concentración de los antiinflamatorios ácidos grasos omega-3, de acuerdo con la Dra. Schoenbeck. Su solución a la hinchazón: 1,000 miligramos de aceite de pescado con ácido eicosapentanoico (o *EPA* por sus siglas en inglés, un ácido graso) hasta tres veces al día con los alimentos. No tome aceite de pescado si padece diabetes o presión arterial alta (hipertensión) no controlada, o bien si es alérgica a cualquier tipo de pescado. En vista de que el aceite de pescado afecta el tiempo de sangrado cuando el cuerpo sufre una herida, evítelo si tiene un trastorno del sangrado, si toma anticoagulantes o si recurre con frecuencia a la aspirina. El aceite de pescado puede hacer sangrar la nariz y aumentar la propensión a sufrir cardenales (moretones, magulladuras), además de descomponer el estómago, así que deje de utilizarlo si experimenta cualquiera de estos problemas.

Alcance alivio. La Dra. Schoenbeck, una antigua instructora de yoga, elogia los estiramientos suaves de este arte como una manera maravillosa de preservar la flexibilidad y de aumentar el flujo de sangre a las articulaciones.

Ayúdese con agujas. La acupuntura, esa antigua práctica china de insertar agujas finas en el cuerpo, está adquiriendo reconocimiento como un remedio eficaz para aliviar el dolor. Dos estudios sobre la osteoartritis de la rodilla comunicaron una reducción del dolor y una mejoría en la capacidad de caminar.

Súrtase de cerezas. De acuerdo con un estudio llevado a cabo por la Universidad Estatal de Michigan, sólo 20 cerezas ácidas al día bastan para aliviar el dolor y la inflamación de la artritis. Contienen unas sustancias llamadas antocianinas, las cuales parecen tener un efecto antioxidante y también antiinflamatorio en las articulaciones.

Programe un poco de pimienta. La pimienta de Cayena roja no sólo sabe picante sino también aporta un cálido alivio a las articulaciones adoloridas. Las sustancias químicas que contiene —capsaicina y salicilatos— pueden aplicarse en forma de crema de capsaicina. Después de aplicársela siempre lávese las manos muy bien, para evitar que la crema se le meta a los ojos.

Ame sus articulaciones con jengibre. Ponga unas rodajas finas de jengibre fresco en un colador para té y déjelas en infusión durante 10 minutos en una taza de agua recién hervida. Una vez que haya enfriado lo suficiente para podérselo tomar, bébalo. Es posible que modere el dolor matutino de la artritis reumatoide.

Tranquilícela con té verde. Es posible que los compuestos antioxidantes del té verde alivien o incluso prevengan la artritis reumatoide, según las investigaciones financiadas por la Fundación para la Artritis.

Diabetes

Hubo un tiempo en que la vida de los diabéticos estaba dominada por dietas rigurosas sin azúcar, rígidas metas en cuanto a pérdida de peso y agotadores regímenes de medicamentos. Se les decía que no podían comer helado, hacer deporte ni tener bebés. Sus opciones profesionales y libertad eran limitadas. Gracias a Dios las cosas han cambiado. Actualmente no sólo es posible sino también altamente probable que los diabéticos logren dominar su enfermedad y lleven vidas plenas y gratificantes.

Con esto no pretendemos insinuar que resulte fácil convivir con la diabetes. Crea complicaciones en casi todos los aspectos de la vida de una mujer: su carrera profesional, matrimonio, maternidad y menopausia. No obstante, la forma actual de controlar la enfermedad permite que uno pueda lograr y disfrutar un estilo de vida equilibrado y saludable.

Desafortunadamente, de las más o menos 8.1 millones de mujeres en los Estados Unidos que padecen algún tipo de diabetes, hasta 2.7 millones no saben que la tienen y no están recibiendo atención alguna.

El problema es que si no se trata o controla adecuadamente, la diabetes puede dañar los órganos vitales, los tejidos corporales y las venas y derivar en un ataque cardíaco, derrame cerebral o daños a los riñones, ojos y nervios, según explica Elizabeth A. Walker, R.N., D.N.Sc. (doctora en Ciencia de la Enfermería) y directora de atención y educación para la salud con la Asociación Estadounidense de la Diabetes.

¿Qué anda mal con el cuerpo cuando sufre usted diabetes? Dicho en términos sencillos se trata de que hay un exceso de glucosa —un tipo de azúcar— en la sangre. El cuerpo recibe glucosa de los alimentos que ingiere y la utiliza como combustible. Se transporta por medio del torrente sanguíneo, pero tiene que llegar a las células antes de poderse consumir como energía. La insulina, una hormona producida por el páncreas, es la llave que abre la puerta para que la glucosa entre a las células. Por lo común la diabetes se debe a un problema con la insulina.

La diabetes se presenta en tres variedades: el tipo I, el tipo II y la diabetes de la gestación. "En las personas con diabetes del tipo I el problema es que disminuye la cantidad de insulina en el páncreas, lo cual con el tiempo llega a significar

Mamá siempre decía

¿Puede darme diabetes por comer demasiada azúcar?

Ni el azúcar ni ningún carbohidrato, que al descomponerse se convierten simplemente en azúcar, causa la diabetes. La diabetes en realidad representa una alteración de la forma en que el metabolismo asimila el azúcar, ya sea que no se produzca una cantidad suficiente de insulina, como con la diabetes del tipo I, o bien que exista una resistencia contra los efectos de la insulina, como en el caso de la diabetes del tipo II.

La diabetes se caracteriza por un exceso de glucosa en la sangre. La glucosa es un azúcar que el cuerpo produce cuando se ingieren carbohidratos. La diabetes existe porque este proceso metabólico no funciona como debiera, no porque se haya consumido un exceso de azúcar desde niño.

La mayoría de los expertos piensan que las causas de la diabetes son genéticas o ambientales. El sobrepeso, la falta de actividad física, los antecedentes familiares y la raza o bien el grupo étnico particular son algunos de los factores de riesgo para esta enfermedad.

Información proporcionada por la experta
La Dra. Florence Brown
Médico sénior de planta
Centro Joslin para la Diabetes
Universidad de Harvard

significa que si bien la producen, su cuerpo no la asimila de manera eficaz".

La diabetes de la gestación también implica resistencia a la insulina y por lo común mejora al nacer el bebé. Durante el embarazo puede dar diabetes debido al aumento de peso de la madre, el cual eleva la producción de insulina, explica la Dra. Katz.

Los factores de riesgo: el tipo I

La diabetes del tipo I, o dependiente de la insulina, corresponde a entre el 5 y el 10 por ciento de todos los casos de esta enfermedad. "Tanto la diabetes del tipo I como la del tipo II se deben a múltiples factores", afirma la Dra. Katz. Se desconoce la causa exacta de la diabetes del tipo I, pero es posible identificar algunos factores de riesgo.

Un padre o madre diabético. "La tendencia a enfermar de diabetes del tipo I puede heredarse —señala la Dra. Katz—. El riesgo aumenta sólo un poco si se tiene a un hermano o hermana diabético".

Una alteración. Aunque se herede la tendencia a la diabetes, otros factores ambientales, como una enfermedad, deben entrar en acción para que se manifieste. "Es posible que ciertos virus o respuestas de autoinmunidad formen parte del mecanismo que la provoca", explica la Dra. Katz.

La raza. La diabetes del tipo I es más común en las personas blancas norteamericanas que en los afroamericanos o latinos.

que no se produce *nada* de insulina", indica la Dra. Melissa D. Katz, profesora adjunta de Medicina en el departamento de Endocrinología y Metabolismo en el Colegio Médico Weill de la Universidad de Cornell en la ciudad de Nueva York. Todos los pacientes de la diabetes del tipo I tienen que tomar insulina, pero sólo algunos de la del tipo II la necesitan. "Los diabéticos del tipo II producen insulina, pero en menor cantidad —indica la experta—. Los pacientes del tipo II son resistentes a la insulina, lo cual

Los factores de riesgo: el tipo II

Si usted padece diabetes del tipo II, a la que con frecuencia se le dice "diabetes del adulto" o "de comienzo tardío", no se encuentra sola. "Más o menos el 95 por ciento de los diabéticos en este país corresponden al tipo II", comenta la Dra. Caroline Richardson, miembro de número de la asociación erudita Robert Wood Johnson Clinical Scholars y conferencista en el departamento de Medicina Familiar del Sistema de Salud de la Universidad de Michigan en Ann Arbor. Puede correr riesgo si alguno o varios de los siguientes factores son aplicables a su caso.

Grupo étnico. "Existen ciertos grupos de la población en los que la resistencia a la insulina parece ser más común", explica la Dra. Katz. El índice de hispanos y afroamericanos con diabetes del tipo II es más o menos el doble del que afecta a los blancos norteamericanos, y en los indios norteamericanos es un 6 por ciento más alto que en los blancos norteamericanos.

Obesidad. Al parecer la tendencia genética de la diabetes del tipo II debe ser desencadenada por una fuerza externa, como el exceso de peso. "Las personas con forma de manzana, que acumulan más grasa en la parte superior del cuerpo, tienen predisposición a la resistencia a la insulina", indica la Dra. Katz.

Edad. La mayoría de los casos de diabetes del tipo II se dan en personas mayores de 45 años, así

PREGUNTAS Y RESPUESTAS

¿Por qué mi mamá tuvo que tomar inyecciones de insulina contra su diabetes, mientras que el médico me dice que sólo necesito seguir una dieta especial y hacer ejercicio para controlar la mía?

Hoy en día sabemos más que hace 20 años acerca de los beneficios del control alimentario y del ejercicio para manejar la diabetes. Sabemos que con perder sólo entre 10 y 15 libras (5 a 7 kg) es posible mejorar el control de la glucosa, mientras que hace años los médicos automáticamente usaban insulina para controlar la enfermedad.

Lo triste es que muchas personas se van a los extremos al pensar en la diabetes. Se les ha dicho o piensan erróneamente que deben perder mucho peso y limitar su alimentación hasta el grado de privarse a fin de mejorar su salud. Muchos profesionales de la salud hablan de una conformidad del 100 por ciento, lo cual significa que el paciente debe hacer todo correctamente el 100 por ciento del tiempo. Sin embargo, cuando se trate de mejorar el nivel de la glucosa en sangre es posible que esto no sea necesario.

De acuerdo con la Asociación Estadounidense del Corazón así como con la Asociación Estadounidense de la Diabetes, si las personas logran perder el 10 por ciento de su peso, o bien 15 libras en promedio, mejorará su presión arterial, colesterol y glucosa en sangre. En pocas palabras, no se deje abrumar. Concéntrese en pequeñas metas. Y aunque tenga que usar un medicamento es posible que pueda dejarlo una vez que pierda un poco de peso y comience a hacer ejercicio y a llevar una alimentación saludable.

Es importante que las personas se alimenten correctamente y hagan ejercicio para que aprovechen mejor la insulina que sus cuerpos producen y quizá aplacen la necesidad de insulina adicional en el futuro.

Información proporcionada por la experta
Gail D'Eramo Melkus, Ed.D.
Profesora adjunta y enfermera
Escuela de Enfermería de Yale

que debe empezar a poner mucha atención a cualquier señal de advertencia al llegar a la madurez.

Diabetes de la gestación. "Una mujer que padeció diabetes de la gestación en uno o varios de sus embarazos corre un mayor riesgo de contraer diabetes del tipo II posteriormente en la vida", afirma la Dra. Katz. Si tuvo un bebé que pesó 9 libras (4 kg) o más al nacer, la probabilidad aumenta aún más.

Los factores de riesgo de la diabetes de la gestación, que se da en más o menos el 4 por ciento de los embarazos, incluyen obesidad, antecedentes familiares de diabetes materna y el haber padecido diabetes de la gestación en un embarazo anterior.

La prevención

En vista de que aún no se comprende del todo la causa de la diabetes del tipo I —se supone que es tanto genética como ambiental—, posiblemente no sea posible prevenirla. No obstante, se están llevando a cabo amplios estudios científicos concebidos para descubrir cómo prevenir tanto la diabetes del tipo I como la del tipo II. La mejor forma de disminuir el riesgo de padecer diabetes del tipo II tal vez sea cambiando algunos aspectos del estilo de vida a fin de mantener un peso normal, tener una alimentación más baja en grasa y hacer mucho ejercicio, recomienda la Dra. Walker.

Póngase de pie. "Se piensa que un estilo de vida sedentario contribuye a la aparición de la diabetes del tipo II", afirma la Dra. Katz. Hecho con regularidad, el ejercicio combate la resistencia a la insulina, lo cual reduce en mucho la probabilidad de que se manifieste la diabetes del tipo II. Por otra parte, si padece diabetes del tipo I, el

La trombosis

La trombosis, es decir, la coagulación, es un proceso natural que ocurre cuando se golpea un brazo o una pierna, provocando la formación de un coágulo o un cardenal (moretón, magulladura). Si el coágulo es normal, termina por disolverse y la herida se cura. No obstante, la formación de coágulos dentro de vasos sanguíneos sanos es anormal y puede poner en peligro la vida.

La amenaza que un coágulo anormal plantea depende tanto de su tamaño como de su ubicación. Un coágulo obstructivo en una arteria del cerebro, por ejemplo, puede provocar un derrame cerebral. Los coágulos en las arterias coronarias que conducen al corazón representan una de las principales causas de ataques cardíacos. Los coágulos en las venas que llevan al ojo pueden provocar la pérdida de la vista, mientras que un coágulo que bloquee una vena en los pulmones puede provocar falta de aliento e incluso la muerte.

Entre las señales de un coágulo están un dolor repentino y aislado en el brazo o la pierna, seguido por decoloración de la piel, hormigueo, entumecimiento o una sensación de frío en las extremidades; un bulto azuloso duro en una vena; ceguera repentina o parcial; un mareo intenso o vértigo que afecta la capacidad para pararse o caminar; y falta de aliento o desmayos. Sin embargo, con frecuencia los coágulos no producen síntomas evidentes hasta que es demasiado tarde.

Las investigaciones demuestran que la tendencia a la coa-

ejercicio ayudará a mantener bajos sus niveles de glucosa en sangre.

Líbrese de las libras. "La diabetes del tipo II es mucho más común en las personas obesas", comenta la Dra. Katz. Por lo tanto, reducir su grasa corporal es importante.

Adelgace su alimentación. Reducir la grasa de la alimentación posiblemente ayude a prevenir la diabetes. "Se piensa que las personas que tienen una alimentación muy alta en grasa son más predispuestas a la diabetes del tipo II", explica la Dra. Katz.

gulación anormal de la sangre a veces es genética, dice la Dra. Alice Ma, profesora adjunta de Hematología en la Universidad de Carolina del Norte en Chapel Hill.

"Hay otros coágulos que también afectan específicamente a la mujer, sobre todo durante el embarazo, el parto y el mes que sigue al parto", indica. Si una mujer padece un coágulo durante el embarazo tal vez sea necesario recetarle anticoagulantes, los cuales son seguros para el bebé, agrega la Dra. Ma.

Es posible que las píldoras anticonceptivas aumenten la probabilidad de la mujer de desarrollar coágulos en las piernas y posiblemente también su riesgo de sufrir un embolismo pulmonar, el cual se da cuando un coágulo se desplaza hasta los pulmones. Entre los demás factores de riesgo figuran fumar, un estilo de vida sedentario, obesidad y cirugía.

Para impedir la coagulación anormal, la mejor opción es tener una alimentación equilibrada, hacer ejercicio con regularidad y tomar mucha agua, particularmente si anda de viaje o ha permanecido inmóvil durante mucho tiempo. Si va a viajar en carro o en avión, por ejemplo, asegúrese de tomarse un tiempo durante el viaje para hacer estiramientos, sugiere la Dra. Ma.

Es posible que las personas propensas a tener problemas con la coagulación de la sangre necesiten tomar anticoagulantes durante toda su vida, ya sea de manera normal, intravenosa u oral, afirma la Dra. Ma.

Señales y síntomas

Si usted se parece a muchas mujeres que llevan vidas muy plenas y ocupadas, seguramente es la última persona a la que atiende y es posible que sus propios problemas de salud no figuren sino hasta el final de su lista de pendientes. No obstante, por muy poco tiempo que tenga debe mantenerse atenta a ciertas señales y síntomas de la diabetes. Tenga presente que los síntomas de la diabetes del tipo I por lo común aparecen de repente, mientras que los de la diabetes del tipo II quizá no se manifiesten sino hasta sufrir complicaciones.

Orinar frecuentemente. "La poliuria, es decir, orinar con frecuencia o en exceso, puede ser indicio de diabetes del tipo I o del tipo II", advierte la Dra. Katz. La poliuria es peligrosa porque puede agravar la deshidratación que de por sí se da a causa de la enfermedad, indica la experta.

Tener mucha sed. La polidipsia, o el exceso de sed, es otro indicio de diabetes tanto del tipo I como del tipo II. La sed se debe a la pérdida de líquidos a causa de la poliuria.

Visión borrosa. La visión borrosa puede ser indicio tanto de diabetes del tipo I como del tipo II. "Altos niveles de glucosa en sangre pueden distorsionar el cristalino", explica la Dra. Katz.

Contrae infecciones frecuentes y tercas. La diabetes del tipo II puede provocar infecciones repetidas o difíciles de curar en el cuerpo a causa del elevado nivel de glucosa en sangre. Las infecciones típicamente atacan la piel, las encías, la vagina o la vejiga.

Está perdiendo mucho peso. La diabetes del tipo I a menudo causa una pérdida repentina y extrema de peso.

¡Que no cunda el pánico!

Cuando se les considera en conjunto, los síntomas de la diabetes son bastante característicos, indica la Dra. Florence Brown, médico sénior de planta en el Centro Joslin para la Diabetes de la Universidad de Harvard. "En todo caso, el problema con la diabetes suele ser que a veces el diagnóstico falla". Considerados por separado, los síntomas pueden indicar otras afecciones, explica la Dra. Brown. Una pérdida repentina e inexplicable de peso pudiera ser resultado de una tiroides hiperactiva. La visión borrosa, sobre todo en los mayores de 40 años, puede ser señal de cambios relacionados con el envejecimiento. Y orinar en exceso tal vez signifique que se infectó el tracto urinario. Sin embargo, aunque sólo muestre uno o dos síntomas probablemente debería hacerse revisar para ver si padece diabetes, particularmente si alguno de los factores de riesgo se aplica a usted.

Aunque descubra que sufre diabetes no hay necesidad de entregarse al pánico, afirma la Dra. Brown. El diagnóstico no es tan terrible. Al fin y al cabo puede hacer mucho al respecto.

¿A quién debo ver?

Si se le diagnostica con diabetes del tipo I ó II, puede atenderse con varios expertos. Quizá decida acudir primero a su médico de cabecera. "La mayoría de los diabéticos nunca ven a un especialista en diabetes, que por lo común es un endocrinólogo", indica la Dra. Richardson. Los médicos de cabecera suelen estar bien capacitados para controlar la diabetes del tipo II y muchos de ellos también tratan a diabéticos del tipo I.

"Algunos casos de diabetes son más difíciles de controlar que otros —señala la Dra. Richardson—. Si tanto el paciente como el médico de cabecera tienen la impresión de que la diabetes no se está controlando todo lo bien que debería, quizá le convenga consultar al endocrinólogo".

Las enfermeras instructoras *(nurse educators)* y los nutriólogos especializados en el control de la diabetes pueden informar acerca de todas las conductas necesarias para controlar la diabetes,

---

ANEMIA POR DEFICIENCIA DE HIERRO

Probablemente haya visto los anuncios de televisión: una joven mujer o madre se queja de sentirse agotada o débil o de no poder dormir lo suficiente, y el comentarista afirma que un suplemento de hierro es la respuesta a sus plegarias.

No obstante, la anemia por deficiencia de hierro en realidad se diagnostica con demasiada frecuencia, opina la Dra. Suzanne Swietnicki de la Clínica Mayo en Jacksonville, Florida. "En términos generales el hierro se receta demasiado en los Estados Unidos. En gran medida a causa de muchos anuncios de vitaminas, la gente parece pensar que cuando están cansados necesitan tomar hierro. No obstante, tomar hierro puede ser malo para la salud a menos que se cuente con una razón más allá de sólo sentirse cansada".

La anemia por deficiencia de hierro, que es el tipo más común de anemia, consiste en la falta de hierro en la sangre. La razón más común de la deficiencia de hierro son menstruaciones abundantes que duren más de 7 días. También puede deberse a la pérdida de sangre, una alimentación deficiente, una mayor necesidad de hierro o alguna afección médica oculta. El embarazo también aumenta el riesgo de padecer la anemia por deficiencia de hierro. La deficiencia de hierro no siempre produce anemia, pero puede causar otros pro-

---

afirma la Dra. Richardson. Una enfermera instructora le enseñará a revisar sus niveles de glucosa en sangre, tomar su medicamento correctamente y vigilar su alimentación.

Ya sea que padezca diabetes del tipo I o del tipo II, es posible que sea propensa a síntomas secundarios que requieran consultar a otros médicos especializados. Si padece coronaritis debe consultar a un cardiólogo, indica la Dra. Katz. Tal vez también le haga falta consultar a un nefrólogo si tiene problemas renales. "Recomiendo que todos los diabéticos consulten a un oftalmólogo dos veces al año para descubrir

blemas, como fatiga y debilitamiento del sistema inmunitario.

La mayoría de las veces no nos damos cuenta de que somos anémicas. Sin embargo, en casos graves es posible que se experimente fatiga y debilidad extremas, mareos o desmayos, falta de aliento o palpitaciones. Otro síntoma es palidez en la piel, la matriz de las uñas y los párpados inferiores.

Además, es posible que varios grupos de mujeres —entre ellas las de ascendencia mediterránea, india y afroamericana— padezcan una anemia genética llamada talasemia que puede diagnosticarse erróneamente como una anemia por deficiencia de hierro.

Los profesionales de la salud normalmente no recomiendan los suplementos de hierro a menos que se confirme una deficiencia de hierro. De hecho, el exceso de hierro llega a hacer daño porque puede producir enfermedades del hígado y del corazón. No obstante, si a usted le diagnosticaron específicamente la anemia por deficiencia de hierro, quizá se le recete un suplemento.

La mejor forma de prevenir la anemia por deficiencia de hierro es mediante una alimentación equilibrada que contenga alimentos ricos en hierro como la carne roja o de ave y el pescado; verduras verdes, como el brócoli y la espinaca; y legumbres, como los frijoles (habichuelas) y los chícharos (guisantes, arvejas).

pronto cualquier enfermedad de la retina", dice la experta. Consultas periódicas con el podiatra también son útiles porque al disminuir la sensibilidad en los pies es posible que se queden sin atender cortadas e infecciones.

"Para los pacientes con diabetes del tipo II que no hacen ejercicio ni caminan con regularidad es posible que el asesor más importante sea un entrenador personal —afirma la Dra. Richardson—. Los entrenadores personales son expertos en ayudar a pacientes sedentarios a volverse físicamente activos". Si no le alcanza para un entrenador personal, puede motivarse más entrando a una clase de ejercicios o haciendo ejercicio con un grupo de amigas.

¿Qué debo esperar?

Cuando primero le diagnosticaron la diabetes pensó que se estaba muriendo, recuerda la antigua Miss America Nicole Johnson, que padece diabetes del tipo I. "No obstante, una vez que me informé mejor acerca de la enfermedad aprendí que puedo controlarla", indica. A pesar de que un diagnóstico de diabetes del tipo I ó II requerirá hacer algunos cambios en el estilo de vida, es posible llevar una vida sana y feliz a pesar de la enfermedad.

Ya sea que sufra de diabetes del tipo I ó II, tendrá que mantener su nivel de glucosa en sangre lo más cerca posible de lo normal. Si padece diabetes del tipo I —y posiblemente también en el caso de la del tipo II—, tendrá que tomar insulina, probablemente autoinyectada. Su médico o enfermera le dirá cuánta insulina necesita, cuándo tomarla y qué clase de insulina tomar. "En lugar de inyectarse la insulina, tal vez también le den una bomba de insulina", comenta la Dra. Katz. Del tamaño de un bíper, la bomba introduce insulina en el abdomen a través de un pequeño catéter. "La bomba le da un nivel elemental de insulina en todo momento, pero puede programarla para darle más antes de una comida o de hacer ejercicio", explica.

Controlar la glucosa en sangre requerirá seguir un plan de alimentación que le indicará cuándo comer y cuánto. "La nutrición es muy importante para controlar tanto la diabetes del tipo I como la del tipo II", indica la Dra. Katz. El régimen probablemente será un poco más estricto si padece diabetes del tipo I.

La diabetes del tipo I también la obligará a vigilar su nivel de glucosa en sangre. Lo hará pinchándose el dedo y analizando su sangre con un aparato que le indicará su nivel de glucosa. También es posible que necesite hacer pruebas en casa si tiene un caso grave de diabetes del tipo II.

Independientemente de que su diabetes sea del tipo I ó II, es probable que se le recete una rutina de ejercicio. El ejercicio le ayuda al cuerpo a utilizar la glucosa en sangre y por lo tanto baja el nivel de esta. Si padece diabetes del tipo II, muy probablemente se le indicará hacer ejercicio además de bajar de peso a fin de controlar el nivel de glucosa en sangre.

Además de todo, la diabetes puede empeorar los cambios relacionados con la menopausia, como falta de deseo sexual, sequedad vaginal y dolor durante el coito. Durante su menstruación o la menopausia, tal vez observe que su glucosa en sangre enloquece.

Hacer frente a la diabetes, al igual que a cualquier enfermedad crónica, puede significar un desafío tanto físico como emocional. Controlar la diabetes es un trabajo de tiempo completo que requiere habilidad para motivarse constantemente a hacer las cosas que la mantendrán sana. Los expertos sugieren las siguientes tácticas para ayudar a mantener en buena forma tanto su mente como su cuerpo.

No niegue la enfermedad. La mayoría de las personas pasan por una fase de negación cuando primero las diagnostican con diabetes, pero insistir en la negación durante mucho tiempo puede resultar peligroso. Si se da cuenta de que anda diciendo cosas como "un solo bocado no me hará daño" o deja de llevar a cabo procedi-

DE MUJER A MUJER
La determinación es la clave

Nicole Johnson lleva más de 7 años con diabetes. Como la Miss America de 1999, Johnson, de 26 años, recorrió decenas de miles de millas al año para sugerirles a las personas que se informaran acerca de la enfermedad. Su mensaje a los diabéticos es sencillo: Mantén el control y no abandones el esfuerzo.

Cuando primero averigüé que padecía diabetes quedé deshecha. Pensé que me estaba muriendo.

En aquel entonces estaba en la universidad, trabajaba de medio tiempo y hacía malabarismos para acomodar tanto mis actividades extraacadémicas como el trabajo de voluntaria. Los fines de semana había empezado a competir dentro del programa de Miss America, con la esperanza de ganar becas que me ayudaran a pagar la escuela.

Cuando los médicos por fin comprendieron que padecía la diabetes del tipo I, tuve que dejar la escuela y suspender todas mis demás actividades. Aprendí que mi supervivencia dependería de un suministro constante de insulina, además de que tendría que analizar mi glucosa en sangre regularmente.

Me dijeron que no debía tomar refresco (soda) y que nunca más podría volver a probar un postre. Tenía miedo de no poderme casar ni tener hijos. Estaba consciente de que en el mejor de los casos sería difícil ejercer una profesión como el periodismo, en el que se enfrentan muchas presiones. ¿Y ganar un concurso importante de belleza? No era la

mientos necesarios como medir su azúcar en sangre, es posible que se encuentre en un estado de negación. A fin de recuperar el paso nuevamente apunte su plan de atención médica y metas así como las razones por las que estas son importantes.

Alivie el estrés. El estrés de controlar la diabetes puede ser abrumador, pero hay formas de reducirlo. Compartir sus experiencias con los miembros de un grupo de apoyo puede ayudar. A veces también sirve agregar actividades positivas a

única que albergaba dudas al respecto. Mucha gente me dijo que mis metas y sueños serían imposibles de alcanzar.

Durante meses sentí temor, autocompasión e ira. ¿Por qué yo? ¿Cómo contraje la enfermedad? ¿Qué pasaría conmigo? Tenía un millón de preguntas y conforme aprendía más acerca de la diabetes parecía hallar casi el mismo número de respuestas.

Al poco tiempo tomé la decisión de que, si bien tal vez no sería capaz de vencer la enfermedad, tampoco me dejaría vencer por ella.

Por lo tanto leí todo lo posible acerca de la diabetes. Hallé grupos de apoyo. Aprendí sobre el papel que desempeñan la alimentación, la nutrición y el ejercicio como auxiliares para controlar la enfermedad. No sólo volví a la escuela sino que me inscribí en el doble de materias y después me metí a una escuela de posgrado.

Trabajé de medio tiempo, conseguí una práctica en la televisión y volví al concurso de belleza.

Hicieron falta cinco intentos para ganar el título del estado que me llevaría al concurso de Miss America. Algunos me dijeron que no ganaría nunca a causa de la diabetes. Pero en 1999 me coronaron Miss America.

Les digo a los diabéticos que lo más importante que pueden hacer es someterse a análisis e instruirse. Luego, cuando dispongan de la información necesaria, tienen que asumir la responsabilidad de colaborar de manera activa con su equipo médico y de ser activos al cuidarse a sí mismos.

Consejos que curan

La diabetes se trata con planes de alimentación, ejercicio, medicamentos orales conocidos como sensibilizadores de insulina o inyecciones de insulina. La meta del tratamiento es mantener el nivel de glucosa en sangre lo más cerca posible del normal.

Además de recurrir a la alimentación y al ejercicio, los diabéticos tienen que darse tiempo para vigilar su nivel de glucosa en sangre. En el caso de la diabetes, el médico y el paciente fijan unos límites de glucosa en sangre como meta, los cuales pueden diferir un poco de los normales. Hacerse pruebas con regularidad le ayuda a asegurarse de que está cumpliendo con estas metas de glucosa en sangre. "Vigilar la glucosa en sangre, contar con esta información, es una herramienta poderosa. Le permite controlar su diabetes y no dejar que la diabetes la controle a usted", opina la Dra. Brown.

También es importante que los diabéticos controlen el nivel de grasas en su sangre. Un alto nivel de colesterol y de triglicéridos puede ocasionar otros problemas graves de salud, como enfermedades cardíacas y derrame cerebral. Las grasas en la sangre se controlan en parte a través de los mismos elementos que controlan los niveles de glucosa en sangre: una alimentación saludable y ejercicio.

Si el plan de alimentación y de ejercicio no bastara para alcanzar y mantener sus metas de glucosa en sangre, el siguiente paso para tratar la diabetes sería agregar medicamentos que bajen la glucosa en sangre, los cuales existen en forma de pastillas. Estos medicamentos, a los que se les dice sensibilizadores de insulina, se

su vida, como empezar con un programa de ejercicio, tomar clases de baile u ofrecerse como voluntaria para una causa caritativa.

No se rinda. Cuando experimente altibajos inesperados tenga presente que su nivel de glucosa en sangre es determinado también por factores externos además de sus propios esfuerzos. Los medicamentos, otras enfermedades y los acontecimientos importantes de la vida pueden interferir.

utilizan junto con una alimentación saludable y ejercicio para mejorar el tratamiento.

Alternativas que alivian

En vista del rápido aumento en el número de diabéticos, las tiendas de productos naturales y los expertos en medicina holística están ofreciendo una mayor variedad de suplementos para ayudar a controlar la glucosa. Jill Stanard, N.D., una naturópata que trabaja en Providence, Rhode Island, recomienda los siguientes tratamientos alternativos más comunes.

Gimnema **(gymnema)**. Las hojas de esta planta, que crece en las selvas tropicales del centro y sur de la India, parece ayudar a controlar el nivel de la glucosa en sangre. Se recomienda una dosis de 400 miligramos al día.

Mirtillo y ginkgo. Es posible que tanto el mirtillo *(bilberry)* como el *ginkgo* mejoren la circulación de los diabéticos y bajen el riesgo de que sufran lesiones en los ojos. Ambos se consiguen liofilizados *(freeze-dried)* o en forma de tintura *(tincture)*. Siga las indicaciones del fabricante. No utilice el *ginkgo* junto con medicamentos antidepresivos inhibidores de la MAO como sulfato de fenelsina *(Nardil)* o tranilcipromina *(Parnate)*, aspirina u otros medicamentos antiinflamatorios no esteroídicos, ni tampoco al mismo tiempo que medicamentos anticoagulantes como el warfarin *(Coumadin)*. El *ginkgo* también puede causar dermatitis, diarrea y vómitos cuando se toman dosis superiores a 240 miligramos del extracto concentrado.

Vitaminas. "La vitamina C puede ayudar a prevenir los daños a los vasos sanguíneos que acompañan la diabetes", indica la Dra. Stanard. Tome 500 miligramos por la mañana y otros 500 miligramos más adelante en el día. También tome 400 UI de vitamina E al día para ayudar a prevenir los daños a los vasos sanguíneos y ayudarles a las células a aprovechar la insulina. La niacina contribuye a mejorar la actividad de la insulina y 100 microgramos al día, en combinación con 200 microgramos de cromo, tal vez ayuden a normalizar los niveles de glucosa. Las dosis superiores a 35 miligramos deben tomarse bajo supervisión médica.

Al igual que en el caso de cualquier tipo de tratamiento, debe consultar a su médico u otro profesional de la salud antes de aplicar un tratamiento herbario o alternativo.

Enfermedades cardíacas

La mayoría de las mujeres consideran que el cáncer de mama es la peor amenaza contra sus vidas y salud. No obstante, el mayor peligro contra nuestra salud irónicamente no está al acecho en el seno, sino que late justo debajo de este.

Por cada mujer que muere por cáncer de mama, las enfermedades cardiovasculares se llevan a ocho.

"El doble de mujeres mueren por enfermedades cardíacas —ataque cardíaco, insuficiencia cardíaca, derrame cerebral: todas las enfermedades cardiovasculares— de las que mueren por todos los tipos de cáncer en conjunto —indica la Dra. Deborah J. Barbour, cardióloga, directora médica de la unidad de atención coronaria y directora del programa cardiovascular de la mujer en el Centro Médico Mercy de Baltimore—. La gente simplemente no lo sabe".

No lo sabemos porque estamos acostumbradas a pensar en las enfermedades cardíacas como asunto de hombres. "Nuestro modelo para el ataque cardíaco no es una mujer", afirma Susan Brace, R.N., Ph.D., una psicóloga clínica que trabaja en Los Ángeles. Es el hombre de negocios agresivo que se desploma sobre su portafolios en el ascensor (elevador), apretándose el pecho encima del corazón.

La verdad es que las enfermedades cardíacas no discriminan a nadie y se han convertido en las principales asesinas de mujeres en los Estados Unidos. Aparecen cuando la exposición constante a los efectos del estrés, aunada a presión arterial alta (hipertensión), daña las paredes internas de las arterias. Una grasa sanguínea pegajosa llamada placa entonces empieza a acumularse en las áreas dañadas. Los depósitos de placa (aterosclerosis o endurecimiento de las arterias) estrechan las arterias e invitan a la formación de coágulos sanguíneos, los cuales reducen o incluso interrumpen el flujo de sangre al corazón. El resultado puede ser un ataque cardíaco o derrame cerebral.

Los factores de riesgo

Las enfermedades cardíacas y su terrible hermano, el derrame cerebral, están relacionados con varios factores de riesgo identificados por la

Asociación Estadounidense del Corazón. Algunos son inevitables, pero podemos hacer mucho para modificar otros.

Primero los que no tienen remedio.

La edad. Alrededor de la menopausia el riesgo empieza a elevarse de manera continua.

La herencia. Si un familiar cercano ha padecido enfermedades cardíacas o derrame cerebral aumenta la probabilidad de que usted también padezca alguna de las dos afecciones.

La raza. Las mujeres negras tienen mayor probabilidad de padecer enfermedades cardíacas y derrame cerebral que las mujeres blancas norteamericanas.

El historial de salud. Si alguna vez ha sufrido un ataque cardíaco o derrame cerebral enfrenta un mayor riesgo de experimentar cualquiera de los dos en otra ocasión.

En cambio, es posible influir en los siguientes factores.

Fumar. El cigarrillo hace que el riesgo se dispare. El dúo integrado por fumar y la píldora anticonceptiva es aún más mortífero.

Un alto nivel de colesterol en la sangre. Este factor de riesgo, uno de los más importantes en lo que se refiere a las enfermedades cardíacas, también conspira para provocar derrames cerebrales.

Presión arterial alta. También conocida como hipertensión, se trata del factor de riesgo más significativo en lo que se refiere al derrame cerebral, y se ubica entre los primeros 10 en el caso de las enfermedades cardíacas.

Inactividad. Quizá piense que una vida entregada al ocio es un sueño hecho realidad, pero a su corazón no le gustará.

PREGUNTAS Y RESPUESTAS

¿Por qué se sabe con tanta frecuencia de hombres que caen muertos por un ataque cardíaco de repente, sin advertencia alguna, pero rara vez se escucha algo semejante con respecto a las mujeres?

Esta descripción corresponde a un problema de salud particular que se llama "muerte cardíaca súbita" (o *SCD* por sus siglas en inglés). No se trata del "ataque cardíaco masivo" que hemos oído comentar; es más, ni siquiera es un ataque cardíaco. La causa de la muerte cardíaca súbita puede ser un ataque cardíaco, pero con frecuencia no lo es. A lo que se debe es a un paro cardíaco: el corazón deja de funcionar de repente debido a un cambio mortal en el ritmo de sus latidos, lo cual inesperadamente produce la muerte. La razón por la que no escuchamos que afecte a las mujeres en la misma medida que a los hombres es que efectivamente se encuentra menos difundida entre nosotras. Algunos investigadores especulan que el estrógeno natural tal vez ayude a proteger a las mujeres contra la muerte cardíaca súbita.

Dentro del marco de un estudio llevado a cabo por el

Sobrepeso. El exceso de grasa, sobre todo alrededor de la cintura, puede causarle problemas cardiovasculares.

Diabetes. Una diabética tiene un riesgo hasta siete veces mayor de sufrir enfermedades del corazón que una mujer sin diabetes de la misma edad. Sin embargo, dependiendo del tipo de diabetes que padezca, podrá controlarla con insulina o bien alimentación y ejercicio.

Estrés. A pesar de no que no está claro su papel en relación con las enfermedades cardiovasculares, las respuestas poco saludables al estrés, como fumar y comer en exceso, son reconocidos factores de riesgo.

Hospital General de Massachusetts en Boston, los investigadores examinaron las enfermedades cardíacas subyacentes que existían en las víctimas tanto masculinas como femeninas de la muerte cardíaca súbita. Las mujeres parecían tener menos probabilidad de padecer una enfermedad subyacente de la arteria coronaria: el 45 por ciento, en comparación con el 80 por ciento en los hombres. Esto indica que las mujeres que sufren una enfermedad de la arteria coronaria de hecho tal vez estén protegidas contra la muerte cardíaca súbita.

Necesitamos averiguar cuál es la diferencia entre los hombres y las mujeres en lo que se refiere a los factores de riesgo para la muerte cardíaca súbita, como fumar, la presión arterial alta (hipertensión) y la diabetes. Prevenir es la clave, porque el índice de supervivencia después de un paro cardíaco repentino es realmente desolador, fluctuando entre un 6 y un 25 por ciento. Cualquier cosa que pueda reducir los riesgos resultará de importancia vital.

Información proporcionada por la experta
La Dra. Christine Albert
Instructora en Medicina en la Escuela de Medicina de Harvard
Electrofisióloga cardíaca en el Hospital General de Massachusetts

La prevención

Si usted tiene algunos de los factores de riesgo que pueden cambiarse —y no importa el tiempo que los haya tenido—, afortunadamente puede empezar de inmediato a modificarlos y domarlos. He aquí algunas sugerencias para que empiece ya.

Supere los cigarrillos. "Hay fumadoras que llegan a preguntarme sobre hierbas medicinales y vitaminas —indica la Dra. Sharonne N. Hayes, directora de la Women's Heart Clinic de la Clínica Mayo, una clínica especializada en la salud cardiovascular de la mujer— y les digo: 'Espere un momento. Su nivel ligeramente elevado de colesterol no la matará; sus 10 libras (5

kg) de sobrepeso no la matarán; pero su tabaquismo sí'". El género es una desventaja en este caso, afirma la Dra. Hayes, porque la misma cantidad de cigarrillos les crea un mayor riesgo de sufrir enfermedades cardíacas a las mujeres que a los hombres.

Quítese del sillón. El movimiento en forma de ejercicio hace frente a casi todas las causas que pueden prevenirse de las enfermedades cardíacas, según la Dra. Elizabeth Ross, una cardióloga del Washington Hospital Center en Washington, D. C., y autora de un libro sobre la salud cardíaca de la mujer. "Mejora la condición cardíaca y baja la presión arterial, la glucosa en sangre y el estrés. No podría pedirse una mejor receta".

Este menú de beneficios saludables para el corazón cuenta con el apoyo de casi 100 estudios analizados recientemente por dos médicos universitarios, uno de la Universidad de Toronto y el otro del Centro Médico de la Universidad de Boston. Observaron que actividades físicas como caminar, nadar y hacer aeróbicos ayudan a bajar la presión arterial, evitando el problema de la presión arterial alta; contribuyen a bajar el nivel de colesterol en la sangre; desalientan la formación de coágulos de sangre y mejoran el funcionamiento de los vasos sanguíneos.

Aligere su corazón. El ejercicio también desempeña un importante papel para controlar otro factor de riesgo: la obesidad. Mantener un peso saludable ayuda a evitar las complicaciones de la obesidad que afectan al corazón, de acuerdo con la Dra. Ross. "Las personas obesas suelen tener un nivel más bajo de actividad, un elevado nivel de colesterol, diabetes y presión arterial más alta", comenta.

(continúa en la página 338)

PRESIÓN ARTERIAL ALTA (HIPERTENSIÓN)

Lo más probable es que pueda recitar sin ningún problema su estatura y el número que calza, ¿pero qué tal su presión arterial? Esta medida de la fuerza con la que la sangre presiona las paredes de los vasos sanguíneos es una indicación numérica de su capacidad para salvar —o amenazar— su vida.

Para que se pueda decir que un adulto tiene la presión arterial alta o bien hipertensión, la medida de su presión debe dar 140 sobre 90 (140/90) o más. El primer número representa la presión sistólica, es decir, la fuerza con la que la sangre presiona al latir el corazón. El segundo número es la presión diastólica, la cual mide la fuerza que la sangre ejerce cuando el corazón se encuentra en reposo.

De acuerdo con la Asociación Estadounidense del Corazón, la presión arterial alta indica que el corazón tiene que trabajar más duro de lo normal para bombear la sangre y el oxígeno hasta los órganos y los tejidos. Esta carga adicional aumenta el peligro de sufrir varios problemas, entre ellos arteriosclerosis (endurecimiento de las arterias), ataque cardíaco y derrame cerebral.

Se ha dicho que la presión arterial alta es una "asesina silenciosa" porque nada nos advierte de su presencia. Es más, en arriba del 95 por ciento de los casos se desconoce su causa. Lo que sí sabemos, por otra parte, es que les da con más frecuencia a los afroamericanos, a las mujeres que toman la píldora anticonceptiva, a los diabéticos y a los obesos.

Los medicamentos pueden ayudar a controlar la presión arterial alta, pero existe un mejor tratamiento. "El ejercicio probablemente sea el medicamento más fuerte del que disponemos para combatir la presión arterial alta y las enfermedades cardíacas —afirma la Dra. Janice Christensen, profesora adjunta de Medicina Clínica en el Colegio de Medicina de la Universidad de Arizona en Tucson—. La mayoría de los fármacos disponibles disminuyen el riesgo cardiovascular entre un 20 y un 40 por ciento, pero un estudio tras otro han demostrado que incluso hacer ejercicio con moderación reduce el riesgo de tener problemas cardíacos hasta en un 50 por ciento". A continuación delinearemos las sugerencias de esta experta para controlar mejor la presión arterial.

Muévase. Para bajar de peso y también su presión arterial, levántese y ande. Sobre todo en el caso de las mujeres, la inactividad física aumenta el riesgo. A fin de mantenerse sana, haga algún tipo de ejercicio de intensidad moderada —como caminar a paso rápido, nadar o aeróbicos— durante por lo menos 30 minutos la mayoría de los días de la semana.

Siga las indicaciones del médico. Si le dice que lleve una alimentación baja en sal o bien que tome medicamentos contra la presión arterial alta, hágalo; de otra forma su presión puede subir.

Mídasela en casa. La presión arterial puede subir y bajar cada hora o de un día al otro. Por lo tanto, los monitores caseros son útiles para llevar un registro de las lecturas. "Los monitores caseros ayudan a encontrar la presión promedio a lo largo de los meses y los años", señala la Dra. Christensen. La experta recomienda la versión aneroide disponible comúnmente, con el estetoscopio, el brazalete y el indicador de cuadrante que ya conocemos, o bien un monitor digital con un despliegue de pantalla electrónica. Pídale a su médico o enfermera indicaciones acerca de cómo utilizar el monitor casero adecuadamente. Las lecturas de su presión arterial serán inexactas si el brazalete es del tamaño equivocado, así que también debe pedirle al médico que la asesore acerca del mejor tamaño para usted, además de solicitarle que revise la precisión de su máquina inicialmente y luego cada año.

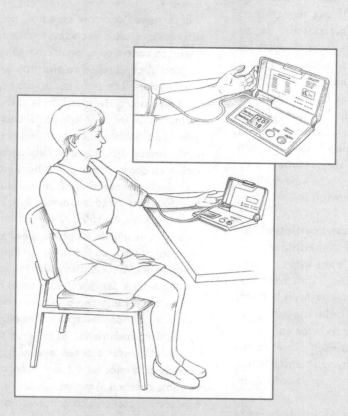

Para utilizar un monitor casero de la presión arterial, siéntese en una silla que le brinde apoyo a su espalda, sin cruzar las piernas ni los tobillos. Coloque el brazo sobre una mesa o un escritorio a la altura de su corazón y ajuste el brazalete a su alrededor arriba del codo. Algunos modelos digitales populares se inflan automáticamente, mientras que con otros hay que apretar una pera de goma. La lectura de la presión aparecerá en la pantalla o sobre el cuadrante. Las máquinas digitales para revisar la presión arterial en casa son portátiles y fáciles de usar. Los controles y las lecturas de la presión arterial vienen marcados con claridad.

Estudie sus números. Un exceso del colesterol lipoproteínico "malo" de baja densidad (o *LDL* por sus siglas en inglés) y la presión arterial alta dañan los vasos sanguíneos y promueven las enfermedades cardíacas, de modo que es importante controlar ambos factores. La recomendación de la Dra. Barbour es elemental y simple: hágase revisar la presión sanguínea y el colesterol una vez al año. Su médico le dirá qué tan bajos deben estar. Y si está tomando algún medicamento, no lo suspenda ni haga cambios sin consultar antes a su médico.

Cuide su corazón comiendo. Su boca también ayuda a determinar la salud de su corazón. Para asegurar una buena nutrición, los expertos recomiendan que ponga énfasis en la fruta, las verduras y los productos a base de cereales integrales y reduzca su consumo de alimentos altos en grasa, como productos panificados, alimentos fritos, hojuelas y galletitas *(cookies)* empaquetadas.

Pierda presión. A fin de bajar la presión arterial alta, los expertos recomiendan que coma un diente de ajo al día (evite los suplementos de ajo si está tomando anticoagulantes como preparación para una intervención quirúrgica, ya que el ajo tiene un efecto anticoagulante en la sangre y tal vez también incremente la hemorragia). Asimismo sugieren probar potasio (por lo menos 3,500 miligramos al día a través de alimentos como las papas al horno y el cantaloup/melón chino) o una dosis combinada de entre 30 y 60 miligramos cada una de la coenzima Q$_{10}$ y L-carnitina, las cuales se venden en las tiendas de productos naturales. Consulte a su médico antes de tomar L-carnitina y tenga presente que la coenzima

DERRAME CEREBRAL

El término "derrame cerebral" no presagia nada bueno, además de resultar algo vago. "Ataque cerebral", por el contrario, se centra en el problema: el suministro de sangre y oxígeno al cerebro se ve afectado y las células cerebrales pueden morir. Los síntomas, todos repentinos, incluyen entumecimiento o debilidad de la cara, el brazo o la pierna, normalmente de un solo lado del cuerpo; confusión; dificultades para hablar o comprender; problemas para ver con uno o ambos ojos; mareos; falta de equilibrio o de coordinación así como dolores de cabeza intensos e inexplicables.

El derrame cerebral sigue siendo la tercera causa de muerte en los Estados Unidos. Todos los años se rebasa en mucho la cifra de 150,000 fallecimientos por este motivo. Asimismo es una de las principales razones de discapacidad entre los adultos en los Estados Unidos. Se calcula que dos millones de personas radicadas en este país deben batallar con la parálisis, las dificultades en el habla y la mala memoria que el derrame cerebral puede ocasionar, mientras que un millón padecen discapacidades muy menores.

Desafortunadamente las mujeres somos el blanco preferido de este asesino cerebrovascular, ya que nos corresponde más o menos el 62 por ciento de las muertes por derrame cerebral. Aquellas que fuman y toman píldoras anticonceptivas con un alto contenido de estrógeno realmente

Q$_{10}$ puede disminuir la eficacia del anticoagulante warfarin *(Coumadin)*.

Acorrale al colesterol. Los expertos ofrecen una amplia variedad de opciones de nutrición para controlar el colesterol. Uno de los remedios herbarios más recientes es el guggulu, la resina de un árbol que crece en la India. Un estudio mostró una caída del 24 por ciento en el nivel del colesterol después de haber observado durante 12 semanas un régimen de 500 miligramos diarios de guggulu. En raras ocasiones el guggulu provoca diarrea, agitación o hipo.

Las investigaciones también demuestran los

están en dificultades: enfrentan un riesgo 22 veces mayor que el promedio de padecer un derrame cerebral.

"Los derrames cerebrales son muy comunes. La gente solía decir que no se podía hacer mucho si se tenía uno: simplemente se recuperaba o no —afirma la Dra. Audrey S. Penn, subdirectora del Instituto Nacional para los Trastornos Neurológicos y el Derrame Cerebral en Bethesda, Maryland—. No obstante, hoy en día la prevención y el tratamiento oportuno son una realidad".

A continuación los consejos de la Dra. Penn para ayudar a protegerla contra el derrame cerebral.

Controle la presión arterial alta (hipertensión). Se trata del factor de riesgo más grande para el derrame cerebral, además de colaborar de manera crucial en el cuadro de las enfermedades cardíacas y la insuficiencia renal.

Deje de fumar y punto. Los cigarrillos promueven la acumulación de grasa en las arterias carótidas, el principal camino por el que la sangre viaja al cerebro.

Hágase examinar el corazón. Las enfermedades cardíacas que se quedan sin diagnosticar son una gran amenaza, ya que pueden producir coágulos que reducen la afluencia de sangre al cerebro.

Mueva ese cuerpo. "El ejercicio es bueno para todo: el corazón y la presión arterial, así como para reducir el riesgo de sufrir un derrame cerebral", indica la Dra. Penn.

beneficios del fenogreco (alholva, rica, *fenugreek*), una hierba disponible en forma de semillas o cápsulas (de 1 a 2 cucharadas o dos cápsulas de 580 miligramos tres o cuatro veces al día), así como de una cucharadita diaria de cúrcuma (azafrán de las Indias, *turmeric*) molida, la hierba india que se espolvorea sobre la carne de ave, el pescado y los frijoles (habichuelas) (también puede tomar una cápsula de 150 miligramos de cúrcuma tres veces al día). Evite la cúrcuma si tiene un elevado nivel de ácido estomacal, úlceras, cálculos biliares u obstrucción de los ductos biliares.

También es posible combatir el colesterol con una ración de 3 onzas (84 g) de algún pescado que contenga muchos ácidos grasos omega-3, como la caballa (escombro, macarela), el salmón o el atún; proteínas de soya (elija su producto favorito de soya y consuma 47 gramos al día); semilla de lino (linaza, *flaxseed*) molida (pruebe una cucharada con el cereal, la sopa o el yogur); y de 500 a 1,000 miligramos diarios de vitamina C.

Señales y síntomas

Si bien ambos sexos llegan a padecer enfermedades cardiovasculares sería un error suponer que estas puedan diagnosticarse y tratarse de la misma forma tanto en los hombres como en las mujeres. Este error, que suele conducir a que se posponga la atención médica, puede costarle la vida a una mujer.

El ataque cardíaco es el indicio más visible de una enfermedad cardíaca. Significa que el suministro vital de sangre al músculo cardíaco se ha reducido o detenido y que urge atención médica inmediata. "Las mujeres en realidad no tienen síntomas tan claros como los de los hombres", explica la Dra. Ross. Si bien un intenso dolor de pecho se considera la bandera roja clásica del ataque cardíaco, en el caso de las mujeres es posible que no ondee de manera igualmente llamativa.

Tiene que saber cuándo actuar. Ahora le diremos cómo.

Conozca los síntomas clásicos. Entre los que con mayor frecuencia asociamos a un ataque cardíaco figuran una sensación de presión, plenitud, opresión o dolor en el centro del pecho que se prolonga por más de unos minutos; un dolor que se extiende hacia los hombros, el cuello o los brazos; o bien molestias en el pecho acompañadas por mareos, desmayos, sudoración, náuseas o falta de aliento.

Tome en cuenta las diferencias. En vista de que de acuerdo con la Dra. Barbour las mujeres somos más propensas a mostrar síntomas que no son ni clásicos ni típicos, usted tiene que estar al pendiente de otras señales como falta de aliento, constricción del pecho, una sensación repentina y abrumadora de fatiga o náuseas.

Sentir tensión o dolor en la mandíbula, los dientes, el cuello, la garganta, el hombro o entre los omóplatos también es una señal de advertencia.

Cualquiera de estos síntomas no necesariamente significa que esté sufriendo un ataque cardíaco o se encuentre a punto de tener uno, pero sí indica que su médico de cabecera debe revisarla, advierte la Dra. Barbour.

¡Que no cunda el pánico!

Cualquiera de las señales de advertencia del ataque cardíaco puede deberse también a otras afecciones, algunas de ellas relativamente menores. "No necesita acudir al cardiólogo por cualquier punzada", afirma la Dra. Hayes. A veces la sensación de presión en el pecho no será más que un recuerdo gaseoso del *dip* de frijoles (habichuelas) que comió antes de cenar. No obstante, si sus síntomas le parecen aunque sea ligeramente preocupantes, consulte a su médico.

Hay otros ejemplos de afecciones que llegan a parecerse al ataque cardíaco. Los síntomas de la acidez (agruras, acedía) o del reflujo esofágico

DE MUJER A MUJER
Su "ataque cardíaco silencioso" por fin alzó la voz

Es posible sufrir un ataque cardíaco sin saberlo siquiera. Pregúnteselo a Gladys M. Leist, de 72 años, quien no se enteró del suyo hasta meses después. Dos ataques cardíacos más adelante, la enfermera psiquiátrica retirada aprecia muchísimo cada día activo y libre de dolor que vive. Esta es su historia.

Hace unos 10 años mis hijos y nietos me fueron a visitar a mi casa de Rochester, Minnesota, para una cena familiar. Enseguida de que terminamos de comer sentí un poco de dolor en el pecho, pero lo aché a la indigestión. Empecé a sentirme muy mal, así que una de mis hijas, que es enfermera, me ayudó a llegar al baño. Me desmayé.

Cuando volví en mí recuerdo que sentía muchísimo calor, así que le pedí a mi hija que llenara la bañadera (bañera, tina) con agua fresca. Al meterme volví a desmayarme y mi hija habló por teléfono a la sala de urgencias del hospital. Después de eso me sentí bien, por lo que no fui al hospital y en realidad no pensé mucho en lo sucedido hasta unos meses después, cuando asistí a mi revisión física anual en la Clínica Mayo de aquí. El médico estudió los resultados de todas las pruebas y exclamó: "Vaya, Gladys, tuviste un ataque cardíaco, un ataque cardíaco silencioso. ¿Lo sabías?". No lo sabía.

Mi madre murió de problemas del corazón a los 62 años, por lo que siempre he tratado de cuidarme. Nunca fumé

—que es cuando los alimentos y jugos gástricos suben desde el estómago— pueden causar dolor de pecho, indica la Dra. Hayes. También señala que muchas articulaciones y músculos en el área del pecho y las conexiones que existen entre ellos pueden provocar molestias.

Por su parte, de acuerdo con la Dra. Barbour los síntomas localizados en el pecho también pueden deberse a una enfermedad de la vesícula

(excepto a los 18 años, aproximadamente por un año), siempre traté de comer bien (muchos alimentos bajos en grasa, frutas y verduras) y hago ejercicio.

Eso fue, más o menos, lo que el médico de la clínica me indicó que hiciera y estuve muy bien durante varios años.

Luego en 1994, durante una visita con mi hija que vive en Iowa, mi corazón se hizo notar con mucha fuerza. La mañana en que planeaba regresar a Minnesota en carro, me levanté con la sensación de que algo me oprimía el pecho. El dolor no se me quitó, pero de todos modos manejé las 3½ horas de regreso a casa. El dolor seguía ahí y también me sentía mal del estómago. Una vez que llegué a casa acudí a la sala de urgencias en el Hospital St. Mary's, donde me hicieron una cirugía que se llama angioplastia para abrir un vaso sanguíneo bloqueado.

Luego las cosas estuvieron otra vez bastante bien hasta el año pasado, cuando sufrí otro ataque cardíaco. Fui a la Clínica Cardíaca para Mujeres en la Clínica Mayo y me implantaron tres endoprótesis vasculares (*stents*). Son unos tubos de malla de acero inoxidable que mantienen abiertas las arterias. Al cabo de un mes reanudé todas mis actividades: hago ejercicio aeróbico, camino mucho, uso mi estera mecánica (caminadora, *treadmill*) en la casa, trabajo en el jardín y juego a la pelota con mis dos nietos.

No me mantengo callada acerca de las enfermedades cardíacas. Les hablo a mis amigas y a las mujeres de mi familia sobre los factores de riesgo, principalmente fumar, pero muchas de ellas lo siguen haciendo.

biliar, úlceras, un ataque de pánico o diversas causas más.

Haya o no síntomas, las investigaciones indican que muchas de nosotras de hecho tenderemos más a descartar la amenaza de la enfermedad cardíaca que a exagerar en nuestras reacciones. Un estudio de 200 mujeres entre 41 y 95 años realizado por la Escuela de Medicina de la Universidad de Stanford descubrió que sólo

el 34 por ciento estaban enteradas de que las enfermedades cardíacas son la principal causa de muerte en las mujeres mayores.

¿A quién debo ver?

Cuando no se trata de una urgencia, la primera parada debe ser su médico familiar o de cabecera. "Si siente presión en el pecho, dolor, náuseas o falta de aliento al hacer ejercicio, tiene que informárselo a su médico. Todos son síntomas preocupantes", afirma la Dra. Janice Christensen, profesora adjunta de Medicina Clínica en el Colegio de Medicina de la Universidad de Arizona en Tucson.

Si existe la sospecha de un problema cardíaco, es posible que la manden con un especialista en enfermedades cardíacas o cardiólogo.

La medicina alternativa ofrece un gran número de opciones, que llegan a ser idénticas a las de la medicina convencional. "Las enfermedades cardíacas son un área en la que las medicinas convencional y alternativa están comenzando a integrarse", señala Tori Hudson, N.D., médico naturópata, profesora en el Colegio Nacional de Medicina Naturopática y directora de la clínica especializada en la mujer A Woman's Time Clinic en Portland, Oregón.

"Una alimentación alta en fibra y baja en grasa saturada, con muchas frutas y verduras, comer soya, la importancia del ejercicio (. . .) todas estas son cosas que los médicos naturópatas hemos aplicado durante años —comenta—. Ahora las investigaciones clínicas nos respaldan". Sin embargo, el médico naturópata no puede tratar todos los casos de enfermedades cardíacas de manera eficaz él solo, advierte la Dra. Hudson. "Si me llega alguien con la presión arterial peligrosamente alta me comunico con el cardiólogo más cercano para que le recete un medicamento para la presión arterial, antes de probar las hierbas y los suplementos. Luego vemos si es posible reducir poco a poco los medicamentos a la vez que integramos terapias herbarias y de nutrición".

¿Qué debo esperar?

Los aspectos físicos de las enfermedades cardiovasculares adoptan muchas formas, desde el ataque cardíaco hasta el dolor crónico de pecho. También los métodos por medio de los cuales se establece el diagnóstico son muy diversos. En el consultorio del médico es posible que el reconocimiento físico comience con el típico brazalete y la pera de goma para medir la presión arterial. De ahí en adelante y de acuerdo con sus factores de riesgo, historial de salud y síntomas particulares, es posible que tenga que someterse a un electro-cardiograma, una radiografía del pecho, una prueba de estrés por ejercicio o una gammagrafía *(nuclear imaging test).*

No se fíe de la prueba de estrés con ejercicio, advierte la Dra. Barbour. "Las mujeres tendemos a obtener resultados erróneos de una sesión con la estera mecánica (caminadora, *treadmill*) porque nuestra respuesta al ejercicio no es la misma que la de los hombres". En cambio, la cardióloga prefiere un ecocardiografía de estrés o una gammagrafía de estrés *(stress test with imaging)* como una forma más confiable de probar el corazón en reposo y en situación de esfuerzo.

PREGUNTAS Y RESPUESTAS

¿Por qué dicen que usar hilo dental puede beneficiar mi corazón?

Ambas cosas están conectadas por las bacterias del sarro, esa capa pegajosa invisible que se acumula sobre los dientes. De no usar el hilo dental ni lavarse los dientes todos los días, además de recibir atención profesional periódicamente para retirar el sarro, se corre peligro de desarrollar una enfermedad periodontal (de las encías), como les sucede a tres de cada cuatro personas mayores de 35 años radicadas en los Estados Unidos. Las bacterias de la enfermedad de las encías pueden ingresar al torrente sanguíneo a través de los tejidos lastimados. Finalmente estas bacterias tal vez contribuyan al estrechamiento de las arterias y a la formación de coágulos, lo cual llega a provocar ataques cardíacos.

Nuestro equipo de investigación en la Escuela de Medicina Odontológica de la Universidad de Buffalo estuvo entre los primeros en hallar una conexión entre las bacterias del sarro y el riesgo del ataque cardíaco. Durante uno de nuestros estudios observamos que las personas afectadas por uno de los tipos más perjudiciales de bacterias orales poseían un riesgo mayor hasta en un 300 por ciento de sufrir un ataque cardíaco que las personas no afectadas por esta bacteria. Las investigaciones de seguimiento nos permiten afirmar con toda certeza que no es posible estar sano sin una boca sana.

Las recomendaciones más recientes son las siguientes.

Pida un reconocimiento completo de su boca. En cada visita ordinaria al dentista, no se limite a preguntar si

En lo emocional las enfermedades cardíacas llegan a tener un impacto tremendo. "Las mujeres que han tenido problemas cardíacos experimentan el 'factor del terror' —afirma la Dra. Brace—. Tienen mucho miedo de que les vuelva a ocurrir".

tiene caries. Pregúntele acerca de su acumulación de sarro y pídale un reconocimiento completo de las encías una vez al año.

Solicite sugerencias para usar el hilo dental. Puede usar el hilo dental constantemente sin eliminar el sarro de manera eficaz si su técnica o el material que seleccionó no son los indicados para usted. Muéstrele al higienista la técnica con la que usa el hilo dental y coméntele sus hábitos de cepillado. Pregúntele qué puede cambiar para mejorar su salud bucal.

Compre lo correcto para su boca. Es fácil equivocarse en vista de la gran cantidad de pastas de dientes, instrumentos auxiliares e hilos dentales diferentes que están disponibles en el mercado. Las pastas de dientes con control de sarro les ayudan a algunas personas, no a todos; hay enjuagues bucales con un efecto antibacteriano; algunos hilos dentales vienen recubiertos para evitar que se deshilachen. Su programa de atención bucal no debe armarse en torno a los anuncios comerciales. Pregúnteles a su higienista y al dentista qué es lo mejor para usted.

Al igual que darse una ducha (regaderazo) y lavarse el cabello, antes se consideraba que la salud bucal era simplemente una parte de la rutina diaria. Ahora sabemos que prevenir las enfermedades orales es mucho más importante de lo que antes creíamos.

Información proporcionada por la experta
Sara Grossi, D.D.S.
Directora clínica
Centro de Investigación en Enfermedades Perio-
  dontales
Universidad Estatal de Nueva York en Buffalo

La Dra. Brace, una antigua enfermera de atención coronaria que se especializa en tratar a personas con enfermedades crónicas y terminales, ha visto una amplia gama de respuestas al ataque cardíaco por parte de mujeres. "Algunas mujeres se vuelven más cuidadosas de manera razonable y otras se convierten en lo que llamamos 'discapacitadas cardíacas': no quieren ni tocar el azúcar por miedo a sufrir otro ataque y morir".

Sentir cierta medida de temor es totalmente normal, señala la Dra. Brace, y también lo es llorar la pérdida de un corazón sano. En términos médicos, un ataque cardíaco se llama un infarto de miocardio. "Lo de *infarto* significa que una parte del músculo del corazón no recibió sangre y murió", explica la experta.

Lamentar el hecho es sumamente común entre las mujeres a quienes se les diagnostica con una enfermedad cardíaca, afirma Dorothea Lack, Ph.D., profesora clínica adjunta en el departamento de Psiquiatría de la Universidad de California en San Francisco. "Hay culpabilidad (al pensar que ellas mismas causaron la enfermedad por no hacer ejercicio o por no comer sanamente), negación, choque (shock), ira, depresión y finalmente aceptación".

Desde luego cada mujer enfrenta su enfermedad cardíaca de manera distinta, comenta la Dra. Lack, quien se especializa en psicología de la medicina. A alguien que maneja los desafíos de la vida de manera relajada y tolerante probablemente le irá mejor que a una persona llena de ansiedad y arrebatada. A una abogada litigante no le irá igual de bien que a una instructora de yoga, observa.

Las dos psicólogas han encontrado que las siguientes tácticas son las más eficaces para ayudar a las mujeres a enfrentar las enfermedades cardíacas.

Llore si desea hacerlo. Es normal que

Dos planes de alimentación y ejercicio que exigen un consumo sumamente bajo de grasa se han apuntado éxitos cuando se trata de bajar el nivel del colesterol y el peso, pero requieren grandes cambios en el estilo de vida. Ambos planes, que fueron creados el uno por el Dr. Dean Ornish y el otro por Nathan Pritikin, afirman que el consumo de grasa debe limitarse a sólo el 10 por ciento de las calorías diarias, además de hacer ejercicio y manejar el estrés. ¿Serán la solución para todo el mundo? Lo más probable es que no.

"Para alguien que padezca una enfermedad cardíaca grave, es posible que los planes de Ornish o Pritikin estén bien —opina Beverly Yates, N.D., una doctora naturópata que ejerce en Seattle, autora de un libro sobre la salud cardíaca en la mujer afroamericana—. No obstante, para la persona común que quiere prevenir problemas, reducir el consumo de grasa más o menos al 10 por ciento sería muy difícil".

"Ornish y Pritikin han hecho trabajos innovadores —afirma la Dra. Elizabeth Ross, una cardióloga del Washington Hospital Center en Washington, D.C., y autora de un libro sobre la salud cardíaca de la mujer—. Sin embargo, hay que empatar la intervención con la gravedad de la enfermedad, así como con la capacidad del paciente para adaptarse". Si bien les recomienda el régimen estricto muy bajo en grasa a algunos de sus pacientes, la Dra. Ross señala que muchas personas se exceden en sus ansias por cumplir con estos programas.

Hace poco cuatro de las organizaciones de salud más importantes del país, incluyendo la Asociación Estadounidense del Corazón, emitieron unas "Pautas Alimenticias Unificadas" para ayudar a prevenir las enfermedades cardíacas y otras causas de muerte. En ellas recomiendan limitar la grasa al 30 por ciento del total de las calorías consumidas a diario, fijando el 55 por ciento como mínimo para los carbohidratos complejos de las frutas, las verduras y los cereales.

mos tanto a otras personas que pensamos que no debemos enfermarnos. Hay algunas cosas que no podemos arreglar ni cambiar", señala la Dra. Brace.

Mándese mensajes positivos. "El proceso del pensamiento resulta clave para rehabilitar a un paciente cardíaco", afirma la Dra. Lack. Cada quien graba su "cinta de audio" personal que repite una y otra vez en la mente. Es importante averiguar qué mensajes se están produciendo; asimismo, si son negativos, se debe tratar de cambiarlos, agrega.

Consejos que curan

Actualmente hay buenos motivos para conservar una actitud positiva ante el diagnóstico de una enfermedad cardíaca, señala la Dra. Hayes. La medicina convencional ofrece varias opciones y tratamientos, de los que algunos significan noticias particularmente buenas para las mujeres.

El diagnóstico. Una prueba no invasiva que se conoce como tomografía computarizada de haz electrónico (o *EBCT* por sus siglas en inglés) puede detectar una enfermedad cardíaca aun en las mujeres que no muestren síntomas externos. La EBCT escanea el corazón rápidamente con rayos X mientras late, en busca de problemas en las arterias.

Los medicamentos. Unos medicamentos que se llaman estatinas *(statins)* pueden reducir el nivel de colesterol de la mujer y por consiguiente la posibilidad de que padezca un primer ataque cardíaco, indica la

una enfermedad grave la afecte. Trate de aceptar sus sentimientos.

Sea indefensa a veces. "Las mujeres cuida-

Dra. Hayes. Una aspirina al día posiblemente funcione como medida de prevención para la mujer que ya haya sufrido un ataque cardíaco. Contra el dolor crónico de pecho también se pueden tomar unos medicamentos de acción prolongada que se llaman nitratos y betabloqueadores.

Instrumentos y materiales. A fin de abrir la carretera arterial para mejorar el flujo de sangre hacia el corazón, los médicos pueden realizar una angioplastia de globo, la cual implica insertar un catéter o tubo en una arteria estrecha y literalmente inflar el globo. A fin de evitar que las arterias ensanchadas vuelvan a cerrarse los médicos pueden implantar una endoprótesis vascular *(stent)*, un tubo de malla de alambre. Se han logrado enormes avances en los catéteres, los metales y las computadoras que se utilizan para estos procedimientos y otros más, dice la Dra. Hayes. "Actualmente estamos trabajando con éxito en arterias que no hubiéramos tocado hace 3 años. Se trata de una ventaja para las mujeres en particular, ya que sus arterias son más pequeñas que las de los hombres".

Cirugía. Existe un tipo de cirugía de *bypass* menos invasiva en la que la incisión se realiza debajo de un seno, informa la Dra. Hayes. En cuanto a las personas que no reúnen los requisitos para una operación de *bypass* debido a ciertos obstáculos, como la ubicación de sus oclusiones, una técnica de investigación parece prometedora. El nuevo procedimiento implica utilizar un rayo láser para promover el crecimiento de células nuevas en los vasos sanguíneos.

Alternativas que alivian

Las medicinas alternativa y convencional están de acuerdo en varios aspectos clave de la tarea de prevenir y tratar las enfermedades cardíacas: el ejercicio, la nutrición y el control del estrés. "Hay una enorme variedad de cosas que la medicina alternativa puede hacer a este respecto", afirma Beverly Yates, N.D., una doctora naturópata que ejerce en Seattle, autora de un libro sobre la salud cardíaca en la mujer afroamericana. A continuación le expondremos algunas de las terapias preferidas.

Maneje sus minerales. Si una mujer se dedica a actividades atléticas o tiene una alimentación de mala calidad alta en grasas saturadas y en ácidos transgrasos, es posible que requiera magnesio y calcio adicional, indica la Dra. Yates. Las dosis típicas son 350 miligramos diarios de óxido de magnesio y entre 1,200 y 1,500 miligramos diarios de carbonato de calcio. Las personas con problemas cardíacos o renales deben consultar a su médico antes de tomar suplementos de magnesio.

Pruebe hierbas. En el caso de las mujeres con presión arterial alta (hipertensión) o niveles elevados de colesterol, la Dra. Yates despliega un arsenal de diferentes hierbas: el espino (marzoleto, *hawthorn*), que se ha demostrado abre las arterias y mejora el flujo de sangre hacia el corazón; el *ginkgo*, por su acción doble al fortalecer los tejidos de las venas y aumentar la circulación de sangre en el cerebro; y el ajo, que se ha demostrado ayuda a reducir los niveles elevados de colesterol y a incrementar el colesterol lipoproteínico "bueno" de alta densidad (o *HDL* por sus siglas en inglés). La Dra. Yates también sugiere probar cítricos y bayas por sus bioflavonoides, unos compuestos que fortalecen los vasos sanguíneos.

Súbale a la soya. La harina de soya, los frijoles (habichuelas) de soya, el *tofu*: independientemente de la forma específica que elija, la Dra. Hudson recomienda que se trate de consumir 47 gramos de proteínas de soya al día. Esta fue la cantidad promedio, indica, que se sacó de un resumen de 38 pruebas clínicas que lograron reducir el colesterol en más del 9 por ciento debido al consumo de proteína de soya.

Favorezca la fibra. Sí, un plato de cereal de salvado de avena o de copos de avena *(oatmeal)* al día puede ayudar a bajar los niveles de colesterol entre el 8 y el 23 por ciento en tan sólo 3 semanas, señala la Dra. Hudson. Estas fuentes de fibra soluble, además de otras como frutas frescas y frijoles, incrementan la capacidad de los intestinos para excretar el colesterol.

Guárdese de las grasas "malas". Las grasas saturadas, que típicamente son las de origen animal, se asocian a niveles más altos de colesterol. Mejor utilice aceites monoinsaturados, como los de oliva y *canola*, y olvídese de la margarina,

insta la Dra. Hudson. "La margarina es una grasa insaturada convertida en saturada —explica—. Aumenta los niveles del colesterol LDL malo y reduce el colesterol HDL bueno, por lo que puede aumentar el índice de enfermedades cardíacas".

Goce las grasas "buenas". Para aprovechar los beneficios de los ácidos grasos omega-3, que acaban con los coágulos y bajan la presión arterial, según la Dra Hudson le conviene comer los siguientes tipos de pescados: salmón, atún, hipogloso *(halibut)*, caballa (escombro, macarela) y arenque.

Osteoporosis

Margaret Atwood, la novelista, poeta y crítico canadiense, dijo alguna vez: "El cuerpo femenino básico viene con los siguientes accesorios: liguero, faja, crinolina, camisola, polisón, sostén, peto, camiseta, zona virgen, tacones de aguja, nariguera, velo, guantes de cabritilla, medias de red, fichú, diadema, Viuda Alegre, velo de viuda, gargantillas, pasadores, pulseras, collares, impertinentes, boa de plumas, vestido negro básico, polvera, body de Lycra elástico con *modesty panel*, peinador de diseñador, camisón de franela, *teddy* de encajes, cama, cabeza".

La lista es exhaustiva, pero al parecer se le olvidó un artículo: el yeso para las mujeres que tienden a tener los huesos quebradizos.

La enfermedad del "hueso poroso", es decir, la osteoporosis, puede atacar a cualquier edad pero prefiere a las mujeres posmenopáusicas. Así ocurre porque el estrógeno, que desempeña un papel estelar en mantener la fuerza de los huesos, empieza a reducirse alrededor de la menopausia, lo que aumenta la susceptibilidad a la osteoporosis. Se trata de una enfermedad furtiva que carece de síntomas. De hecho el primer indicio de que los huesos se han vuelto frágiles puede ser una fractura —normalmente en la muñeca, la cadera o la columna— por un golpe o una caída. Con el tiempo los huesos llegan a hacerse tan quebradizos que se produce una joroba.

En resumen, no es nada bonito, pero tampoco inevitable. De hecho las expectativas para superar esta enfermedad están mejorando constantemente.

"La imagen que los medios de comunicación dan de la mujer mayor es de una persona encorvada y discapacitada", afirma Karen A. Roberto, Ph.D., profesora y directora del Centro para Gerontología en el Instituto Politécnico y la Universidad Estatal de Virginia en Blacksburg, Virginia. Si bien es cierto que la osteoporosis tiene la capacidad de desfigurar y dejar discapacitadas a sus víctimas, definitivamente no les sucede a todos los que tienen la enfermedad, indica. "Contamos con nuevas opciones para el tratamiento y hay nuevas esperanzas", indica la experta.

La esperanza es que la osteoporosis, que ronda nuestros esqueletos a hurtadillas como un ladrón, pueda ser atrapada antes de que robe la fuerza y el apoyo de nuestros huesos.

Los factores de riesgo

Si bien no hay nada que podamos hacer acerca de algunos de los principales factores de riesgo de la osteoporosis, otros definitivamente los controlamos. Por lo tanto, aunque tal vez sea imposible lograr que esta enfermedad desaparezca de la faz de la Tierra, cada una de nosotras puede hacer algunos cambios para ayudar a evitar que se convierta en un azote en nuestras vidas.

Los siguientes factores de riesgo son los que no podemos evitar, de acuerdo con la unidad de Osteoporosis y Enfermedades Óseas Similares de los Institutos Nacionales de Salud.

El género. Ocho de cada 10 estadounidenses que padecen densidad ósea baja u osteoporosis son mujeres. A lo largo de toda su vida, la mitad de las mujeres mayores de 50 años sufrirán una fractura de hueso debido a esta enfermedad.

La edad. Es cierto que el riesgo aumenta al paso de los años, ya que el tiempo les roba fuerza y densidad a los huesos. La baja en el nivel del estrógeno ocasionada por la menopausia, en combinación con la edad, es "la influencia más grande en lo que les sucede a los huesos de la mujer", de acuerdo con la Dra. Ethel S. Siris, directora del Centro Toni Stabile para la Prevención y el Tratamiento de la Osteoporosis en el Centro Médico Columbia-Presbyterian de la ciudad de Nueva York.

El tamaño del cuerpo. Si usted tiene los huesos pequeños y es delgada (pesando menos

LOS ESTEROIDES:
UN ESPANTO PARA LOS HUESOS

Los corticosteroides como la prednisona (*Deltasone*) o la dexametasona (*Decadron*) con frecuencia se les recetan a los pacientes de artritis reumatoide, asma, enfermedades pulmonares y otras afecciones crónicas. No obstante, si bien ayudan a aliviar los síntomas de estas enfermedades, por otra parte es posible que le allanen el camino a la osteoporosis.

"Debemos estar particularmente atentos con las personas que toman esteroides, porque sabemos que estos medicamentos pueden provocar la pérdida de masa ósea", indica Diana L. Anderson, Ph.D., directora del centro para la osteoporosis en el Centro Médico St. Paul de Dallas. Según informa, más o menos el 20 por ciento de las personas que asisten al centro toman algún tipo de esteroides, lo cual incrementa su riesgo de fracturarse.

Y es posible que este riesgo sea grande. De acuerdo con la Asociación Nacional para la Osteoporosis, tomar corticosteroides es uno de los diez factores principales de riesgo para esta enfermedad que consume los huesos. La pérdida de masa ósea a causa de los esteroides puede ser rápida, sobre todo durante los primeros 3 a 6 meses de tratamiento.

de 127 libras/58 kg) corre más riesgo que las mujeres más robustas.

La raza. Solía pensarse que las mujeres caucásicas y asiáticas enfrentaban un mayor riesgo que las mujeres afroamericanas e hispanas. No obstante, un estudio llevado a cabo por la Universidad de Columbia sugiere que los antecedentes étnicos son un factor menos importante de lo que muchos creían.

El historial familiar y personal. Será más susceptible a fracturarse un hueso si alguno de sus padres tiene un historial de fracturas o si usted ha sufrido una fractura de adulto.

A continuación expondremos los factores de riesgo que usted puede remediar.

"Si usted toma esteroides, necesita estar consciente del efecto que tienen sobre los huesos", dice la Dra. Anderson. La mayoría de los hombres que se están tratando en el Centro St. Paul para la Osteoporosis fueron enviados por sus reumatólogos debido al uso de esteroides, indica la experta. Por otra parte, tanto las mujeres como los hombres que han tenido transplantes del corazón o del pulmón también son enviados ahí con frecuencia porque algunos de sus medicamentos se roban la masa ósea, según afirma la directora.

Los huesos son presa de los esteroides por dos razones: en primer lugar, estos medicamentos reducen la capacidad del cuerpo para fabricar hueso; y en segundo impiden la absorción del calcio, un nutriente esencial para construir masa ósea.

La Dra. Anderson tiene los siguientes consejos para las mujeres que toman esteroides y se preocupan por la salud de sus huesos.

Estudie sus esteroides. Hable con el médico acerca de los medicamentos que está tomando y el efecto que pudieran tener en su esqueleto.

Acreciente sus cuidados. Debido a que corre más riesgo, debe controlarse y vigilar su salud con mucho cuidado.

Las hormonas sexuales. Debido a los bajos niveles de estrógeno, el riesgo puede aumentar con la ausencia anormal de la menstruación, incluyendo la suspensión premenopáusica de la menstruación a causa de anorexia, bulimia o un exceso de ejercicio. Lo mismo aplica a la menopausia normal o temprana.

La comida consumidora de huesos. ¿Ha tenido la costumbre de escatimar el calcio y la vitamina D a lo largo de su vida? Es posible que vaya a tener problemas.

Los medicamentos. Los medicamentos que se usan para tratar afecciones médicas crónicas como la artritis reumatoide y los ataques pueden acabar con los huesos. También aumentan el riesgo las hormonas tiroideas, los glucocorticoides, los anticonvulsivos y los antiácidos con aluminio.

El tabaquismo. Si aún le hace falta una razón para dejar de fumar, medite lo siguiente: al fumar aumenta al doble su riesgo de fracturarse un hueso por osteoporosis. Este hábito ha sido ligado a una menopausia más temprana, daños en las células óseas y obstrucción de la formación de masa ósea nueva.

Beber en exceso. Consumir mucho alcohol no es un hábito saludable, particularmente desde el punto de vista de la Fundación Nacional para la Osteoporosis (o *NOF* por sus siglas en inglés). Tomar demasiado incrementará su riesgo de desarrollar esta enfermedad.

La inercia. "Si es físicamente activa evitará la pérdida adicional de masa ósea que sufren las personas muy sedentarias", indica la Dra. Siris. Así que muévase.

La presión arterial alta (hipertensión). En un estudio que abarcó a 3,676 mujeres de 66 a 91 años, los médicos observaron que entre más alta la presión sanguínea, más masa ósea se pierde en la cadera, lo cual se traduce en un mayor riesgo de sufrir una fractura.

La prevención

Sí es posible vencer las probabilidades de sufrir osteoporosis, afirman los expertos. Las siguientes estrategias son las más importantes, según indica la Dra. Felicia Cosman, directora clínica de la NOF.

Reduzca los riesgos. Si uno o varios de los factores de riesgo que pueden cambiarse aplican en su caso, modifique la situación. Si fuma, deje de hacerlo. Beba menos. Si está tomando medicamentos que tal vez dañen los huesos, consulte a su médico acerca de la posibilidad de reducir las dosis o de cambiar de medicamento (pero no haga ningún cambio sin acudir a su médico). Si tiene niveles bajos de estrógeno, considere la terapia de reposición hormonal (o *HRT* por sus siglas en inglés). Controle su presión arterial. Y si no hace ejercicio, muévase, por supuesto.

Concéntrese en el calcio. El calcio que hace falta para construir masa ósea proviene de diversos lácteos (sin grasa o bajos en grasa), leche de soya y jugo enriquecidos con calcio y suplementos. Sin embargo, no dependa sólo de las pastillas para sumar sus 1,200 a 1,500 miligramos diarios. "Es importante que su alimentación más un suplemento le proporcionen por lo menos 1,200 miligramos de calcio al día", recomienda la Dra. Cosman.

Sin embargo, no cualquier suplemento de calcio sirve. Lea la etiqueta para averiguar su contenido elemental de calcio, dice la Dra. Cosman. Ese es el número importante que debe conocer si quiere cubrir sus necesidades diarias. Es posible, por ejemplo, que una pastilla de carbonato de calcio *(calcium carbonate)* de 1,000 miligramos sólo contenga 400 miligramos de calcio elemental. La mejor absorción se logra con citrato de calcio *(calcium citrate)*.

Dése la "D". La vitamina D le ayuda al cuerpo a absorber el calcio, por lo que es un instrumento muy importante para evitar la osteoporosis. Consuma 400 UI al día mediante un multivitamínico, un suplemento de vitamina D o un suplemento de calcio. La Dra. Cosman

Jo, de 55 años, sabe todo acerca de la osteoporosis. Se ha encargado de informarse. Después de la menopausia, tanto su madre como su abuela sufrieron unas fracturas terribles de la pierna y las costillas a causa de esta enfermedad, y Jo no tiene la menor intención de terminar del mismo modo. Por lo tanto lee todo lo que se encuentra sobre el tema, lleva años agregando calcio a su alimentación y hace ejercicio de resistencia al peso religiosamente para formar más masa ósea. Ahora que ella misma pasó de la menopausia su médico le ha recomendado una prueba de la densidad ósea. Sin embargo, ella se niega categóricamente. Desde su punto de vista ha hecho todo lo más "natural" posible para protegerse, y si a pesar de ello ha de terminar como su madre y abuela no quiere saber nada hasta que le suceda. ¿Deberá su doctor simplemente renunciar a tratarla?

En el caso de Jo lo que causa preocupación es lo que tal vez exista *sin que ella se entere*. Sin la prueba de la densidad ósea, ni Jo ni su médico saben exactamente cuál es la situación de su masa ósea en este momento. Así, en el futuro no dispondrán de un punto de comparación.

Lejos de renunciar a su propósito, el médico de Jo debe explicarle por qué la prueba es tan importante: proporciona una indicación básica. Aporta conocimiento. Y el médico podrá aprovechar este conocimiento en beneficio de Jo a fin de detectar la pérdida de masa ósea que tal vez se revele en pruebas futuras, recetarle medicamentos y recomendarle cambios en su ejercicio o alimentación, todo con el fin de ayudar a retrasar o incluso a parar la osteoporosis.

Por lo tanto, si bien es inteligente por parte de Jo tomar calcio adicional y hacer ejercicio de resistencia al peso, se está

sugiere tomar aún más vitamina D si tiene más de 65 años (pero no rebase las 2,000 UI). La vitamina D y el calcio forman una pareja poderosa: se ha demostrado que reducen de manera significativa el riesgo de sufrir fracturas en la cadera y

perjudicando al evitar la prueba. Tal vez su médico pueda convencerla al explicarle que una prueba de densidad ósea es muy sencilla, rápida y nada invasiva.

La prueba de densidad ósea preferida —y la más precisa— es una absorciometría con doble haz de rayos X (o *DEXA* por sus siglas en inglés). No hay por qué tener miedo, ni tampoco habrá hospitalización o dolor. La prueba no implica amenaza alguna y con frecuencia es posible someterse a ella completamente vestida.

Esto es lo que sucede: se acuesta en la mesa normal de exploración del médico con su ropa de calle (siempre y cuando no traiga nada de metal, como una hebilla o el broche del sostén/brasier). El escáner, una especie de brazo, es colocado arriba de usted y se mueve de un lado al otro recorriendo todo lo largo de su torso, desde el cuello hasta el bajo abdomen. Durante el proceso un técnico suele estar presente en la misma habitación, observando las imágenes con las que el escáner alimenta una pantalla de computadora. El equipo es muy sensible y de alta tecnología.

Después de 15 minutos sobre la mesa todo se terminó. Una DEXA es muy segura: el escáner emite menos radiación que una radiografía del pecho. No es preciso efectuar la prueba en una habitación forrada con plomo ni hay que cumplir con normas especiales contra las radiaciones porque la dosis que utiliza la DEXA es muy baja.

La osteoporosis puede prevenirse en gran medida. Es posible que lo que Jo no sepa la perjudique y su médico debe esforzarse en convencerla de hacerse una DEXA.

Información proporcionada por la experta
Diana L. Anderson, Ph.D.
Directora del centro para la osteoporosis
Centro Médico St. Paul
Dallas

otros huesos en las mujeres mayores de 65 años.

Párese para preservar sus huesos. El ejercicio aeróbico que se hace estando de pie al parecer brinda los mayores beneficios a los huesos, de acuerdo con la Dra. Cosman. Se puede recomendar el tenis, la estera mecánica (caminadora, *treadmill*), caminar, la máquina escaladora *(stair climber)* y la danza aeróbica de bajo impacto. Agregue una rutina que fortalezca sus músculos, con mancuernas (pesas de mano) o un video de ejercicios, y repítala de tres a cinco veces por semana. Ayudará a mantener fuertes sus huesos y músculos, aumentará su coordinación y probablemente reduzca su riesgo de caerse, indica la experta.

Brinde por su salud. Parece mentira, pero es posible que cantidades moderadas de alcohol —digamos una copa al día— sean buenas para los huesos (excepto en el caso de las mujeres con un alto riesgo de cáncer de mama), informa la Dra. Cosman. En un estudio que abarcó a 188 mujeres posmenopáusicas, los investigadores encontraron que quienes bebían por lo menos el equivalente de aproximadamente una copa de vino al día tenían una mayor densidad ósea que las abstemias. Sigue siendo una interrogante la manera exacta en que el alcohol ayuda; es posible que aumente el estrógeno o que estimule al cuerpo a producir más calcitonina, una hormona amiga de los huesos.

Póngase a prueba. Durante la menopausia o después de esta, para las mujeres a quienes correspondan uno o varios factores de riesgo o que hayan sufrido una fractura con anterioridad, la piedra angular de la prevención se escribe con tres letras: *BMD*. Se trata de las siglas en inglés de la densidad mineral ósea, también conocida como masa ósea o *bone mineral density*, y es imprescindible hacérsela medir, sobre todo si existen antecedentes familiares de osteoporosis.

detectar el cáncer de mama, una prueba de BMD es fundamental para detectar y prevenir la osteoporosis", afirma Diane L. Anderson, Ph.D., directora del centro para la osteoporosis en el Centro Médico St. Paul de Dallas. El objeto es detectar la enfermedad antes de que ocurra una fractura, predecir las probabilidades de una fractura futura y vigilar el índice de pérdida de hueso. Se utilizan varios tipos de máquinas para medir la densidad ósea, pero el líder indiscutido es la *DEXA* (absorciometría con doble haz de rayos X).

"La DEXA es el patrón oro de las pruebas de la densidad ósea", indica la Dra. Anderson, quien describe el proceso como indoloro, no invasivo y breve: 15 minutos. Una muy baja dosis de radiación escanea la columna vertebral y la cadera para tomar "imágenes" de estas áreas, donde las consecuencias de la osteoporosis serían las más graves.

Otros aparatos miden la masa ósea de la muñeca, el talón o un dedo, y una versión en ultrasonido analiza el talón, la tibia y la rótula.

Un puñado de medicamentos —algunos de ellos relativamente nuevos— están disponibles para prevenir la osteoporosis, pero sólo son para mujeres posmenopáusicas, según la Dra. Siris.

La Dra. Siris recomienda que se haga analizar su BMD al llegar a los 65 años o al terminar la menopausia, lo que suceda primero.

"De la misma forma en que un mamograma le proporciona un punto de partida básico para

Señales y síntomas

¿Ha tenido que estirarse un poco más últimamente para mirar por encima del volante? ¿La espalda le duele todo el tiempo? ¿Se fracturó un

Cuando el hueso está sano, la malla formada por un gran número de fragmentos óseos es tupida y cuenta con muchas conexiones, lo cual le aporta fuerza y estabilidad.

Este hueso, muy afectado por la osteoporosis, muestra fragmentos óseos escasos sin buenas conexiones entre sí.

hueso después de los 40 años? Todas estas son señales de advertencia de que la osteoporosis pudiera estar consumiendo sus huesos.

Menor estatura. Entre los 60 y los 80 años de edad es común perder hasta una pulgada (2.5 cm) de estatura, pero si usted es más joven o se ha encogido más que eso quizá se deba a una fractura de la espina causada por la osteoporosis. Este tipo de fracturas pueden ser graduales o bien atacar de repente. "Con una fractura vertebral quizá experimente un dolor intenso y repentino que irá mejorando a lo largo de varias semanas", observa la Dra. Siris. Es más común la fractura gradual de una vértebra. "Se va aplastando", comenta. Cualquiera de las dos posibilidades le restará estatura.

Dolor de espalda. El dolor de espalda persistente o crónico puede ser señal de advertencia de la fractura de una vértebra. "La fractura modifica el contorno de la espalda y no queda bien alineada", apunta la Dra. Siris.

Una fractura por una caída. Si se resbala en la escalera y se fractura la muñeca es posible que la fractura no se deba a la osteoporosis, pero tal vez sí. La NOF calcula que la osteoporosis causa más de 1.5 millones de fracturas al año. Los huesos debilitados simplemente son más susceptibles de fracturarse que los fuertes. Y si sufre una fractura por osteoporosis después de los 40 años su probabilidad de padecer otra es dos veces mayor que en el caso de una persona que no haya tenido ninguna.

"Muchas personas de edad mediana y mayor piensan: 'Bueno, estoy envejeciendo y me caigo —indica la Dra. Anderson—. Sin embargo, en realidad no es la caída la que causa las fracturas. Es la osteoporosis".

Naturalmente prevenir las caídas es uno de los objetivos principales cuando se padece osteoporosis. A continuación le daremos algunas sugerencias que le podrán servir en su vida cotidiana.

Seleccione zapatos seguros. Limítese a zapatos de tacón bajo que le brinden un buen apoyo al pie, tanto en interiores como al salir; las suelas de goma (hule) aumentan el agarre. Evite caminar con medias (calcetines), pantimedias o pantuflas (chancletas).

Camine con cuidado. Cuando las aceras (banquetas) estén resbalosas, camine por el césped. Tenga cuidado con los pisos muy pulidos, sobre todo si están mojados.

Arregle sus habitaciones. Quite las cosas, sobre todo del piso, que puedan provocar golpes o tropezones.

Asegure las alfombras. Use alfombrillas (tapetes) y alfombras antiderrapantes por debajo.

Aleje las amenazas del baño. Ponga la seguridad ante todo con un tapete de goma en la bañadera (bañera, tina) o la ducha (regadera), e instale cerca tubos de los que pueda sujetarse.

Corte el cable. Compre un teléfono inalámbrico para evitar esas carreras precipitadas para contestar las llamadas.

¡Que no cunda el pánico!

Los siguientes dolores y problemas pueden provocar temores erróneos que pueden hacerla pensar que padece osteoporosis, según la Dra. Siris.

El dolor intermitente de espalda. La causa más probable es una distensión muscular o tal vez la artritis. La osteoporosis en sí no duele, de modo que ninguna alarma dolorosa nos advierte que los huesos se estén haciendo quebradizos. "Si un hueso se fractura de repente debido a la osteoporosis, desde luego habrá dolor", observa la Dra. Siris. Sin embargo, cabe notar lo siguente: la enfermedad no se manifiesta hasta que ocurra tal fractura.

La espalda encorvada. "Algunas mujeres llegan conmigo porque piensan que su espalda está empezando a encorvarse, produciendo la temida joroba, y se sienten aterradas", indica la Dra. Siris. De hecho lo que muchas tienen es una ligera curvatura en la parte superior de la espalda debido a la mala postura o a una afección muscular sin relación con la osteoporosis.

La enfermedad de Paget: otra amenaza ósea

Al igual que la osteoporosis, la enfermedad de Paget tiene que ver con unas células óseas llamadas osteoclastos, los cuales se encargan de eliminar la masa ósea vieja para que otras células puedan construir hueso nuevo. A diferencia de la osteoporosis, que llega a afectar todo el esqueleto, los osteoclastos de Paget se concentran en el cráneo, la espina dorsal, la pelvis o las piernas, donde el resultado son huesos agrandados más débiles que lo normal. Dolor, deformidades, fracturas y artritis son algunas de las posibles consecuencias.

"Cuando se da la enfermedad de Paget, los osteoclastos eliminan el hueso de manera agresiva en los sitios afectados —explica la Dra. Ethel S. Siris, directora del Centro Toni Stabile para la Prevención y el Tratamiento de la Osteoporosis en el Centro Médico Columbia-Presbyterian de la ciudad de Nueva York—. Esto obliga a las células constructoras de hueso a acudir en masa a fabricar masa ósea nueva de manera rápida y caprichosa". El hueso nuevo que resulta de ello es más grande, pero también más endeble de lo normal. Y en los casos más graves se da un cráneo agrandado, a veces con pérdida del oído por los nervios afectados; una pierna torcida o una espina encorvada. La enfermedad de Paget afecta a más o menos el 2 por ciento de las personas mayores de 50 años radicadas en los Estados Unidos y puede heredarse, indica la Dra. Siris. Las

---

¿A quién debo ver?

En vista de que la osteoporosis es una "enfermedad de la mujer", es posible que el primer profesional de la salud que le mencione el tema vaya a ser su ginecólogo. "Los ginecólogos, al igual que algunos internistas, se están volviendo más responsables acerca de la tarea de educar a sus pacientes, y más dispuestos a hacerlo", afirma la Dra. Cosman.

Conforme la NOF trabaja en crear conciencia, las propias mujeres están tomando la delan-

investigaciones están identificando los genes que tal vez sean responsables. También se sospecha que ciertos virus influyen en el mal. Las mujeres y los hombres se ven afectados por igual por esta enfermedad, que a veces es muy leve. Muchas de las personas que padecen el trastorno ni siquiera lo saben.

Los osteoclastos no son el único elemento compartido por la enfermedad de Paget y la osteoporosis. "Muchos de los medicamentos que la gente piensa son nuevos para la osteoporosis en realidad ya se usaban hace años contra la enfermedad de Paget", afirma la Dra. Siris. La calcitonina y los bisfosfonatos como el alendronato (*Fosamax*) o el risedronato (*Actonel*), que trabajan evitando la eliminación exagerada de la masa ósea, eran los fármacos preferidos para tratar la enfermedad de Paget hace 25 años.

Actualmente los análisis de sangre, las radiografías y los escaneos óseos les dicen a los médicos si la enfermedad de Paget se encuentra activa y en dónde. "Esta enfermedad no ataca varios lugares del esqueleto, como la osteoporosis — explica la Dra. Siris—. Ahí donde se detecta es donde está". En lo que las investigaciones identifiquen la causa exacta de la enfermedad de Paget, los medicamentos y las terapias con ejercicio pueden ayudar a disipar el dolor y el avance del mal. "Muchos médicos de cabecera aún dicen: 'Olvídelo, no hay tratamiento' —comenta la experta—. Simplemente no es verdad".

tera. "Les decimos a las mujeres que si son menopáusicas —y particularmente si tienen alguno de los factores de riesgo— deben hablar con su médico de cabecera acerca de la posibilidad de hacerse una prueba de densidad ósea", señala la Dra. Cosman. Con frecuencia es la paciente la que le pide una evaluación al médico, y no al revés.

La osteoporosis no "pertenece" a ninguna especialidad médica en particular, de modo que si se requiere a un experto es posible recurrir a tres diferentes. El primero es el endocrinólogo, que trata afecciones relacionadas con las hormonas, como la Dra. Cosman. Otro es el reumatólogo, quien se concentra en las enfermedades de las articulaciones y del tejido conjuntivo. Por último, los ortopedistas son los médicos que corrigen los problemas del esqueleto por medio de la cirugía.

¿Qué debo esperar?

Si puede evitar una fractura se librará del dolor que la osteoporosis puede causar. "Si nunca se ha fracturado un hueso —explica la Dra. Siris—, puede esperar que, dadas las evaluaciones y las medidas correctas, será capaz de mantener la buena salud de sus huesos al envejecer".

No obstante, si usted forma parte de esa mitad de las mujeres mayores de 50 años que han sufrido una fractura por osteoporosis en su vida, la situación cambia. Tal vez se recupere completamente de su primera fractura de la columna, de acuerdo con la Dra. Siris, pero su riesgo de experimentar más fracturas se dispara. La fractura de la cadera requiere cirugía, mientras que un brazo o muñeca fracturada puede enyesarse.

Las máquinas no detectan las fracturas emocionales, pero llegan a ser tan demoledoras como las de los huesos, afirma la Dra. Roberto. "La osteoporosis afecta todos los aspectos en la vida de una mujer, desde el dolor y la discapacidad físicas hasta la autoestima y la percepción de sí misma".

Después de 15 años de investigar los aspectos psicológicos y sociales de la enfermedad, la Dra. Roberto ha hallado que los sentimientos de las mujeres acerca de la osteoporosis atraviesan tres etapas: la negación, la búsqueda de información y el arreglarse con la situación.

La negación, es decir, restarle importancia al hecho, con frecuencia se da con la segunda fractura: "La mayoría de las mujeres se las arreglan con la primera fractura, mientras que la segunda puede dar inicio a una espiral descendente hacia el temor, la depresión y el estrés", afirma la experta.

En la etapa de búsqueda de información, la mujer afectada reúne todo el material que pueda acerca de la osteoporosis. La Dra. Roberto afirma que es preciso incluir en este circuito de información también a la familia y los amigos. "Hemos encontrado que cuando una mujer tiene una fractura visible, como la de una cadera, la familia por lo general quiere ayudar y se muestra comprensiva. No obstante, cuando se trata de una fractura vertebral, la cual no se ve —señala—, la actitud llega ser algo como: 'Mamá se ve igual; ¿cuál es el problema?'".

Finalmente se adquiere tolerancia, conforme la mujer se adapta a la realidad de que puede hacer algunas cosas y otras no, explica la Dra. Roberto. Una mujer a la que le encantaba hacer recorridos maratónicos por todas las tiendas empezó a limitar sus salidas a una tienda por día, con varios días de descanso entre una salida y otra. Otras mujeres que solían esquiar o jugar golf buscaron actividades menos vigorosas. "Las que antes corrían ahora caminan", comenta la experta.

Basándose en las entrevistas que ha hecho a cientos de mujeres con osteoporosis, la Dra. Roberto ofrece las siguientes estrategias para hacer frente a la situación.

PREGUNTAS Y RESPUESTAS

¿Por qué es tan grave que una mujer mayor se fracture la cadera?

Fracturarse la cadera significa que hará falta intervenir quirúrgicamente. Hasta cierto punto es por eso por lo que resulta tan grave: por las complicaciones de la operación y de ser inmovilizado.

En la Fundación Nacional para la Osteoporosis contamos con una estadística que por sí sola revela la gravedad del asunto: en promedio el 24 por ciento de los pacientes de una fractura de la cadera que tienen 50 años o más mueren durante el año siguiente a la fractura. Igualmente alarmante es el hecho de que más o menos el 25 por ciento de las mujeres mayores con fracturas de la cadera tengan que ingresar a un asilo de ancianos porque nunca recuperan la independencia que disfrutaban antes de fracturarse. Cuando se toma en cuenta que el índice de fracturas de la cadera es de dos a tres veces mayor en las mujeres que en los hombres y que el 80 por ciento de las personas radicadas en los Estados Unidos que padecen osteoporosis son mujeres, resulta evidente que esta situación significa una amenaza considerable para nuestro género.

Las personas mayores deben permanecer activas para conservar su salud, pero una fractura de la cadera puede mantenerlas postradas en cama durante una o dos semanas. Cuando se les somete a una intervención quirúrgica las consecuencias también llegan a ser graves: puede darles neumonía, enfermedades cardíacas o infecciones, y todo ello contribuye al índice de mortalidad durante el año posterior

Cultive la calma y la quietud. Las técnicas de relajamiento, como la meditación y la visualización, pueden ayudar a aliviar el temor y el estrés.

Opte por otras opciones. Cuando el dolor la obligue a cambiar de planes, búsquese una distracción: lea, hable por teléfono con una amiga, trabaje en alguna manualidad.

a la fractura. La mayoría sobreviven, pero su calidad de vida puede verse muy afectada. La fractura de la cadera es una de las principales razones de ingreso a los asilos de ancianos.

De hecho cuando decimos "fractura de la cadera" en realidad estamos hablando de una fractura en el hueso del músculo o fémur. La parte superior del fémur, que se llama el cuello del fémur, es donde ocurre la "fractura de la cadera": todo forma parte del mismo hueso. Este hueso encaja en el hueco de la cadera como una L de cabeza: la parte corta se encuentra dentro de la cadera y la larga corresponde al hueso del muslo. Por lo tanto, lo que la mayoría de la gente llama una fractura de la cadera es para los médicos una fractura del cuello del fémur. Y una fractura en cualquier parte del fémur es un gran problema que siempre requiere una intervención quirúrgica.

Mi experiencia clínica me permite describir una situación común: mujeres de más de 70 u 80 años que funcionan perfectamente y tienen una buena calidad de vida de repente se caen y se fracturan la cadera. Muchas de ellas nunca recuperan la vida que tenían, porque entre más edad se tenga más difícil es recuperarse de un trauma. Si se mantiene en reposo por 2 semanas a una mujer de 20 años esta se levantará como si nada, pero tal reacción es cada vez menos probable conforme la gente envejece.

Tristemente las estadísticas indican que muchas mujeres mayores serán vencidas por una fractura de la cadera.

Información proporcionada por la experta
La Dra. Felicia Cosman
Directora clínica
Fundación Nacional para la Osteoporosis

Consejos que curan

Los avances que se han logrado para detectar y tratar la osteoporosis ayudan a que sea todo menos inevitable. A continuación hablaremos de algunas de estas estrategias.

Determinar la densidad. De unos cuantos años a la fecha se han multiplicado las técnicas para medir la densidad de los huesos, según afirma la Dra. Cosman. Mientras que la prueba de la cadera y la columna vertebral conocida como DEXA se considera como la mejor, otras evaluaciones también son útiles para predecir el riesgo de una fractura.

Algunas pruebas "periféricas", como las que se ofrecen en las ferias de la salud, llegan a ser herramientas útiles de revisión, apunta la Dra. Anderson. "Quizá le indiquen si padece osteoporosis o una densidad ósea que deba analizar con una DEXA, pero no todas estas evaluaciones tienen la misma capacidad de predecir el riesgo de fracturas".

El poder de las hormonas. Para las mujeres posmenopáusicas, la terapia de reposición hormonal con estrógeno u otras hormonas sigue siendo muy socorrida para reducir el riesgo de sufrir una fractura por osteoporosis. Sin embargo, aún no se han resuelto las interrogantes acerca de sus efectos secundarios y vinculaciones con el cáncer.

El factor farmacéutico. Actualmente ya existen medicamentos nuevos con menos efectos secundarios para prevenir y tratar la osteoporosis. Entre ellos figura el raloxifeno *(Evista)*, un modulador selectivo de los receptores de estrógeno (o *SERM* por sus siglas en inglés) que se ha demostrado aumenta la masa ósea en la columna vertebral y la cadera y reduce el riesgo de sufrir una fractura de las vértebras hasta en un 50 por ciento. El estudio que produjo estos resultados —en el que se observó a 7,705 mujeres posmenopáusicas a lo largo de 3 años— también sugirió un efecto asombroso con respecto al cáncer de mama: el ralixofeno reduce el riesgo de sufrir un cáncer invasivo de mama en un 75 por ciento.

Asimismo llaman la atención el alendronato *(Fosamax)*, que es particularmente eficaz para reducir las fracturas de la columna vertebral y la cadera, y un medicamento de la misma familia que se llama risedronato *(Actonel)*. La calcitonina, una hormona que frena la pérdida de masa ósea y aumenta de manera moderada la densidad de los huesos de la espina, se aplica comúnmente para tratar a mujeres cuya menopausia haya terminado por lo menos 5 años antes.

Alternativas que alivian

El calcio y la vitamina D: con respecto a este punto no hay oposición ni controversias entre las medicinas convencional y alternativa. Se trata de las armas más importantes en la batalla para mantener fuertes los huesos, afirma Lorilee Schoenbeck, N.D., una naturópata de Shelburne, Vermont.

Una vez que la prueba de densidad ósea de una paciente indique que padece osteopenia (una reducción en la masa ósea que aún no llega al grado de la osteoporosis), la Dra. Schoenbeck adapta las siguientes opciones a sus necesidades específicas.

Aumente la absorción del calcio. A fin de asegurar que el calcio que consuma sea absorbido fácilmente por su organismo, la Dra. Schoenbeck sugiere buscar suplementos de citrato de calcio *(calcium citrate)*. Procure tomar 1,000 miligramos de calcio en total al día si aún no llega a la menopausia y 1,500 miligramos diarios si es posmenopáusica. Estas cantidades incluyen el calcio que recibe a través de la alimentación.

Dése un poco de D. Cuando alguien se pone loción antisolar (filtro solar) de manera muy constante en el verano o se queda en casa durante todo el invierno, es posible que no reciba nada de vitamina D del sol. Si cualquiera de estas categorías corresponde a su caso, la Dra. Schoenbeck insiste en que es esencial que tome un suplemento de vitamina D. Las mujeres que ya tengan su densidad ósea reducida deben tomar hasta 800 UI de vitamina D al día.

Consuma más K. Coma muchas verduras de hojas color verde oscuro, como la lechuga, el brócoli y la espinaca. Su alto contenido de vitamina K le ayuda al cuerpo a producir la osteocalcina, una proteína que hace falta para formar masa ósea.

Maneje el magnesio. Ayude a sus huesos a absorber el calcio consumiendo este importante mineral a través de alimentos como el plátano amarillo (guineo, banana) o las papas al horno con todo y cáscara. Si la idea de comer una docena de papas basta para volverla loca, la Dra. Schoenbeck recomienda tomar suplementos de 500 miligramos al día. (Muchos suplementos de calcio incluyen el magnesio, pero si toma un suplemento combinado asegúrese de no rebasar los 2,500 miligramos de calcio). En vista de que se trata de una gran cantidad de magnesio, debe consultar a su médico antes de tomar suplementos si tiene problemas con el corazón o los riñones; asimismo, el magnesio en suplementos puede provocarles diarrea a algunas personas.

Inténtelo con ipriflavona. Este suplemento derivado de la isoflavona daidzeína, que se encuentra en la soya, ha sido objeto de estudios extensos en el Japón, Italia y Hungría, donde se utiliza para prevenir y tratar la osteoporosis. "Debido a que se sintetiza, en realidad no se obtiene de comer soya", advierte la Dra. Schoenbeck, así que pregúntele a su médico si se trata de una buena opción para usted.

La ipriflavona es una alternativa muy emocionante, indica la Dra. Schoenbeck, porque las investigaciones sugieren que frena la pérdida de masa ósea sin los problemas potenciales del estrógeno. La naturópata recomienda una dosis de 200 miligramos tres veces al día para las mujeres que no deben tomar la terapia de reposición hormonal o para las que sí la toman pero desean ayuda adicional para sus huesos. (Si no halla un producto de ipriflavona, diríjase a la sección de suplementos para la salud de los huesos en una tienda de productos naturales y lea las etiquetas para ver si se incluye como ingrediente).

Probablemente no sea buena idea tomar suplementos de isoflavona en lugar de productos de ipriflavona, por muy pequeña que sea la cantidad de isoflavonas. Al parecer la salud se beneficia más al consumir los alimentos de soya naturales, que cuentan con muchos componentes aparte de las isoflavonas. Las isoflavonas parecen ser muy importantes pero no lo son todo, y si las toma por separado de los demás componentes de la soya incluso es posible que en ciertas circunstancias le hagan daño.

Extienda su ejercicio. Lleve sus sesiones de ejercicio de resistencia al peso un poco más allá, aconseja la Dra. Schoenbeck, mediante ejercicios de extensión como el yoga y estiramientos para ayudarle a conservar una buena postura.

Menopausia

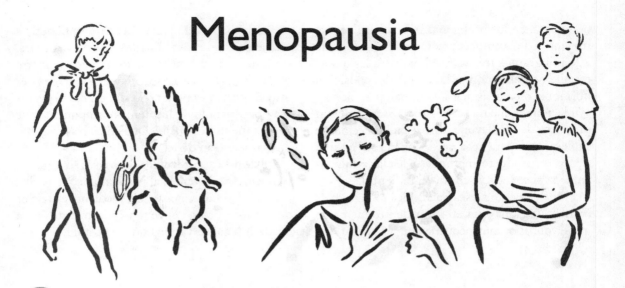

¡**S**e acabaron los métodos anticonceptivos! ¡Se acabaron los tampones o las toallas femeninas! ¡Se acabó el síndrome premenstrual!

Había un tiempo en que le decíamos "el cambio". Se trataba de un hito que señalaba el fin de los mejores y más productivos años de nuestra vida. Evitábamos hablar sobre el asunto y nos esforzábamos por no pensar en él. Pero ya no es así.

A la mayoría de los millones de mujeres que a lo largo de la próxima década llegarán a la menopausia aún les faltará vivir un tercio de sus vidas. Desde su punto de vista "el cambio" ya no significa el fin de nada. Más bien se trata de un nuevo comienzo.

De acuerdo con una reciente encuesta hecha a 750 mujeres entre 45 y 60 años de edad por la empresa *Gallup*, más de la mitad veían la menopausia como una etapa de realización en la vida; el 60 por ciento no la asociaba con sentirse menos atractivas; y un impresionante 80 por ciento dijo sentir alivio por haber dejado atrás la menstruación.

"Culturalmente estamos empezando a ver la menopausia como el comienzo de una nueva vida. Nos libera de los hijos y otras muchas obligaciones. Es posible comenzar una nueva carrera profesional, reanudar los estudios, viajar, fundar un negocio. Usted no se va a convertir en una ancianita encorvada que empuja un carrito de voluntaria", afirma la Dra. Mary Leong, directora de ginecología en el Centro Médico del Condado de Nassau en East Meadow, Nueva York.

Nadie pretende afirmar que *todo* lo relacionado con la menopausia sea agradable. Los mismos efectos secundarios tan conocidos siguen afectando a las mujeres hoy en día, incluyendo los sofocos (bochornos, calentones), las fluctuaciones en el estado anímico y la sequedad vaginal. No obstante, actualmente es posible hablar de estos efectos secundarios abiertamente y obtener mucha más información acerca de cómo hacerles frente.

Cómo bajarle al calor

Todo comienza con una ola de calor en el pecho, la cual se intensifica y rápidamente se extiende hacia el cuello, la cara y la cabeza. El corazón empieza a acelerarse cada vez más y la piel se cubre de sudor al intentar el cuerpo refrescarse. A veces desaparece con la misma rapidez con la que se presentó, pero llega a durar hasta varios minutos. Se trata de un sofoco, y para muchas mujeres estos momentos esporádicos en que sienten que arden por dentro son lo que define la menopausia.

"En lo que se refiere a los síntomas, lo que realmente convence a las mujeres de ir a consultar al médico son los sofocos. Se trata de la principal queja con respecto a la menopausia", indica la Dra. Susan Johnson, profesora de Obstetricia y Ginecología en el Colegio de Medicina de la Universidad de Iowa en Iowa City.

Más o menos el 75 por ciento de las mujeres experimentan sofocos durante la menopausia, aunque la intensidad difiere entre una y otra. Algunas tal vez sólo los tengan por un mes, mientras que en otras se prolongan durante 5 años.

Si bien son molestos, los sofocos no implican ningún riesgo para la salud. Simplemente se trata de la sensación que acompaña los cambios en el equilibrio hormonal del cuerpo. "La única razón para tratar los sofocos es si la molestan y tiene problemas para dormir", indica la Dra. Johnson.

Si los sofocos le parecen insoportables, puede hablar con su médico acerca de la terapia de reposición hormonal. No obstante, de acuerdo con la Dra. Johnson usted misma puede hacer muchas cosas para controlar el termostato de su cuerpo.

PERIMENOPAUSIA:
FASE FASTIDIOSA

La menstruación ocasiona dolores (cólicos) y fluctuaciones en el estado de ánimo y la menopausia se manifiesta con sofocos (bochornos, calentones) y largas noches de insomnio. No son opciones muy agradables, ¿verdad? ¿Pero sabe qué? ¡De hecho hay una fase en la que todos estos síntomas pueden ocurrir a la vez!

Se trata de la perimenopausia.

El término significa "alrededor del final de la menstruación". Se trata de la época en que el nivel del estrógeno empieza a disminuir, lo cual provoca síntomas como sofocos, fluctuaciones en el estado anímico e irregularidad en las menstruaciones, explica la Dra. Dori Becker, médico del Hospital Highland Park en Highland Park, Illinois. Si bien el cuerpo ya no produce la misma cantidad de estrógeno que antes, sí fabrica un poco, por lo que también hay que vivir con todos los síntomas de la menstruación. La perimenopausia se extiende hasta llegar a la menopausia, que es cuando no se menstrúa durante todo un año.

La perimenopausia puede empezar entre los 40 y los 50 años y dura hasta 5 años, a veces más, indica la Dra. Becker. Ya que siguen menstruando muchas mujeres no piensan en sus síntomas como parte del proceso de la menopausia. O bien se imaginan que su menopausia empezó de manera prematura. Ambas ideas son erróneas.

Desde luego las mujeres siempre hemos pasado por la perimenopausia. No obstante, ponerle un nombre le da validez a lo que muchas mujeres experimentan durante esta época de sus vidas. "Realmente me da gusto que este asunto esté recibiendo más atención por parte de la prensa. Mis amigas y pacientes tienen esa edad y se están dando cuenta de que las cosas empiezan a cambiar", comenta Wendy Fader, Ph.D., psicóloga y terapeuta sexual en Boca Raton, Florida.

Sume soya a su alimentación. La soya contiene fitoestrógenos, unas sustancias naturales que funcionan de manera muy parecida al estrógeno que produce el cuerpo. Algunas mujeres encuentran alivio de los sofocos al comer alimentos derivados de la soya como la leche de soya o el *tofu*. "Hay pruebas bastante buenas de que la soya da alivio, pero no le funciona a todo mundo", opina la experta. Empiece con 2 vasos de 8 onzas (240 ml) de leche de soya al día. Una vez que se haya acostumbrado a eso, agregue *tofu* u otros productos de soya a su alimentación. No espere resultados inmediatos. Tal vez tarde de 6 a 8 semanas en sentir los efectos.

Respire hondo. De acuerdo con la Sociedad Estadounidense para la Menopausia, respirar hondo tiene la capacidad de reducir los sofocos en un 50 por ciento. Inhale de seis a ocho veces por minuto desde el abdomen, de manera lenta y profunda. Practique estas respiraciones durante 15 minutos por la mañana y 15 minutos por la noche y respire hondo cuando sienta que un sofoco va a comenzar.

Nadie está completamente seguro de la forma en que respirar hondo ayuda. Es posible que haga más lento el metabolismo, regule la temperatura del cuerpo o incluso controle las sustancias químicas del cerebro asociadas a los sofocos.

Manténgase fresca. Haga lo posible por permanecer en lugares frescos durante el día, ya que el calor o un cambio extremo de temperatura puede provocar un sofoco. Durante el verano quédese en habitaciones con aire acondicionado o utilice ventiladores para evitar que su temperatura interna se eleve. Durante el invierno tenga cuidado con no subirle demasiado a la calefacción.

LA TERAPIA DE REPOSICIÓN HORMONAL: ¿SÍ O NO?

Cuando una mujer entra a la menopausia, su cuerpo empieza a producir menos estrógeno. Tal fenómeno puede causar problemas que abarcan desde los sofocos (bochornos, calentones) hasta la osteoporosis. A fin de aliviar estos síntomas puede tomar hormonas en forma de medicamentos, tratamiento que se llama la terapia de reposición hormonal (o *HRT* por sus siglas en inglés).

Algunos médicos recetan la terapia de reposición hormonal tan fácilmente como recomendarían una aspirina. Otros más, como la Dra. Susan Johnson, profesora de Obstetricia y Ginecología en el Colegio de Medicina de la Universidad de Iowa en Iowa City, no están tan seguros de que todas las mujeres menopáusicas deban someterse a ella. "En términos generales el estrógeno es seguro y una buena solución para algunas mujeres. Sin embargo, esto no significa que todo mundo deba tomarlo", afirma la experta.

Antes de que usted decida si la terapia de reposición hormonal es lo indicado en su caso tendrá que conocer algunos hechos. Los expertos han aprendido lo siguiente en sus investigaciones.

➤ A corto plazo, la terapia de reposición hormonal ayuda a aliviar los síntomas de la menopausia, como los sofocos y la sequedad vaginal.

➤ A largo plazo es posible que la terapia de reposición hormonal no reduzca el riesgo de padecer enfermedades cardíacas, como se llegó a pensar en cierto momento. Un estudio amplio encontró que la terapia de reposición hormonal no disminuye el riesgo de sufrir un ataque cardíaco en las mujeres que ya están enfermas del corazón antes de empezar con este tratamiento. Otra investigación mostró un mayor riesgo de padecer un ataque cardíaco durante el primer año de la terapia de reposición hormonal. En vista de que esta al parecer no previene las enfermedades cardíacas y posiblemente haga daño a corto plazo, no debe recetarse con la finalidad expresa de prevenir las enfermedades y los ataques cardíacos en las mujeres sanas. Tal vez sea lo adecuado para las mujeres que tienen un mayor riesgo de sufrir enfermedades cardíacas, siempre y cuando otros beneficios compensen los riesgos. Además, las mujeres que ya sufren una enfermedad cardíaca y que llevan uno o dos años con la terapia de reposición hormonal no necesariamente tienen que suspenderla si les está yendo bien.

- La terapia de reposición hormonal a largo plazo es una opción estándar para prevenir y tratar la osteoporosis.
- A largo plazo se asocia a un mayor riesgo de sufrir cáncer de mama. No obstante, un mayor número de mujeres muere cada año de enfermedades cardíacas y de afecciones relacionadas con la osteoporosis que por cáncer de mama.

Desafortunadamente ni siquiera estos datos dan una respuesta fácil al problema. Suponer que la terapia de reposición hormonal previene la osteoporosis significa pasar por alto otros factores, como la alimentación, la actividad física, la obesidad y fumar. Todos ellos contribuyen al desarrollo de la enfermedad.

Cada mujer, junto con su médico, tiene que tomar la decisión con respecto a la terapia de reposición hormonal. Tome en cuenta las siguientes preguntas a la hora de decidir.

¿A largo o corto plazo? Hay dos motivos para someterse a la terapia de reposición hormonal: para aliviar los síntomas de la menopausia a corto plazo y para prevenir las enfermedades cardíacas y la osteoporosis a largo plazo. Los estudios no han revelado riesgos de salud cuando la terapia de reposición hormonal se aplica a corto plazo (de 5 a 10 años), indica la Dra. Johnson. No obstante, si lo que quiere es prevenir enfermedades tendrá que tomarla por el resto de su vida.

¿Cuáles son los riesgos? Dependiendo de los riesgos de salud individuales de cada mujer, la terapia de reposición hormonal puede ser una buena opción o no. Cuando el riesgo de sufrir una enfermedad cardíaca y osteoporosis es mayor que el normal vale la pena considerar la terapia de reposición hormonal, mientras que las mujeres con un mayor riesgo de padecer cáncer de mama probablemente deberían evitarla. La Dra. Johnson recomienda que evalúe su riesgo de sufrir cada una de estas enfermedades antes de tomar una decisión.

Evite los estímulos. En algunas mujeres, ciertos alimentos o incluso situaciones pueden provocar un sofoco. Fíjese en lo que haya comido o hecho justo antes de un sofoco para que lo pueda evitar en el futuro. La cafeína, el alcohol y los alimentos condimentados son estímulos frecuentes de sofocos.

Duerma a gusto. Si experimenta sudores nocturnos, bájele al termostato o abra una ventana antes de acostarse. Asegúrese de que la habitación esté fresca pero agradable. Use ropa de dormir ligera y cómoda y coloque un ventilador al lado de la cama.

Busque lo natural. Use ropa hecha de fibras naturales, como el algodón. Las fibras naturales dejan escapar el calor y la humedad en lugar de atraparlos sobre la piel.

Acumule las capas. Vístase en capas, como con playeras (camisetas) debajo de suéteres o blusas de manga larga. O bien póngase chalecos y cárdiganes (chaquetas de punto) para que cuando le dé un sofoco pueda refrescarse quitándose las capas superiores de ropa.

Arriba con el ánimo

La temperatura de su cuerpo no es lo único que puede experimentar fluctuaciones repentinas y extremas durante la menopausia. También es posible que note cambios súbitos en su estado de ánimo. Algunas mujeres dicen volverse muy irascibles e incluso deprimirse un poco.

Hasta las mujeres que han experimentado cambios en su estado anímico a causa del síndrome premenstrual durante toda la vida observan que dichas variaciones se vuelven un poco más intensas. "Lo encuentran mucho más evidente que antes", indica la Dra. Lisa Domagalski, una ginecóloga y profesora clínica adjunta de la Escuela de Medicina de la Universidad Brown en Providence, Rhode Island.

Los expertos no saben con certeza de qué forma los cambios anímicos se relacionen con la menopausia. Quizá tenga que ver con el estrógeno o bien con las sustancias químicas del cerebro que influyen en el estado de ánimo, como la serotonina. En parte es posible que la dificultad radique en la falta de sueño debido a los sofocos y los sudores nocturnos.

Si sus cambios anímicos se prolongan durante mucho tiempo o afectan su capacidad para trabajar o funcionar, o bien si siente que está cayendo en una depresión profunda, consulte a un médico de inmediato. Le ayudará a explorar diversas opciones, como medicamentos y terapia. Si sus cambios anímicos sólo le causan molestias menores a usted (y a quienes tiene alrededor), pruebe las siguientes estrategias para volver a equilibrar sus emociones.

Camine o haga ejercicio con frecuencia. En un estudio realizado por el Colegio de Medicina de la Universidad Texas A&M en College Station, las mujeres que caminaban 20 minutos diarios afirmaban sentir una considerable mejoría en su estado de ánimo. "Caminar y hacer ejercicio

CASOS DE LA VIDA REAL

Lo que no está haciendo para proteger sus huesos

La abuela de Anne se fracturó la cadera a los 67 años. Posteriormente las pruebas demostraron que padecía osteoporosis. Aquella fractura sólo fue la primera de muchas. Casi a la misma edad, la madre de Anne se cayó y se fracturó el hombro. El diagnóstico fue el mismo. Anne tiene 49 años y se está acercando a la menopausia. Está decidida a evitar el mismo destino tomando mucho calcio y haciendo ejercicio. Todos los días toma 600 miligramos de carbonato de calcio a primera hora de la mañana y otra vez justo antes de acostarse. En vista de que se salta el desayuno, se asegura de comer yogur de *verdad* (no soporta la versión baja en grasa) junto con su ensalada a la hora del almuerzo. Le encanta el queso y come todo el que quiera; ¡qué diablos!, tiene una excelente razón para hacerlo. A pesar de ser menuda y de sólo pesar 110 libras (50 kg), nunca sube de peso, lo cual atribuye a su adicción a correr y a su abstinencia del alcohol. Le encanta beber refresco (soda) de dieta, por lo menos un paquete de seis latas al día. Naturalmente se sorprendió cuando en su revisión médica anual la semana pasada se reveló que ahora mide 5 pies con 3½ pulgadas (161 cm) de estatura, ½ pulgada (1.3 cm) menos que hace un año. ¿Debería preocuparse?

Efectivamente debe preocuparse. Es posible que la pérdida de estatura sea un síntoma de pérdida de hueso. Por otra parte, va por buen camino al concentrarse en hacer ejercicio de resistencia al peso, tomar calcio y tener presente su riesgo. No obstante, los pequeños errores que comete en su rutina diaria están contrarrestando los beneficios de sus estrategias para proteger sus huesos. Unos cuantos cambios deberán bastar para que Anne conserve sus huesos, lo cual reduciría su probabilidad de compartir el destino de su madre y abuela.

Para empezar, debe cambiar a citrato de calcio (*calcium citrate*). El tipo de calcio que toma, carbonato de calcio, es el que menos se absorbe.

Al comprar su citrato de calcio o cualquier producto de este mineral, Anne debe buscar en la etiqueta el número de miligramos de calcio elemental —es decir, la cantidad de calcio puro— que cada tableta contiene. Por ejemplo, sólo hay un 20 por ciento de calcio elemental en cada miligramo de carbonato de calcio. Si la etiqueta no menciona la cantidad de calcio elemental o de calcio, al tomar 600 miligramos de carbonato de calcio en realidad sólo estaría obteniendo 120 miligramos de calcio.

También es importante tomar los suplementos de calcio con los alimentos. El calcio requiere el ácido estomacal para disolverse y para que el cuerpo lo pueda absorber. El único momento en que se cuenta con ácido estomacal es al comer. Al tomar los suplementos de calcio sin alimentos, Anne no está absorbiendo nada del nutriente.

Además, Anne debe espaciar mejor su ingesta de calcio. No es posible absorber más de 500 miligramos a la vez. Debe repartir los 1,200 a 1,500 miligramos que necesita por partes iguales entre las tres comidas, ya sea a través de alimentos o de suplementos. La mejor forma de hacerlo es asegurándose de comer alimentos que contengan calcio o por lo menos de tomar suplementos con cada comida. Al no desayunar está perdiendo una gran oportunidad para consumir calcio al iniciar el día.

Por último, Anne debe desprenderse de su fijación en el refresco de dieta. El refresco contiene cafeína y ácido fosfórico, dos sustancias que propician la eliminación de calcio por el cuerpo. Por lo menos debe reducir su consumo a sólo dos latas de refresco al día. Puede sustituirlo por leche descremada o por jugo de naranja (china) enriquecido con calcio el resto del tiempo.

Información proporcionada por el experto
Michael T. DiMuzio, Ph.D.
Profesor adjunto en la Universidad Northwestern
Evanston, Illinois
Director de los Centros para la Prevención y la Investigación de la Osteoporosis en el Hospital Highland Park
Highland Park, Illinois

incrementan de manera natural las endorfinas del cuerpo, unas sustancias químicas que provocan una sensación de bienestar. De ahí proviene la euforia que las personas experimentan al correr", explica la Dra. Domaglaski. Las mujeres que hacen ejercicio con regularidad viven una transición mucho más fácil durante la menopausia en general, agrega la experta.

Practique relajarse. A principios de los años 70, el Dr. Herbert Benson de la Escuela de Medicina de Harvard diseñó la "respuesta de relajación". Esta técnica para liberar la tensión puede ayudarle a superar los cambios anímicos o los períodos de ansiedad, según afirma la Dra. Johnson. Siéntese o acuéstese en una posición cómoda y respire hondo. Relaje todos sus músculos. Piense en una oración o palabra que le evoque una sensación de relajamiento, quizá algo como *calma* o *serenidad*. Repita la palabra mentalmente cada vez que exhale. Practique esto durante 20 minutos una vez al día o durante 10 minutos dos veces al día, además de todas las ocasiones en que sienta que su estado de ánimo empiece a cambiar.

Prémiese. Si se siente deprimida y triste, no se quede sentada dándole vueltas al asunto. Haga algo que la ponga contenta. Dése un baño de burbujas, regálese un masaje, cómprese algo especial. Son tantas las cosas que están ocurriendo en su vida y con su cuerpo que merece un poco de consentimiento, opina la Dra. Johnson.

Cómo resolver
los problemas sexuales

Gracias a los métodos anticonceptivos de la Madre Naturaleza, la vida sexual puede florecer después de la menopausia. No obstante, primero hay que sobreponerse a un cambio físico. Es posible que la reducción en el estrógeno que se da durante la menopausia adelgace las paredes de la vagina. Durante este proceso de adelgazamiento la vagina puede hacerse más corta, estrecha y seca. Para algunas mujeres, estos cambios hacen que las relaciones sexuales sean desagradables e incluso dolorosas.

Sin embargo, la sequedad vaginal no es un obstáculo para las relaciones sexuales sino simplemente un cambio físico al que deberá adaptarse, dice Beverly Whipple, R.N., Ph.D., profesora de Enfermería en el Colegio Rutgers de Enfermería de Newark, Nueva Jersey, y presidenta de la Asociación Estadounidense de Instructores, Consejeros y Terapeutas Sexuales. Quizá quiera hablar con su médico acerca de la terapia de reposición hormonal, pero en todo caso dispone de muchos caminos para llevar una vida sexual ardiente tanto durante la menopausia como por muchos años después de que esta haya finalizado.

Enamórese del amor. De acuerdo con la Dra. Whipple, tener relaciones sexuales genera estrógeno incluso durante la menopausia. Diversos estudios han demostrado que las mujeres que tienen relaciones sexuales dos o más veces a la semana mantienen el doble del estrógeno en sus cuerpos que las que no. Como una terapia "natural" de reposición del estrógeno que le ayudará a tener lubricada la vagina, siga teniendo relaciones sexuales con regularidad, ya sea con un compañero o sola, recomienda la Dra. Whipple.

Use lubricantes con base en agua. Los lubricantes que se venden sin receta facilitan las relaciones sexuales para ambos compañeros. Al comprar un lubricante asegúrese de que esté basado en agua, como el *K-Y jelly*, no en aceite, sugiere la Dra. Whipple. Los lubricantes con base en aceite tardan más en disolverse y pueden crear un terreno de cultivo favorable para los gérmenes. También tienen el efecto de que ciertos productos basados en el látex, como los condones, por ejemplo, se les abran pequeños agujeros y se deterioren.

Rehaga su rutina. Es posible que usted y su pareja necesiten ser un poco más creativos en el dormitorio (recámara). Tal vez le haga falta más estimulación antes del acto sexual o quizá quiera probar otros actos sexualmente placenteros sin llegar siempre al coito. Al igual que todo lo demás en la vida, es posible que sus prácticas sexuales tengan que cambiar, y las personas a las que les va mejor son las que se adaptan a los cambios en lugar de temerlos, indica Karen Donahey, Ph.D., coordinadora del programa de terapia sexual y matrimonial en el Centro Médico de la Universidad Northwestern en Chicago.

Enfermedades de transmisión sexual

Si ha rebasado los 26 años de edad sin contraer una enfermedad de transmisión sexual (o *STD* por sus siglas en inglés), ha sido o muy suertuda o muy prudente. Casi dos tercios de todos los casos de enfermedad de transmisión sexual en los Estados Unidos se dan en personas más jóvenes. Sin embargo, independientemente de su edad, si aún la anda corriendo y tiene relaciones sexuales sin protección —incluso con hombres aparentemente "decentes"—, su riesgo de contraer una STD es tan alto como el de cualquier muchacha de 18 años.

Las STD se transmiten mediante el contacto íntimo, es decir, a través del coito o del sexo oral. Los organismos que las causan se encuentran en el semen, las secreciones vaginales, la saliva o la piel alrededor de los genitales o de la boca. Ahí puede haber todo tipo de organismos, bacterias, virus e incluso protozoarios, los cuales se parecen en algo a los seres microscópicos que viven en el agua de los estanques. Todos pueden invadir los órganos sexuales, y la mayoría también la boca, la garganta y el ano. Algunos de estos organismos, como las bacterias con forma de sacacorchos de la sífilis o el diminuto virus que provoca el SIDA, tienen la capacidad de propagarse por todo el cuerpo. Y muchos pueden transmitirse a su bebé si tiene la infección durante un embarazo.

Los factores de riesgo

Entre más parejas sexuales tenga, mayor es la probabilidad de que pesque una STD. No obstante, aunque sólo tenga una, si esa persona mantiene relaciones sexuales sin protección con terceros su riesgo aumenta de todas formas. "He conocido a mujeres que no se habían dado cuenta de que su esposo tenía aventuras hasta que contrajeron una STD", indica Shirley Glass, Ph.D., una psicóloga que trabaja en Baltimore. De hecho hay pruebas de que los hombres tal vez se preocupen menos por protegerse de las enfermedades de transmisión sexual de lo que las mujeres quisiéramos creer. Un estudio observó que en los hombres que han sufrido una STD en alguna ocasión la probabilidad de que tengan relaciones sexuales sin protección es casi tres veces mayor que en los hombres que nunca han contraído ninguna. En el caso de las mujeres, por el

GONORREA

Todos los años se calcula que se dan 800,000 nuevos casos de gonorrea en los Estados Unidos. Los primeros síntomas suelen ser leves y muchas de las mujeres infectadas carecen totalmente de ellos. Cuando sí aparecen normalmente es de 2 a 10 días después de haber ocurrido el contacto sexual con una pareja infectada. Algunas personas tienen la infección durante varios meses sin que la enfermedad se manifieste. En las mujeres, algunos de los síntomas iniciales son dolor o ardor al orinar y un flujo vaginal amarillo o con sangre. Los síntomas más avanzados indican que la infección se ha convertido en la enfermedad inflamatoria pélvica e incluyen dolor abdominal, sangrado entre menstruaciones, vómito y fiebre. Los hombres suelen tener más síntomas que las mujeres, como una secreción del pene y ardor a veces intenso al orinar.

Existen varias pruebas diferentes para diagnosticar la gonorrea. Los médicos con frecuencia optan por aplicar más de una porque los resultados llegan a ser incorrectos. En vista de que es común que la gonorrea sea resistente a la penicilina a veces se utilizan otros antibióticos para tratar esta enfermedad, principalmente ceftriaxona (*Rocephin*), que el médico puede inyectar en una sola dosis. Ya que la gonorrea en ocasiones ocurre de manera simultánea con la clamidiosis, los médicos suelen recetar una combinación de antibióticos, como cefriaxona y doxiciclina (*Doxycin*).

Si usted padece gonorrea es preciso que su pareja sexual también reciba tratamiento, aunque no muestre síntomas.

Asimismo, si tiene una STD aumenta la probabilidad de que padezca otra al mismo tiempo.

La prevención

A pesar de los avances impresionantes que se han logrado en cuanto a formas de tratamiento, prevenir las STD sigue siendo lo más aconsejable. Y los dos únicos caminos de prevención pueden resumirse con cualquiera de estas palabras: *abstinencia* o *condones*. Dejando de lado no tener relaciones sexuales en absoluto, los condones son el método más eficaz para prevenir la transmisión de las STD, según afirma la Dra. Mary Lake Polan, Ph.D., profesora y coordinadora del departamento de Ginecología y Obstetricia en la Escuela de Medicina de la Universidad de Stanford. "Se ha dicho que el espermicida nonoxinol-9 es hasta cierto punto eficaz para prevenir las STD, pero no es tan bueno como un condón". Por otra parte, un espermicida combinado con un condón de látex tal vez sea más efectivo que sólo el condón.

No obstante, recuerde que si bien el uso del condón reduce su riesgo de sufrir una STD, no lo elimina por completo. Aún puede contraer una infección por la boca o las áreas descubiertas de piel. Los condones masculinos y femeninos son igualmente eficaces para prevenir la mayoría de las enfermedades, pero el femenino tiene una pequeña ventaja en lo que se refiere a la prevención del herpes y las verrugas genitales, ya que evita que un poco de piel alrededor del borde externo de la vagina entre en contacto con el pene.

contrario, es más probable que nos protejamos si nos hemos infectado alguna vez.

Las infecciones vaginales comunes como la tricomoniasis (que de por sí es una STD), la vaginosis bacteriana y la vaginomicosis aumentan la probabilidad de desarrollar una STD al haber exposición. Todas estas infecciones, si bien parecen menores, perturban los mecanismos naturales de defensa de la vagina y del cuello del útero, por lo que deben tratarse oportunamente.

En cuanto a los otros métodos anticonceptivos, no se fíe de ellos cuando se trate de prevenir enfermedades. "Los diafragmas y las tapas cervicales brindan poca protección, tal vez ninguna, y no deben usarse para prevenir una STD", advierte la Dra. Polan.

Es posible erradicar algunas STD con medicamentos, pero otras no. Entre estas últimas figuran las virales: el papilomavirus humano, que provoca las verrugas genitales; el virus de la inmunodeficiencia humana (VIH), que causa el SIDA; el herpes y las formas de hepatitis transmitidas por vía sexual (los tipos B y C). La mayoría de estas infecciones virales persisten en el cuerpo por el resto de la vida, pero eso no necesariamente significa que se estará enferma para siempre, señala la Dra. Anne Rachel Davis, profesora adjunta de Obstetricia y Ginecología en el Hospital New York Presbyterian de la ciudad de Nueva York.

Los problemas de salud provocados por las STD tienden a ser más graves y más frecuentes en las mujeres que en los hombres, porque muchas veces no desarrollamos síntomas que nos lleven a buscar tratamiento hasta que la enfermedad ya se arraigó, explica la Dra. Davis. Para entonces es posible que la infección se haya extendido al útero y a las trompas de Falopio, convirtiéndose en la enfermedad inflamatoria pélvica, una de las principales causas de infertilidad y de embarazos ectópicos (en las trompas de Falopio, lo cual puede ser mortal si no se diagnostica y trata oportunamente). Además, a veces los síntomas de una STD se confunden con alguna enfermedad no transmitida mediante el contacto sexual.

SÍFILIS

Los ingleses y los italianos le decían la "enfermedad francesa"; los franceses le decían la "enfermedad italiana"; los rusos le decían la "enfermedad polaca"; y en España, donde primero se identificó, le decían la "enfermedad de Haití". Nosotros le decimos sífilis.

La sífilis comienza con la aparición de una úlcera pequeña e indolora llamada chancro en el sitio donde las bacterias penetraron al cuerpo. El chancro permanece de 1 a 5 semanas y luego se cura solo. Sin embargo, mientras tanto las bacterias ya se propagaron por el cuerpo. Tiempo después es posible que se dé un brote secundario en forma de lesiones, glándulas hinchadas, pérdida de pelo y de peso, manchas blancas y viscosas en la boca, dolor muscular y fiebre. Se puede contraer sífilis por sólo tocar a alguien que tiene estas lesiones. Con el tiempo las lesiones desaparecen y más o menos un cuarto de las personas aparentemente se curan. Otro cuarto tienen anticuerpos contra la sífilis sin mostrar síntomas.

En la mitad restante de los sifilíticos, la infección reaparece por tercera vez entre 5 y 40 años después del contagio inicial y puede causar daños cerebrales extensos, enfermedades mentales y la muerte, sin duda buenos motivos para hacerse recetar penicilina durante el primer año después de haberse expuesto a la enfermedad la primera vez.

Por ejemplo, la enfermedad inflamatoria pélvica, causada por la clamidia o la gonorrea, puede confundirse con la endometriosis.

Algunas mujeres se equivocan al pensar que una simple prueba de Papanicolau una vez al año basta para revelar si padecen una STD. Se trata de un malentendido potencialmente peligroso, afirma la Dra. Amy Hughes, profesora de Obstetricia y Ginecología en el Colegio Médico de Georgia en Augusta. Sencillamente no es cierto.

Es más, muchas mujeres —y sus ginecólogos— tienen por norma no hacer preguntas ni dar ninguna información. Durante las consultas

CLAMIDIOSIS

Esta enfermedad de transmisión sexual sacó su nombre de la palabra griega para "velado". La verdad es que le hace honor a su nombre. La enfermedad, que es causada por el organismo *Chlamydia trachomatis*, con frecuencia tiene síntomas iniciales tan leves que la mujer afectada no sabe que se infectó. Si se queda sin tratar, la infección por la clamidia puede producir la enfermedad inflamatoria pélvica (o *PID* por sus siglas en inglés). La PID llega a provocar cicatrización en las trompas de Falopio, lo cual luego tal vez las bloquee y haga difícil o imposible concebir. Con frecuencia los hombres tampoco tienen síntomas aparentes y pueden infectar a sus parejas sin darse cuenta.

La clamidia puede instalarse no sólo en los órganos reproductores sino también en la boca, la garganta, los ojos, el ano y los ganglios linfáticos.

La mejor forma de diagnosticar la clamidiosis es que el médico obtenga una muestra de secreciones de la zona genital para que se analicen en el laboratorio.

Es posible acabar con la clamidiosis con antibióticos, frecuentemente con azitromicina (*Zithromax*) o doxiciclina (*Doxycin*). Sus parejas sexuales también deben recibir tratamiento. La penicilina (*Robicillin VK*), que con frecuencia se utiliza para tratar otras enfermedades de transmisión sexual, no resulta eficaz en este caso.

pequeños e indoloros tumores carnosos. Si una infección se convierte en la enfermedad inflamatoria pélvica, le dolerá la zona pélvica y posiblemente tenga fiebre.

¡Que no cunda el pánico!

Si le aparecen síntomas, no necesita acusar de inmediato a su pareja sexual. Hay otras posibles explicaciones de sus molestias. "Tanto las infecciones del tracto urinario como la vaginomicosis pueden imitar los síntomas de una STD", indica la Dra. Polan. Entre estos síntomas figuran dolor al orinar, orinar con mayor frecuencia y picazón vaginal.

"Las reacciones dermatológicas a la ropa o a ciertas sustancias químicas o perfumes también pueden causar problemas semejantes a los de una STD, particularmente la picazón", agrega la Dra. Suzanne Trupin, profesora clínica del departamento de Obstetricia y Ginecología en el Colegio de Medicina de la Universidad de Illinois en Urbana-Champaign, y coautora de un libro sobre las enfermedades de transmisión sexual.

No obstante, si piensa que tal vez contrajo alguna de estas infecciones, lo mejor es consultar al médico para confirmar la causa de sus molestias, particularmente si le duele la pelvis o tiene fiebre. "Muchas de las STD carecen de síntomas, y en realidad ese es el mayor problema —opina la Dra. Polan—. Cuando no hay síntomas no hay forma de saber si se padece una STD excepto por medio de un cultivo, y los cultivos con frecuencia son imprecisos. Por eso es tan impor-

ni la paciente ni el médico mencionan el tema de una posible exposición a STD. Esta costumbre llega a causar problemas graves más adelante.

Señales y síntomas

Los síntomas varían de acuerdo con la STD de que se trate, pero con frecuencia incluyen flujo, mal olor o picazón (comezón) y tal vez también dolor o presión. Si tiene herpes es posible que desarrolle ampollas dentro de la vagina y alrededor de ella y que se sienta como si tuviera gripe. Si tiene verrugas genitales, le saldrán unos

ENFERMEDADES DE TRANSMISIÓN SEXUAL

HERPES GENITAL

Si usted padece herpes genital definitivamente no está sola. Más o menos uno de cada cuatro adultos radicados en los Estados Unidos sufre herpes y se piensa que se dan hasta 500,000 nuevos casos al año. Una vez que se da el contagio con herpes es para siempre. No hay cura para esta infección viral.

La mayoría de la gente a la que le da herpes no muestran síntomas. Cuando sí los hay pueden variar mucho. Los primeros suelen presentarse de 2 a 10 días después de haber sido expuesto al virus y duran de 2 a 3 semanas. Al principio es posible que incluyan picazón (comezón) o ardor; dolor en las piernas, las asentaderas o la zona genital; flujo vaginal o una sensación de presión en el abdomen. Al cabo de unos cuantos días aparecen unas ronchitas rojas en el sitio de la infección, las cuales pueden convertirse posteriormente en ampollas o en llagas abiertas y dolorosas. A lo largo de varios días las llagas se cubren de costras y finalmente se curan sin dejar cicatriz. A algunas personas también les da fiebre, dolor de cabeza, dolores musculares e hinchazón en las glándulas de la ingle.

Existen dos tipos de virus del herpes, el genital y el oral, pero el tipo oral también puede causar herpes genital, y el herpes genital puede infectar la boca.

La recurrencia es más probable si la persona se encuentra bajo estrés o está enferma o menstruando.

La única forma de diagnosticar el herpes con seguridad es por medio de un cultivo viral, lo cual significa que el médico debe tomar muestras de las llagas en cuanto estas aparezcan. Si la prueba se realiza cuando las llagas ya no están activas, es posible que los resultados sean negativos aunque se tenga el virus.

Es posible infectar a alguien con el virus aunque no se tengan llagas. Lo que sucede es que el virus se puede reactivar sin producir llagas. Es importante evitar el contacto directo con la piel que lo contiene. En vista de que los brotes recurrentes no siempre son visibles es importante usar un condón sin falta si usted o su pareja tiene el virus del herpes.

Los medicamentos antivirales como el aciclovir (*Zovirax*) pueden ayudarles a las personas tanto en el primer brote del herpes como en caso de una recurrencia. El fármaco interfiere con la habilidad del virus para reproducirse.

tante prevenir. A pesar de que algunas STD son difíciles de diagnosticar, si se descubren pronto muchas pueden curarse con los antibióticos modernos que ahora hay".

¿A quién debo ver?

Los ginecólogos tradicionalmente tratan las STD de las mujeres, pero no dé por hecho que su médico la vaya a encontrar por cuenta propia si la tiene, advierte la Dra. Hughes. Cuéntele de sus síntomas o inquietudes, para que pueda realizar las evaluaciones y el reconocimiento correctos.

¿Qué debo esperar?

Si sospecha que padece una STD tal vez tenga que someterse a un análisis microscópico de sus secreciones vaginales o quizá se le haga un cultivo para ver qué organismos están causando el problema. Algunas de estas enfermedades requieren que el cuello del útero se revise cuidadosamente por medio de una lupa binocular con iluminación en un procedimiento diagnóstico que se llama colposcopia. Si usted tiene motivos para sospechar que se expuso al VIH, le tendrán que hacer un análisis de la sangre para buscar anticuerpos contra esta enfermedad.

Si sus pruebas confirman la presencia de alguno de estos males, muy probablemente sentirá toda una gama de emociones además de las posibles molestias físicas. Si una STD la toma por sorpresa tal vez se sienta enojada, violada y traicionada, y quizá enfadada consigo misma por haberse expuesto a la enfermedad. Sin embargo, independientemente de la ira que sienta, tómese el tiempo de detenerse a pensar con calma en lo que sucedió. "Un aspecto importante de la respuesta emocional es tratar de determinar cómo se adquirió la STD a fin de evitar que vuelva a ocurrir en el futuro", indica la Dra. Trupin.

Si le diagnostican SIDA, sus sentimientos probablemente serán mucho más fuertes. "La mayoría de las mujeres experimentan el mismo tipo de emociones como otras con enfermedades potencialmente terminales —desesperación, dolor, ira y negación—, pero con el estigma social adicional que implica el VIH —afirma la Dra. Trupin—. Las emociones más comunes que las mujeres con VIH/SIDA deben enfrentar son la depresión y la ansiedad". Algunas incluso piensan en suicidarse, agrega. Sin embargo, un diagnóstico de SIDA ya no es una sentencia de muerte. En muchos casos los nuevos medicamentos ayudan a retardar la conversión del VIH en SIDA. "Puede ser muy útil hablar con mujeres que hayan sufrido los mismos problemas —recomien-

VIH/SIDA

Mientras que en 1985 sólo el 7 por ciento de los casos de SIDA se atribuyeron al sexo heterosexual, esta cifra se elevó al 23 por ciento en 1998.

De las infecciones que se dan entre las mujeres, el 75 por ciento se deben al sexo heterosexual y el 25 por ciento al consumo de drogas por inyección. No obstante, sólo el 30 por ciento de las infecciones nuevas corresponden a mujeres. De este porcentaje, las mujeres negras cubren el 64 por ciento, mientras que a las mujeres hispanas y blancas norteamericanas corresponde el mismo 18 por ciento, respectivamente.

Una mujer puede contraer el VIH si su pareja infectada utiliza drogas por vía intravenosa o es bisexual, o bien usó drogas por vía intravenosa o fue bisexual alguna vez en el pasado. Dos estudios nuevos indican la posibilidad de que las conductas bisexuales riesgosas de algunos hombres negros estén propagando la infección del VIH entre las mujeres negras en algunas partes del país. De acuerdo con un estudio que se llevó a cabo en la ciudad de Nueva York, el 20 por ciento de los hombres negros encuestados afirmaron ser bisexuales, en comparación con el 4 por ciento entre los hombres blancos norteamericanos.

Las mujeres también somos más vulnerables a la infección por el VIH si padecemos alguna otra enfermedad de transmisión sexual o bien relaciones anales. También es posible contraer el virus por medio del sexo oral.

da la Dra. Trupin—. Numerosos grupos de apoyo nacionales y locales pueden ayudar mucho a sobrellevar los diferentes aspectos de la enfermedad".

Consejos que curan

Los médicos utilizan todo un arsenal de medicamentos y tratamientos para tratar de acabar con las STD. La selección depende por completo de la STD que padezca y a veces del tiempo que la haya padecido. Por ejemplo, cuando se ha

La transmisión del virus de un hombre a una mujer es ocho veces más factible que de una mujer a un hombre, por lo que existe una probabilidad mucho mayor de que los hombres les peguen el virus a las mujeres que las mujeres a los hombres.

El tiempo promedio que transcurre entre la infección inicial y la aparición de los síntomas que permiten diagnosticar el SIDA es de 8 a 11 años. Este lapso de tiempo varía enormemente de una persona a otra y depende de su estado de salud y conducta. Un gran número de personas no tienen síntomas durante muchos años o bien sólo son leves, como ganglios linfáticos hinchados y fiebre. Luego, conforme se desarrolla el SIDA, las personas experimentan pérdida de peso, fatiga, diarrea y las infecciones oportunistas que aprovechan los estragos causados en el sistema inmunitario del cuerpo.

Si usted cree correr riesgo de enfermarse de VIH, sométase a una prueba. Las pruebas actuales del VIH figuran entre los análisis médicos más precisos que hay.

Si los resultados son positivos puede tomar medicamentos que a veces transforman el VIH de una sentencia de muerte en una enfermedad crónica, entre ellos *AZT (Retrovir)*, que también se conoce como zidovudina o azidotimidina, así como inhibidores de proteasa como ritonavir *(Norvir)* y saquinavir mesilato *(Invirase)*.

padecido sífilis durante menos de un año esta se cura con una dosis de penicilina. Cuando el contagio se dio más tiempo atrás se requieren dosis adicionales.

Las mujeres con herpes genital pueden tomar un medicamento antiviral como el aciclovir *(Zovirax)* para disminuir la intensidad inicial de la enfermedad o reducir el número de brotes recurrentes. Las mujeres con verrugas genitales pueden hacérselas quitar con cremas de *peeling* químico, cirugía láser, congelamiento o cauterización. Las mujeres con una infección de VIH

pueden tomar una combinación de medicamentos antivirales, normalmente zidovudina *(AZT)* e inhibidores de proteasa *(protease inhibitors)*. En algunas personas, estos ayudan a evitar la multiplicación del virus.

En la mayoría de los casos, si usted padece una STD su pareja sexual también está infectada. Será preciso que usted reciba tratamiento por el mismo problema.

Alternativas que alivian

Una vez que la infección esté controlada podrá recurrir a la medicina alternativa para ayudar a mantener su salud vaginal y reconstruir su sistema inmunitario, según afirma Jody Noe, N.D., una naturópata de Brattleboro, Vermont. La experta sugiere lo siguiente.

Adopte una alimentación saludable para reforzar su inmunidad. La respuesta del cuerpo a cualquier infección depende de la capacidad del sistema inmunitario para combatirla, y eso requiere de una buena nutrición. Es importante consumir todas las vitaminas y los minerales en cantidades adecuadas, sobre todo las vitaminas A, C y E y las del complejo B, así como los minerales cinc y selenio. Asimismo es crucial evitar el exceso de azúcar y equilibrar cantidades adecuadas de proteínas de alta calidad con carbohidratos. Los cereales integrales, el pescado, los frijoles (habichuelas), una gran cantidad de verduras y la fruta cumplen con esta exigencia.

Si padece una infección viral considere la N-acetilcisteína (o *NAC* por sus siglas en inglés). Este suplemento nutricional, que está disponible en las tiendas de productos

VERRUGAS GENITALES

Las verrugas genitales son unas lesiones planas o bien unos bultos pequeños y carnosos parecidos a coliflores que llegan a aparecer dentro o alrededor del cuello del útero, la vagina y el ano o bien, en el caso de los hombres, en el pene y el escroto y dentro de la uretra. Las verrugas suelen ser indoloras, pero es posible que den picazón (comezón). La causa es el papilomavirus humano (o *HPV* por sus siglas en inglés). A varias cepas de este virus, que no producen verrugas visibles siempre, se les ha asociado con el cáncer del cuello del útero. Es posible hacerse analizar las verrugas para ver de qué cepa viral se trata.

Las verrugas se dan por medio del contacto directo con las de otra persona, pero el virus también se propaga a través de líquidos corporales como el semen o las secreciones vaginales.

Las verrugas se diagnostican mediante el examen visual del médico y se extirpan por medio de sustancias químicas, congelamiento, quemar o láser. No obstante, reaparecen por lo menos el 30 por ciento del tiempo, de modo que es posible que se requiera más de un tratamiento.

Hechas con regularidad, las pruebas de Papanicolau pueden revelar la presencia de células precancerosas o cancerosas causadas por el HPV. Debe hacerse una biopsia si las verrugas son de color marrón o negro, si se ven raras en cualquier sentido, si son más grandes que una uña de pulgar, si son rojas y escamosas y si la prueba de Papanicolau sale anormal, independientemente del aspecto de las verrugas.

naturales, tal vez funcione como "un antiviral general", afirma la Dra. Noe. Recomienda que las personas con SIDA o hepatitis B o C tomen entre 1,000 y 2,000 miligramos diarios de NAC. También es posible que los pacientes de infecciones recurrentes de herpes se beneficien de ingerir esta cantidad. Hable con su médico antes de tratarse con cisteína. En dosis altas puede producir cálculos renales en las personas que padecen cistinuria. Debido a que posiblemente desactive la insulina, utilícela con cuidado si tiene diabetes. También es posible que la cisteína consuma el cinc y el cobre, de modo que si va a tomar suplementos de cisteína o de N-acetilcisteína durante más que unas cuantas semanas, compleméntela con un suplemento multivitamínico y de minerales que le proporcione la Cantidad Diaria Recomendada (o *DV* por sus siglas en inglés) de estos minerales.

No se haga irrigaciones vaginales a menos que su médico las recomiende. Diversos estudios demuestran que las mujeres que se hacen irrigaciones vaginales de hecho tienen una mayor probabilidad de contraer la enfermedad inflamatoria pélvica que las que no las acostumbran, quizá porque el proceso perturba el equilibrio de los organismos protectores dentro de la vagina, lo cual permite el crecimiento acelerado de los gérmenes dañinos. Si nota un flujo u olor raro, consulte a un médico en lugar de hacerse una irrigación vaginal.

Cáncer de mama

Los senos no reciben la atención que merecen.

Es difícil de creer, ¿verdad? Los senos parecen tan importantes en nuestra cultura. Se los comen con los ojos, los glorifican y los vilipendian. Los exhiben en el cine, el diseño de la ropa los acentúa y se utilizan para vender productos comerciales. Cuando Brandi Chastain, que ocupa la posición de defensa en la selección nacional de fútbol femenil de los Estados Unidos, le clavó el gol de la victoria a la portera china en la final del Mundial Femenil de 1999 y luego se arrancó la camiseta, llena de júbilo, sus senos incluso fueron noticia. A veces es fácil desear que no llamaran tanto la atención.

Sin embargo, existe un tipo de atención que definitivamente necesitan y no siempre reciben. Resulta increíble que incluso en esta época de una conciencia pública tremenda acerca del cáncer de mama algunas mujeres aún les resten importancia a los autorreconocimientos, los mamogramas y otras pruebas importantes de detección precoz.

"Existe la idea poco afortunada de que no necesito hacerme revisar los senos con regularidad si no me causan problemas en la vida cotidiana, si no me provocan dolor. Desgraciadamente el cáncer de mama no molesta a la mayoría de las mujeres hasta una fase relativamente avanzada", explica la Dra. A. Marilyn Leitch, una oncóloga quirúrgica y profesora de Cirugía en el Centro Médico de la Universidad de Texas Southwestern en Dallas.

Por eso la vigilancia y la detección temprana desempeñan un papel tan importante en la lucha contra el cáncer de mama.

Los factores de riesgo

Son pocos los lugares en el mundo con un índice de cáncer de mama tan alto como el de los Estados Unidos. Aparte del cáncer de piel se trata del fenómeno maligno más común que se les diagnostica a las mujeres en este país: afecta a 175,000 y cobra 43,000 vidas cada año. Sólo el cáncer de pulmón es más letal. Desde 1973 el número de casos de cáncer de mama que se diagnostican ha aumentado más o menos en un 2 por ciento al año, si bien gran parte de este incremento se debe a la mejoría en los métodos de detección.

CASO DE LA VIDA REAL

No confía en el diagnóstico de su médico

Una semana después de cumplir 45 años Renee se hizo un mamograma. Desde luego no esperaba más que buenas noticias, por lo que le cayó como un balde de agua fría cuando se le informó por teléfono que algo un poco fuera de lo común había aparecido en la radiografía. Al cabo de una semana le hicieron una biopsia con aguja. Afortunadamente se confirmó su buen estado de salud. El diagnóstico atenuó el miedo de Renee por un tiempo, aunque le entró el pánico cuando un poco de sangre se le escapó del pezón después de la biopsia. El médico le indicó que se trataba de un efecto secundario normal del procedimiento. No obstante, ahora, un mes más tarde, le ha vuelto a gotear un poco de sangre y nuevamente siente cierto pánico. ¿Hay motivos para ello?

Las secreciones con sangre son comunes después de haber experimentado una intervención en un seno. Sin embargo, deberían desaparecer. Por lo tanto, si aún aparecen un mes más tarde definitivamente hay que investigar el asunto. No es algo de lo que Renee o su médico puedan hacer caso omiso. Ella tiene que hacer una cita de seguimiento. Si no queda satisfecha con las respuestas que se le den durante esta consulta, definitivamente debe solicitar una segunda opinión. Y recomiendo con ahínco que le pida esta opinión a un médico que cuente con mucha experiencia en el procedimiento de la biopsia que provocó la secreción para empezar.

Información proporcionada por la experta
La Dra. Deborah Capko
Cirujana de la mama y directora médica adjunta
Instituto para el Cuidado de la Mama en el Centro Médico de la Universidad de Hackensack
Nueva Jersey

Los médicos no están seguros de la razón por la que los senos son tan susceptibles a sufrir cáncer, pero se sabe de varios factores que aumentan el riesgo de contraer esta enfermedad.

Los siguientes son algunos de ellos.

La edad. El riesgo de padecer cáncer de mama aumenta de manera gradual conforme se envejece. Rara vez se les diagnostica a mujeres menores de 35 años, pero después de los 40 aumenta el peligro para todas. La mayoría de los casos se dan en las mujeres mayores de 50 años y el riesgo es particularmente alto entre las mayores de 60.

Los antecedentes familiares. Si su madre, hermana, hija o por lo menos otras dos familiares cercanas, como unas primas, por ejemplo, han sufrido cáncer de mama, sobre todo a una edad temprana, es posible que usted también corra mucho riesgo, advierte la Dra. Leitch. Al revisar sus antecedentes familiares no pase por alto la familia de su padre. Aunque él no haya padecido la enfermedad es posible que sea portador del gen del cáncer de mama si su madre o hermana lo sufrieron. Quizá sea oportuno que se haga una evaluación de riesgo y pruebas genéticas si cualquiera de los dos lados de su familia cuentan con un historial significativo de cáncer de mama.

Ciertos cambios en los senos. Un diagnóstico previo de una situación benigna o más de dos biopsias de mama se asocian a un riesgo más alto de cáncer.

Una maternidad tardía. En las mujeres que tienen a su primer hijo después de los 30 años es mayor la probabilidad de contraer cáncer de mama que en las que los tuvieron de más jóvenes.

La exposición al estrógeno. Las mujeres que

empezaron a menstruar antes de los 12 años, llegaron a la menopausia después de los 55, nunca tuvieron hijos o tomaron la píldora anticonceptiva o una terapia de reposición hormonal durante varios años tal vez también corran un mayor riesgo. Todos estos factores incrementan el tiempo durante el cual el cuerpo de la mujer se ve expuesto al estrógeno. Entre más tiempo de exposición se tenga al estrógeno, mayor es la probabilidad de desarrollar cáncer de mama.

Todos estos factores de riesgo son importantes, pero ponerles demasiada atención tal vez resulte engañoso, ya que la posibilidad de que cualquiera de ellos por sí solo provoque cáncer de mama es menor al 1 por ciento, según la Dra. Deborah Capko, cirujana de la mama y directora médica adjunta del Instituto para el Cuidado de la Mama en el Centro Médico de la Universidad de Hackensack en Nueva Jersey. De hecho la mayoría de las mujeres a las que se aplican los factores de riesgo conocidos no sufren cáncer de mama. Y muchas de las que no tienen ninguno de los factores de riesgo sí contraen la enfermedad. A los médicos les cuesta trabajo explicar esta paradoja. Por eso la constancia en la revisión reviste una importancia tan fundamental.

"La mayoría de las mujeres que no tienen antecedentes familiares de cáncer de mama opinan que pueden descuidar los autorreconocimientos y los mamogramas un poco porque no corren riesgo —indica la Dra. Capko—. La verdad es que la mayoría

PREGUNTAS Y RESPUESTAS

¿Por qué los mamogramas tienen que doler tanto?

Durante un mamograma, el seno se comprime entre una placa de rayos X por debajo y una tapa de plástico por arriba. Esto aplana el seno a fin de escanear la mayor parte posible de los tejidos. Tal vez parezca doloroso, pero dentro de la perspectiva general de las cosas así como en comparación con otros procedimientos no pienso que sea tan desagradable en realidad. Creo que las molestias se deben más a la ansiedad y al temor a los resultados.

Recomiendo mucho que las mujeres acudan a un centro cuyos técnicos no hagan más que mamogramas. Por lo común tienen más experiencia y compasión que las personas que realizan diversos estudios de rayos X y sólo ocasionalmente un mamograma. Es más probable que el técnico hable con usted durante el procedimiento y responda a sus preguntas e inquietudes. Así usted tendrá un mayor sentido del control y de la participación y la atención que se le brinde será personalizada.

Si se siente incómoda durante el procedimiento dígaselo al técnico, quien deberá hacer lo posible por colaborar con usted. Si no lo hace, pida la asistencia de otro técnico o bien busque otro lugar donde hacerse los mamogramas.

Otra cosa que las mujeres pueden hacer para disminuir sus molestias es programar sus mamogramas para los primeros 10 días después de que normalmente comience su menstruación. Al parecer los senos son menos sensibles durante esta fase y no hay posibilidad de que exista un embarazo.

Información proporcionada por la experta
La Dra. Emily Conant
Profesora adjunta y jefa de escaneo de mama
Hospital de la Universidad de Pensilvania
Filadelfia

de las mujeres que sufren cáncer de mama no tienen antecedentes familiares ni ninguno de los otros factores de riesgo".

La prevención

No se conocen formas infalibles de prevenir el cáncer de mama, indica la Dra. Capko. No obstante, si toma las siguientes medidas es posible que su riesgo se reduzca.

Adelgace. Controlar el peso es uno de los pocos factores que una mujer puede modificar en su estilo de vida a fin de reducir el riesgo de sufrir cáncer de mama, afirma la Dra. Capko. Los investigadores sospechan que el exceso de peso —más del 20 por ciento por encima de su rango ideal— estimula una mayor producción de las hormonas sexuales que se piensan promueven los tumores en las mamas. Por lo tanto, si tiene sobrepeso trate de bajar unas cuantas libras. De hecho, con tan sólo restar 150 calorías a cada comida —el equivalente a una rebanada de pizza con queso, cinco galletas de jengibre o una ración de ½ taza de helado de vainilla— y comer una merienda (refrigerio, tentempié) menos al día puede empezar a perder hasta una libra (456 g) a la semana. Quizá no suene como mucho, pero al cabo de 6 meses pesará casi 24 libras (11 kg) menos, señala Maria Simonson, Sc.D., Ph.D., directora de la Clínica de Salud, Peso y Estrés en las Instituciones Médicas Johns Hopkins en Baltimore. Cortarle la grasa visible a las carnes puede ahorrarle unas 60 calorías por comida. A lo largo de un año esto podrá sumar 22,000 calorías y aproximadamente 6½ libras (3 kg) por las que no tendrá que preocuparse.

Corra por su vida. El ejercicio hecho con regularidad —como caminar, nadar, trabajar en el jardín o hacer tareas domésticas de manera

DESACTIVE LA BOMBA DEL TIEMPO: LA MASTECTOMÍA PREVENTIVA

Tricia Marrapodi sabía que sólo era cuestión de tiempo. Su madre había muerto de cáncer de mama a los 44 años. A pesar de que Tricia sólo tenía 17 cuando esto sucedió, tomó una decisión. Se haría una mastectomía preventiva, es decir, se le extirparían quirúrgicamente los tejidos de los senos para reemplazarlos con implantes salinos, lo cual reduciría de manera significativa sus posibilidades de sufrir cáncer de mama. No obstante, un médico la persuadió de esperar hasta los 30 años. Para entonces estaría mejor preparada para esta dura prueba, le dijo, tanto desde el punto de vista físico como del emocional.

Así que Tricia esperó. Luego, a los 27 años, su hermana gemela, Kelly Munsell, le dijo a Tricia que había encontrado un bulto en su seno. Un mes después Kelly se sometió a una mastectomía y comenzaron los tratamientos quimioterapéuticos contra su cáncer. En vista de que Tricia y Kelly son gemelas idénticas, el médico de Tricia calculó que tenía más de un 90 por ciento de probabilidades de contraer cáncer de mama. Tricia sabía que el momento había llegado. Se hizo una mastectomía doble a los 28 años.

"Siento que tomé la mejor decisión debido a la serenidad que me ha dado —comenta Tricia—. Aún tengo un 2 por ciento de posibilidades de padecer cáncer de mama, porque todavía me quedan unos tejidos mamarios residuales. No obstante, el alto riesgo que enfrentaba antes de esta intervención quirúrgica era una posibilidad aterradora. Me sien-

vigorosa varias veces a la semana— puede reducir de forma dramática su riesgo de padecer cáncer de mama, aunque empiece en un momento ya avanzado de su vida.

Cuando un grupo de investigadores de la Clínica Mayo observó a 1,806 mujeres posmenopáusicas (con una edad promedio de 75) durante 11 años, encontraron que las modera-

to como si se me hubiera quitado una pesada carga de encima".

A pesar de que los investigadores han hallado que las mastectomías profilácticas pueden reducir hasta en un **90 por ciento** la posibilidad de que una mujer sufra cáncer de mama, la mayoría de los médicos consideran esta intervención quirúrgica como una opción muy radical, incluso para las mujeres que tienen antecedentes familiares repetidos de la enfermedad o que portan uno de los dos genes de los que se sabe promueven el cáncer de mama.

"Si hemos de realizar una intervención quirúrgica tan drástica, queremos estar muy seguros de que el riesgo de contraer cáncer de mama sea muy importante, muy alto —afirma la Dra. A. Marilyn Leitch, una oncóloga quirúrgica y profesora de Cirugía en el Centro Médico de la Universidad de Texas Southwestern en Dallas—. Por lo tanto, si alguien piensa hacerse una mastectomía bilateral preventiva prefiero que antes se someta a pruebas genéticas y a sesiones de orientación".

Las mastectomías preventivas no sólo son una opción para las mujeres sanas que corren riesgo. Algunas de las que han tenido cáncer en un seno optan por hacerse extirpar también el otro.

"Una vez que una mujer ha experimentado lo que es el cáncer de mama, sabe qué implica la operación quirúrgica y conoce sus efectos. Si después de reflexionar con cuidado toma la decisión de hacerse una cirugía preventiva en el otro seno se la hacemos —indica la Dra. Leitch—. Sin embargo, no efectuamos este tipo de operación muy a la ligera. Sólo la realizamos después de mucha reflexión y orientación".

promueven el cáncer, particularmente el estrógeno, explica Leslie Bernstein, Ph.D., profesora de Medicina de Prevención en la Escuela de Medicina de la Universidad del Sur de California en Los Ángeles. Basándose en dichos estudios sugiere que las mujeres de todas las edades incluyan un programa de ejercicio regular de 30 a 40 minutos por día como parte de un estilo de vida saludable.

Que la leche lidere su lucha. Saboree una taza de leche semidescremada al 1 por ciento caliente con ¼ cucharadita de extracto de almendra antes de acostarse, sugiere Holly McCord, R.D., editora de nutrición en la revista *Prevention*. La grasa de la leche contiene una sustancia intrigante conocida como ácido linoleico, el cual combate las células del cáncer de mama tanto en las probetas como en los animales.

Desafíelo con la D. Las mujeres cuya alimentación contiene cantidades más altas de vitamina D al parecer corren menos riesgo de padecer cáncer de mama. A fin de asegurarse el nivel recomendado, McCord sugiere tomar un suplemento multivitamínico como parte de su rutina diaria.

Tómese su tacita de té. El té verde desborda de antioxidantes que bloquean el cáncer previniendo los daños al ADN, el programa que se encarga de la reproducción correcta de las células, explica McCord. Las pruebas sugieren que uno de estos compuestos, la EGCG, es 100 veces más fuerte que la vitamina C y 25 veces más fuerte que la vitamina E en lo que se refiere a la protección del ADN. Si bien las pruebas aún no son definitivas, el té verde inhibe la formación

damente activas tenían un 50 por ciento menos riesgo de sufrir cáncer de mama en comparación con las sedentarias. Ciertos estudios anteriores llevados a cabo entre mujeres de 40 años o menos encontraron efectos similares en el caso de las mujeres premenopáusicas.

Es probable que el ejercicio disminuya la exposición de los senos a las hormonas que

Cómo hacerse un autorreconocimiento de los senos

Siga un patrón definido durante el autorreconocimiento de sus senos y hágalo de la misma manera cada vez, para familiarizarse con la forma en que se sienten sus senos. Uno de los patrones básicos de exploración es el circular, lo cual implica llevar los dedos desde la parte externa del seno hasta el pezón trazando pequeños círculos. No obstante, se pueden utilizar otros patrones. Para explorar sus senos con el patrón vertical, por ejemplo, deslice la mano hacia arriba y abajo trazando líneas verticales de un lado del seno al otro. En cuanto al patrón de gajos, empiece desde el pezón y mueva los dedos poco a poco hasta el borde del seno y luego otra vez hacia el pezón. Continúe hasta que le haya dado toda la vuelta al seno.

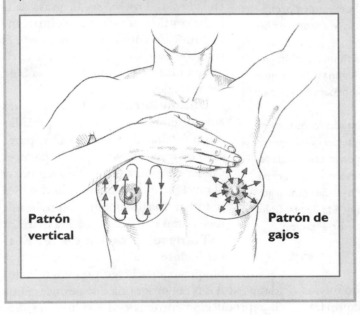

Patrón vertical

Patrón de gajos

de células cancerosas en los animales. Y en el Japón, donde la gente acostumbra tomar de dos a tres tazas diarias, el cáncer es menos común y por lo general ocurre a una edad mucho más avanzada que en los Estados Unidos. El té verde y sus extractos (que se venden en forma de cápsulas) pueden comprarse en la mayoría de las tiendas de productos naturales.

Vaya a pescar. Pida salmón siempre que lo vea en el menú de un restaurante, recomienda McCord. El salmón es rico en grasas omega-3 y las investigaciones indican que las mujeres que poseen un nivel más alto de grasas omega-3 en los tejidos tienen un índice más bajo de cáncer de mama.

"Vegetarianícese". Es mejor elegir una sabrosa hamburguesa o salchicha vegetariana para su plato principal que una de carne, porque aquellas no forman unos compuestos llamados aminas heterocíclicas cuando se cocinan. Es posible que estos compuestos representen una de las principales razones por las que las mujeres que comen mucha carne roja y carne bien cocida parecen padecer más cáncer de mama, afirma McCord.

Todo, pero con medida. Es posible que el consumo de más de dos tragos alcohólicos al día eleve el nivel del estrógeno, promueva la división celular y aumente el riesgo de cáncer de mama, dice la Dra. Capko. Por lo tanto, si va a tomar no exagere. No beba más que una botella de 12 onzas (360 ml) de cerveza, una copa de 4 onzas (120 ml) de vino o un trago de 1 onza (30 ml) de una bebida fuerte al día.

Manténgase en contacto. Si se familiariza con la forma y textura de sus senos tanto de vista como mediante el tacto es más probable que detecte cambios. De hecho, el 90 por ciento de las veces los bultos en las mamas se descubren mediante autorreconocimientos. Por eso es tan importante *realmente* hacerse el autorreconocimiento cada mes y no sólo pensar en ello, exhorta la Dra. Capko. Hágalo los mismos días de cada mes. Si aún no llega a la menopausia, hágalo de 5 a 7 días después de terminada su menstruación. Para entonces sus hormonas se habrán estabilizado y obtendrá una mejor apreciación del tamaño y la forma naturales de sus senos.

Empiece con una inspección visual, indica la Dra. Capko. Párese delante de un espejo con las manos a sus costados. Levante las manos y entrelácelas detrás de la cabeza. Busque cualquier cambio en el tamaño o la forma de sus senos, así como secreción por los pezones, enrojecimiento, arrugas u hoyitos. Luego apriete las manos con firmeza contra las caderas, con los hombros y los codos echados hacia delante; de nueva cuenta busque cualquier cambio.

Después del examen visual revise sus senos mediante el tacto. Es importante proceder con cierto sistema para poder asegurarse de haber buscado de manera minuciosa cualquier bulto. Quizá lo quiera hacer con agua jabonosa en la ducha (regadera) para que sus manos resbalen fácilmente, sugiere la Dra. Capko.

Hágase un mamograma. Aunque no le guste el proceso, un mamograma al año después

DOLOR DE LOS SENOS: ¿QUÉ SIGNIFICA?

"Es probable que entre un 70 y un 75 por ciento de las mujeres experimentan dolor en los senos en algún momento de sus vidas. Con frecuencia está relacionada con los cambios hormonales que ocurren en el seno durante el ciclo menstrual. A muchas mujeres también les duelen los senos entre los 40 y los 50 años, conforme se acercan a la menopausia. De nueva cuenta todo se debe a las hormonas, que se descontrolan completamente. Es posible que sienta un dolor constante en el seno, en forma de una sensación turgente, ardor o punzadas. Las influencias hormonales en los senos son realmente increíbles", afirma la Dra. Deborah Capko, cirujana de la mama y directora médica adjunta del Instituto para el Cuidado de la Mama en el Centro Médico de la Universidad de Hackensack en Nueva Jersey.

Los quistes y la mastitis, una afección dolorosa normalmente relacionada con la lactancia, también pueden provocar sensibilidad al dolor. Una artritis en las costillas y el esternón son otras posibles fuentes de dolor de los senos. Y algunos medicamentos, como la píldora anticonceptiva, pueden producir dolor. Como sea, el dolor de los senos, sobre todo si guarda correlación con el ciclo menstrual, rara vez es un síntoma de cáncer de mama.

Lleve un registro de las ocasiones en que siente dolor, por supuesto; anote sus apariciones y desapariciones en un cuaderno, si así lo desea, y mencióneselo a su médico, sugiere la Dra. Capko. No obstante, en la mayoría de los casos unas compresas calientes, analgésicos vendidos sin receta o bien medicamentos antiinflamatorios como el acetaminofén (*acetaminophen*) o el ibuprofeno (*ibuprofen*), utilizados tal como lo indica la etiqueta, aliviarán el problema.

de los 40 es una de las mejores formas de detectar el cáncer de mama y recibir tratamiento en sus etapas más tempranas, afirma la Dra. Capko.

Pregunte por el tamoxifeno. Pídale a su médico que le ayude a calcular su riesgo de contraer cáncer de mama durante los próximos 5 años (el Instituto Nacional del Cáncer ofrece unos programas de computadora que simplifican el proceso). Si su riesgo es de por lo menos el 1.7 por ciento, lo que sería moderadamente alto, pregúntele a su médico sobre la posibilidad de tomar tamoxifeno *(Nolvadex)*, un medicamento que puede reducir el peligro en un 50 por ciento, sugiere la Dra. Leitch.

"Para que sea indicado tomar tamoxifeno la mujer debe tener cierto grado de riesgo —apunta la Dra. Leitch—. No es algo que un médico daría a cualquiera".

Así ocurre porque algunos riesgos raros pero significativos se asocian al uso del tamoxifeno, entre ellos efectos secundarios potencialmente mortales como el embolismo pulmonar y el cáncer uterino. Por lo tanto, antes de tomar este medicamento asegúrese de entender perfectamente sus ventajas y desventajas en relación con su nivel de riesgo de cáncer de mama, recomienda la Dra. Leitch.

Señales y síntomas

No es posible insistir demasiado en ello: durante sus fases más tempranas y más sensibles al tratamiento, el cáncer de mama por lo común no causa dolor y es posible que carezca totalmente de síntomas, de modo que hacerse un mamograma al año es muy importante. No obstante, a veces sí viene acompañado de síntomas tempranos. El Instituto Nacional del Cáncer le recomienda ir a ver a su médico si nota cualquiera de los siguientes:

- Un bulto o espesamiento en el seno, cerca de este o en la zona de la axila

Mamá siempre decía

¿Me dará cáncer por pararme muy cerca de un horno de microondas?

Los hornos de microondas realmente les han ayudado a algunas personas a mejorar la calidad de su comida rápida. Al calentar las sustanciosas sobras de la noche anterior o bien cocinar una guarnición de verduras para acompañar un *bagel*, nos brindan a las mujeres unos instantes más para comer los alimentos más nutritivos que hemos cocinado rápidamente.

Además, la comida cocinada en horno de microondas es más nutritiva. Aparte de recalentar un alimento saludable, el horno de microondas conserva las vitaminas y los minerales de las verduras.

No obstante, a pesar de todas sus ventajas el horno de microondas aún nos pone un poco nerviosas. Para demostrarlo basta el hecho de que en inglés se hable de *nuking* los alimentos —es decir, de exponerlos a radiaciones nucleares— cuando se meten al horno. ¿Cuál es la verdad? ¿Hacen daño los rayos invisibles? ¿Se les salen a los hornos?

Los hornos de microondas están diseñados para mantener encerradas las ondas de energía. A pesar de que a algunas personas tal vez les preocupe que las microondas se salgan y le hagan daño a una persona que se encuentra de pie frente al horno, esto es muy poco probable. A fin de garantizar que el horno de microondas sea seguro, revise los empaques alrededor de la puerta para ver que estén intactos y en buenas condiciones. Si puede introducir un trozo de papel entre la puerta y el horno, el empaque se ha deteriorado y

- Un cambio en el tamaño o la forma del seno
- Secreción o dolor en el pezón, o bien un pezón que se ha invertido hacia el interior del seno
- Surcos u hoyitos en el seno (la piel tiene la apariencia de una cáscara de naranja/china)
- Un cambio en la apariencia de la piel del seno, la areola o el pezón, o bien un cambio

debe hacer que se lo cambien. Si sigue preocupada, pídale a un técnico que se lo revise.

Cuando utilice un horno de microondas en su oficina o alguna otra parte, apártese de él mientras esté funcionando.

Si la preocupa el efecto de las microondas sobre los alimentos —¿qué es *exactamente* lo que sucede con todas esas moléculas agitadas?— reduzca los motivos de inquietud al mínimo usando sólo recipientes de vidrio, de cerámica o de plástico apto para el horno de microondas. Los viejos recipientes de margarina y la envoltura autoadherente de plástico pueden derretirse y posiblemente filtrar sustancias químicas y otras moléculas ajenas a la comida. (A fin de atrapar el vapor está bien usar la envoltura autoadherente de plástico para cubrir un plato o platón sin que toque los alimentos).

Además, no hay pruebas de que la composición química de los alimentos se altere en el horno de microondas. La verdad es que un horno de microondas es un aparato útil para recalentar las sobras en recipientes apropiados para él; para calentar cenas ya preparadas en sus paquetes diseñados de manera especial para el horno de microondas; para cocinar algunos alimentos no procesados (avena, verduras, papas, pescado o pollo); o incluso para prepararse rápidamente una taza de té herbario o de chocolate caliente.

Información proporcionada por la experta
Barbara P. Klein, Ph.D.
Profesora de Ciencias de los Alimentos y Nutrición Humana
Universidad de Illinois
Urbana-Champaign

en cómo se siente la piel en estas áreas (por ejemplo caliente, hinchada, roja o escamosa)

¡Que no cunda el pánico!

La vasta mayoría de los bultos que aparecen en los senos no son cancerosos, indica la Dra. Emily Conant, profesora adjunta y jefa de escaneo de mama en el Hospital de la Universidad de Pensilvania en Filadelfia. "La mayoría de las veces lo que se percibe es un área de tejido normal de mama o un tumor benigno", dice. Algunas causas benignas comunes de bultos en los senos son quistes, fibroadenomas o zonas de fibrosis. No permita que los nombres médicos la asusten, pues todos estos bultos son inofensivos. Su médico probablemente efectuará escaneos, como una mamografía o un ultrasonido. En algunos casos hará falta una biopsia o aspiración con aguja —la cual extrae líquido de la zona en cuestión— para confirmar el diagnóstico benigno.

Aunque el tumor sea canceroso, con frecuencia el diagnóstico seguirá siendo optimista, afirma la Dra. Leitch. De hecho las mujeres contamos actualmente con más opciones de tratamiento y esperanzas de supervivencia que nunca antes. El 99 por ciento de las mujeres cuyo cáncer de mama se detecta en una fase temprana siguen vivas 5 años después del diagnóstico, y el 98 por ciento sobrevive durante 10 años o más.

Además, el índice de mortalidad por cáncer de mama se ha desplomado en años recientes. Se calcula que una mujer enfrenta un riesgo de menos del 4 por ciento de morir de cáncer de mama. En comparación con esto, su riesgo de morir de una enfermedad cardíaca, derrame cerebral, diabetes o las complicaciones de la osteoporosis anda cerca del 40 por ciento, informa la Dra. Capko.

Si la preocupa que se vaya a desfigurar, debe saber que en todos los casos de cáncer excepto los más avanzados existe la opción quirúrgica

Cuando el bulto no es cáncer de mama

Informe a su médico acerca de cualquier bulto nuevo que descubra o palpe en sus senos. Si bien siempre es posible que sea cáncer, en la mayoría de los casos estos bultos resultarán inofensivos. Examinemos varias de las afecciones comunes no cancerosas que pueden darse.

Los fibroadenomas benignos son unos bultos fibrosos, firmes y móviles de diferentes tamaños que aparecen en los senos. Estos bultos indoloros, que tal vez se sientan como unas pequeñas canicas sólidas de goma (hule), normalmente se forman en el tejido fibroso que apoya el seno. Sin embargo, también pueden nacer en los tejidos de las glándulas mamarias, los 15 a 20 depósitos de leche que irradian hacia fuera desde el pezón. Comúnmente ocurren en mujeres menores de 30 años y es posible que se agranden en ciertos momentos durante el ciclo menstrual. A pesar de que estos bultos son inofensivos, la mayoría de los médicos la instarán a hacérselos extirpar quirúrgicamente —por lo menos la primera vez que ocurran— a fin de descartar la posibilidad de que se trate de cáncer.

La enfermedad fibroquística de la mama es una afección que se caracteriza por la formación de numerosos quistes en ambos senos, acompañados por bultos y dolor. Normalmente afecta a mujeres mayores de 30 años y se disipa después de la menopausia. Si usted experimenta muchas molestias es posible que su médico le recete fármacos como el tamoxifeno (*Nolvadex*) para poner freno a la formación de quistes. Además, es posible que pueda aliviar los síntomas si evita la cafeína, el alcohol y las grasas saturadas.

Por último, en lugar de dejarse llevar por el pánico esfuércese lo más posible por mantener una actitud positiva, sugiere la Dra. Patricia Gordon, directora de oncología radioterapéutica en el Hospital Century City de Los Ángeles.

"La actitud influye de manera importantísima en la capacidad para recuperarse del cáncer de mama —indica la Dra. Gordon—. Reviste una importancia extraordinaria el dominio de la mente sobre la materia. Una actitud positiva, una familia amorosa, una media naranja: todo esto contribuye a aumentar el bienestar. Y mantener un sentido del bienestar le ayudará a soportar el proceso del tratamiento".

¿A quién debo ver?

Si observa señales o síntomas sospechosos empiece por consultar a su ginecólogo, recomienda la Dra. Barbara Fowble, una oncóloga especializada en radioterapia del Centro Fox Chase para el Cáncer en Filadelfia.

Tenga presente que los bultos benignos con frecuencia se sienten diferentes de los cancerosos. Algunos médicos examinan el seno en una sola posición, lo cual les dificulta apreciar del todo el tamaño, la forma y la textura de un bulto sospechoso. Por lo tanto, cuando vaya a que le revisen los senos asegúrese de que su médico se los reconozca por lo menos en dos posiciones, como acostada con los brazos levantados arriba de la cabeza y luego de pie o sentada, sugiere la Dra. Capko.

de conservar el seno, de acuerdo con la Dra. Capko. Incluso a las mujeres a las que se les hace una mastectomía total, es decir, a las que se les extirpan por completo los senos, los ganglios linfáticos y los tejidos de alrededor, con frecuencia se les puede hacer una cirugía reconstructiva de inmediato, lo cual ayuda a suavizar el golpe psicológico de perder un seno natural.

¿Qué debo esperar?

Si después de un minucioso examen físico el médico sospecha que hay algo anormal en su seno es posible que pida pruebas adicionales, como un mamograma o una ultrasonografía *(ultrasonogram)*, la cual utiliza ondas sonoras de alta frecuencia para ayudar a determinar si un bulto es sólido o líquido.

Si estas pruebas despiertan más sospechas, su médico tal vez recomiende una biopsia. Quizá se haga con una aguja especial, o bien el cirujano puede optar por extraer todo el bulto o una parte de este. Un patólogo analizará los tejidos debajo de un microscopio para ver si contienen células cancerosas.

Si resulta ser cáncer, hay una buena posibilidad de que se sienta abrumada por el temor, la ansiedad, la ira y el rencor. "Los senos de la mujer son muy importantes emocionalmente. Después de todo, nuestra sociedad pone mucho énfasis en ellos. Por lo tanto, cuando se le dice a una mujer que tiene este cáncer ella se pone a pensar en todas las pérdidas que la esperan: la de los senos, de su condición de mujer, de su vida —explica la Dra. Capko—. Muchas personas tal vez digan: 'Bueno, tienes que ver el panorama en general. Tu seno no es tan importante; lo que importa es tu vida'. Todo va junto. No creo que sea justo comentar con ligereza: 'Por cierto, necesitas una mastectomía', porque el miedo a perder un seno es abrumador".

Cuando una mujer se entera de que tiene cáncer de mama es posible que su primera reacción sea desear un tratamiento de inmediato, el que sea. Resístase a este impulso, exhorta la Dra. Capko. Tenga presente que el cáncer de mama rara vez representa una urgencia médica. Las opciones de tratamiento o las probabilidades de supervivencia probablemente no cambiarán si se toma unos días para asimilar la noticia.

"Lo que les digo a mis pacientes es: 'Tendrá preguntas. Probablemente no comprenda del todo lo que le acabo de decir. Y hay varias cosas que empezará a hacer' —indica la Dra. Capko—. 'Primero leerá todo lo que encuentre acerca del cáncer de mama. En segundo lugar probablemente les hablará del diagnóstico a varias amigas cercanas y miembros de la familia. En cuanto lo haga, todos sus conocidos se comunicarán con usted para darle consejos. Le dirán quién es el mejor médico. Le hablarán para hacerle sugerencias acerca de todo lo que debe hacer.

"'Por lo tanto, realmente necesitará filtrar esa información, instruirse acerca de la enfermedad y colaborar con su médico para determinar el mejor plan de tratamiento para usted. Y eso requerirá algún tiempo'".

Consejos que curan

El tratamiento dependerá del tamaño de su tumor y de si se ha extendido a los ganglios linfáticos o a otras partes de su cuerpo. No obstante, en términos generales lo más probable es que el régimen incluya cirugía, radioterapia, quimioterapia o varias combinaciones de estos combatientes contra el cáncer, dice la Dra. Capko.

Las operaciones quirúrgicas del cáncer de mama se remiten a la antigüedad médica y siguen siendo un tratamiento fundamental para esta enfermedad. No obstante, los días en que automáticamente se hacía una mastectomía total han quedado atrás. Actualmente es mucho más probable que se extirpe sólo el tumor y luego se aplique radioterapia.

La radioterapia utiliza rayos de energía intensa para matar las células cancerosas e impedir que sigan creciendo. También es posible que sus médicos sugieran colocar implantes radioactivos en su seno. En algunos casos quizá reciba ambos tipos de tratamiento. La radioterapia, sola o junto con la quimioterapia o la terapia hormonal, a veces también se aplica antes de la intervención quirúrgica a fin de destruir las células cancerosas y reducir el tumor. Sin embargo, a pesar de la eficacia de la radioterapia a algunas mujeres les produce aprensión la idea de someterse a ella, afirma la Dra. Capko.

"Sólo se imaginan el daño que les podrá hacer —indica la Dra. Capko—. No comprenden que el tratamiento se limita al seno mismo. No entienden que el equipo que se utiliza es muy sofisticado y asegura que la radiación se centre directamente en el seno. Temen que las radiaciones les produzcan cáncer en otras partes de su cuerpo, lo cual simplemente no es así".

De hecho los efectos secundarios típicos de un tratamiento con radiaciones que se aplica 5 días a la semana durante 6 semanas tal vez se limiten a una quemadura parecida a la del sol en el seno tratado, fatiga y la desaparición del vello axilar cerca del seno tratado, señala la Dra. Fowble.

La quimioterapia, que se basa en una combinación de medicamentos contra el cáncer, representa un tratamiento común para las mujeres premenopáusicas cuyos tumores de mama tienen un diámetro mayor que 1 centímetro. Debido a que estos medicamentos viajan por todo el torrente sanguíneo, muchas veces son capaces de destruir tejidos cancerosos que otras formas de tratamiento no pueden erradicar por completo. Este tratamiento también asusta a muchas mujeres debido a su reputación de producir efectos secundarios desagradables, entre ellos la pérdida del cabello, náuseas, vómitos y falta de apetito. No obstante, en muchos casos es posible controlar o incluso eliminar estas molestias.

"Sin duda hemos logrado enormes avances para controlar los efectos secundarios de los tratamientos contra el cáncer. Hay medicamentos que contrarrestan los efectos secundarios de la quimioterapia al grado de que la mayoría de las mujeres experimentan pocas náuseas o vómitos o incluso nada", declara la Dra. Gordon.

En el futuro es posible que ya no haga falta la cirugía, la radioterapia ni la quimioterapia. De hecho los investigadores están trabajando en varias vacunas que tal vez erradiquen el cáncer de mama y otros tipos de cáncer.

Una de las más prometedoras es una vacuna desarrollada por James McCoy, Ph.D., un antiguo inmunólogo del Instituto Nacional para el Cáncer. La vacuna del Dr. McCoy es autóloga, lo cual significa que se prepara con las células cancerosas del mismo paciente.

"No es una vacuna de prevención. Es un tratamiento", indica el Dr. McCoy.

El proceso comienza cuando un cirujano extrae una muestra del tumor de la persona, la congela y la envía al laboratorio del Dr. McCoy en Atlanta. Ahí el espécimen se utiliza para crear la vacuna. El tratamiento inicial se aplica a los individuos durante una visita de 2 semanas al laboratorio.

Hasta el momento los mejores resultados se han dado entre las personas con cáncer de mama. Todas las mujeres de los estudios del Dr. McCoy que han padecido cáncer de mama de las etapas I y II —dos de las más tempranas de la enfermedad— se encuentran en remisión desde hace 5 años. Dicho de otra manera, no tienen indicios perceptibles de cáncer y es probable que sigan así.

"Parece que cuando no hay un tumor grande la vacuna activa al sistema inmunitario y evita que el cáncer recurra", explica el Dr. McCoy.

Si bien la vacuna es menos eficaz en el caso de tumores más avanzados, al parecer también le ayuda a una de cada cinco mujeres en esta situación.

"Sospecho que las vacunas y la ingeniería genética son las vías por las que con el tiempo se curará el cáncer de mama", comenta la Dra. Capko.

Alternativas que alivian

La medicina tradicional china es un buen tratamiento complementario para el cáncer de mama y es posible que ayude a prevenir la enfermedad por completo, opina Nan Lu, O.M.D., doctor de la medicina tradicional china y fundador del Proyecto para la Prevención del Cáncer de Mama de la Fundación Mundial de la Medicina Tradicional China en la ciudad de Nueva York.

De acuerdo con la medicina tradicional china, la causa fundamental del cáncer de mama es el estancamiento de energía vital, o *chi*, en los meridianos (caminos de energía) que atraviesan la zona del pecho, así como la disfunción de por lo menos uno de tres órganos importantes: los riñones, el estómago y el hígado. Este estancamiento y disfunción, explica el Dr. Lu, se deben principalmente a la acumulación crónica a través del tiempo de energía emocional negativa. Desde el punto de vista de la antigua tradición médica china, cuando la energía se estanca a lo largo del tiempo una pequeña semilla puede transformarse en una masa cancerosa.

"La medicina china ha tratado el cáncer de mama desde hace por lo menos 500 años —afirma el Dr. Lu, autor de un libro sobre la medicina

PREGUNTAS Y RESPUESTAS

¿Por qué a los hombres rara vez les da cáncer de mama?

El cáncer de mama es una enfermedad que la mayoría de la gente sólo asocia con las mujeres. De hecho tenemos una probabilidad 100 veces mayor que los hombres de contraer esta enfermedad. Nuestros senos sufren el bombardeo constante del estrógeno y de otras hormonas que pueden estimular el crecimiento de tumores.

No obstante, es importante recordar que los hombres también tienen algo de tejidos mamarios y ocasionalmente pueden contraer cáncer ahí. De hecho la enfermedad se les descubre a más o menos 1,300 hombres al año. Cuando a los hombres les da cáncer de mama con frecuencia no se detecta hasta una etapa más avanzada de lo que suele ser el caso en las mujeres, por el simple hecho de que en lo que se refiere a esta enfermedad a los hombres no se les revisa de manera tan atenta como a nosotras.

No sería mala idea que los hombres se hicieran examinar las mamas de manera regular, de la misma forma en que deben revisarse los testículos. Al igual que las mujeres, los hombres también deben estar conscientes de los signos de advertencia del cáncer de mama, como un bulto en la mama o cerca de ella, sangrado de la tetilla y ganglios linfáticos hinchados debajo de la axila. Si desarrollan estos síntomas deben consultar a un médico lo más pronto posible.

Información proporcionada por la experta
La Dra. Emily Conant
Profesora adjunta y jefa de escaneo de mama
Hospital de la Universidad de Pensilvania
Filadelfia

tradicional china y el cáncer de mama—. Mientras la energía pueda fluir libremente por los meridianos, y los cinco órganos principales —el hígado, el corazón, el bazo, los pulmones y los riñones— funcionen en armonía, no se puede formar un tumor".

Los profesionales de la medicina tradicional china buscan señales de advertencia —como la repentina aparición de venas rojas en los talones de los pies— que sugieran que el flujo de energía por el cuerpo se encuentra bloqueado. De ser así usted podría correr riesgo de sufrir cáncer de mama hasta que logre equilibrar su *chi* de nuevo.

El Dr. Lu y otros médicos chinos tradicionales utilizan diversos métodos para equilibrar el *chi*, entre ellos la acupuntura, la acupresión, el masaje, las hierbas —como la raíz de angélica o el ginsén *(ginseng)* chino— y el *qigong*, un sistema de autocuración que utiliza movimientos y posturas para estimular el flujo de energía a través del cuerpo.

"Puede cambiar toda su vida —indica el Dr. Lu—. En China no es raro que las mujeres se recuperen del cáncer de mama practicando el *qigong*".

Además, alimentos como el brócoli, la coliflor, el ajo, la berenjena, los champiñones (hongos), la piña (ananá) y la sandía pueden ayudar a mejorar el funcionamiento energético del hígado —el órgano principal que controla la salud de la mujer—, previniendo el cáncer de mama, indica el Dr. Lu.

Cáncer del aparato reproductor

Todas las enfermedades graves son preocupantes, pero lo son de manera particular cuando se trata del aparato reproductor de la mujer. "Para muchas mujeres su matriz está ligada a su ser esencial como mujeres", indica la Dra. Yvonne Thornton, profesora clínica de Obstetricia y Ginecología en la Universidad de Medicina y Odontología de Nueva Jersey en Morristown y autora de un libro sobre la salud de la mujer. En vista de que las expectativas de diagnóstico en los Estados Unidos para este año son de 37,400 casos de cáncer del endometrio y 25,200 casos de cáncer de los ovarios, se justifica esa preocupación.

Los factores de riesgo

El simple hecho de ser mujer le crea el peligro de sufrir un cáncer de sus órganos reproductores. Sin embargo, otros factores pueden intervenir para aumentar esta probabilidad.

La edad. La mayoría de los casos de cáncer de los ovarios se dan en mujeres posmenopáusicas. La mitad se manifiestan después de los 65 años. Por lo tanto, el riesgo de contraerlo aumenta año con año, indica la Dra. Thornton.

Los medicamentos para aumentar la fertilidad. "Es posible que exista una conexión entre la superovulación —la aceleración de la ovulación que por lo común resulta de los medicamentos para aumentar la fertilidad— y el cáncer de los ovarios", explica la Dra. Thornton.

Una familia pequeña. Si sólo tuvo un hijo, no tuvo ninguno o los empezó a tener a una edad ya avanzada, tal vez haya aumentado su probabilidad de sufrir cáncer de los ovarios, dice la Dra. Joanna Cain, profesora y coordinadora del departamento de Obstetricia y Ginecología en el Centro Médico Hershey de la Universidad Estatal de Pensilvania en Hershey.

Los antecedentes familiares. ¿Se le ha diagnosticado cáncer de los ovarios a su madre, hermana o hija? En tal caso corre un mayor riesgo. De acuerdo con la Dra. Cain, entre el 5 y el 10 por ciento de las mujeres cuyas parientes cercanas tuvieron cáncer de los ovarios también padecerán la enfermedad.

La obesidad. Una mujer con un sobrepeso

de 30 libras (14 kg) enfrenta un riesgo tres veces mayor de sufrir cáncer del endometrio, y 50 libras (23 kg) adicionales aumentan este peligro diez veces.

El estrógeno sin la progesterona. Cuando no se combina con progesterona, la terapia de reposición del estrógeno incrementa las probabilidades de contraer cáncer del endometrio, afirma la Dra. Cain. No obstante, tomar las dos juntas de hecho hace que disminuya el riesgo. Si usted está tomando estrógeno y nota hemorragia o bien un flujo anormal, vaya a ver a su médico enseguida.

El talco. Si se ha expuesto al talco —que llegó a estar contaminado con asbesto hasta que esto se prohibió hace 20 años—, ya sea por aplicación directa o mediante las toallas femeninas, es posible que sus probabilidades de contraer cáncer de los ovarios hayan aumentado, puesto que el talco tal vez tenga un efecto cancerígeno en los ovarios.

La prevención

Si bien a la píldora anticonceptiva se le ha difamado durante mucho tiempo por *causar* cáncer, de hecho se ha probado que protege en contra de los tipos de cáncer asociados a las hormonas que afectan al útero y los ovarios, indica la Dra. Thornton. La píldora anticonceptiva evita la ovulación, por lo que es menos probable que experimente una disfunción que pueda causar cáncer, explica la Dra. Lisa Domagalski, una ginecóloga y profesora clínica adjunta de la Escuela de Medicina de la Universidad Brown en Providence, Rhode Island. Además, la píldora anticonceptiva asegura que la menstruación se dé con regularidad cada mes, y la acción de despojarse del endometrio cada 4 semanas crea condiciones más hostiles al cáncer en el útero.

"No tiene que tomar la píldora anticonceptiva por mucho tiempo para disfrutar sus efectos —agrega la Dra. Thornton—. Aunque sólo la tome de los 20 a los 21 años de edad, seguirá cosechando los beneficios protectores a los 50".

Si por alguna razón no puede tomar la píldora anticonceptiva —digamos que fuma o que tiene un historial de migrañas— hay otras formas de reducir el riesgo de padecer cáncer de los ovarios, indica la Dra. Beth Karlan, directora del Programa Gilda Radner de Detección del Cáncer de los Ovarios en el Centro Médico Cedars-Sinai de Los Ángeles. Si ya no quiere tener más hijos puede hacerse la llamada ligadura de trompas, es decir, amarrarse las trompas; el resultado es la esterilidad. "Las investigaciones demuestran que puede reducir su riesgo de sufrir cáncer de los ovarios hasta en dos tercios. El mecanismo es poco claro. Una posible razón es que la ligadura de las trompas tal vez inhiba el flujo de carcinógenos hacia arriba en el abdomen", explica.

Las expertas le tienen más sugerencias para prevenir el cáncer.

Consulte al ginecólogo. "El cáncer puede atacar en cualquier momento, como un rayo —afirma la Dra. Thornton—, por lo que es importante hacerse revisar mediante un examen pélvico anual". Aunque ya haya pasado su época de tener hijos e incluso la menopausia, necesita hacerse una revisión ginecológica anual.

Solicite una prueba CA-125. Si tiene otros indicios de cáncer de los ovarios puede hacerse unos análisis de sangre para detectar el CA-125, un marcador de tumores que sirve para indicar la presencia del cáncer de los ovarios en sus etapas iniciales. "Si se me hubiera hecho esta prueba como parte de mi revisión anual, habrían descubierto el cáncer antes de que se propagara por toda mi pelvis", afirma Charlene Lynn de 58 años, una enfermera en Houston a la que se le hizo su diagnóstico en abril de 1998. Un grupo de investigadores del Hospital General de Massachusetts en Boston han llegado a la conclusión de que la prueba CA-125, hecha con regularidad, podría salvar hasta 5,000 vidas al año. "Lo gritaría desde el techo: '¡Háganse una CA-125!' ", dice Lynn.

Cuide su peso. Los métodos para prevenir el cáncer del endometrio son un poco más difíciles de precisar. "En vista de que no sabemos qué lo causa, conservar el mejor estado de salud posible es el mejor consejo que pueda dar", indica la Dra. Thornton. Para empezar, esto significa mantenerse delgada, porque un gran número de mujeres con cáncer del endometrio tienen sobrepeso. El exceso de grasa equivale a un exceso de estrógeno, y los niveles altos de estrógeno crean el peligro de sufrir tanto cáncer del endometrio como de los ovarios, explica.

Consuma comida integral. Otra forma de prevenir el cáncer del endometrio es mediante el consumo de frutas y verduras sin procesar, cereales integrales y alimentos que contengan ácidos grasos omega-3, recomienda Katrina Claghorn, R.D., una nutrióloga especializada en oncología del Centro Médico de la Universidad de Pensilvania en Filadelfia. Estos alimentos integrales posiblemente ayuden a fortalecer el sistema inmunitario y a luchar contra el cáncer del aparato reproductor. "Parece existir una correlación entre una alimentación alta en grasa y el cáncer de los ovarios o del endometrio", agrega. Por lo tanto, trate de reducir al mínimo sus comilonas de helado y papas a la francesa.

Señales y síntomas

El principal síntoma del cáncer del endometrio es un sangrado anormal, es decir, no previsto. Gracias a ello este tipo de cáncer afortunadamen-

QUISTES OVÁRICOS

Lo primero que debe saberse de los quistes ováricos es que de hecho son parte de la actividad normal de un ovario. "Formar un quiste con frecuencia es una de las consecuencias normales de la ovulación", afirma la Dra. Laurie Swaim, una obstetra y ginecóloga de la clínica para mujeres Houston Women's Care Associates en Texas.

Los quistes sólo son unas estructuras llenas de líquido. Por lo general se forman y se desvanecen de manera usual a lo largo del ciclo menstrual. Sólo surgen problemas cuando un quiste revienta o crece demasiado rápido. E incluso cuando un quiste revienta, por lo común el cuerpo reabsorbe el líquido sin mayores complicaciones. "A manera de precaución tal vez decidamos tener a la mujer bajo observación en el hospital durante 24 horas —indica la Dra. Swaim—, pero a menudo las cosas terminan ahí".

Desde luego un quiste a veces es más que sólo eso. Si bien la presencia de un quiste ovárico en una mujer joven rara vez es motivo de preocupación, entre más envejece más inquietante se vuelve cualquier quiste. La razón es que el riesgo de padecer cáncer de los ovarios aumenta con la edad. "No se juega con un quiste en una mujer de más de 35 años o algo así. Entonces se impone un ultrasonido", advierte la Dra. Swaim.

te es muy fácil de detectar, afirma la Dra. Laurie Swaim, una obstetra y ginecóloga de la clínica para mujeres Houston Women's Care Associates en Texas. Sangrar entre menstruaciones no es normal y debe revisarse. "Y cualquier tipo de flujo posmenopáusico debe investigarse enseguida", afirma. Tiene que hablar con su ginecólogo incluso con respecto a unas simples manchitas de sangre.

"El cáncer del endometrio llega a ocurrir también antes de la menopausia", indica la Dra. Cain. Si tiene mucho flujo entre menstruaciones, sus menstruaciones son muy abundantes o le aparece un flujo de olor muy fétido, consulte a su médico, recomienda la profesora.

Por el contrario, el cáncer de los ovarios es mucho más difícil de descubrir. "Por lo general no se les diagnostica a las mujeres hasta que ya está muy avanzado", advierte la Dra. Swaim.

El problema es que no existe una lista específica de síntomas vinculados exclusivamente con el cáncer de los ovarios. Los indicios se parecen a las molestias cotidianas de cualquier mujer: dolores (cólicos), abotagamiento, hinchazón abdominal. "Nos adaptamos y seguimos adelante", dice la Dra. Karlan.

"Empecé a tener un poco de náuseas temprano por la mañana y mis evacuaciones cambiaron un poco, pero estaba pasando por un divorcio, así que lo achaqué a mis emociones", recuerda Lynn.

"Es preciso que empecemos a detectar el cáncer de los ovarios durante la etapa I, cuando las curas pueden aplicarse con mayor éxito", opina la Dra. Karlan.

Es posible distinguir entre las molestias normales y las que deben llevarla a consultar a su ginecólogo. Los síntomas preocupantes son persistentes, diarios y progresivos, explica la Dra. Karlan. La presión pélvica, el abotagamiento, orinar con frecuencia y el estreñimiento o cualquier otro cambio en el ritmo de las evacuaciones que perdure durante un mes debe llamarle la atención. "Usted conoce a su cuerpo —indica—. Si observa que de repente la ropa le queda ajustada en el abdomen, solicite una revisión".

ENDOMETRIOSIS

A la endometriosis se le podría llamar "el misterio de la matriz errante". En el 10 por ciento de las mujeres entre los 25 y los 50 años, la endometriosis hace que trozos del tejido uterino (o endometrial) emigren a sitios externos al útero. Por extraño que suene, estos trocitos extraviados de la matriz, los llamados implantes endometriales, independientemente de su ubicación responden de manera normal a las hormonas femeninas. Al llegar el momento de que ocurra el sangrado menstrual, los tejidos implantados también empiezan a sangrar.

La sangre que se filtra de estos implantes es absorbida por otros órganos de la zona, ya sea los ovarios, el recto, la vejiga, el apéndice o incluso los pulmones. A consecuencia de ello se produce irritación y se desarrollan adherencias, un tejido cicatrizal interno denso que con el tiempo puede acumularse incluso hasta conectar un órgano con otro. El síntoma más común son dolores (cólicos) menstruales intensos, pero otros indicios de endometriosis son dolor en la pelvis y durante el coito así como infertilidad; estos síntomas pueden darse solos o juntos.

En vista de que los trozos de tejido endometrial que causan estos problemas se encuentran repartidos dentro de la cavidad abdominal —y porque los síntomas vinculados con a la endometriosis también pueden ser indicio de otros problemas—, desafortunadamente lo que se requiere para hacer un diagnóstico correcto es un procedimiento quirúrgico llamado laparoscopia.

No obstante, antes de realizar esta intervención quirúrgica de diagnóstico, la mayoría de los ginecólogos le recomendarán tratarse con medicamentos de 3 a 4 meses, afirma la Dra. Laurie Swaim, una obstetra y ginecóloga de la clínica para mujeres Houston Women's Care Associates en Texas. "En vista de que cualquier operación quirúrgica conlleva

¡Que no cunda el pánico!

El flujo inesperado que tal vez sea señal de cáncer del endometrio también puede indicar

riesgos, eliminaríamos primero otras posibles causas, como una infección o alguna enfermedad de transmisión sexual, y luego supondríamos que es endometriosis y le daríamos un tratamiento con medicamentos".

Como tratamiento para la endometriosis, los médicos con frecuencia recomiendan la píldora anticonceptiva, ya sea de manera continua, para suspender la menstruación por completo, o bien como se haría si se utilizara como método anticonceptivo, a fin de ayudar a aligerar el flujo menstrual y a disminuir la posibilidad de acumulación. También se han utilizado hormonas sintéticas, como el danazol (*Danocrine*) o el leuprolide (*Lupron*) para tratar los casos graves de endometriosis. Si bien pueden contribuir a aliviar el dolor, ambos medicamentos tienen efectos secundarios potencialmente problemáticos, desde el aumento de peso y la aparición de una voz más grave hasta sofocos (bochornos, calentones), depresión y osteoporosis.

También es posible tratar la endometriosis mediante una intervención quirúrgica. Las adherencias o los implantes pueden extirparse, cauterizarse (quemarse) o vaporizarse con un láser durante la laparoscopia, un procedimiento al que a veces se le dice "cirugía del ombligo" porque la pequeña incisión primaria se efectúa cerca del ombligo. No obstante, en algunos casos los implantes son demasiado grandes o los órganos involucrados son demasiado delicados para una laparoscopia, de modo que se opta por la *laparotomía* o cirugía abdominal.

Cuando la endometriosis no responde a los medicamentos ni a los procedimientos quirúrgicos conservadores o bien si los implantes o las adherencias recurren, la histerectomía (extirpación del útero y de los ovarios) es una opción. Las mujeres que llevan años experimentando un dolor pélvico atroz tal vez encuentren que esta medida, que suena muy drástica, les brinda el mejor y más confiable alivio.

Swaim. No evite ver al médico a causa del miedo.

Las mujeres posmenopáusicas tienen mayores motivos para preocuparse por un sangrado imprevisto. No obstante, aun en su caso las manchas con frecuencia se deben a algo inofensivo y fácil de corregir, como haberse saltado las tomas del medicamento de reposición hormonal o bien haber cambiado de producto. "La prueba del cáncer del endometrio es sencilla", asegura la Dra. Swaim. Así que hágase revisar.

Los síntomas que posiblemente indiquen cáncer de los ovarios también pueden deberse a otros muchos problemas que no amenazan la vida. La causa de un abdomen hinchado pueden ser fibromas, un embarazo o una masa pélvica benigna. Los calambres o bien dolor de un solo lado del abdomen tal vez se deban a un quiste o a la enfermedad del intestino irritable. Orinar con frecuencia es un síntoma que también acompaña la infección de la vejiga o del tracto urinario. Antes de entregarse al pánico visite a su médico y obtenga tratamiento para lo que sea que la esté aquejando.

¿A quién debo ver?

Su ginecólogo de siempre debe ser el primero en evaluar cualquier sangrado raro. "Como ginecólogos generales podemos tratar la mayoría de los casos de cáncer del endometrio", afirma la Dra. Domagalski. Si su caso es más grave lo más probable es que la recomienden con un oncólogo ginecológico, es decir, con un ginecólogo especializado en cirugía y en el cáncer del aparato reproductor femenino.

Asegúrese de preguntar si el médico cuenta

otros muchos males femeninos, desde algunos menores hasta otros más graves. Si es premenopáusica es posible que tenga un pólipo, una infección del cuello del útero o fibromas, dice la Dra.

con certificación profesional *(board-certified)*, recomienda la Dra. Thornton. La certificación profesional indica que decidió presentar los exámenes nacionales estandarizados oral y escrito en su campo y se ha ganado el derecho de usar las iniciales *F.A.C.* (que significan *Fellow of the American College* o "miembro del colegio estadounidense" de la especialidad de que se trate). Por ejemplo, *F.A.C.O.G.* significa "Miembro del Colegio Estadounidense de Obstetras y Ginecólogos".

Si su ginecólogo decide que sus síntomas indican cáncer de los ovarios, es importante que usted elija a un especialista desde *antes* de someterse a una intervención quirúrgica de diagnóstico, recomienda la Dra. Karlan. "Querrá que un oncólogo ginecológico esté presente durante la operación inicial. Es muy importante que se extirpen todas las partes visibles del tumor desde la primera vez".

Además de un doctor en medicina, tal vez decida consultar a un psicólogo o trabajador social para hacer frente al estrés que vivirá mientras espere el diagnóstico de un cáncer del aparato reproductor o cuando este ya se haya dado, indica la Dra. Cain. "En vista de que toda su familia se verá afectada, también sugiero que todos asistan juntos a sesiones de orientación o terapia de grupo", afirma. Y una nutrióloga podrá apoyarla en cuestiones de nutrición. A fin de promover su salud en general, quizá quiera consultar a un naturópata.

¿Qué debo esperar?

Si consulta a su ginecólogo debido a un sangrado raro, lo más probable es que le mande una biopsia del endometrio, lo cual suena peor de lo que es. Podrá efectuar el procedimiento en su consultorio. Utilizará un catéter delgado para recoger una muestra de tejido del endometrio en el interior de su útero. "Sentirá un enorme cólico, como de menstruación, y todo habrá terminado", explica la Dra. Swaim. No se aplica anestesia local porque no hay forma de adormecer al útero, afirma, y el procedimiento es tan breve que no hace falta una anestesia general.

FIBROMAS

A los tumores de crecimiento lento comúnmente conocidos como fibromas la mayoría de las veces se les dice por el nombre equivocado. El término correcto para nombrar estos bultos comunes es *miomas*, la raíz de la palabra con que se identifican los músculos, de manera específica el músculo uterino en el que estos tumores aparecen.

Los fibromas parecen desarrollarse sin causa particular: además de la simple presencia de la hormona femenina estrógeno es un misterio qué los produce. Un estudio llevado a cabo por el Instituto Mario Negri de Investigación Farmacológica en Milán demostró que las mujeres que consumen carne de res con frecuencia tienen un riesgo 1.7 veces mayor de padecer fibromas. Comer mucho pescado, por el contrario, *reduce* el riesgo de sufrirlos en un 30 por ciento.

La incidencia de los fibromas es sumamente común: un cuarto de todas las mujeres tienen fibromas y el índice se eleva a la mitad en las mujeres negras. Si bien esto suena como si un enorme número de mujeres tuvieran "problemas femeninos", el hecho es que la vasta mayoría de los fibromas son muy reservados y nunca provocan la menor queja.

"Muchísimas mujeres los tienen sin saberlo siquiera, porque en un gran número de mujeres los fibromas simplemente no son un problema", indica Karen Meyer, N.P., L.M.W., una enfermera y partera en el centro para la fertilidad Pacific Fertility Center en San Francisco. La mayoría de los fibromas llevan una existencia sosegada durante las postrimerías de la vida reproductora de la mujer (son más comunes alrededor de los 40 años) y luego se van encogiendo y desaparecen conforme los niveles de estrógeno se reducen al llegar la menopausia. Es posible que los casos leves de fibromas no requieran otro tratamiento aparte de ser vigilados atentamente (según su tamaño y las molestias que causan, por ejemplo) por usted y su ginecólogo.

Desafortunadamente no todos los fibromas son discretos. Cuando crecen o se multiplican pueden producir síntomas difíciles de pasar por alto y por lo común requieren de tratamiento médico. La presión sobre los órganos internos puede significar un dolor crónico en la pelvis. Los fibromas pueden modificar la forma del endometrio (el recubrimiento mucoso interno del útero) y con frecuencia producen irregularidades menstruales y menstruaciones frecuentes o sumamente abundantes, explica Meyer. Otros indicios obvios de que tal vez haya fibromas son la hinchazón abdominal, dolor durante el coito y orinar con frecuencia, o bien estreñimiento.

La cirugía es la forma más confiable de poner fin al flujo abundante y la posible anemia que son consecuencia de fibromas grandes o múltiples. En el caso de mujeres más jóvenes que quieren tener hijos, un procedimiento que se llama miomectomía puede extirpar los fibromas sin extraer todo el útero. No obstante, este tipo de cirugía abdominal es complicada y hay cierta probabilidad de que los tumores recurran. Si una mujer con fibromas ya terminó de formar su familia, la histerectomía puede ser una opción razonable que le brindará un grato alivio.

otra operación quirúrgica, quizá para extirparle el útero, así como quimioterapia.

Cuando se sospecha la existencia de cáncer de los ovarios, lo más probable es que se recomiende ir directo al quirófano. Ahí un oncólogo ginecológico extraerá la masa de tejido y se la enviará a un patólogo. Si piensan que se trata de cáncer en una etapa temprana, el cirujano también extirpará un ovario, los ganglios linfáticos cercanos y muestras de tejido de los órganos de alrededor a fin de detectar las células cancerosas que posiblemente se hayan propagado.

Cuando se le diagnostica un cáncer de los órganos reproductores a una mujer, se presentan desafíos emocionales muy fuertes además de los físicos. "Las mujeres con frecuencia piensan: 'No podré vivir sin mi útero'", indica la Dra. Thornton.

"Debido a lo que las mujeres saben de la muerte de Gilda Radner, la sospecha de cáncer de los ovarios producirá una respuesta emocional más fuerte que la del cáncer del endometrio", afirma la Dra. Domagalski. Radner, una cómica que se hizo famosa con sus parodias de famosas y personajes originales que creó en el programa *Saturday Night Live*, murió de cáncer de los ovarios en 1989 a los 42 años de edad.

"No obstante, aun cuando a una mujer la diagnostican con cáncer del endometrio es posible que piense lo peor —dice la Dra. Domagalski—. Una vez que descubra que realmente existe una forma de curarse sentirá alivio. En el caso tanto del cáncer del endometrio como del de los ovarios, las mujeres simplemente quieren que todo acabe lo más pronto posible".

Si los resultados de la prueba revelan un cáncer del endometrio, le hará falta una intervención quirúrgica para determinar la etapa en que se encuentra la enfermedad, es decir, para descubrir qué tan avanzado está el cáncer y cuál será el mejor tratamiento. Además de una cirugía abdominal para examinar su útero, el cirujano probablemente querrá practicarles una biopsia también a algunos ganglios linfáticos cercanos. También es posible que el tratamiento incluya

Consejos que curan

La mayoría de los casos de cáncer del endometrio se descubren más o menos pronto y se tratan quirúrgicamente con una histerectomía, explica la Dra. Domagalski. Si el cáncer está más avanzado, es posible que el médico también decida extirpar los ovarios, las trompas de Falopio, la parte superior de la vagina o los ganglios linfáticos cercanos. A veces seguirá un período de radioterapia, terapia hormonal o quimioterapia.

El procedimiento principal para tratar el cáncer de los ovarios es la extirpación quirúrgica del tumor, indica la Dra. Cain. Si el caso es más grave también se extraerá un ovario o ambos, los órganos cercanos y los ganglios linfáticos. Desafortunadamente muchos casos de cáncer de los ovarios no se curan tan sólo mediante la cirugía, de modo que por lo común se manda quimioterapia.

Alternativas que alivian

Si la han diagnosticado con un cáncer del aparato reproductor o quiere reducir sus probabilidades de un diagnóstico futuro, las siguientes terapias alternativas o complementarias tal vez le ayuden a reforzar su sistema inmunitario.

Trátese con té verde. Varios estudios llevados a cabo en China y el Japón indican que las personas que toman té verde con regularidad tienen un menor índice de cáncer. Se piensa que este efecto de protección se debe a los antioxidantes que contiene el té, afirma Helen Healy, N.D., una naturópata y directora de la clínica Wellspring Naturopathic Clinic en St. Paul, Minnesota.

CASOS DE LA VIDA REAL

Tal vez que su flujo raro signifique más que sólo un mes abundante

Hace cuatro meses Rose, de 39 años, empezó a tener menstruaciones sumamente abundantes. No le dio ninguna importancia en su momento, pero el fenómeno se ha repetido todos los meses desde entonces. También se ha mostrado más propensa a sufrir cardenales (moretones, magulladuras) y las encías le han empezado a sangrar. Cuando le mencionó sus síntomas a una amiga enfermera, esta le sugirió consultar a un médico lo más pronto posible y enseguida le recitó los nombres de varias enfermedades posiblemente mortales, como la leucemia y la anemia aplásica. Rose no perdió el tiempo. Visitó a su médico familiar en el acto, quien la mandó directamente con un hematólogo. Después de analizar su sangre el médico trató de calmarla diciéndole que tiene algo que se llama la enfermedad de von Willebrand y que no hay motivo de preocupación. Sin embargo, ella no lo puede evitar. Está preocupada. ¿Debería de sentirse así?

La situación que acabamos de describir es típica de la enfermedad de von Willebrand. Si bien no todos los afectados por esta anormalidad genética muestran síntomas, con frecuencia las mujeres que padecen la enfermedad experimentan hemorragias nasales, sufren cardenales fácilmente, tienen menstruaciones abundantes, hemorragia excesiva o rara de la boca o las encías y en ocasiones hemorragia gastrointestinal o del tracto urinario.

Asegure su salud con selenio. Se ha demostrado que el mineral selenio, que está presente de manera natural en la carne, los lácteos y los cereales, reduce el riesgo de sufrir cáncer en dos tercios. El selenio es más eficaz cuando se toma como suplemento, pero tenga cuidado: tomado en exceso puede resultar tóxico, advierte la Dra. Healy. Mantenga su dosis diaria en 200 microgramos o menos.

Véase bien. "Las visualizaciones le ayudan a entrar en contacto con la parte de su cuerpo que

La enfermedad de von Willebrand es el trastorno hereditario hemorrágico que se da con mayor frecuencia. Ocurre cuando falta o es anormal el factor de von Willebrand, una sustancia necesaria para la coagulación que normalmente está presente en la sangre.

Si bien se trata de una afección que se prolonga por el resto de la vida, la enfermedad de von Willebrand es fácil de controlar. Dependiendo del tipo específico (hay tres), es posible que el tratamiento consista en acetato de desmopresina (*desmopressin acetate* o *DDAVP* por sus siglas en inglés), el cual se administra por la nariz, o bien en un producto de la sangre que se llama crioprecipitado (*cryoprecipitate*).

Cualquier mujer cuyos síntomas sugieren la enfermedad de von Willebrand debe asegurarse de obtener un diagnóstico seguro, aunque haya aprendido a vivir con el problema. Es necesario porque la enfermedad de von Willebrand es un trastorno genético, lo cual significa que si no se sabe de su existencia sería posible trasmitirlo a los hijos sin darse cuenta. Además, cualquier operación quirúrgica, incluso las voluntarias sencillas, posiblemente requiera un tratamiento previo con DDAVP para efectuarse con seguridad.

Información proporcionada por la experta
La Dra. Deborah Goodman-Gruen, Ph.D.
Profesora adjunta asistente de Medicina Familiar
* y Preventiva*
Universidad de California
San Diego

belludo, uno de los más de 10,000 terapeutas de la bioretroalimentación que hay en los Estados Unidos le enseñará a controlar algunas de sus funciones corporales involuntarias, como el ritmo cardíaco, la presión arterial y las emociones. "La bioretroalimentación ayuda a crear un estado de bienestar en general así como a combatir las náuseas asociadas a la quimioterapia", indica la Dra. Cain.

Ármese con antioxidantes. "Para prevenir todo tipo de cáncer puede ser beneficioso tomar antioxidantes", afirma Claghorn. También se obtienen antioxidantes de frutas y verduras como el arándano y el pimiento (ají, pimiento morrón) rojo. No obstante, evite los antioxidantes durante un tratamiento de radioterapia o quimioterapia, porque es posible que reduzcan su eficacia.

Acepte apoyo. Contar con apoyo psicológico es una parte imprescindible del tratamiento contra el cáncer, dice la Dra. Cain. La mayoría de los hospitales podrán proporcionarle información acerca de grupos de apoyo para el cáncer.

Luche. "No puedo controlar lo que este cáncer me vaya a hacer, pero sí un poco lo que yo le haga", afirma Lynn. Ha mantenido el control sobre su enfermedad al instruir a otras personas sobre la misma. Gracias a la perseverancia de Lynn y a un poco de ayuda de su hija Nora, que trabaja para el Senado de California, se está negociando un proyecto de ley que obligará a las compañías de seguros a cubrir las pruebas de cáncer de los ovarios. "Espero que en alguna parte alguien logre salvar su vida gracias a que mi hija me quiere tanto", indica Lynn.

sufre cáncer", señala la Dra. Healy. La técnica de visualización —que también se conoce como imaginería guiada— utiliza el poder de la sugestión para crear imágenes que empoderan, como un ataque del sistema inmunitario contra una masa de células cancerosas.

Controle su cuerpo. La bioretroalimentación (*biofeedback*) le ayuda a apoyar su tratamiento de manera activa. Mediante los electrodos que coloque en su cuerpo y cuero ca

Cáncer del pulmón

El cáncer del pulmón era una enfermedad rara hasta comienzos del siglo XX. Incluso en 1912 sólo se registró un total de 374 casos, y la vasta mayoría correspondían a hombres. Si bien unas cuantas mujeres atrevidas ya fumaban antes de la Primera Guerra Mundial, no empezamos a hacerlo en masa hasta los años 40. Cuando el cigarrillo se convirtió en la norma más que la excepción, el índice de cáncer del pulmón se disparó entre las mujeres. En 1987 el cáncer del pulmón rebasó al cáncer de mama como la principal causa de muerte por cáncer entre las mujeres. Para 1999 más del 42 por ciento de las personas que morían de cáncer del pulmón eran mujeres. Todos los años más de 77,000 mujeres contraen cáncer del pulmón en los Estados Unidos y más o menos 68,000 mueren debido a esta afección.

Los factores de riesgo

Sin duda alguna, fumar es el primerísimo factor de riesgo para padecer el cáncer del pulmón. De acuerdo con el Departamento de Salud de Wyoming, que desde 1962 ha estado vigilando todos los casos de cáncer que se dan en este estado, los siete verdaderos síntomas de advertencia del cáncer del pulmón de hecho son los gigantes de la industria del tabaco: U.S. Tobacco, Philip Morris, R. J. Reynolds, Brown & Williamson, Lorillard, British American Tobacco y Liggett Group.

La tragedia es que más del 90 por ciento del cáncer del pulmón que les da a mujeres podría prevenirse si hiciéramos una sola cosa: dejar de fumar. Cada inhalación de humo contiene más de 4,000 compuestos y por lo menos 60 sustancias de las que se sabe causan cáncer, entre ellas elementos que se usan para fabricar insecticida, veneno contra ratas, desinfectante para la taza del baño y líquido para embalsamar. El humo del tabaco incluso contiene cianuro de hidrógeno, un veneno mortal que se utiliza en las cámaras de gas de las prisiones. Si fuma una cajetilla o menos al día tiene una probabilidad 7 veces mayor de morir de cáncer del pulmón que las mujeres que no fuman. Si fuma más de una cajetilla al día, su riesgo de morir de cáncer del pulmón es 15 veces más alto que el de una persona que no fuma.

"El 50 por ciento de las mujeres que fuman morirán de una enfermedad vinculada con el tabaquismo. El 50 por ciento. Es como echarlo a cara o cruz (echarse un volado). Las probabilidades no son buenas. La peor cosa para la salud que se me ocurre que uno pudiera hacer es fumar", afirma la Dra. Linda Ford, ex presidenta de la Asociación Estadounidense del Pulmón.

Es cierto que algunas mujeres que nunca han dado una fumada en su vida y que tienen excelente forma física, como Kim Perrot del equipo de baloncesto femenil profesional Cometas de Houston, llegan a enfermarse de cáncer del pulmón, pero estos casos son sumamente raros. La mayoría de las veces las personas que no fuman a las que les da cáncer del pulmón han estado expuestas durante mucho tiempo a humo de segunda mano o indirecto en su lugar de trabajo o casa. La mayoría de las sustancias químicas que se encuentran en el humo directo también están contenidas en el humo indirecto y tienen el mismo efecto en lo que a la producción de cáncer se refiere. De hecho, aproximadamente 3,000 personas mueren de cáncer del pulmón todos los años a causa de haber respirado el humo de los cigarrillos de otra gente.

El radón, un gas que se produce de manera natural debido a la descomposición radioactiva del uranio en el suelo y el agua, se ha ligado a más o menos 10,000 muertes por cáncer del pulmón al año. De acuerdo con las estadísticas se trata de la segunda causa más común de la enfermedad. No obstante, muchos médicos

PREGUNTAS Y RESPUESTAS

¿Por qué mi médico familiar nunca me recomienda vitaminas y hierbas medicinales cuando me siento mal?

Desafortunadamente la formación médica profesional por lo común pasa por alto las vitaminas y las hierbas medicinales en cuanto tratamiento para las enfermedades. A los médicos se les enseña la medicina con base en las pruebas. Es decir, al tratar una enfermedad aplican los procedimientos y los medicamentos que se hayan estudiado de manera rigurosa y para los que exista un amplio registro de pruebas que demuestren su eficacia para tratar una afección en especial.

Hasta hace poco, los remedios herbarios se sometían a pocos estudios rigurosos desde el punto de vista científico. A pesar de que hay más datos disponibles sobre las terapias basadas en vitaminas y minerales (como la vitamina D y el calcio para la osteoporosis o el cinc para el dolor de garganta), todavía no se integran a los estudios médicos elementales. Además, no se han reglamentado las vitaminas ni los productos herbarios. Aunque su médico recete estas terapias no puede estar seguro del contenido exacto de los productos. Pienso que conforme se disponga de más estudios no tardaremos en ver ingresar las vitaminas y las hierbas a la corriente dominante de la medicina.

Información proporcionada por la experta
Jan I. Maby, D.O.
Directora médica
Centro Cobble Hill para la Salud
Brooklyn, Nueva York

sospechan que fumar probablemente sea en realidad el principal culpable incluso en estos casos.

"A la gente le gusta culpar lo que sea excepto fumar por sus problemas pulmonares —indica la Dra. Ford—. '¡No, no me dio cáncer por fumar durante 40 años sino por el radón de mi sótano!' Son muy pocos los casos de cáncer del pulmón causados de manera exclusiva por el radón".

La prevención

¡Déjelo, déjelo, déjelo! Repita esta palabra como un mantra. Conviértala en su obsesión. Hágalo ya, insiste la Dra. Ford.

"A veces las personas tienen que tomar conciencia y decir: 'Está bien, fue una tontería empezar. Ahora soy adicto, pero puedo hacer algo al respecto' —indica la Dra. Ford—. Usted misma se empodera para dar el primer paso, que siempre es el más difícil. Probablemente lo intente y vuelva a fumar, lo intente y vuelva a fumar, lo intente y vuelva a fumar muchas veces antes de por fin dejarlo. No importa. No se sienta muy mal si no lo logra las primeras veces. Concéntrese en su meta y esa es dejarlo, llevar una vida completamente libre de tabaco".

Ciertamente llega a ser difícil, pero nunca es demasiado tarde para dejar el cigarrillo y permitir que su cuerpo repare los daños que le ha hecho, dice la Dra. Antoinette Wozniak, oncóloga clínica del Instituto Barbara Ann Karmanos del Cáncer en Detroit. A las 8 horas de haber fumado su último cigarrillo, el nivel de oxígeno en su sangre aumentará y el de monóxido de carbono caerá en picada. Al cabo de 48 horas los últimos vestigios de nicotina habrán abandonado su cuerpo y mejorará su capacidad para saborear y oler. Después de 72 hora se incrementará su capacidad pulmonar y respirará con mayor facilidad porque sus bronquios se habrán relajado. Tras una semana prácticamente todas las sustancias químicas producidas por el tabaquismo habrán desaparecido de su cuerpo. En menos de 3 meses el funcionamiento de sus pulmones habrá mejorado en un 30 por ciento. Después de 9 meses se habrán disipado la tos residual, la fatiga y la falta de aire. Sus pulmones habrán mejorado su capacidad de limpiarse, de eliminar el exceso de mucosidad y de combatir las infecciones.

Y sólo 10 años después de haber fumado el último cigarrillo, su riesgo de morir de cáncer del pulmón será más o menos el mismo que el de una mujer que nunca haya fumado.

Dejar de fumar desde luego es sencillo en teoría —simplemente hay que echar los cigarrillos a la basura—, pero muchas veces difícil de poner en práctica. La razón es que la nicotina, el ingrediente principal del tabaco, es una de las sustancias más adictivas que conocemos. Una vez que lo tiene a uno en sus garras se requiere mucha determinación y esfuerzo para liberarse, sobre todo si se lleva varios años fumando y si se es mujer.

El metabolismo de la mujer aparentemente asimila la nicotina de forma más lenta que el del hombre, indica Robert Klesges, Ph.D., un experto en cómo dejar de fumar de la Universidad de Memphis y coautor de un libro sobre cómo las mujeres podemos dejar de fumar. Esto significa que por cada cigarrillo que fumemos, las mujeres posiblemente tengamos un nivel más alto de nicotina en el cuerpo y por lo tanto dependamos más de esta droga que los hombres. Por eso cuando una mujer trata de dejar el cigarrillo sus síntomas de abstinencia llegan a ser más intensos.

Luego está el asunto del peso. El miedo a subir de peso después de dejar el cigarrillo está mucho más difundido entre las mujeres que entre los hombres. De hecho probablemente se trate de la diferencia más grande en las razones por las que las mujeres y los hombres fuman, de acuerdo con el Dr. Klesges. La verdad es que las mujeres que dejan de fumar suben en promedio 13 libras (6 kg) de peso. Sin embargo, aumentar de peso no es inevitable. Una vez que haya dejado de fumar podrá concentrarse en su peso. Por lo tanto, a pesar de los obstáculos podrá dejar de fumar de una vez por todas. Ahora le diremos cómo empezar.

Sincronícese. Escoger el momento oportuno es esencial si usted es una mujer premenopáusica que quiere dejar de fumar. Planee dejar de fumar al finalizar su menstruación (lo cual corresponde al comienzo de su ciclo menstrual), porque así experimentará menos síntomas de abstinencia y estos serán menos intensos, sugiere el Dr. Klesges.

Póngase una fecha. Las mujeres (y los hombres, por cierto) que fijan un día concreto para dejar de fumar y de veras cumplen con este propósito tienen una mayor probabilidad de lograrlo que quienes no lo hacen así. Evite escoger días festivos estresantes como el de Año Nuevo o el de Acción de Gracias, ni tampoco una fecha que esté a semanas o meses de distancia. Es posible que su resolución para dejar de fumar se haya evaporado para entonces, comenta el Dr. Klesges.

Recorte su ración. En vista de que el metabolismo de la mujer asimila la nicotina de manera más lenta que el del hombre, reducir el consumo de cigarrillos poco a poco tal vez sea una mejor forma de dejar de fumar que de golpe, opina el Dr. Klesges. Elija situaciones y lugares donde no fumará, como en el coche, al hablar por teléfono o cuando esté en la cocina. También puede tratar de racionar sus cigarrillos. Sólo lleve con usted el número de cigarrillos correspondiente a su límite para ese día. Si normalmente fuma una cajetilla al día, planee reducir su consumo a 15 cigarrillos diarios para cuando termine la primera semana, a 10 cigarrillos al finalizar la segunda semana y a ninguno al cabo de la tercera semana.

MAMÁ SIEMPRE DECÍA

¿Fumar realmente detiene el crecimiento?

Para empezar, fumar casi con certeza reduce la expectativa de vida. De hecho, en promedio los fumadores viven 7 años menos que quienes no fuman. Además, es muy probable que afecte la calidad de la vida al envejecer, ya que el enfisema, la bronquitis crónica y otros problemas respiratorios asociados a fumar dificultan cumplir con las tareas y actividades cotidianas. O sea que sí, de forma indirecta fumar detiene el crecimiento.

Además, aumenta el riesgo de sufrir osteoporosis, una enfermedad cuyo nombre literalmente significa "agujeros en los huesos". Se da cuando se pierde más tejido óseo del que se sustituye. La osteoporosis, una enfermedad silenciosa, les roba su fuerza a los huesos a lo largo del tiempo, particularmente durante los años que siguen a la menopausia. Puede provocar fisuras y fracturas en los huesos de la espina y hacer que la persona afectada parezca más baja de estatura.

No obstante, si se deja de fumar —y nunca es demasiado tarde para hacerlo— y se comienza a hacer ejercicio y a tomar calcio y vitamina D de hecho es posible revertir algunos de los efectos de esta enfermedad. De esta forma, la osteoporosis es una razón más para no fumar nunca si no ha comenzado a hacerlo y para renunciar al tabaco si fuma.

Información proporcionada por la experta
Jan I. Maby, D.O.
Directora médica
Centro Cobble Hill para la Salud
Brooklyn, Nueva York

Tire el tabaco. La noche antes de que vaya a dejar de fumar de manera definitiva, celebre el siguiente ritual de dejarlo, recomienda el Dr. Klesges. Tire todos los productos relacionados con el tabaco que posea. No se resista. ¿Encendedores? ¿Cerillos (fósforos)? ¿Ceniceros? Deséchelo todo. Si tiene guardaditos escondidos en lugares como sus bolsillos o las guanteras de los carros, también deshágase de ellos.

Córtele a la cafeína. Las mujeres que fuman suelen beber más café, té negro y otras bebidas con cafeína, indica el Dr. Klesges. Renunciar al tabaco aumenta el efecto estimulante de la cafeína en el cuerpo. Por lo tanto, si está tratando de dejar de fumar debe reducir su consumo de cafeína a la mitad. De otro modo es posible que se sienta más nerviosa y se le antoje un cigarrillo.

Haga un pacto. Haga equipo con una amiga. Las investigaciones indican que el apoyo social ayuda a las mujeres a dejar de fumar (mas no a los hombres). Coopere con una amiga tan resuelta a dejar de fumar como usted lo está. Sería una mala señal, por ejemplo, que la persona elegida dijera: "Sí, supongo que podría intentarlo". Si le responden con tan poco entusiasmo, pídale a otra persona que se una a su cruzada, sugiere el Dr. Klesges. Si su cónyuge fuma y se niega a dejar de hacerlo al mismo tiempo que usted, francamente le costará más trabajo abandonar el hábito. Por lo menos pídale que no fume en la casa o en su presencia.

Persevere en un plan. Una vez que encuentre a alguien tan comprometida con dejar de fumar como usted, las dos deberán:

- Hablarse todos los días. El contacto frecuente, diario, es crucial, sobre todo al principio. Después de que ambas hayan dejado de fumar, queden de acuerdo en que se hablarán —aunque sea a las 3 de la madrugada— si cualquiera de las dos se siente tentada a fumar un cigarrillo, recomienda el Dr. Klesges.
- Mantener una actitud positiva. No renieguen ni se quejen. Concéntrense en su meta y en cómo pueden ayudarse la una a la otra a cumplir con ella.
- Apoyarse mutuamente aunque se las estén viendo negras. No le vaya a fallar a su amiga. Déle muchos ánimos diciéndole, por

ejemplo: "Sí, los síntomas de la abstinencia son duros, pero pensemos en cómo los podrás superar".

- Pensar en sus antojos y en otros síntomas de la abstinencia como desafíos que podrán vencer juntas.

Mastiquen, peguen o traguen. Cuando se utilizan de acuerdo con las indicaciones, los productos vendidos sin receta como el chicle (goma de mascar) y los parches con nicotina, al igual que los medicamentos vendidos con receta como el bupropion *(Zyban)*, pueden ayudar a disminuir el deseo de fumar, afirma el Dr. Klesges. Sin embargo, debe tener presente que estos productos sólo representan una solución parcial. Funcionan mejor cuando se utilizan en conjunto con un programa formal para dejar de fumar.

Saque el humo. Si se expone regularmente a humo de segunda mano, pídales a los fumadores de su casa que salgan a fumar. Sugiérales a sus invitados que salgan si desean fumar en su casa, recomienda la Dra. Ford. "Entre más difícil le resulte a un fumador fumar, menos lo hará, lo cual es más saludable también para él".

Revise el radón también. La combinación de fumar y exponerse al radón aumenta el riesgo de contraer cáncer del pulmón a más del doble. Por lo tanto, además de erradicar su tabaquismo revise los niveles de radón en su casa, sugiere la Dra. Ford. Compre un detector de radón, el cual está disponible en muchas ferreterías, y colóquelo en el sótano o el área más baja de su casa. En vista de que los niveles de radón llegan a fluctuar diariamente, consiga un detector que los mida durante por lo menos 6 meses. Cuando el detector haya cumplido con su tarea, envíe el aparato a un laboratorio que se dedique a analizar tales datos para que le manden un informe.

El radón se mide por unidades que se llaman picocurios por litro. Si los resultados de su evaluación están arriba de 4 picocurios por litro, que es la exposición más alta aceptada por el

Departamento de Protección Ambiental, deberá buscar formas de arreglar el problema, como sellar las grietas grandes en su sótano con masilla *(caulk)*, instalar un tubo de ventilación hasta el techo de su casa o simplemente poner un ventilador en la ventana para extraer el radón.

Vaya por una gammagrafía (scan). Si fuma o solía fumar, una prueba indolora de 20 segundos podría salvarle la vida al detectar el cáncer del pulmón en una etapa temprana, en la que aún será posible que se cure, indica la Dra. Claudia I. Henschke, Ph.D., profesora de Radiología y jefa de la división de gammagrafías del pecho en el Centro New York Weill Cornell del Hospital New York Presbyterian en la ciudad de Nueva York.

En un estudio que abarcó a 1,000 fumadores y ex fumadores de 60 años o mayores, la Dra. Henschke encontró que una tomografía computada con dosis baja de radiaciones (un escaneo CT/*CT scan*) puede detectar tumores pulmonares desde mucho antes de que se registren en una radiografía del pecho con rayos X. La Dra. Henschke y su equipo descubrieron 23 casos de cáncer en etapas tempranas. Sólo 4 de los tumores se veían en las radiografías del pecho con rayos X, que es la técnica estándar de diagnóstico. Tradicionalmente los tumores del cáncer del pulmón tienen más o menos el tamaño de naranjas (chinas) cuando se descubren. Por el contrario, el escaneo CT encontró tumores del tamaño de granos de arroz.

"El cáncer del pulmón es mortal porque no

ACABE CON SUS ANTOJOS

Si un antojo de cigarrillos la abruma, puede evitar una recaída total si observa las siguientes indicaciones, afirma Robert Klesges, Ph.D., un experto en cómo dejar de fumar de la Universidad de Memphis y coautor de un libro sobre cómo las mujeres podemos dejar de fumar.

- Nunca pida un cigarrillo ni acepte uno que le ofrezcan. La mayoría de las mujeres que sufren recaídas no compran los cigarrillos. Se los piden a otros fumadores. No caiga en esta trampa.

- Oblíguese a salir a comprar los cigarrillos usted misma. Si se encuentra en un bar, por ejemplo, no compre una cajetilla en la máquina expendedora de la entrada. Salga. Camine o maneje hasta una tienda o supermercado. Aun cuando ya esté ahí, deje pasar 10 minutos antes de realizar su compra. En primer lugar, esta estrategia la alejará de las observaciones, los sonidos y demás estímulos que alimentaron su antojo. En segundo lugar, le dará tiempo para pensar en si realmente quiere fumar otra vez. Y en tercer lugar, en vista de que la mayoría de los antojos se pasan en unos cuantos minutos, es probable que decida no hacer la compra.

- Si en efecto compra una cajetilla de cigarrillos, fume uno —en un lugar diferente del que originalmente la tentó— y tire el resto de la cajetilla a la basura. Si quiere otro, repita el proceso: compre una nueva cajetilla, fume un cigarrillo y tire los demás. La mayoría de las mujeres que sienten un antojo sólo quieren fumar un cigarrillo, no toda la cajetilla. Si conserva la cajetilla después de haber fumado un cigarrillo, se sentirá más tentada a fumarse el resto y muchos más.

Si en efecto sufre una recaída total, no le dé vueltas a este revés. De inmediato fije una nueva fecha para renunciar y cumpla con el plazo, insta el Dr. Klesges

---

contábamos con una buena forma de detectarlo temprano. Ahora la tenemos —afirma la Dra. Henschke—. El escaneo CT transforma el pronóstico para el cáncer del pulmón de la misma forma en que la mamografía lo hizo para el cáncer de mama. El índice actual de supervivencia después de 5 años es sólo del 14 por ciento para el cáncer del pulmón, pero podría elevarse al 80 por ciento si todos los fumadores y ex fumadores recibieran evaluaciones CT de manera anual, así como tratamientos tempranos". Así que pídale a su médico un escaneo CT al año para detectar el cáncer del pulmón.

Señales y síntomas

La tos persistente es el síntoma más común del cáncer del pulmón.

"Numerosos fumadores tienen una tos persistente. Muchos de ellos le quitan importancia diciendo que es la tos del fumador. Sin embargo, también es posible que le indiquen que se trata de una tos diferente de cualquiera que hayan tenido antes. Es o más productiva o constante", señala la Dra. Wozniak.

Por lo tanto, consulte a su médico si nota una tos persistente o cualquier cambio en su tos de fumador, particularmente si tose con sangre. Además, desconfíe de los siguientes síntomas, indica la Dra. Wozniak: una falta súbita de aire durante actividades de rutina que no le hayan causado dificultades de respiración con anterioridad, como subir escaleras; resuello; ronquera; dolor constante en el pecho, los hombros o los brazos; ataques frecuentes de pulmonía o bronquitis; pérdida inexplicable de peso; fatiga persistente o hinchazón en el rostro, el cuello o la parte superior del pecho.

¡Que no cunda el pánico!

La bronquitis aguda también puede provocar una tos persistente, falta de aire, dolor de pecho y

NEUMONÍA

Aparte de los otros problemas causados por el fumar, he aquí otra razón para dejar este vicio: la probabilidad de padecer neumonía es tres veces mayor en las mujeres que fuman más de 20 cigarrillos al día que en las que nunca han fumado.

Aunque fume menos de eso, de todas formas su riesgo de sufrir neumonía es mayor que el de una persona que no fuma, advierte la Dra. Monica Kraft, pulmonóloga y profesora adjunta de Medicina en el Centro Médico y de Investigación Judío Nacional en Denver. La causa es que las fumadoras tienen menos cilios, las células parecidas a pelos que ayudan a sacar de sus pulmones las bacterias, los virus y otros invasores. "El humo del cigarrillo de hecho paraliza los cilios. De esta forma se pierde en el acto un mecanismo importante de defensa", explica la experta. Además, fumar afecta el funcionamiento de los macrófagos, las células inmunitarias que normalmente envuelven y destruyen las partículas peligrosas que atacan los pulmones.

El resultado final es un mayor riesgo de sufrir neumonía. La neumonía se da cuando las flemas, los líquidos y otros desechos obstruyen las vías respiratorias y llenan los sacos de aire en los pulmones. Esta acumulación interfiere con la capacidad normal de los pulmones de eliminar el dióxido de carbono del cuerpo y suministrar el oxígeno vital a la sangre

esputo con sangre. También es posible que se trate de pulmonía o de un absceso pulmonar, que es un saco de tejido muerto lleno de pus que se forma al combatir el cuerpo una infección. O bien puede tener una afección más grave, como enfisema o tuberculosis.

De acuerdo con la Dra. Wozniak, lo más importante es ir a consultar al médico lo más pronto posible si observa alguna de las señales de advertencia, porque entre más pronto se detecte el cáncer más probabilidades hay de que sobreviva.

"Lo peor que las mujeres pueden hacer es adoptar la actitud del avestruz escondiendo la ca-

y los tejidos, lo que es fundamental para el cuerpo. La neumonía viral es más contagiosa pero normalmente menos grave que la neumonía bacteriana. Entre los síntomas de la neumonía viral figuran una pérdida gradual del apetito, una fiebre que va en ascenso lentamente, dolor muscular y una tos seca sin flemas que a lo largo de varios días puede convertirse en una tos productora de flemas.

La neumonía bacteriana, como la enfermedad del legionario, es mucho más peligrosa que la neumonía viral y por lo común produce síntomas más violentos. A diferencia de la neumonía viral, es posible tratar las formas bacterianas de esta enfermedad con antibióticos.

Lo mejor que puede hacer para prevenir la neumonía es dejar de fumar, indica la Dra. Kraft. Además, la vacuna anual contra la gripe así como una vacuna contra la neumonía cada 5 años pueden ayudar a mantener la enfermedad a raya. Si tiene escalofríos, fiebre, dolor de cabeza, fatiga, dolor de pecho o una tos con flemas, consulte a su médico, exhorta la Dra. Kraft. Si le diagnostican neumonía tome muchos líquidos (por lo menos 8 vasos de 8 onzas/240 ml al día), descanse mucho y tome hasta terminarlo cualquier fármaco que el médico le recete. Además, no deje de toser. Aunque tal vez le duela, ayudará a sacar los flemas de sus pulmones y acelerará su recuperación.

beza en la arena —opina la Dra. Wozniak—. Les entra el pánico, pensando que los síntomas simplemente desaparecerán. Sin embargo, para cuando por fin sacan las cabezas del suelo es posible que hayan pasado varios meses y que ya se encuentren más allá de lo que razonablemente podemos manejar".

¿A quién debo ver?

Si experimenta molestias pulmonares, acuda a su médico familiar primero. "Los médicos de cabecera pueden manejar la mayoría de las molestias pulmonares", afirma la Dra. Lisa Bellini, profesora adjunta de Medicina en la división de pulmones, alergias y cuidado intensivo en el Centro Médico de la Universidad de Pensilvania en Filadelfia. Si su médico de atención elemental sospecha que hay un problema, es posible que este decida consultar a un pulmonólogo para pedir una segunda opinión.

Si una radiografía revela una masa en el pulmón, probablemente se le mande con un pulmonólogo, quien evaluará si la masa es cancerosa o no. "Si su médico de atención elemental ya hizo el diagnóstico podrá ver ya sea a un pulmonólogo, quien analizará a qué etapa ha avanzado el tumor, o a un oncólogo", indica la Dra. Bellini.

¿Qué debo esperar?

Si su médico sospecha que padece cáncer del pulmón, lo más probable es que solicite varios análisis para confirmar el diagnóstico. Si tiene una tos productiva, por ejemplo, su médico probablemente hará que le revisen el esputo para ver si contiene células cancerosas. También es posible que pida una radiografía de su pecho o bien un escaneo CT. Además, tal vez inserte un pequeño tubo llamado broncoscopio por su nariz o boca, haciéndolo descender por su garganta y metiéndolo a sus bronquios. Durante este procedimiento su médico probablemente recolectará una muestra de tejido pulmonar para que se examine debajo de un microscopio en busca de células cancerosas. También es posible que le practique una biopsia durante una mediastinoscopia, un procedimiento en el cual se le inserta un escopio en el pecho a través de una pequeña incisión.

Si la muestra es cancerosa, estas pruebas

PLEURESÍA

Algunas cosas en la vida parecen acompañarse naturalmente. Los espaguetis y las albóndigas. El collar de perlas y el vestido negro básico. El arroz y los frijoles (habichuelas). Y, de manera menos grata, la neumonía y la pleuresía.

"La pleuresía es un cuadro común al haber neumonía. Tienden a ocurrir juntos", afirma la Dra. Monica Kraft, pulmonóloga y profesora adjunta de Medicina en el Centro Médico y de Investigación Judío Nacional en Denver.

La pleuresía es una inflamación de la membrana delgada y transparente llamada pleura que recubre los pulmones así como la pared interior del pecho. Esta inflamación, cuya causa por lo general es una infección viral o bacteriana, produce dificultades al respirar y puede desembocar en un dolor extremo del pecho. A veces precede la neumonía y con frecuencia representa una señal temprana de esta enfermedad, comenta la Dra. Kraft.

De manera menos común, es posible que una bronquitis aguda o un embolismo pulmonar —es decir, un coágulo de sangre en las arterias que conducen a los pulmones— cause la pleuresía.

Cuando los analgésicos vendidos sin receta, como el acetaminofén (*acetaminophen*) o el ibuprofeno (*ibuprofen*), se utilizan de acuerdo con las instrucciones, pueden ayudar a aliviar el dolor de pecho, afirma la Dra. Kraft. No obstante, recuerde que se trata de una solución temporal. Cualquier dolor del pecho debe ser evaluado por un médico lo más pronto posible.

también le ayudarán al médico a determinar qué tipo de cáncer del pulmón tiene y cuánto se ha extendido.

"Lo primero que los pacientes con cáncer del pulmón temen es morir. Y cuando piensan en el tratamiento se asustan muchísimo. Les preocupa enfermarse o perder el cabello por el tratamiento. Les preocupa el costo —explica la Dra. Ritsuko Komaki, una oncóloga radioterapéutica del Centro M. D. Anderson para el Cáncer de la Universidad de Texas en Houston—.

Con frecuencia expresan mucha ira. Piensan: 'Fulana de tal lleva fumando el mismo tiempo que yo y no padece cáncer del pulmón. ¿Por qué yo sí?' ".

Consejos que curan

El tratamiento dependerá de varios factores, entre ellos el tamaño y la ubicación del cáncer y si se ha extendido a los ganglios linfáticos u otros órganos o no. Se ha calculado que transcurren de 5 a 10 años entre la aparición de la primera célula del cáncer del pulmón y el diagnóstico de la enfermedad. Debido a que el cáncer del pulmón carece de síntomas durante la mayor parte de su desarrollo, tres de cada cuatro tumores pulmonares se han extendido antes de diagnosticarse y ya no se curan sólo mediante la intervención quirúrgica.

Con frecuencia el tratamiento incluirá una combinación de cirugía, radioterapia y quimioterapia.

Lo mejor que puede hacer por sí misma después del diagnóstico —si no lo ha hecho ya— es dejar de fumar, indica la Dra. Komaki. La nicotina aumenta el consumo de energía por parte del cuerpo y literalmente extrae los nutrientes que podrían ayudarla a combatir la enfermedad.

"Si una persona sigue fumando después de haber sido diagnosticada con cáncer del pulmón, hay numerosas pruebas de que las consecuencias son mucho peores que en el caso de la persona que deja de fumar. Si usted sigue fumando, su riesgo de volver a padecer cáncer del pulmón o de enfermar de cáncer de la cabeza y del cuello durante los siguientes años aumenta mucho, aunque su primer cáncer del pulmón haya respondido al tratamiento", agrega la Dra. Komaki.

Alternativas que alivian

En su libro sobre hierbas medicinales, Kathi Keville, la presidenta de la Asociación Herbaria Estadounidense, sugiere que una tintura *(tincture)* de "abstinencia" preparada con avena fresca puede ayudarle al fumador a acabar con el hábito. Para probarla, combine 1 cucharadita de tintura (o glicerito) de granos frescos de avena *(oat berries)*, ½ cucharadita cada una de tintura de rizoma de valeriana y de hojas de escutolaria *(scullcap)* y ½ cucharadita cada una de tintura de hojas de corazoncillo (hipérico, yerbaniz, *St. John's Wort*) y pasionaria (pasiflora, pasiflorina, hierba de la paloma, hierba de la parchita).

Guarde la combinación en un frasco de vidrio color ámbar o azul oscuro de 1 a 2 onzas (30-60 ml) provisto de una tapa con gotero, y tome de 2 a 5 goteros al día. Todos los ingredientes están disponibles en la mayoría de las tiendas de productos naturales.

Si bien las hierbas de esta fórmula por lo general se consideran seguras, algunas les causan problemas a ciertas personas. Si padece la enfermedad celíaca (intolerancia al gluten) no use los granos de avena. No combine la valeriana con medicamentos para inducir sueño o regular los estados de ánimo. También puede provocar palpitaciones y nerviosismo; de ser así, suspenda su uso. No utilice el corazoncillo junto con antidepresivos sin la aprobación de su médico y evite sobreexponerse al sol directo mientras esté tomando la fórmula.

Cáncer colorrectal

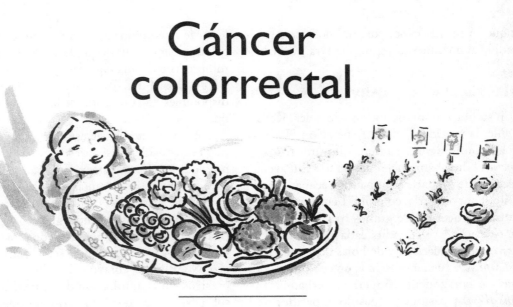

Audrey Hepburn murió de cáncer en 1993. Probablemente usted lo sabía. Sin embargo, ¿sabe qué tipo de cáncer padecía? Poca gente está enterada, lo cual no sorprende. El cáncer del intestino no es algo que a los medios les guste mencionar, sobre todo cuando afecta a mujeres bellas, elegantes y encantadoras como la señora Hepburn.

"No hablamos del cáncer del colon; es innombrable", indica la Dra. Mary Elizabeth Roth, profesora clínica de la Universidad Estatal de Wayne en Southfield, Michigan, y miembro del Comité sobre el Cáncer del Colon de la Sociedad Estadounidense para el Cáncer. De hecho, lo que puede decirse de los tumores intestinales es sumamente grave, pero a la vez despierta grandes esperanzas.

Los hechos indican que el cáncer del colon y del recto (o cáncer colorrectal) matará a unas 56,600 personas este año, de las que casi la mitad serán mujeres. Se trata de la segunda causa de muerte por cáncer en los Estados Unidos. Y se puede hacer mucho para prevenirlo. "Es un cáncer que nadie debería padecer", afirma la Dra. Ernestine Hambrick, fundadora y presidenta de la fundación contra el cáncer colorrectal Stop Colon/Rectal Cancer en Chicago.

Los factores de riesgo

Los tumores colorrectales, que con frecuencia son silenciosos y asintomáticos, crecen ya sea en el colon, que son los últimos 5 a 6 pies (152-183 cm) del intestino, o bien en el recto, que corresponde más o menos a las últimas 8 pulgadas (20 cm) del tracto digestivo.

Al igual que en el caso de otros muchos tipos de cáncer, algunos factores importantes de su vida pueden ayudar a determinar su riesgo de padecer esta enfermedad.

La edad. Conforme se acumulan los años, también aumenta la probabilidad de sufrir cáncer colorrectal. De hecho el índice es seis veces mayor de los 65 años en adelante que entre los 40 y los 64 años.

La genética. Algunas personas corren un mayor riesgo si su padre, madre, hermano o hermana sufrió cáncer colorrectal o pólipos.

El historial médico personal. Si ya padeció cáncer del colon, pólipos del colon o la en-

La enfermedad
intestinal inflamatoria

Los tractos digestivos de aproximadamente un millón de personas radicadas en los Estados Unidos se encuentran regularmente con piedras en el camino, y para la mitad que son mujeres, estas piedras se multiplican mes con mes. Nos referimos a las mujeres que padecen colitis ulcerativa y la enfermedad de Crohn; en conjunto estos dos males se conocen como la enfermedad intestinal inflamatoria (o *IBD* por sus siglas en inglés).

Las causas de ambas enfermedades son desconocidas. Más allá de una operación quirúrgica en el caso de la colitis ulcerativa, no hay cura conocida.

Ambos males producen úlceras, es decir, llagas, en el tracto digestivo. La colitis ulcerativa sólo afecta la membrana mucosa de revestimiento del colon (intestino grueso) y del recto, mientras que la enfermedad de Crohn puede atacar en cualquier punto desde la boca hasta el ano. Los síntomas de ambas enfermedades crónicas son bastante molestos y los ciclos hormonales de las mujeres sólo empeoran las cosas.

"La colitis ulcerativa y la enfermedad de Crohn pueden manifestarse en las mujeres con otros síntomas aparte de diarrea con sangre, dolor abdominal, estreñimiento o pérdida de peso", apunta la Dra. Sunanda V. Kane, profesora adjunta de Medicina en la Universidad de Chicago. Los dos males digestivos también pueden provocar irregularidad en las menstruaciones, indica, y las investigaciones sugieren que llegan a agravar las molestias premenstruales.

Otro factor es que el ibuprofeno (*ibuprofen*) o los demás medicamentos antiinflamatorios no esteroídicos que se utilizan para aliviar las molestias menstruales pueden empeorar la inflamación de la enfermedad intestinal inflamatoria. Por eso la Dra. Kane busca formas alternativas para atenuar el recrudecimiento mensual.

En lugar de aplicar esteroides, que algunos médicos recomiendan pero que la Dra. Kane llama "la bomba atómica" de los antiinflamatorios, es posible evitar que la enfermedad intestinal inflamatoria se recrudezca con corteza de sauce, cimifuga negra (hierba de la chinche, *black cohosh*), té de ginsén (*ginseng*), té de manzanilla, aceite de prímula (primavera) nocturna (*evening primrose*) y extractos de trébol rojo o camote (batata dulce). (Siempre hable con su médico antes de tomar una hierba o un suplemento, advierte la experta).

"Hay pruebas de que estas hierbas ayudan a relajar el músculo liso alrededor del colon, lo cual alivia los calambres y posiblemente también la diarrea", afirma la Dra. Kane.

Se sabe que el uso prolongado de esteroides promueve la pérdida de masa ósea, por lo que es posible que las mujeres que toman medicamentos esteroídicos contra la enfermedad intestinal inflamatoria corran un riesgo particularmente alto de sufrir osteoporosis en cuanto el estrógeno disminuye debido a la menopausia. En este caso los suplementos de calcio pueden ayudar a prevenir la pérdida de masa ósea; quizá la terapia de reposición hormonal, según lo requiera cada caso, también ayude a reforzar los huesos.

fermedad inflamatoria del intestino, su riesgo aumenta.

La alimentación. ¿Le fascina la carne roja? Si la come en exceso corre peligro de meterse en problemas. La carne roja está llena de grasas saturadas, las cuales posiblemente aumenten el riesgo de sufrir cáncer colorrectal, según diversas investigaciones.

La falta de ejercicio. Tener sobrepeso aumenta el peligro.

Las hormonas. Hay pruebas de que las mujeres posmenopáusicas que están tomando la terapia de reposición hormonal tienen un menor riesgo.

La aspirina. Este medicamento antiinflamatorio no esteroídico (o *NSAID* por sus siglas en inglés) tal vez evite varios tipos de cáncer del tracto digestivo, incluyendo el cáncer del colon.

La prevención

La alimentación, un estilo de vida saludable y las revisiones médicas son los tres factores clave para reducir al mínimo las probabilidades de sufrir cáncer del colon. "Estamos cobrando cada vez más conciencia acerca de la importancia que comer menos grasa y más fibra tiene para nuestra salud", señala la Dra. Ana María López, profesora adjunta de Medicina Clínica en el Centro para el Cáncer de Arizona en el Colegio de Medicina de la Universidad de Arizona en Tucson. Ella ofrece las siguientes pautas para llevar una vida saludable.

Favorezca las frutas, las verduras y la fibra. Consuma por lo menos cinco raciones diarias de frutas y verduras, además de un mínimo de 25 gramos de fibra al día a través de alimentos altos en fibra como los panes de cereales integrales.

Olvide la grasa. Limite su consumo de alimentos altos en grasa, particularmente de carne roja (trate de comer sólo una ración a la semana).

Ayúdese con ácido fólico. La mayoría de los suplementos multivitamínicos contienen los 400 microgramos diarios que pueden disminuir el riesgo de sufrir cáncer colorrectal.

Limite el alcohol. Las mujeres sólo debe-

DE MUJER A MUJER

Sobrevivió a un tumor intestinal gracias a la detección temprana

Es enfermera de profesión y trabaja en un centro de escaneo del cáncer. No obstante, Kathy Lee de Voorhees, Nueva Jersey, de 45 años de edad, tenía razones muy personales para tomar medidas contra el cáncer del colon. Esta es su historia.

Cuando mi tío paterno murió de cáncer del colon en 1994 me hice mi primera colonoscopia, una prueba que examina el intestino grueso (colon) con un tubo flexible con iluminación y una cámara. No encontraron nada sospechoso. Cuando mi padre murió 2 años más tarde de las complicaciones por otra prueba del cáncer, me hice otra colonoscopia. En esta ocasión se reveló un pequeño pólipo maligno.

Para entonces sabía que mi familia estaba definitivamente ligada al cáncer: dos tíos, una tía, mi abuelo paterno y mi tío abuelo habían muerto de cáncer del colon. Debido a estos antecedentes familiares y a mi relativa juventud (casi 42 años), mi cirujano quiso extirpar una sección grande de mi colon, porque corría un alto riesgo de recurrencia.

Por lo tanto pasé un día tomando laxantes y antibióticos para limpiar mi colon. Siguió la operación.

mos beber un trago al día, ya que el alcohol tal vez agote la provisión de folato del cuerpo.

No fume. Es posible que los cigarrillos estimulen los cambios celulares que llevan al cáncer del colon.

Haga ejercicio. Sólo 30 minutos de alguna actividad física (caminar, correr, jugar tenis) varios días a la semana ayuda a reducir el riesgo.

Protéjase con pruebas. Las pruebas o *screenings* pueden detectar los pólipos, unos tumores parecidos a uvas, que a veces se convierten en cáncer. "Se encuentran los pólipos, se sacan, no da cáncer: es así de sencillo", resume la Dra. Hambrick, una antigua cirujana colorrectal.

A pesar de que el tumor era pequeño (menos de 3/4 pulgada/16 mm) y se descubrió pronto, ya había invadido la primera capa de la pared del colon. Descubrí que padezco cáncer colorrectal no poliposo hereditario (o *HNPCC* por sus siglas en inglés). Debido a ello mi hermano, mi hermana y yo corremos un alto riesgo de padecer diversos tipos de cáncer, así que los convencí de hacerse escaneos del cáncer. A ambos les extirparon unos pólipos precancerosos del colon.

Varios meses después de la operación empecé a sufrir pesadillas, incluso cuando mi revisión de los 6 meses en busca de nuevos pólipos no mostró nada. Y me sentí culpable por haber sobrevivido "sólo" con cirugía, sin tratamientos de quimioterapia o radioterapia. Físicamente, el único síntoma que me queda de la operación es diarrea.

Ahora sólo me siento feliz de estar con vida. Dedico mucho tiempo a hablar con otros supervivientes al cáncer y con nuevos pacientes, e incluso he compartido mi experiencia por Internet.

Ojalá más personas supieran que es posible vencer el cáncer del colon si se detecta temprano. Claro, todo el proceso de limpiar, examinar y operar el colon da vergüenza, pero la vergüenza no mata a nadie.

"Si todas las personas mayores de 50 años se hicieran pruebas con regularidad, podríamos reducir el índice de muerte por cáncer colorrectal a la mitad", afirma la Dra. López.

La Sociedad Estadounidense para el Cáncer recomienda lo siguiente:

Una revisión rectal digital. El médico inserta un dedo enguantado y lubricado en el recto para buscar zonas irregulares o anormales mediante el tacto. Este reconocimiento se hace antes de la sigmoidoscopia, la colonoscopia o el enema de bario de doble contraste.

Una prueba para la detección de sangre oculta en materia fecal (fecal occult blood test o FOBT por sus siglas en inglés). Esta prueba anual busca la sangre escondida (u oculta) en las muestras de excremento. Usted se lleva a casa un equipo de análisis para recoger muestras de tres evacuaciones intestinales seguidas y devuelve el equipo a un laboratorio para que las evalúe.

Una sigmoidoscopia. Se trata de un reconocimiento visual en el interior del recto y de la parte baja del colon. Por medio de un tubo flexible con iluminación que se llama sigmoidoscopio el médico revisa el recto y la parte baja del colon para ver si hay cáncer o pólipos. No obstante, investigaciones recientes indican que en algunas ocasiones esta revisión no logra detectar el cáncer. El sigmoidoscopio sólo examina el último tercio del colon del lado izquierdo, mientras que este cáncer se presenta con mayor frecuencia del lado derecho del colon. Nadie sabe con certeza por qué es así.

Una colonoscopia. La ventaja de la colonoscopia por encima de la sigmoidoscopia es que inspecciona todo el colon. Después de una limpieza intestinal inicial con una alimentación especial y laxantes, se recibe un sedante para este procedimiento, en que, por medio de un colonoscopio (parecido al sigmoidoscopio, pero más largo), el médico examina todo el colon a través de una cámara y un monitor de video. Es posible extraer los pólipos con un lazo de alambre que se inserta por el tubo.

Un enema de bario de doble contraste (double-contrast barium enema). Este procedimiento se lleva a cabo en un hospital o clínica e implica tomar radiografías con rayos X del colon después de haber inyectado sulfato de bario a través del recto. Al igual que en el caso de la colonoscopia, es preciso limpiar el intestino de antemano.

Si el resultado inicial del enema de bario es normal, la Sociedad Estadounidense del Cáncer recomienda que todas las personas mayores de 50 años elijan alguna de las tres opciones de revisión siguientes.

- Una prueba para la detección de sangre oculta en materia fecal cada año, además de una sigmoidoscopia cada 5 años
- Una colonoscopia cada 10 años
- Un enema de bario de doble contraste cada 5 a 10 años

Siga la "regla del diez". A las personas cuyo historial genético o personal incluye factores de riesgo se les recomienda revisarse con mayor frecuencia desde una edad más temprana. "Al igual que en el caso del cáncer de mama es importante analizar los antecedentes familiares", indica la Dra. Nancy E. Kemeny, médico encargada del servicio de oncología gastrointestinal en el Centro Memorial Sloan-Kettering para el Cáncer de la ciudad de Nueva York. Si a su padre o madre se le diagnosticó con cáncer del colon antes de los 50 años, usted debe empezar a revisarse cuando tenga diez años menos que la edad de ese familiar al ser diagnosticado. Por ejemplo, si a su madre le dio cáncer del colon a los 40 años, empiece a revisarse a los 30.

Señales y síntomas

El peligro del cáncer colorrectal es que puede avanzar silenciosamente a lo largo de varios años sin síntoma alguno. No obstante, también llega a anunciarse de las siguientes formas, de

PREGUNTAS Y RESPUESTAS

¿Por qué me dan antibióticos en lugar de antiácidos para tratar mi úlcera estomacal?

Sabemos actualmente que los antiácidos tratan los síntomas de la úlcera estomacal, mas no la causa. Los antibióticos que administramos atacan una bacteria que se llama *Helicobacter pylori* o bien *H. pylori*, la cual de hecho produce la llaga o herida de la úlcera con su dolor y sangrado. Al contrario de lo que muchas personas aún creen, el estrés no provoca úlceras. Entre el 75 y el 90 por ciento de las úlceras que involucran el estómago y con frecuencia el duodeno o la primera parte del intestino delgado se deben a la infección con *H. pylori*.

Disponemos de varias pruebas, algunas invasivas, otras no, para detectar la presencia de esta bacteria; los elementos fundamentales son una prueba de la sangre y una simple prueba de respiración. Una vez que se le diagnostique podrá tomar sus antibióticos y estará curada.

acuerdo con la Dra. Kemeny.

- Sangrado rectal
- Sangre en el excremento
- Cambios en las evacuaciones: estreñimiento, diarrea o problemas para hacer una evacuación completa
- Calambres o dolor de estómago

¡Que no cunda el pánico!

Si bien cualquiera de los síntomas del cáncer del colon merecen recibir atención médica oportuna, no necesariamente significan que exista esta enfermedad. La Dra. Roth enumera otras afecciones cuyos síntomas llegan a parecerse a los de este cáncer.

Los hombres y las mujeres adquieren el *H. pylori* más o menos en proporciones iguales, pero no estamos del todo seguros de cómo se transmite la bacteria. Existe cierta asociación con personas en los países en vías de desarrollo así como los grupos socioeconómicos más bajos, por lo que posiblemente tenga algo que ver con condiciones no adecuadas de higiene.

Desafortunadamente la mayoría de las personas radicadas en los Estados Unidos no están conscientes de la existencia del *H. pylori* y conservan la idea de que el estrés o la mala alimentación causan úlceras estomacales. Se trata de un error peligroso, porque puede impedir que la gente reciba el tratamiento apropiado. Además, existe el pequeño riesgo de que una infección de mucho tiempo pueda convertirse en ciertos tipos de cáncer gástrico.

Información proporcionada por la experta
Kim E. Barrett, Ph.D.
Profesora de Medicina
Universidad de California, San Diego, Escuela de Medicina

Las hemorroides (almorranas). Estas venas dilatadas y tejidos hinchados en el ano o cerca de él pueden producir hemorragia.

Un vaso sanguíneo que gotea. El término técnico es angiodisplasia, y significa que un vaso sanguíneo en el intestino se ha vuelto frágil y sangra.

Los parásitos. Estos visitantes ingratos pueden manifestarse con sangre en el excremento.

Los antibióticos. Algunos de estos medicamentos producen sangre en el excremento así como hemorragia rectal.

Otras enfermedades intestinales. El sangrado rectal también puede deberse a una colitis ulcerativa, que es una inflamación del colon que provoca úlceras, o a la enfermedad de Crohn, un mal semejante. La diverticulitis, una afección avanzada en la que unos pequeños sacos nacen desde el colon, también puede provocar sangrado rectal así como dolor abdominal.

¿A quién debo ver?

Para dos de las revisiones básicas probablemente bastará con que visite el consultorio de su médico familiar. Tanto la prueba para la detección de sangre oculta en materia fecal como la sigmoidoscopia pueden realizarse en un consultorio médico. La colonoscopia y el enema de bario, que revelan más con respecto a la salud de su colon, requieren ir a un hospital o clínica.

Para la colonoscopia verá a un gastroenterólogo, un médico especializado en el estómago y los intestinos. Si se llega a descubrir un tumor maligno que obligue a extirpar una parte de un órgano o de alguna otra parte del cuerpo, se llamará a un cirujano. Según la Dra. Kemeny es posible que al mismo tiempo se consulte a un especialista en tumores, es decir, a un oncólogo.

¿Qué debo esperar?

Si las revisiones revelan tumores, el impacto emocional puede ser tan grave como el físico. "Las mujeres se horrorizan al enterarse de que padecen cáncer del colon", comenta la Dra. Nada L. Stotland, coordinadora de psiquiatría en el centro médico Illinois Masonic Medical Center en Chicago y editora de un libro sobre los aspectos psicológicos en el cuidado de la salud de las mujeres.

El miedo debido a la ignorancia es uno de los desafíos más grandes que plantea esta

Una dolorosa duda: ¿cuál es la causa de ese dolor abdominal?

Es duro sufrir un ataque de dolor abdominal sin saber a ciencia cierta si hay que culpar al plato picante que comió de anoche. ¿Será apendicitis? ¿O quizá un cálculo biliar? Utilice esta guía rápida para identificar las posibles causas de su dolor de estómago y consulte a un médico si sospecha cualquiera de los siguientes males.

El cuadrante superior de la derecha

- **Vesícula biliar.** El dolor de los cálculos biliares se manifiesta con gran intensidad después de comer y luego empieza a disminuir.
- **Hígado.** Un dolor sordo parecido a calambres puede deberse a la hepatitis autoinmune o a alguna otra afección hepática.
- **Duodeno.** Un dolor con ardor después de la comida puede ser una úlcera del duodeno.

Entre los senos

- **Estómago.** Un dolor agudo con ardor que disminuye al comer puede ser señal de una úlcera estomacal.
- **Páncreas.** La inflamación de la pancreatitis causa dolor, fiebre y náuseas.

El cuadrante superior de la izquierda

- No puede ser nada gastrointestinal.

El cuadrante inferior de la derecha

- **Apéndice.** Un dolor en esta región probablemente sea apendicitis; después de 6 meses de embarazo el apéndice se desplaza al cuadrante superior de la derecha.
- **Ciego.** Se trata de la primera parte del colon; rara vez se inflama solo.

Ombligo

- **Íleon.** Un dolor entre sordo y muy agudo que se produce de 1 a 2 horas después de haber comido puede deberse a la enfermedad de Crohn. Por lo común se identifica erróneamente como dolor de estómago, pero se trata del intestino delgado.

enfermedad. "El colon se considera 'sucio' y recóndito; se supone que sólo debe hacer su trabajo y no molestar", indica la Dra. Stotland. A fin de superar este temor e ignorancia, la experta recomienda que tome las siguientes medidas.

Hágase acompañar. Si se le diagnostica con cáncer, solicite una segunda cita a la que pueda llevar a una amiga o a algún miembro de su familia. "Cuando alguien le da una mala noticia como esta ya no alcanza a escuchar nada más", informa

Cuadrante inferior de la izquierda

❧ Colon. Un dolor como de calambres puede ser diverticulitis. Diversos trastornos intestinales con frecuencia producen cambios en los hábitos de evacuación.

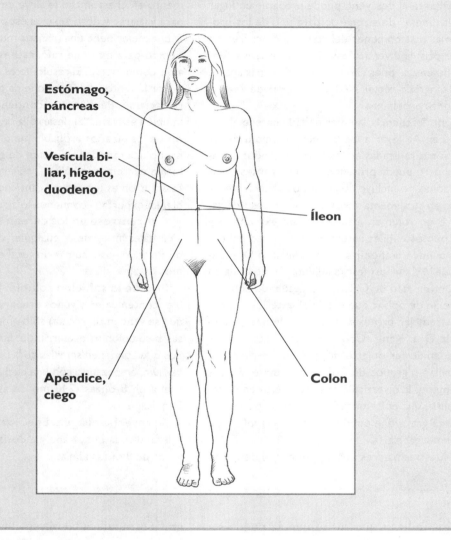

Estómago, páncreas

Vesícula bi-liar, hígado, duodeno

Íleon

Apéndice, ciego

Colon

la Dra. Stotland. Es posible que la persona que la acompañe esté en mejores condiciones para asimilar y recordar los detalles.

Ponga la pluma sobre el papel. No recordará todas sus preguntas para el médico, afirma la

Dra. Stotland, así que apúntelas antes.

Apóyese en otros. Encuentre a un grupo de apoyo para enfermos de cáncer, exhorta la Dra. Stotland, sobre todo uno que esté dirigido por un especialista en orientación psicológica; los

Desayune para desviar la diverticulosis

Saltarse el desayuno puede preparar un lugar en la "mesa" de su cuerpo para uno de los problemas más comunes del colon que ocurren en este país: la diverticulosis. En sí es relativamente inofensiva, pues casi no causa síntomas aparte del sangrado rectal. No obstante, puede llevar a grandes problemas.

Con frecuencia la enfermedad aparece al envejecer. Al llegar a los 80 años, la mitad de las personas radicadas en los Estados Unidos la tienen, pero puede presentarse mucho antes. Si las personas no incluyen una cantidad suficiente de fibra en su alimentación, tienen un exceso de gases o un volumen insuficiente de excremento, los puntos débiles naturales en la pared del colon pueden empezar a ceder, afirma la Dra. Sunanda V. Kane, profesora adjunta de Medicina en la Universidad de Chicago. El resultado son una especie de bolsas que desde el exterior del colon asemejan brotes de pequeños hongos, explica la Dra. Kane. Con el tiempo estas bolsas pueden atraer objetos difíciles de digerir como semillas o granos de maíz e infectarse. En ese momento la diverticulosis se convierte en diverticulitis, una enfermedad inflamatoria potencialmente grave que puede producir una infección de emergencia.

Nuestras madres nos decían que el desayuno es la comida más importante del día por una razón, afirma la Dra. Kane. "Cuando metemos alimento en el estómago le sirve de señal al colon para vaciarse y desocupar el espacio", comenta. Si una mujer tiene una mañana muy ajetreada sin tiempo para más que café, este reflejo empieza a descomponerse. El resultado es estreñimiento.

Por lo tanto, el desayuno le da pie al colon para vaciarse. Pero lo que contiene el desayuno también es clave. "Si desarrolla diverticulosis antes de los 60 años probablemente no está eliminando una cantidad suficiente de gases o bien no forma excremento sólido", señala la Dra. Kane. La solución es una mayor cantidad de fibra soluble. La experta recomienda lo siguiente.

Concéntrese en los cereales. Coma panes y cereales integrales y cualquier cosa con salvado de trigo hasta sumar un total de 25 a 30 gramos de fibra al día.

Pruebe la solución soluble. La fibra insoluble (contenida en algunos preparados "de fibra" que se venden sin receta) sólo empeorará las cosas si su colon ya está irritado. Elija los preparados que contienen semillas de la hierba medicinal *psyllium*, empezando con una cucharada diaria disuelta en 8 onzas (240 ml) de agua, sugiere la Dra. Kane.

Aproveche el agua. Es el laxante de la naturaleza, dice la Dra. Kane. La dosis óptima son 8 vasos de 8 onzas al día.

---

estudios indican que su influencia puede ser positiva.

Consejos que curan

En lo que se refiere al diagnóstico, es posible que una "colonoscopia virtual" haga menos invasiva la revisión. Con la ayuda de una tomo-grafía computada tal vez en el futuro ya no haga falta insertar un instrumento en el colon, señala la Dra. Hambrick.

El tratamiento del cáncer del colon fundamentalmente significa tres cosas: cirugía, radioterapia y quimioterapia. Los progresos que se han logrado en técnicas quirúrgicas y medicamentos despiertan mayores esperanzas para el futuro.

"La gente piensa que si padece cáncer del colon se les hará una colostomía, pero son muy raras hoy en día", opina la Dra. Kemeny. Una colostomía implica hacer una abertura en el abdomen para eliminar los desechos corporales. La cirugía moderna del colon extirpa el tumor canceroso y los tejidos normales a ambos lados del mismo; a continuación, las partes restantes del colon se vuelven a unir.

La radioterapia, que con frecuencia se aplica junto con la cirugía, mata las células cancerosas con rayos de energía intensa. La quimioterapia tradicionalmente se ha concentrado en un medicamento que se llama 5-FU (fluororacil), pero de acuerdo con la Dra. Kemeny, se están desarrollando productos similares nuevos que brindan muchas opciones novedosas y eficaces.

Alternativas que alivian

La alimentación, los suplementos y las hierbas medicinales dominan la lista principal de tratamientos, según la experta en medicina alternativa Irene Catania, N.D., una naturópata de Ho-Ho-Kus, Nueva Jersey, con extensos estudios en terapias contra el cáncer. Después de poner énfasis en el hecho de que su trabajo con pacientes de cáncer se considera "terapia complementaria", es decir, está concebida para complementar los tratamientos tradicionales, la Dra. Catania ofrece las siguientes estrategias generales.

Vuélvase vegetariana (o casi). El principal consejo de la Dra. Catania en lo que a la alimentación se refiere es que consuma productos vegetales en su mayoría (si no es que de manera exclusiva). Coma frutas y verduras frescas, cerea-

MAMÁ SIEMPRE DECÍA

¿Los alimentos condimentados y el café realmente me darán úlceras?

Este mito persiste porque algunas personas efectivamente tienen problemas con los alimentos condimentados y el café, pero no se trata de úlceras.

Poseemos un músculo que se llama el esfínter inferior del esófago, el cual evita que el contenido del estómago vuelva a subir hacia el esófago. El café contiene cafeína y ácido; los alimentos condimentados tienen capsaicina, que es la sustancia picante de los chiles (ajíes o pimientos picantes), y todos estos elementos pueden relajar el esfínter un poco. Cuando así sucede, un poco del contenido estomacal vuelve a subir hacia el esófago y se produce el ardor en el pecho que llamamos acidez (agruras, acedía).

Muchas personas suponen que la sensación producida por la acidez está relacionada con las úlceras, porque se asemeja al tipo de dolor que una úlcera provoca, ya sea en el estómago o en el duodeno (la primera parte del intestino delgado).

Por lo tanto, la respuesta es que los alimentos condimentados y el café no provocan úlceras, pero sí acidez.

Información proporcionada por la experta
Kim E. Barrett, Ph.D.
Profesora de Medicina
Universidad de California, San Diego, Escuela de Medicina

les y legumbres, además de 6 vasos diarios de jugos frescos de verduras.

Opte por lo orgánico. A la hora de comprar frutas y verduras busque las variedades orgánicas, las cuales no contienen los pesticidas que pueden agravar el cáncer, sugiere la Dra. Catania.

Éntrele al pescado. Los aceites de pescado y el aceite de semilla de lino (linaza) pueden contribuir a equilibrar los ácidos grasos esenciales que combaten el cáncer; tome 3,000 miligramos como mínimo. Sin embargo, no tome aceite de pescado si padece un trastorno hemorrágico o presión arterial alta (hipertensión) no controlada;

CARCINOMA DE CÉLULAS BASALES

El melanoma tal vez merezca el premio al cáncer más mortífero de la piel, pero el carcinoma de células basales o basocelular es el más común. "De hecho se trata del cáncer más común en el ser humano, y punto", afirma la Dra. Tanya Humphreys, directora de Cirugía Cutánea, Cirugía Láser y Dermatología Cosmética en el departamento de Dermatología de la Universidad Thomas Jefferson en Filadelfia. Todos los años se diagnostican más de 800,000 carcinomas de células basales al año.

Los carcinomas de células basales (o *BCC* por sus siglas en inglés) *no* están relacionados con los lunares. En cambio se presentan como unos bultitos salientes perlados, translúcidos y ocasionalmente rojos, o bien como llagas que no se curan. Lo típico es que los BCC aparezcan en las partes del cuerpo que reciben una exposición intensa y episódica al sol.

La mayoría de las personas que padecen el cáncer basocelular de la piel tienen más de 40 años, pero las personas más jóvenes no son inmunes. Es posible que la exposición al sol en la temprana infancia tenga que ver con el aumento en carcinomas de células basales entre los jóvenes, indica la Dra. Humphreys. "He visto a personas de entre 25 y 30 años y a adolescentes con este problema". Entre los veinteañeros y treintañeros, al parecer las mujeres son las más afectadas, advierte.

El cáncer de células basales crece muy lentamente y rara vez se propaga, pero puede penetrar debajo de la piel hasta los huesos y causar daños considerables donde estos se encuentran. La intervención quirúrgica para eliminar los pequeños tumores tal vez deje una cicatriz muy leve o incluso ninguna, sobre todo en la cara. Algunos tipos del carcinoma de células basales son difíciles de extirpar y pueden recurrir.

gias nasales y propensión a sufrir cardenales (moretones, magulladuras), además de que llega a descomponer el estómago. Por último, no lo sustituya por aceite de hígado de pescado. Este tipo de aceite tiene un alto contenido de vitaminas A y D, las cuales son tóxicas cuando se toman en grandes cantidades.

Sane con estos suplementos. Diversos estudios europeos sugieren que un antioxidante que se llama glutation reducido ayuda a las personas sometidas a quimioterapia o radioterapia a enfrentar mejor los efectos secundarios del tratamiento, de acuerdo con la Dra. Catania. El glutation reducido se utiliza en dosis muy altas, por lo que la Dra. Catania recomienda que consulte al profesional de la salud que la esté atendiendo. También recomienda tomar un suplemento multivitamínico y de minerales de alta calidad.

Los antioxidantes populares como las vitaminas E y C y el cinc también figuran en la lista de la Dra. Catania.

Por último, un muestrario herbario. A fin de que se aprovechen los beneficios de diversas hierbas, la Dra. Catania con frecuencia receta tomarlas combinadas o en serie. Algunas de ellas son el *ginkgo*, la equinacia (echinácea), el astrágalo *(astragalus)*, el regaliz (orozuz), el alerce (*larch*, que procede del árbol de este nombre) y los hongos *maitake* y *shiitake*. Todos ellos posiblemente ayuden a los pacientes a fortalecer sus sistemas inmunitarios.

si toma anticoagulantes o bien aspirina con regularidad; o si es alérgica a cualquier tipo de pescado. Los diabéticos no deben tomar aceite de pescado debido a su alto contenido de grasa. El aceite de pescado aumenta el tiempo de la hemorragia, lo cual puede dar lugar a hemorra-

Cáncer de la piel

El melanoma es el séptimo cáncer más difundido entre las mujeres de todas las edades, y nos asusta terriblemente.

¿Por qué? Porque sabemos lo peligroso que puede ser. Es el tipo de cáncer de la piel que tiene mayor probabilidad de propagarse a otras partes del cuerpo. Puede ser rápido, devastador y mortal. Y cada año afecta a un mayor número de mujeres.

Conocemos la principal causa y pensamos tal vez saber por qué se está produciendo cada vez con mayor frecuencia. Ya se ha establecido un claro vínculo entre los estragos causados por el sol y el riesgo de sufrir un melanoma, mientras que por otra parte es posible que la capa de ozono cada vez más delgada de nuestra atmósfera tenga la culpa de dejar pasar más rayos ultravioletas hasta donde estamos nosotros.

Desafortunadamente no hemos ajustado nuestro estilo de vida para contrarrestar este aumento en el número de rayos ultravioleta (UV). "Tomar el sol y adquirir un 'bronceado saludable' aún es muy popular —afirma Mary Knapp, una climatóloga de la biblioteca de datos climatológicos de la Universidad Estatal de Kansas en Manhat-

tan—. Y usar loción antisolar (filtro solar) puede darles a las personas un falso sentido de la seguridad, lo cual tiene como consecuencia períodos más largos de exposición al sol". Además, la moda en el vestir —desde los vestidos que llegan debajo de la rodilla hasta las minifaldas y los bustieres elásticos *(tube tops)*— sigue dando paso al sol de manera peligrosa. Además, es posible que las vacaciones familiares de esquí a montañas que reflejan mucho sol o bien los viajes a playas siempre soleadas expongan a nuestros niños a más sol que nunca a una edad más temprana.

No obstante, pese a los hechos duros las noticias en torno al melanoma en realidad son muy buenas. En sus etapas más tempranas, el melanoma es uno de los cánceres más fáciles de evitar, descubrir, tratar y curar.

Los factores de riesgo

¿Quiere saber cuáles son sus probabilidades de padecer un melanoma? Véase en el espejo. Si tiene el cabello rubio o pelirrojo (natural, desde luego), ojos verdes o azules (debajo de esos lentes de contacto de color) y un cutis de porcelana salpicado de pecas, su riesgo de contraer un melanoma es entre 10 y 20 veces más alto que el de una persona de tez oscura o negra.

Independientemente de la apariencia personal, el melanoma, al igual que otros muchos tipos de cáncer, al parecer también se relaciona con nuestros genes. Es decir, si un miembro de la familia —su hermana, su padre o incluso una tía o abuelo— sufrió un melanoma, aumenta su riesgo de enfermar de lo mismo. De igual manera, si ya ha sufrido un melanoma alguna vez sus posibilidades de tener que combatir a esta bestia de nuevo son más altas que si nunca hubiera tenido el problema.

Además de una tez pálida y antecedentes familiares o personales, existen otros factores que asimismo aumentan el riesgo de padecer este cáncer.

- Broncearse sólo con dificultad
- Muchas quemaduras solares a lo largo del tiempo
- La presencia de muchos (más de 50) lunares normales
- La presencia de lunares de aspecto extraño
- La supresión del sistema inmunitario por medicamentos o alguna enfermedad
- La exposición excesiva al sol, por razones recreativas o relacionadas con el trabajo

La prevención

¿Es posible prevenir el melanoma? Sí, es fácil de prevenir: evite el sol.

O sea, es fácil de prevenir si usted vive y trabaja en una cueva. Para los demás, que tal vez disfrutemos de un día ocasional en el parque, la playa, las montañas o incluso trabajando en el jardín, evitar el sol resulta un poco más difícil. A continuación le señalaremos algunas formas de

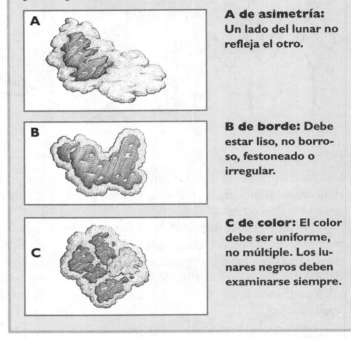

LOS LUNARES SOSPECHOSOS: EL ABECEDARIO DE LA ADVERTENCIA

Las siguientes señales de advertencia nos indican que un médico debe examinar un lunar o una peca lo más pronto posible.

A de asimetría: Un lado del lunar no refleja el otro.

B de borde: Debe estar liso, no borroso, festoneado o irregular.

C de color: El color debe ser uniforme, no múltiple. Los lunares negros deben examinarse siempre.

reducir su riesgo de sufrir un melanoma cuando le resulte imposible evitar los rayos solares.

Use loción antisolar (filtro solar) todos los días. Incluso en climas muy soleados, la loción antisolar funciona. "Lo vemos muy claramente en Australia —señala la Dra. Karen Burke, Ph.D., una cirujana dermatológica del Centro Médico Cabrini en la ciudad de Nueva York, autora de un libro sobre cómo tener un cutis perfecto—. El 74 por ciento de la población de ahí se pone loción antisolar con regularidad. Y su índice de melanoma por fin se está estabilizando, por primera vez en décadas".

Sin embargo, la loción antisolar sólo es eficaz si la elige con cuidado y la usa correctamente. De

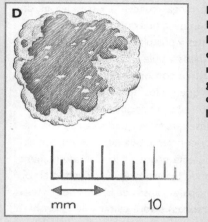

D de diámetro: Los melanomas por lo general tienen un diámetro mayor de 6 milímetros (más grande que la goma de borrar de un lápiz).

Aparte de lo que hemos indicado aquí, también hay que fijarse en una cosa más: es posible que algunos melanomas estén elevados, como cerritos. Cualquier lunar que empiece a sobresalir de la piel debe examinarse pronto.

acuerdo con la Dra. Burke, muchos dermatólogos recomiendan que tenga un *SPF* o factor de protección solar de por lo menos 25, que sea a prueba de agua y capaz de bloquear tanto los rayos UVA como los UVB. Busque ingredientes que bloqueen el sol físicamente, como el dióxido de titanio y el dióxido de cinc. Las lociones antisolares que contienen estas moléculas grandes de hecho forman una barrera invisible sobre la piel, que refleja los rayos solares.

Úntese la loción antisolar temprano, con frecuencia y de manera muy generosa. Aplíquela a todas las áreas descubiertas de su piel por lo menos 15 minutos antes de que planee salir al aire libre. Luego reaplíquela por lo menos cada 90 minutos, con mayor frecuencia si está nadando o sudando (está bien, transpirando) mucho, o posiblemente con menos frecuencia si usa productos a prueba de agua. Sobre todo sea generosa.

"Cuando la eficacia de las lociones antisolares se analiza en el laboratorio se aplica una cantidad abundante por pulgada cuadrada. La mayoría de las mujeres la aplican de manera demasiado escasa como para obtener la cantidad de protección que se indica en la etiqueta", explica la Dra. Burke.

Revise regularmente su piel. Todas las mujeres estamos enteradas de la importancia de hacernos un autorreconocimiento de los senos. También puede revisar su piel una vez al mes para buscar cambios en su apariencia, sobre todo en los lunares o imperfecciones que tenga. A continuación le diremos cómo, de acuerdo con las pautas proporcionadas por la Academia Estadounidense de Dermatología.

- Utilice un espejo para examinar su torso desnudo por el frente y por atrás, incluyendo los brazos y los hombros. Luego levante los brazos y observe sus costados derecho e izquierdo.
- Doble los codos y revise con atención las palmas de sus manos, sus antebrazos y brazos. Asegúrese de revisarlos por ambos lados.
- Voltéese para revisar la parte de atrás de sus piernas y luego examínese los pies, incluyendo las plantas y los espacios entre los dedos.
- Use un espejo de mano para ayudarse a revisar su nuca en un espejo colgado en la pared. Hágase rayas en el pelo para examinarse el cuero cabelludo.
- Por último, utilice un espejo de mano para revisar su baja espalda y asentaderas.

¿Por qué se me pone roja la nariz cuando tomo alcohol?

Si se da cuenta de que cada vez que toma alcohol se le pone roja la nariz, tal vez quiera empezar a poner atención al color de su cara en otros momentos también. Quizá se dé cuenta de que tiende a ruborizarse o a sonrojarse después de comer ciertos alimentos, como los platos condimentados o salidos directamente del horno. También es posible que observe que su cara permanece roja durante mucho más tiempo que la de los demás después de haber hecho ejercicio vigoroso. Una buena forma de llevar el registro de lo que sucede realmente es con un diario de síntomas: apunte las veces que se pone roja al igual que cuándo sucedió y qué estaba haciendo, comiendo o bebiendo justo antes de que pasara.

Si existe un patrón predecible de alimentos, bebidas o actividades que provocan que se sonroje es posible que tenga rosácea. La rosácea es un problema común de la piel que abarca desde sonrojos persistentes y pústulas del tipo del acné hasta vasos sanguíneos visibles y una nariz agrandada. La afección ocurre con mucha mayor frecuencia en las mujeres que en los hombres y puede progresar rápidamente si no recibe tratamiento.

Si usted piensa que tal vez padezca rosácea, hágase un favor y concierte una cita con un dermatólogo. Si lo detecta pronto y lo trata de manera adecuada evitando los estímulos (incluyendo el sol, una de las principales causas de brotes de rosácea en algunas personas) podrá evitar que el problema empeore.

Información proporcionada por la experta
La Dra. Lynn Drake
Editora de Rosacea Review
Profesora y coordinadora del departamento de Dermatología
Universidad de Oklahoma
Oklahoma City

Bájele a la grasa. Las investigaciones indican que tener una alimentación baja en grasa tal vez sirva para más que sólo mantener sano el corazón y estable el peso corporal. También es posible que reduzca el riesgo de sufrir cáncer de la piel.

Treinta y ocho personas que adoptaron una alimentación con no más del 21 por ciento de grasa durante 2 años redujeron el número promedio de cierto tipo de lesión precancerosa de la piel hasta en dos tercios, en comparación con las personas en cuya alimentación no menos del 36 por ciento de las calorías correspondían a grasa, de acuerdo con un grupo de investigadores del Colegio de Medicina Baylor en Houston.

Alimentarse con poca grasa a fin de reducir las posibilidades de contraer cáncer de la piel tiene sentido, indica Shari Lieberman, Ph.D., una nutrióloga clínica de la ciudad de Nueva York y coautora de un libro sobre vitaminas y minerales. "Al fin y al cabo, se ha demostrado que una alimentación baja en grasa protege contra otros muchos tipos de cáncer —afirma—. ¿Por qué no habría de funcionar también en el caso del cáncer de la piel?"

Señales y síntomas

Un melanoma maligno empieza con el crecimiento no controlado de las células de la piel que producen los pigmentos. Este crecimiento se acumula hasta formar lunares o tumores de color oscuro. Pueden aparecer solos, sobre un área de piel que hasta entonces carecía de marcas, o bien desarrollarse a partir de un lunar previamente normal ya existente o cerca de este, lo cual sucede con frecuencia. Esta capacidad de los lunares saludables de volverse malignos es la razón por la que reviste tanta importancia aprenderse la ubicación y el estado de sus lunares normales a través del autorreconocimiento.

Cualquier cambio raro en la condición de su piel debe llamarle la atención. Los lunares nuevos que aparecen en las mujeres adultas son particularmente sospechosos, pues para cuando llegamos a la edad adulta ya hemos desarrollado la mayoría de los lunares que tendremos en toda la vida. Fíjese en cualquier lunar en el que le empiece a dar picazón (comezón) o que comience a sangrar, supurar o doler. También deben ponerla sobre aviso los cambios en el tamaño o la forma: los lunares no deben de crecer y sus bordes deben ser lisos, no disparejos. Las investigaciones demuestran que el color es particularmente crucial cuando se trata de detectar los melanomas. Tenga presentes los lunares de colorido disparejo, con diversos matices de marrón y negro. Y si un lunar cambia de color de repente, particularmente a negro, haga que su dermatólogo lo revise de inmediato.

¡Que no cunda el pánico!

Si se da cuenta de un lunar nuevo, no debe suponer automáticamente que se trata de un melanoma. La vasta mayoría de los lunares no

CARCINOMA DE CÉLULAS ESCAMOSAS

El carcinoma de células escamosas (*squamous cell carcinoma*) es el segundo cáncer más común de la piel que no es melanoma. Esta amenaza también está relacionada con la exposición al sol, pero el problema no parece ser la exposición única que puede causar el melanoma sino asolearse de manera crónica a lo largo del tiempo, indica la Dra. Tanya Humphreys, directora de Cirugía Cutánea, Cirugía Láser y Dermatología Cosmética en el departamento de Dermatología de la Universidad Thomas Jefferson en Filadelfia. La causa es la exposición cotidiana sin protección a la que se someten los agricultores, los carteros, los jardineros, los golfistas o los corredores, por ejemplo.

Los carcinomas de células escamosas a menudo se presentan en forma de nódulos o bultos rojos elevados o bien manchas rojas escamosas o parecidas a costras. Con frecuencia nacen de unas lesiones precancerosas conocidas como queratosis actínica, las cuales son muy comunes, sobre todo conforme envejecemos.

A diferencia del melanoma, la posibilidad de que un cáncer de células escamosas se propague es escasa. No obstante, las lesiones en los tejidos relativamente delgados de los labios o las orejas deben examinarse y eliminarse pronto sólo para asegurarse de que las células del cáncer no tengan la oportunidad de viajar.

son peligrosos, afirma la Dra. Mary Gail Mercurio, profesora adjunta de Dermatología en la Universidad de Rochester en Nueva York.

Aunque encuentre un lunar que haya cambiado de forma o adquirido un nuevo tono no tiene que alarmarse de inmediato (aunque *sí* estaría bien que la revisara un médico). Si bien la presencia de lunares anormales, que se llaman nevos displásicos, significa que tal vez corra una mayor riesgo de padecer un melanoma, no todos resultan cancerosos. Según lo que indique su médico, tal vez ni siquiera haga falta extirparlos.

MAMÁ SIEMPRE DECÍA

¿Realmente me saldrán verrugas por tocar un sapo?

La respuesta sencillamente es no. Tocar un sapo —o una rana, ya que estamos en eso— tal vez le ponga los pelos de punta, pero no le saldrán verrugas.

Este cuento de viejas probablemente surgió por el aspecto verrugoso de la piel de los sapos. No obstante, desde el punto de vista científico las protuberancias que se observan en el cuerpo de un sapo en realidad son glándulas. Si el sapo se siente amenazado o en peligro, estas glándulas visibles desde el exterior producen unas toxinas que le ayudan a escapar de manera ingeniosa de los depredadores. Por ejemplo, si su perro recogiera un sapo con la boca el desagradable sabor de las toxinas lo haría babear y dejaría caer al animal.

Sabemos que un tipo específico de virus que afecta a los seres humanos produce las verrugas, y no hay nada que se le parezca ni remotamente en la piel rugosa de un sapo.

Información proporcionada por la experta
Lynnette Sievert, Ph.D.
Profesora adjunta de la división de Ciencias
Biológicas
Universidad Estatal de Emporia
Emporia, Kansas

Durante el embarazo también es posible que lunares inofensivos se pongan más oscuros. "No necesariamente es un indicio negativo —afirma la Dra. Tanya Humphreys, directora de Cirugía Cutánea, Cirugía Láser y Dermatología Cosmética en el departamento de Dermatología de la Universidad Thomas Jefferson en Filadelfia—. El estrógeno puede aumentar la pigmentación". Si por casualidad nota un cambio en un lunar durante el embarazo, señáleselo a un dermatólogo para que la vigile. Pero no se preocupe innecesariamente.

¿A quién debo ver?

Su médico general o familiar sin duda podrá hacerle una revisión de rutina para buscar manchas o bultos raros durante su examen físico anual; asegúrese de decírselo si desea que lo haga. No obstante, si descubre un lunar nuevo o cambios en un lunar existente, en realidad debería consultar un dermatólogo, que es un médico especializado en el cuidado y tratamiento de los problemas de la piel. "La clave está en el diagnóstico —afirma la Dra. Lynn Drake, profesora y coordinadora del departamento de Dermatología en la Universidad de Oklahoma en Oklahoma City—. Muchos médicos hacen las cosas muy bien. Pero si tuviera un problema cardíaco querría ver a un especialista en el corazón. De igual manera, cuando existe una condición incierta de la piel lo mejor es ver a un especialista en la piel".

Y no se demore. Si hay algún problema, tratarlo temprano es lo mejor para cualquier cáncer de la piel. Y si después de todo resulta que nada andaba mal, se habrá ahorrado mucho tiempo de preocupación.

Si se le diagnostica con un melanoma superficial, es posible que su dermatólogo pueda encargarse del asunto extirpando él mismo la lesión. "Los dermatólogos también son unos cirujanos maravillosos", indica la Dra. Drake. No obstante, si el melanoma es profundo tal vez haga falta reunir a un equipo médico. En este caso es posible que su dermatólogo decida colaborar con un oncólogo quirúrgico u otros especialistas que puedan brindarle el mejor tratamiento posible.

CASOS DE LA VIDA REAL

Piensa que la loción antisolar es más peligrosa que broncearse

Cuando Cindy va a la playa se prepara para proteger su cutis marfileño. Se pone un sombrero de ala ancha, una bata de toalla y gafas con lentes oscuros que dan la vuelta a su cara. También se lleva una sombrilla de playa. Y nunca sale de casa sin haberse untado una loción antisolar (filtro solar) con un factor de protección solar de 20. Por lo menos así lo hacía hasta hace poco, cuando escuchó en las noticias que la loción antisolar hace más daño que bien y que su uso quizá promueva el cáncer. Ahora está confundida. Le encanta la playa, pero si no puede aventurarse a salir de debajo de su sombrilla con la certeza de haber protegido su piel daría igual quedarse en casa. ¿Será lo mejor?

De haber una cosa que Cindy *debe* hacer, es continuar con la loción antisolar. La controversia acerca de si la loción antisolar realmente aumenta el riesgo de padecer cáncer de piel o no se inició al presentarse unos datos que se interpretaron mal y llamaron la atención de la opinión pública. Una vez dicho esto, hay pocas razones que induzcan a pensar —erróneamente— que la loción antisolar produce cáncer, lo cual con toda probabilidad no es cierto.

Para empezar, las personas que utilizan la loción antisolar de manera más regular —por lo común personas de cutis muy claro que saben que se queman con facilidad— también son las que genéticamente tienen mayores probabilidades de contraer cáncer de la piel. Además, una vez que alguien se ha puesto la loción antisolar es posible que tienda a sentirse segura en el sol y a permanecer ahí más tiempo de lo debido. Por último, cuando la gente sí usa loción antisolar, no son muchos los que lo hacen correctamente.

Cindy tiene razón en ponerse un sombrero y en usar una sombrilla. Son excelentes formas de protegerse del sol cuando anda fuera de casa. No obstante, le convendría aún más dar el paso adicional de utilizar todos los días una loción antisolar con un SPF de 25 que proteja tanto contra los rayos UVA como los UVB.

Información proporcionada por la experta
La Dra. Karen Burke, Ph.D.
Cirujana dermatológica
Centro Médico Cabrini
Ciudad de Nueva York
Autora de un libro sobre cómo tener un cutis perfecto

¿Qué debo esperar?

Después de la intervención quirúrgica para eliminar un lunar, es posible que le quede una cicatriz visible. No obstante, la marca que la extirpación produzca no necesariamente será tan grande como sin duda se la está imaginando en este momento. "Entre más pronto se haga extirpar algo —es decir, entre más pequeño el lunar cuando se extrae—, menos grave será la cicatriz", afirma la Dra. Drake.

Una vez diagnosticado y tratado el melanoma, incluso después de que haya sanado físicamente, es posible que siga sintiendo sus efectos en otra parte: su mente. De repente cualquier peca le dará miedo. Es natural reaccionar de esta forma ante un roce con lo que al fin y al cabo es una forma peligrosa de cáncer. "Cualquier persona que haya padecido un cáncer del tipo que sea se vuelve un poco más atenta. La experiencia da mucho miedo", opina la Dra. Drake.

Sin embargo, ayuda darse cuenta de que en el

caso del melanoma realmente tenemos mucha suerte. Al hacernos autorreconocimientos con regularidad podemos descubrirlo en una etapa temprana. Y si se recibe tratamiento pronto la mayoría de las mujeres con melanoma podrán continuar con sus vidas. . . sin soltar la botella de loción antisolar.

Consejos que curan

El tratamiento más importante para cualquier lunar nuevo o que haya cambiado es hacérselo examinar enseguida. Muchos dermatólogos utilizarán un microscopio especial para observar cuidadosamente el lunar y la piel de alrededor. No obstante, en la mayoría de los casos el ojo bien preparado del médico es lo único que hará falta para decidir qué medidas tomar. "Si un lunar u otra mancha parece anormal a simple vista, realizo una biopsia", dice la Dra. Mercurio.

Durante la biopsia es posible que los pequeños lunares sospechosos se extirpen por completo. Su médico podrá efectuar esta cirugía menor en el mismo consultorio. No obstante, si el lunar es grande o se encuentra en una parte del cuerpo donde la cicatriz que quede puede causar preocupación, como la cara, tal vez decida tomar una pequeña muestra de piel para analizarla antes de continuar. Todo el material que resulte de la biopsia se le manda a un patólogo —un médico preparado para detectar enfermedades en los tejidos del cuerpo— para que lo analice minuciosamente.

Si el resultado del análisis indica que se trataba de un melanoma y el lunar ya se extirpó durante la biopsia, tal vez no tenga que someterse a más tratamientos. Los melanomas superficiales o poco profundos son los que se tratan más fácilmente de esta manera. "Eliminarlo es la clave con el

DE MUJER A MUJER
Descubrió su cáncer de la piel ella misma

A los 36 años, Catherine Poole, una escritora de Glenmoore, Pensilvania, especializada en la salud, notó que una mancha de nacimiento en su pierna de repente se veía distinta, rara. Hizo algo al respecto y gracias a ello está viva hoy en día para contar su historia.

En enero de 1989 estaba muy enferma de gripe. Cuidaba a mi hija de 2 años, se acercaba peligrosamente el plazo para entregar un trabajo editorial y tenía 5 meses de embarazo. A pesar de todo supongo que se podría decir que tuve suerte.

De no haber estado descansando en el sofá no me hubiera fijado en la extraña marca en la parte de atrás de mi pantorrilla. Lo que alguna vez sólo había sido una pequeña marca de nacimiento ahora se veía más grande, negra y de forma irregular.

Debido a su extraña forma fui corriendo con el dermatólogo. La biopsia confirmó que tenía un peligroso melanoma de crecimiento vertical. En lugar de extenderse en la superficie de la piel el cáncer estaba introduciéndose más profundamente en los tejidos. Tenía un 80 por ciento de probabilidades de vivir por 8 años.

melanoma —comenta la Dra. Mercurio—. Con frecuencia la intervención quirúrgica puede curar el problema así de sencillo".

De otra forma convendrá una operación quirúrgica para extraer todo el melanoma así como un "margen de seguridad" de piel alrededor. Si su melanoma estaba elevado o tenía una prolongación vertical a través de los tejidos debajo de él, su médico querrá examinar el resto de su cuerpo cuidadosamente, sobre todo sus ganglios linfáticos, para asegurarse de que el cáncer no se haya propagado más allá de su piel.

Los medicamentos quimioterapéuticos que por lo común se aplican para tratar otros tipos de cáncer normalmente no son útiles en el caso del melanoma. No obstante, se ha utilizado con éxito

El miedo me sobrecogió. ¿Perdería a mi bebé? ¿Perderían mis hijos a su mamá?

Los médicos me extirparon el cáncer quirúrgicamente y me parcharon el lugar con un injerto de piel que tomaron de mi cadera. Fue una prueba muy dura y dolorosa. Anduve cojeando con muletas durante el resto de mi embarazo, pero no me importó. Por mí se hubieran podido llevar toda la pierna con tal de que mis hijos conservaran a su mamá.

Después de la intervención y de que naciera sano mi hijo, me puse a investigar y me di cuenta de que pertenezco a la categoría de alto riesgo para este tipo de cáncer.

Ahora me considero una defensora de las medidas de prevención contra el cáncer de la piel. Les digo a extraños que se hagan examinar los lunares de aspecto sospechoso. Mi médico y yo escribimos un libro acerca de cómo prevenir, detectar y tratar el melanoma, para ayudar a otros a reconocer este cáncer. Y ayudé a formar la Fundación para la Investigación del Melanoma en Filadelfia, con la finalidad de financiar la investigación al respecto.

Huelga decir que esta experiencia cambió mi actitud hacia el sol. Ahora siempre me pongo loción antisolar (filtro solar) y también a mi familia. Y hago que el médico me revise la piel con regularidad.

una terapia con una proteína especial llamada interferón para ayudar a algunas personas con melanomas que se han extendido.

Alternativas que alivian

En lo que se refiere a tratar un melanoma existente, se ha demostrado que la medicina occidental convencional es la mejor opción. No obstante, se están desarrollando tácticas nuevas e interesantes en la vanguardia de la ciencia, las cuales tal vez se conviertan en tratamientos estándar en el futuro.

Vigile la vacuna. Al parecer las nuevas vacunas contra el melanoma potencialmente pueden salvar vidas. La vacuna se prepara de manera especial para cada paciente con una muestra de las células de su propio cáncer de la piel y aumenta la capacidad del sistema inmunitario para combatir la afección. Las pruebas que se están haciendo sólo han examinado el uso de la vacuna contra melanomas muy avanzados. Si bien la vacuna parece muy prometedora, indica la Dra. Humphreys, aún hay un largo camino por recorrer.

Busque a su médico con respecto a la B$_6$. También es posible que una vitamina sirva para tratar el cáncer de la piel. De acuerdo con la Dra. Lieberman, la vitamina B$_6$ promete inhibir el crecimiento de las células malignas del melanoma. Esta vitamina del complejo B también ofrece otros muchos beneficios a las mujeres que la consumen en cantidades adecuadas, entre ellos prevenir la anemia, mejorar la función inmunitaria y posiblemente reducir los síntomas del síndrome premenstrual.

Mientras que la Cantidad Diaria Recomendada (o *DV* por sus siglas en inglés) son sólo 2 miligramos, resulta difícil obtener incluso una cantidad tan pequeña exclusivamente de los alimentos, indica la Dra. Lieberman. Algunos especialistas en cáncer sugieren que las personas que corren riesgo de padecer un melanoma, así como las que han tenido alguno en el pasado, tomen entre 100 y 300 miligramos de vitamina B$_6$ al día. Esta cantidad de B$_6$ debe tomarse junto con un suplemento completo de vitaminas del complejo B, ya que trabajan de manera sinérgica, agrega la Dra. Lieberman.

Sin embargo, no tome esta dosis sin la aprobación de su médico. Un exceso de vitamina B$_6$ puede provocar dolor, entumecimiento y debilidad en los miembros.

SEXTA PARTE

Cómo recuperarse de una enfermedad

Nutra su mente y cuerpo

ombatir una enfermedad es una tarea difícil y agotadora. Y al terminar el trabajo el cuerpo necesita descansar y recuperarse. Necesita unas vacaciones, por decirlo de alguna manera. Así que, si pudiera llevarlo al lugar que fuera, ¿a dónde iría?

¿A un paraíso tropical, para tenderse debajo de una palmera y tomar leche de coco fría servida en el fruto mismo, mientras las olas color aguamarina lamen sosegadamente la arena a sus pies? ¿A un refugio silencioso en las profundidades de los bosques en las montañas, donde los únicos sonidos sean el gorjeo de los pájaros y el ocasional crujir de las hojas mientras las ardillas juegan entre las ramas? ¿O quizá a un *spa*, donde lo más agotador que suceda en todo el día sea un masaje de una hora seguido por una visita al sauna y al *jacuzzi*?

Se siente uno mejor nada más de pensar en estas posibilidades, ¿verdad?

De eso se trata precisamente. No hace falta ir a una isla ni a una montaña ni a un *spa*. Para ayudarle al cuerpo a recuperarse después de haber estado enfermo es posible echar mano de la mente y aplicar técnicas como la meditación, la visualización guiada o el yoga. Todas son parte de la medicina complementaria, una forma de curación que con frecuencia aprovecha la conexión entre la mente y el cuerpo para contribuir a la labor de curación realizada por la medicina convencional.

Complementos curativos

"La medicina complementaria es un lugar que nos permite a las mujeres reconectarnos y recuperar nuestros cuerpos. Realmente nos empodera para despertar de nueva cuenta nuestra capacidad de cuidarnos a nosotras mismas", afirma Cynthia Knorr-Mulder, una enfermera y la directora del programa de medicina complementaria en el Centro para la Salud y la Curación del Centro Médico de la Universidad de Hackensack en Nueva Jersey.

Los siguientes ejemplos le darán idea del gran número de terapias complementarias que pueden ayudarla a recuperar su cuerpo después de haber padecido una enfermedad o un accidente grave.

Siéntase serena. La meditación puede

LA MASOTERAPIA

La masoterapia (*therapeutic massage*) es un agregado y complemento maravilloso de la atención médica normal y ofrece muchos beneficios. Se ha sabido que mejora la circulación y el flujo linfático, ayuda a relajarse y disminuye el estrés y la tensión, según indica Caron M. Hunter, masoterapeuta y directora adjunta de medicina integral contra el dolor en la clínica ProHealth Care Associates de Lake Success, Nueva York. Es posible que este masaje llevado a cabo por un profesional con formación médica ayude a recuperarse de la fatiga y del dolor muscular que pueden resultar del ejercicio.

Actualmente muchos médicos recomiendan la masoterapia a sus pacientes con dolor agudo o crónico, porque el masaje ayuda a eliminar de los músculos el ácido láctico, una sustancia que puede producir dolores corporales. El masaje también se aplica en el caso de las enfermedades cardíacas, porque reduce el estrés que puede estrechar los vasos sanguíneos y hacer que el corazón lata más de prisa. No obstante, si se está recuperando de alguna de estas enfermedades debe hablar de la opción de la masoterapia con su médico antes de buscarla. Sesiones regulares de masoterapia también brindan beneficios en el caso de otras afecciones médicas, como asma, artritis, lesiones deportivas, trastornos gastrointestinales y espasmos musculares.

Tal vez se esté preguntando en qué se diferencia un simple masaje de la espalda de una masoterapia. Muchos estados imponen criterios y requisitos educativos estrictos a la formación del masoterapeuta. Los masoterapeutas que se gradúan de las escuelas reconocidas son profesionales de la medicina y en muchos estados tienen que presentar exámenes especiales para obtener la licencia necesaria para ejercer. Se les prepara en todos los aspectos de la anatomía física y cuentan con una comprensión amplia de la aplicación apropiada y la técnica correcta que debe utilizarse para diversas afecciones médicas. Por lo tanto, aunque el masaje que una amiga le dé en la espalda quizá se sienta rico y tranquilizador, el tratamiento profesional será un masaje competente con conocimiento de causa que no sólo la relajará sino también la curará.

ayudarle a recuperar la salud de su cuerpo y posiblemente a acelerar su curación después de haber sufrido una enfermedad o lesión, indica Knorr-Mulder. "La meditación alivia el estrés y reduce la presión arterial, el ritmo cardíaco y la percepción de dolor agudo, a la vez que aumenta la de salud. En conjunto todas estas cosas mejoran las posibilidades de curarse", agrega.

Se ha demostrado que meditar reduce la presión arterial alta (hipertensión), los dolores de cabeza y el dolor crónico. Además, diversos estudios han mostrado que esta terapia refuerza el sistema inmunitario. Algunos profesionales, como Knorr-Mulder, también la utilizan para ayudar a las mujeres a enfrentar el cáncer y las enfermedades cardíacas.

Intente una técnica sencilla de meditación. Encuentre un sitio tranquilo y siéntese en una posición cómoda. Respire de manera lenta y profunda varias veces. Al exhalar pregúntese: "¿Quién soy?". Observe las asociaciones que broten en su mente: "Soy una esposa", "Soy una madre" o bien "Estoy enojada". Permita que estos pensamientos atraviesen su conciencia —entren y salgan de su cerebro— sin juzgarlos. Si se da cuenta de que está pensando: "He sobrevivido al cáncer" y que empieza a preocuparse por una posible recurrencia o por la manera en que la enfermedad ha afectado a su familia, libere estos pensamientos y vuelva a centrar su mente en la pregunta fundamental: "¿Quién soy?".

Trate de practicar esta meditación dos veces al día durante 15 a 20 minutos por sesión.

Véase sana. Su imaginación puede ayudarle a recuperar su cuerpo incluso después de haber sufrido un trauma mayor, indica Barbara Dossey, R.N., directora del centro de medicina holística Holistic Nursing Consultants en Santa Fe, Nuevo México, y autora de una biografía de Florence Nightingale.

La imaginería es el lenguaje que la mente utiliza para comunicarse con el cuerpo. Todos los días miles de pensamientos, imágenes y sensaciones atraviesan el cerebro fugazmente. Por lo menos la mitad de estos pensamientos son negativos aun cuando uno está sano. Si ha sufrido un accidente o una enfermedad grave, estos pensamientos negativos pueden alterar su fisiología, complicar su recuperación y posiblemente hacerla más susceptible de sufrir problemas físicos crónicos, como artritis o infecciones del tracto urinario.

Por el contrario, si crea imágenes positivas con su mente puede ayudarle a su cuerpo a curarse solo. En esencia, su cerebro y cuerpo reaccionan a la sensación imaginada como si fuera real.

El siguiente ejemplo le mostrará cómo usar la imaginería guiada para ayudarse a recuperar su cuerpo después de haber tenido un ataque cardíaco, afirma Dossey. Aparte 20 minutos varias veces al día para practicar. Descanse en una posición cómoda y respire profundamente algunas veces. Imagine que en alguna parte muy en su interior empieza a brillar una luz resplandeciente. Permita que la luz se haga más

De mujer a mujer

Utilizó la terapia física para recuperarse después de haber padecido cáncer

Marcy Fish de 43 años, una enfermera oncológica con experiencia de Wyncote, Pensilvania, ha dedicado gran parte de su vida profesional al cuidado de mujeres con cáncer de mama. Después de que en 1998 se le diagnosticó con un carcinoma ductal in situ de la mama izquierda (una forma temprana y no invasiva de cáncer), se le hizo una mastectomía y cirugía reconstructiva de la mama. Su recuperación de las intervenciones transcurrió favorablemente, a excepción de algunos problemas con el rango de movimientos de su hombro izquierdo. Preocupada, consultó a unos especialistas en atención complementaria del Centro Fox Chase para el Cáncer en Filadelfia. Esta es su historia.

Para hacer la reconstrucción, el cirujano plástico desprende grasa y músculos del abdomen y los utiliza para dar forma al nuevo seno. Por lo tanto, después de la operación la zona de mi seno y mi axila tenía cosas sujetas donde antes no había nada. Además se formó tejido cicatrizal desde la parte baja de mi abdomen hasta mi axila izquierda. Recibí 2 meses de terapia física en el Centro Fox Chase de Atención Complementaria y me restauraron el

resplandeciente y más intensa. La luz es fuerte y penetrante. Observe un haz de luz que empieza a nacer de esa fuente de resplandor. El haz ilumina el interior de su cuerpo mientras usted se prepara para nutrir su corazón. Viaje sobre el haz de luz hasta su corazón y obsérvelo por unos instantes. Al ver su corazón reconozca de manera clara la interacción entre todas sus estructuras, coordinadas en una danza rítmica. Escúchelo latir. Note cómo el latido se hace cada vez más fuerte.

A continuación imagínese pasando las manos por las paredes musculares de su corazón, percibiendo la fuerza en su interior. Si sufrió un ataque cardíaco dedique un poco de tiempo a observar los tejidos cicatrizales. Fíjese en el aspecto liso de la cicatriz, en lo fuerte que es. Observe cómo empiezan a formarse los nuevos vasos

rango completo de movimiento. Me enseñaron unos estiramientos que me brindarían beneficios máximos sin causar daño alguno. En gran parte fue cuestión de recobrar la confianza en mi cuerpo. Quería continuar con mi vida, pero sin lastimarme al hacerlo.

Una vez que terminé la terapia física empecé a tomar unas clases de danza que el centro ofrece a sus pacientes. Es una manera de continuar con los ejercicios que hacen falta para mantener el pleno rango de movimiento de los músculos, de forma no amenazante ni competitiva. No nos ponemos a bailar al compás de *Twist and Shout*. La danza en realidad sólo consiste en movimientos muy suaves acompañados de música y pensados específicamente para las personas que acaban de salir de operaciones quirúrgicas.

Pienso que la terapia física y la danza me han ayudado de varias formas. Me dan un sentido del logro sin necesidad de competir. Puedo decir: "Vaya, hice tal cosa hoy". Y está la camaradería que se da entre personas que comparten la misma situación. Casi es como una especie de grupo de apoyo, porque todas las mujeres en la habitación saben que las demás han vivido situaciones semejantes.

sanguíneos colaterales. Vea la forma en que estos vasos llevan sangre, proteínas, oxígeno y otras sustancias a la zona curada.

Dedique unos instantes a observar cuál será su propio aspecto cuando su corazón se haya curado completamente. Imagínese frente a un espejo. Está fuerte, erguida y sana. Visualícese jugando con sus amigos o familiares. Perciba la manera en que sus pulmones y piernas recobran su fuerza. Imagínese capaz de caminar la distancia que quiera, respirando con facilidad y llena de energía.

Al terminar esta imaginería guiada, respire unas cuantas veces lentamente mientras recobra la conciencia de dónde está. Sepa que está poniendo su mejor esfuerzo para ayudar a su cuerpo a sanar.

El yoga debería estar en boga.

El yoga, un sistema que se basa en posturas precisas y en la respiración, puede reducir el nivel del estrés, aliviar el dolor, promover la curación de las heridas y mejorar la resistencia y el sentido del bienestar, ya sea que se padezca una enfermedad crónica como la diabetes o que se esté recuperando de una afección aguda, como un ataque cardíaco. Así lo afirma Cynthia Geesey, una instructora de Kripalu yoga dentro del programa de medicina complementaria del Centro Fox Chase para el Cáncer en Filadelfia.

Los médicos piensan que el hecho de colocar el cuerpo en diferentes posturas expele la sangre de los órganos vitales y permite que sangre fresca tome su lugar. Además de limpiarlos, de esta manera se les suministra más nutrientes a los órganos, los cuales se vuelven más fuertes y más resistentes a las enfermedades.

Esta antigua disciplina india se ha aplicado con éxito en muchos programas de rehabilitación cardíaca así como de tratamiento contra el cáncer. "Se trata de un ejercicio suave y benigno capaz de respetar los límites del cuerpo en cada momento. Por lo tanto, aunque esté enferma del corazón o acabe de someterse a una cirugía de derivación cuádruple, puede hacer yoga", afirma Geesey.

Y puede hacerlo sin necesidad de retorcerse en forma de *pretzel*, afirma la experta. Para intentarlo párese lo más derecha posible con la espalda apoyada en una pared y los pies separados a la distancia de sus hombros. Deje colgar los brazos libremente a sus costados. Inhale lentamente hasta la cuenta de 10. Al hacerlo levante los brazos despacio hacia los lados y súbalos arriba de su cabeza. Luego exhale lentamente, otra vez hasta la cuenta de 10, y vuelva a bajar los brazos a sus costados. Repita este ejercicio de 2 a 3 minutos dos veces al día.

Hay muchos tipos de yoga y tal vez tarde un poco en encontrar una forma con la que se sienta a gusto. Hable por teléfono a diferentes lugares y platique con varios instructores antes de comprometerse a tomar clases, sugiere Geesey. Consulte a su médico antes de empezar con un programa de yoga y desde un principio infórmeles a los instructores de cualquier problema médico que tenga.

Alargue sus límites. Si bien con frecuencia se les olvida, las terapias ocupacionales y físicas son aliadas poderosas que pueden ayudarle a recuperar su cuerpo cuando padece —o padeció— cáncer o una enfermedad del corazón, opina Karen Mohr, una terapeuta física y directora de investigación en la Clínica Ortopédica Kerlan-Jobe de Los Ángeles. Si usted se siente fatigada a consecuencia de su enfermedad o del tratamiento, un terapeuta físico u ocupacional puede enseñarle técnicas para conservar su energía que le ayudarán a cumplir con sus tareas domésticas y otras actividades. Si se ha sometido a intervenciones quirúrgicas extensas que han limitado la capacidad de movimiento de sus articulaciones, debilitado sus músculos o bien disminuido su resistencia, un terapeuta físico puede ayudarle a aumentar su rango de movimiento y a aumentar su fuerza y resistencia. Si sospecha que pudiera beneficiarse de cualquiera de estas terapias, hable con su médico.

Ojo: Averigüe si el estado donde vive o su compañía de seguros exige o no la orden de un

CASOS DE LA VIDA REAL

Le da miedo hacer ejercicio ahora que tuvo un ataque cardíaco silencioso

A los 52 años Fran se sentía excelente. Tenía su propio pequeño negocio de limpieza doméstica, tomaba una clase de aeróbicos por las noches y planeaba hacer un viaje a través de los Estados Unidos con su esposo. De hecho, la única ocasión en que recordaba haberse enfermado durante el año fue el domingo del *Super Bowl*, cuando se mareó un poco y se le descompuso el estómago. Durante una revisión de rutina su médico familiar le dijo que tenía la presión arterial muy alta y que sus latidos cardíacos sonaban un poco irregulares. Le hizo un electrocardiograma. Los resultados la dejaron helada. Aparentemente había sufrido un ataque cardíaco silencioso en algún momento sin darse cuenta. La información la asustó a tal grado que dejó toda su vida en suspenso. Renunció a su trabajo por ser demasiado agotador. Decidió posponer el viaje porque no quería encontrarse fuera de casa si llegaba a ocurrir una emergencia. Y resolvió dejar de hacer ejercicio por completo. Ahora hace poco más que permanecer sentada en casa, preocuparse y navegar por Internet en busca de información acerca de las enfermedades cardiovasculares. ¿Es necesario que modifique su vida de manera tan drástica?

Las mujeres tendemos a deprimirnos, retraernos y volvernos sedentarias después de haber sufrido un ataque cardíaco. De hecho es mayor el número de mujeres que de hombres que no regresan a sus niveles anteriores de actividad, particularmente de actividad sexual,

médico para ver a un terapeuta físico u ocupacional.

Alimente su recuperación

Cambiar la alimentación es una de las cosas más importantes que se pueden hacer para recuperar la salud de su cuerpo después de haber tenido problemas con el corazón o cáncer, afirma Nicole Napolitano, R.D., una dietista, nutrióloga y asesora sénior de nutrición en la clínica

después de haber padecido un ataque cardíaco, porque nos da miedo provocar otro problema cardiovascular. Por lo tanto, la reacción de Fran es bastante típica.

Pero la respuesta es no, no necesita alterar su estilo de vida a tal grado. Debe pedirle a su médico que realice otras pruebas, como una ecocardiografía de estrés —un registro ultrasónico de la actividad cardíaca—, a fin de determinar qué tan bien está trabajando su sistema cardiovascular. Luego, después de una evaluación minuciosa por parte del cardiólogo y de contar con la aprobación de este, debe inscribirse de inmediato en un programa supervisado de rehabilitación cardíaca. Se le debe alentar a hacer ejercicio y llevar una vida normal. Con la atención apropiada debe poder llevar una vida totalmente activa. De hecho es posible que la vida de Fran mejore en comparación con antes, ya que un ataque cardíaco, en lugar de limitar la vida, con frecuencia sirve como llamada de atención para tomar decisiones —por ejemplo, la de cambiar la alimentación— que pueden enriquecer todo el ser de una persona.

Información proporcionada por la experta
La Dra. Marianne Legato
Fundadora y directora
Sociedad para la Salud de la Mujer
Colegio de Médicos y Cirujanos de la Universidad
  de Columbia
Ciudad de Nueva York

ProHealth Care Associates de Lake Success, Nueva York. He aquí algunas de las formas en que puede aprovechar la alimentación para ayudarse a recobrar la salud.

Olvídese de la grasa. De los ocho factores de riesgo controlables vinculados con enfermedades cardíacas, entre ellos un nivel elevado de colesterol y el sobrepeso, cinco se han vinculado con una alimentación alta en grasa. También es posible que la grasa dietética influya en el 60 por ciento de los tipos de cáncer que afectan a las mujeres. Desafortunadamente la cantidad de grasa consumida cada semana por la mujer estadounidense común equivale a seis barras de mantequilla.

A fin de mantener su salud después de haberse recuperado, empiece por limitar su consumo de grasa a no más del 25 por ciento del total de calorías que ingiere a diario, recomienda Napolitano. La forma más fácil de controlar el consumo de grasa es contando los gramos, ya que así es cómo se miden las grasas en las etiquetas de nutrición. Por lo tanto, si consume 1,500 calorías al día, por ejemplo, y quiere mantener su consumo de grasa por debajo del 25 por ciento, multiplique 1,500 por el 25 por ciento. Dan 375 calorías. Luego divida este número entre 9, que es el número de calorías de grasa en 1 gramo de grasa. En números redondos sale en 42, que es el número total de gramos de grasa que puede consumir a diario para cumplir esta meta

De manera particular es importante que no consuma más de 10 gramos de grasa saturada —la cual por lo común se halla en las carnes rojas así como en otros productos animales— ni de productos que contengan aceites hidrogenados, como la mayonesa y la margarina, dice Napolitano. Estas grasas aumentan la cantidad de colesterol lipoproteínico "malo" de baja densidad (o *LDL* por sus siglas en inglés) así como de triglicéridos en sus arterias. Una forma de asegurar que no vaya a rebasar el límite es comiendo no más que una ración de 3 onzas (84 g) —del tamaño de la palma de su mano— de proteínas animales magras al día. Experimente con el miso, el *tofu* y otros productos de soya. Estas alternativas son excelentes sustitutos alimenticios de la carne y contienen sustancias que pueden bajar el riesgo de sufrir cáncer o enfermedades cardíacas recurrentes.

Celebre los superalimentos. Coma por lo menos ocho raciones de frutas y verduras al día, exhorta Napolitano. Tenga presente que una ración puede ser algo tan simple como ocho zanahorias cambray *(baby carrots)*, ½ taza de verduras cocidas o medio plátano amarillo (guineo, banana). Asegúrese de que la mezcla incluya espinaca, acelga, lechuga romana (orejona) y otras verduras de hojas verdes. Estos alimentos brindan mucho folato y betacaroteno, dos nutrientes que desbordan de los antioxidantes que ayudan a evitar que las enfermedades cardíacas y el cáncer recurran.

Las frutas y las verduras también son una fuente de fibra, la cual posiblemente ayude a acelerar el paso de los alimentos por el cuerpo, de modo que el tracto digestivo tiene menos oportunidad de absorber los carcinógenos. Además, es posible que la fibra dietética ayude a bajar el nivel del colesterol en la sangre.

En términos generales debe comer cuatro bocados de frutas, verduras y cereales integrales por cada bocado de carne, explica Napolitano.

Vaya a la segura. Algunos suplementos, como los de las vitaminas C y E y los de betacaroteno, pueden promover la recuperación y reducir el riesgo de que las enfermedades cardíacas o el cáncer recurran, dice Napolitano. Estos antioxidantes impiden la formación de los radicales libres, unas células malvadas que pueden dañar las arterias y provocar peligrosas mutaciones celulares. Tome de 250 a 500 miligramos de vitamina C, de 100 a 400 unidades internacionales de vitamina E y hasta 6 miligramos diarios de betacaroteno.

Disfrute los frutos secos. De acuerdo con Napolitano, algunas variedades de frutos secos y semillas son fuentes excelentes de vitamina E. También contienen grasa monoinsaturada, un tipo "bueno" de grasa que favorece la salud del corazón. No obstante, tenga presente que contienen un montón de calorías y deben consumirse con moderación. Agregue una cucharada de semillas de girasol a una ensalada, por ejemplo, o seis almendras a una bola de yogur congelado sin grasa.

Recurra a sus reservas de fuerza interna

Los medicamentos se acabaron. Los tratamientos se terminaron. La enfermedad está curada. Y la vida continúa. Sólo que ya nunca será exactamente igual, porque siempre estará consciente de que una nueva catástrofe puede darse en cualquier momento y cualquier lugar. Se siente frágil, preocupada y vulnerable. El haber sobrevivido no le sabe a victoria.

"Sobrevivir sólo significa que está viva. Respira —afirma la Dra. Wendy S. Harpham, autora de un libro acerca de lo que ocurre cuando el cáncer ya se curó—. No dice nada acerca de la calidad de su vida ni de la forma en que haya integrado la experiencia de la enfermedad en su enfoque de la vida. Las personas que se liberan de su enfermedad pero se sienten paralizadas por un miedo y una ansiedad que no pueden controlar, o bien son cautivas de su incapacidad de aceptar la pérdida de una parte o función de su cuerpo, no son supervivientes sanos".

Sobrevivir de manera saludable después de haber sufrido cáncer, derrame cerebral, una enfermedad cardíaca y prácticamente todas las demás afecciones o lesiones catastróficas depende en la misma medida de su modo de pensar, su actitud, como de la atención médica que reciba, indica la Dra. Harpham. Y ella debería saberlo. Ha sobrevivido a siete recurrencias del linfoma no Hodgkin en una sola década.

Sane su modo de pensar

Desde luego tiene sus límites lo que la mente puede hacer por usted. Todos los pensamientos positivos del mundo probablemente no eviten que recurra el cáncer o que sufra otro ataque cardíaco si su cuerpo experimenta cambios que amenacen su salud. No obstante, la mente es un buen punto de partida para el esfuerzo por lograr una supervivencia saludable, opina la Dra. Harpham. Si usted está convencida de que usted misma puede mejorar su sulud, influir es más probable que busque los mejores tratamientos médicos disponibles, coma bien, haga ejercicio con regularidad y realice otras actividades beneficiosas. Al mismo tiempo, recuperar su vitalidad mental le ayudará a calmar las preocupaciones, poner fin a los miedos y la ansiedad y resistirse a la negación, todos ellos factores que podrían impedirle llevar una vida gratificante.

"¿Cómo se convierte la gente en supervivientes saludables? Al obtener conocimientos sólidos, adquirir y nutrir esperanzas realistas y actuar de manera efectiva", indica la Dra. Harpham. A continuación le mencionaremos algunas maneras de ajustar su perspectiva mental y transformarse en una superviviente saludable.

Infórmese e instrúyase. Los supervivientes sanos saben que la ignorancia no genera dicha, afirma la Dra. Harpham. Es posible que aprender todo lo posible acerca de su enfermedad y las consecuencias que acarrea aumente su ansiedad al principio. No obstante, a la larga estos conocimientos médicos básicos contribuyen a dominar los miedos y les ayudan a las personas a recobrar la sensación de que controlan su mundo. Por lo tanto, reúna toda la información que pueda acerca de su enfermedad (o pídale a una amiga o a un familiar que lo haga, si usted por alguna razón no puede). Esto atenuará sus temores y al mismo tiempo le permitirá reconocer cualquier problema en una fase temprana, en la que responderá mejor al tratamiento.

Exprésese por escrito. Escriba una carta que exprese cómo se siente acerca de lo que le ha pasado, sugiere Anne Coscarelli, Ph.D., psicóloga y directora del Centro Rhonda Fleming Mann de Recursos para las Mujeres con Cáncer en el Centro UCLA Jonsson para el Cáncer de la Universidad de California en Los Ángeles. El efecto puede ser catártico. "Escribir una carta le brinda la libertad de expresar lo que sea que está sintiendo. Y manifestar estos sentimientos —ya sean de ira o de ansiedad— le ayuda a llorar su dolor, a soltarlo y seguir adelante —afirma la Dra. Coscarelli—. Puede

MAMÁ SIEMPRE DECÍA

Si pongo los ojos bizcos, ¿realmente pueden atorarse?

Desde luego que no. Los músculos alrededor de los ojos permiten apuntarlos hacia la nariz en posición cruzada. Pero definitivamente no se atorarán ahí, como tampoco doblar el codo hará que su brazo se atore.

Normalmente el movimiento de los ojos se coordina de tal forma que se mira a una persona u objeto con ambos al mismo tiempo. Mirar bizco de manera involuntaria ocurre cuando dicha habilidad es impedida por alguna razón. En la mayoría de los casos, mirar bizco ocasiona visión doble y es preciso consultar al médico de inmediato. Los adultos llegamos a mirar bizco por la diabetes, la presión arterial alta (hipertensión), una lesión cerebral, un derrame cerebral, una enfermedad de la tiroides o una miastenia grave, al igual que por otros trastornos de los músculos o los nervios alrededor de los ojos. Es posible que se requieran anteojos (espejuelos) especiales o una operación quirúrgica para corregir este problema en los adultos.

escribir lo que quiera siempre y cuando diga lo que siente. Expresarse es una parte importante del proceso".

Continúe la correspondencia. Una vez que haya terminado la primera carta, saque otra hoja de papel o abra un nuevo archivo en su computadora. Escríbase otra carta en la que se acepte como la persona que es ahora. No tema expresar amor hacia sí misma ni reafirmar que sigue siendo la misma persona maravillosa de siempre. Escríbase estas cartas las veces que haga falta. No tiene que mostrárselas a nadie. Si desea las puede tirar después de cada sesión, o bien guardarlas como recuerdo del camino recorrido.

Ríase a gusto. La hilaridad —morirse de risa— puede ayudarla a enfrentar sus ansieda-

Los bebés menores de 3 meses miran bizco de vez en cuando, lo cual no es motivo de alarma porque aún están aprendiendo a coordinar los movimientos de sus ojos. No obstante, si esta situación persiste —y es muy importante mantenerse al tanto de los ojos bizcos o del ojo perezoso en un niño pequeño—, el ojo perezoso puede debilitarse y dañar la visión.

El verdadero mito es que un niño que mira bizco lo dejará de hacer conforme crezca. Esta idea falsa es peligrosa. Si un niño recibe tratamiento entre los 7 y los 9 años, por lo común es posible corregirle los ojos sin problemas duraderos. Después de esta edad, los daños a la vista se vuelven permanentes. Entre más pronto se detecte un posible trastorno, mejor.

Información proporcionada por la experta
La Dra. Sheri Rowen
Profesora clínica adjunta de Oftalmología
Escuela de Medicina de la Universidad de
*   Maryland*
Baltimore

des y miedos durante una enfermedad grave, opina la Dra. Coscarelli. Le permite ver las situaciones que dan miedo, como las revisiones médicas, de manera divertida o sarcástica. Además, el humor sirve como distracción de las pérdidas y el sufrimiento.

"El humor ratifica la vida y es dador de vida —explica la Dra. Coscarelli—. Al reírse respira profundamente. Por lo tanto, entre más fuerte se ría más hondo respirará y más se relajará".

¡Regocíjese! Celebre cada año de supervivencia como lo haría con cualquier otro aniversario importante, sugiere la Dra. Coscarelli. Esta costumbre le ayudará a convertir los recuerdos negativos en positivos.

"Encárguese de comunicar a los demás que es una superviviente. Celebre lo que ha logrado durante el último año y lo que piensa hacer durante los próximos 365 días", agrega. Dé una fiesta, planee un viaje de aventuras o simplemente invite a unos amigos para compartir la maravilla que es estar viva. Su apreciación de la vida tal vez les enseñe a otros a bien vivir.

"Tener a personas a su alrededor en estos momentos puede ser muy útil. Le permitirá hablar de lo que vivió, admitir la tristeza que tal vez sienta y compartir el orgullo de haber sobrevivido. Todas estas cosas pueden ser muy reconfortantes después de una enfermedad grave", indica la Dra. Coscarelli.

Aférrese a otros. Muchas mujeres participan en grupos de supervivientes después de haber superado su enfermedad, dice la Dra. Coscarelli.

"Una vez que el tratamiento de cualquier enfermedad llega a su fin es posible sentirse abandonada de repente en medio de un mundo grande y aterrador. Se da una sensación de aislamiento, de estar separada de los demás. ¿Quién entiende y puede compartir las emociones que usted experimenta acerca de los cambios que se han dado en su vida? Otra gente que vivió la misma experiencia. Por eso los grupos de supervivientes pueden ser tan útiles. Salvan la distancia", afirma la Dra. Coscarelli. Pregúntele a su equipo médico acerca de los grupos de supervivientes que haya cerca de usted.

No le tenga miedo a la muerte. En algún momento es posible que escuche o lea que algún conocido ha muerto de la misma enfermedad que usted sufrió. Tal vez le dé miedo y se sienta triste. Puede sentir escalofríos por la amenaza que eso plantea contra su sensación de estar a salvo de morir, indica la Dra. Harpham.

Podrá refrenar sus temores si se acuerda de que la muerte de la otra persona no influirá en absoluto en lo que le suceda a usted. Tenga presente que muchos factores intervienen en las posibilidades de cualquier individuo de sobrevivir una lesión o enfermedad a largo plazo. Busque las formas en que el desarrollo de la enfermedad en su caso difiere del de la persona que falleció, sugiere la Dra. Coscarelli.

La Dra. Harpham recomienda acercarse a otros y hablar de sus sentimientos. No tiene nada de malo llorar y sentirse triste. Paradójicamente es posible que este proceso de hecho reafirme su voluntad de vivir, le ayude a adoptar una actitud positiva e incremente la calidad de su vida.

Si leer las notas necrológicas la perturba, simplemente sáltese esa página del periódico. Si usted se da cuenta de que piensa demasiado en las noticias sobre la muerte y no puede dejar de pensar en esta, consiga ayuda profesional para ayudarse a entender sus temores y sentimientos, sugiere la Dra. Harpham.

Cuide su boca. Las palabras son poderosas. Los juegos de palabras no representan una especie de gimnasia mental trivial sino una de las fuerzas que moldean nuestra percepción de la realidad, comenta la Dra. Harpham.

"Hace algunos años me hicieron una entrevista en un noticiario nacional que me identificó como: 'Wendy Harpham, víctima del cáncer'. Me da horror escuchar esas palabras —señala—. Las víctimas por definición

---

CASOS DE LA VIDA REAL

Se convirtió en una auténtica hipocondriaca después de que le extirparon un lunar

Jeanine, de 41 años, nunca se había detenido a pensar en sus pecas. Hasta donde recordaba, siempre las había tenido. Entonces sucedió algo. Después de sufrir una quemadura solar un verano, una peca color marrón oscuro en la parte de arriba de su pie se puso muy negra y adquirió una forma casi perfectamente redonda, como la punta quemada de un cerillo (fósforo). No le hizo caso hasta que escuchó a un dermatólogo hablar de lunares negros y melanomas en un programa de entrevistas en la televisión. Le llamó la atención. De inmediato hizo una cita para ver a un médico y al cabo de pocos días le extirparon el lunar para efectuarle más pruebas. Casi enloqueció de la ansiedad mientras aguardaba los resultados. Afortunadamente las pruebas salieron negativas. No obstante, el médico le dijo que el lunar era un "nevo displásico precanceroso" y que a partir de ahí tendría que vigilar sus lunares. Sin que eso haya sido la intención del médico, sus palabras la asustaron mucho. A partir de ese día empezó a revisar sus lunares de manera tan diligente que pasa la mayor parte del tiempo frente al espejo o con una lupa. Y regresa con el médico casi todos los meses para cuestionarle algo con respecto a su piel. No puede seguir viviendo de esta forma. ¿Qué debe hacer?

Jeanine en efecto enfrenta un mayor riesgo de padecer un melanoma debido a su piel blanca y pecosa y al antecedente del nevo displásico. Siempre correrá un riesgo más alto de desarrollar un melanoma que la persona común. No obstante, en términos generales sigue habiendo poco peligro. De hecho puede tomar medidas para reducir la probabilidad general de contraer cáncer de la piel. Para empezar, su riesgo de sufrir un melanoma disminuirá si evita exponerse al sol, utiliza loción solar (filtro antisolar) ca-

---

se sienten desamparadas y desesperadas. Los supervivientes han enfrentado con éxito un desafío o una amenaza. Siempre me he considerado una superviviente del cáncer. En oca-

da vez que salga a la luz del Sol y lleva ropa que proteja su piel al estar fuera (como una playera/camiseta por encima del traje de baño cuando no esté nadando).

También puede reducir su riesgo de morir de melanoma por medio de revisiones apropiadas, las cuales incluirán inspecciones regulares —mas no obsesivas— hechas por ella misma de su piel, de los pies a la cabeza, además de una exploración por un dermatólogo cada 3 a 6 meses o bien con la frecuencia que el médico recomiende. Es probable que debido a la ansiedad que sufre Jeanine se beneficie emocionalmente de verlo a menudo. Y si ella en efecto descubre algo sospechoso durante alguna de sus propias revisiones, definitivamente debe avisar al médico enseguida y no esperar hasta la cita de rutina.

Si Jeanine se examina ella misma con regularidad y el médico le hace exploraciones minuciosas, seguir cultivando el temor resultaría contraproducente. No sirve para disminuir su riesgo de padecer cáncer sino simplemente para reducir su calidad de vida. Necesita controlar ese temor. Un buen punto de partida sería comprender que puede protegerse contra el cáncer sin obsesionarse con él. Tiene que entender que las posibilidades de contraer un melanoma que amenace su vida en el lapso de uno o dos meses son casi iguales a cero. Debe continuar revisándose la piel cada 1 ó 2 meses (o con la frecuencia que el dermatólogo le recomiende). Si no encuentra nada durante estas revisiones tiene que confiar en que está bien. También tiene que confiar en el hecho de que su diligencia en las revisiones le permitirá descubrir cualquier melanoma rápido, si llega a aparecer, en una fase en que aún existe una buena probabilidad de curarlo.

Información proporcionada por la experta
La Dra. Wendy S. Harpham
Autora de un libro acerca de lo que viene después
del cáncer

rencias mentales son otras".

Por lo tanto, cada vez que usted descubra que está utilizando palabras negativas, deténgase y modifique su forma de pensar. De ser necesario apunte una frase nueva más positiva. La Dra. Harpham, por ejemplo, nunca piensa en su cáncer como incurable, a pesar de que actualmente se desconozca cómo curarlo. En cambio, describe su enfermedad como uno de los tipos de cáncer para los que los científicos aún están buscando la cura.

Trace un nuevo rumbo. En lugar de permitir que una emoción como la ira o la ansiedad vaya en aumento, utilícela como una fuerza positiva para cambiar la vida de los demás. Algunas mujeres han creado sitios *web* en Internet cargados de información sobre sus enfermedades. Otras se convierten en defensoras o trabajadoras voluntarias o bien recaban fondos. La Dra. Harpham ha escrito varios libros —tanto para niños como para adultos— acerca de cómo hacer frente al cáncer.

No deje vagar su imaginación. Si se da cuenta de que con frecuencia está dando vueltas a la forma en que enfrentaría su enfermedad si llegara a recurrir, deténgase. Eso probablemente no le ayudará. Póngase límites. Si empieza a perderse en un cuadro desagradable, haga lo posible por distraerse. Dé las gracias por el día de hoy y suelte las preocupaciones por el mañana.

"Si se da una recurrencia me haré cargo en su momento —señala la Dra. Harpham—. No quiero enfrentarla dos veces: en mi imaginación ahora y otra vez cuando realmente suceda".

siones soy una paciente del cáncer. Pero nunca he sido una víctima del cáncer. Las víctimas del cáncer y los supervivientes del cáncer se encuentran en la misma situación, pero sus refe-

Si hay medicamentos contra la depresión, ¿por qué es necesario recurrir a terapia psicológica?

La depresión debe recibir un tratamiento multifacético porque entraña muchos aspectos. Algunos son bioquímicos y pueden aliviarse con medicamentos. Otros tienen que ver con la vivencia y no pueden tratarse con fármacos. Usted necesitará contar con los recursos apropiados para adaptar su conducta y así ayudarla a pasar los momentos difíciles. Por eso es tan importante recibir orientación profesional aparte de los medicamentos.

Los medicamentos sólo son un instrumento. No ayudan a comprender lo que pasa. Tampoco ayudan a hallar otras formas de enfrentar las emociones. Si usted depende sólo de los medicamentos y su enfermedad recurre, probablemente estará en desventaja en comparación con las personas que acudieron a que se les orientara y adquirieron otras habilidades para enfrentar su problema. Por último, los medicamentos por sí solos no ayudan a ir más allá de lo que pasó ni permiten comprender mejor hacia dónde se desea ir y quién se quiere ser ahora que empezó la recuperación de la enfermedad.

Información proporcionada por la experta
Anne Coscarelli, Ph.D.
Directora
Centro Rhonda Fleming Mann de Recursos para las Mujeres con Cáncer
Centro UCLA Jonsson para el Cáncer
Los Ángeles

Plantéeselo a los profesionales. No tema buscar ayuda profesional para vencer los problemas emocionales, sobre todo si experimenta cualquiera de los siguientes síntomas:

- Una sensación permanente de tristeza, preocupación o vacío
- Pensar en el suicidio
- Incapacidad para dormir, dormir en exceso o despertarse muy temprano por la mañana
- Dificultades para concentrarse o tomar decisiones
- La sensación de no poder devolverle la chispa a la vida, aunque la enfermedad haya pasado hace mucho

"El simple hecho de buscar ayuda profesional no significa que algo ande muy mal con usted —indica la Dra. Coscarelli—. Sólo es parte de la experiencia. Tal vez le resulte útil hablar con alguien que pueda ayudarle a entender esos sentimientos y a armar una caja eficaz de herramientas emocionales que le facilite hacerles frente en el futuro".

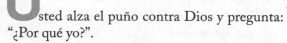

Renueve su espíritu

Usted alza el puño contra Dios y pregunta: "¿Por qué yo?".

Muchos reaccionamos así cuando nos enfermamos. Hallarle el significado y la nobleza a la situación probablemente sea en lo que menos se piense, por lo menos al principio. Pero el significado y la nobleza están ahí.

Después de haber vivido con su enfermedad por un tiempo, muchas mujeres por necesidad se detienen a evaluar sus vidas, indica la rabino Nancy Flam de Northampton, Massachusetts, directora del instituto de espiritualidad Metivta, con sede en Los Ángeles. "Establecen prioridades de acuerdo con lo que sea más importante, lo cual con frecuencia resultan ser el amor y la sabiduría. Tal vez hubieran preferido tomar estas decisiones de manera más agradable, pero una enfermedad grave definitivamente puede ayudar a las personas a cambiar sus vidas para mejorar".

Desde luego no pretendemos decir que el sufrimiento sea algo bueno. "Sólo he conocido a un puñado de personas quienes afirman que no hubieran cambiado su cáncer por un estado de buena salud debido a lo que aprendieron y a la forma en que se enriquecieron como personas por tenerlo —agrega la rabino Flam—. Por el contrario, he conocido a muchos, muchos más que hubieran preferido seguir siendo sanos y superficiales".

De lo que se trata es de sacar el mayor provecho de una situación que no puede calificarse de maravillosa. Con un poco de esfuerzo es posible convertir la enfermedad en una oportunidad para una verdadera renovación espiritual.

¿Qué significa todo?

El dolor y las adversidades pueden amargarla o mejorarla. Usted es la que debe elegir, afirma Freda Crew, D. Min. (doctora en asuntos clericales), directora de la asociación Truth for Living Ministries en Spartanburg, Carolina del Sur. "Les digo a las personas: 'Aquí está, es una realidad, usted no puede negarla. Así que aprovechémosla lo mejor posible' ". A continuación delinearemos algunas formas en que podrá empezar a hacerlo.

Cambie el "¿por qué yo?" por "¿qué aprenderé de esto?". Es posible que tarde un poco, pero puede pasar de sentirse como una víctima desamparada a recobrar la sensación de controlar su vida. Sólo pregúntese: "Si esto forma parte del camino y la enseñanza de mi vida, ¿qué voy a sacar de ello? —sugiere la rabino Judith Abrams, Ph.D., coautora de un libro sobre la enfermedad y la salud en la tradición judía—. Esta actitud resulta más útil que regodearse en su situación".

Busque la verdad. "Con frecuencia el dolor y la adversidad impulsan a una persona sincera a anhelar alguna respuesta —señala la Dra. Crew—. No obstante, la verdad normalmente no se presenta por sí sola a tocar en nuestra puerta. La mejor forma de hallar respuestas es convirtiéndose en una buscadora, en alguien que indaga la verdad y la realidad, para luego enfrentar las cosas como son realmente".

Por ejemplo, dice la Dra. Crew, se estaría engañando usted misma si pensara que el esfuerzo por complacer a Dios le evitará dolor y sufrimiento a lo largo de su vida. "La Biblia, a la que acudimos para hallar nuestra verdad, no afirma nada semejante. Nosotros mismos lo hemos inventado", advierte. Darse cuenta de que Dios no tiene la culpa, de que usted no tiene la culpa, de que no se le está castigando y de que el sufrimiento en gran medida forma parte de la vida de todo mundo puede contribuir en mucho a ayudarle a enfrentar su enfermedad.

Obséquiese una oración. Muchas religiones cuentan con oraciones que se pueden decir al sentir ansiedad, como: "El Señor me apacienta" (Salmo 23). Y muchas tienen oraciones matutinas y vespertinas. "Son momentos naturales del día en los que uno se da cuenta de que vive sobre un globo que gira a través del cosmos, afectado

De mujer a mujer
De aquí a la eternidad

Joann May, de 43 años, una asistente administrativa de Filadelfia, no se consideraba una persona muy devota. De repente una noche, cuando tenía 37 años, su corazón dejó de latir durante un ataque de asma. Antes de que transcurriera la noche su concepto de Dios, del cielo y de la vida sobre la Tierra cambió para siempre. Esta es su historia.

Estaba en casa doblando la ropa y no me sentía muy bien. Cuando empecé a sentir presión en el pecho sabía que estaba en problemas. Tomé un poco de mi inhalador de siempre, pero no funcionó. Mi último recurso, que nunca había tenido que usar, era ponerme un *EpiPen*, una inyección de epinefrina, que es una hormona a la que a veces se le dice adrenalina. Tampoco hizo efecto. Le hablé por teléfono a mi papá, que vivía a unas cuantas cuadras de mi casa, y le dije que necesitaba ir al hospital. Recuerdo que bajé los primeros cinco escalones hacia mi coche y hasta ahí. Me desplomé en la calle y ahí mismo los paramédicos trabajaron conmigo durante casi una hora. Mi corazón dejó de latir una vez en la ambulancia y otras dos veces en el hospital, de modo que estuve entrando y saliendo de la vida durante unas 5 horas antes de despertar en el hospital conectada a un respirador.

Es muy difícil explicar lo que me sucedió durante ese tiempo, porque fue como un sueño, un hermoso sueño. Sentí mucho que empezara a desvanecerse tan pronto después de despertarme.

De lo que me acuerdo es que avancé por un túnel hacia

por el Sol y la fuerza de la gravedad —dice la rabino Flam—. El cambio de luz en realidad significa un abrir y despertar de la conciencia. También es el momento en que uno se da cuenta de que todo cambia, de que todo es efímero, fugaz, momentáneo, así que en realidad se trata de un momento para cobrar conciencia del presente y sus bendiciones".

En lugar de pedir, escuche. "Estoy con-

un punto de luz, lo cual según averigüé después es una experiencia común al encontrarse a un paso de la muerte. Un guía espiritual me llevó de viaje por el universo y experimenté su vastedad, la sensación de presenciar su creación, de formar parte del universo desde sus principios. No había un sentido del yo; yo lo era todo y el todo, incluyendo a Dios, era yo. Fue una sensación muy reconfortante y me sentí muy segura y protegida. Sentí un amor incondicional, amor y paz.

No quería regresar a mi cuerpo. Empecé a discutir con Dios, pero me dijo que debía volver porque aún no terminaba mi misión. Me señaló que no había amado lo suficiente y que mi misión consistía en parte en difundir el mensaje de amarnos los unos a los otros.

Antes de esto no tenía idea de cómo es Dios, pero ahora sé que no se trata de un tipo barbudo sentado sobre un trono indicando quién pasa y quién no.

Lo que ahora sé del "cielo", de la vida después de la muerte, es que uno mismo decide qué le va a suceder al morir. Es posible optar por una existencia en un estado de amor incondicional o lo contrario, y todo depende del perdón que uno se otorgue por las meteduras de pata que haya cometido durante la vida. Definitivamente se juzga uno mismo. Uno percibe todo el dolor que generó durante la vida y todo regresa a uno, por haberlo creado. Cuando uno mismo se perdona, experimenta el amor, el regocijo y la paz necesarios para seguir adelante.

Ya no me da miedo morir, para nada. Pero tampoco hago nada para arriesgar mi vida. Sé que esa no sería la forma de volver a aquel lugar. Me dijeron que no regresaría pronto.

vencida de que al orar se trata de escuchar y aguardar una respuesta, no de pedirla tal como la deseo sino de escuchar para averiguar cuál es la acción correcta, y puede tratarse de algo en lo que nunca pensé siquiera —afirma la hermana Felicia Petruziello, una asesora clínica profesional del centro de medicina alternativa St. Joseph Wellness Center en Cleveland—. En parte orar significa aprender a escuchar mi propio corazón,

mi instinto". A la gente le va mejor en una situación de adversidad si se dan cuenta de que sí pueden ejercer cierto control sobre el asunto. "Así que necesitan darse cuenta de que hay respuestas para su situación, aunque tal vez no inmediatas ni obvias. Habrá respuestas si aguardamos y escuchamos", indica.

El trabajo más importante que tendrá jamás

Una enfermedad con frecuencia motiva a las mujeres a empezar a buscar los aspectos en que sus vidas se han desviado de su rumbo. "El sólo darse cuenta de las áreas que hace falta trabajar un poco y luego empezar a hacerlo puede ayudar a resolver mucho estrés, que sólo le hace daño a la salud", afirma la Dra. Crew. A continuación le mostraremos algunas maneras de lograrlo.

Explore de qué formas es posible que su vida se haya desequilibrado espiritualmente. Esta es su oportunidad para restaurar el equilibrio. ¿Está trabajando demasiado? ¿Siente lástima de sí misma? ¿Es incapaz de aceptar el consuelo que le ofrecen los demás? ¿No sabe experimentar alegría ni asombro? ¿Carga con sentimientos de miedo, culpa, ira o vergüenza?

"Necesitamos hacer el inventario de nuestras vidas, acercarnos a nuestros pensamientos, motivaciones, relaciones y conducta —indica la Dra. Crew—. ¿Existe alguien a quien no hayamos perdonado o aún no resolvemos un conflicto con alguna persona? ¿Estamos violando la ley de Dios y no queremos dejar de hacerlo?"

Cuente sus bendiciones. Aprender a

apartar su atención de lo que se fue o es doloroso, para fijarla en lo que tiene y disfruta, puede ayudarle a cultivar una actitud más positiva, opina la hermana Felicia. Algunas formas sencillas de cultivar un sentido de la gratitud son dándoles las gracias a las personas y a Dios y bendiciendo la mesa antes de comer. Tómese tiempo para hacer las cosas que le gustan, para formar parte de la naturaleza y cobrar conciencia de que es parte de algo más grande que usted misma. Tenga a su alrededor símbolos de amor y de belleza: fotografías de sus seres queridos, recuerdos de momentos felices, una piedra de un lago hermoso, flores de su jardín.

Busque la Biblia. Las palabras pueden comunicar esperanza y guiarnos, afirma la hermana Felicia. "Con frecuencia les recomiendo los Salmos a la gente porque tratan de sentimientos. Les digo a las personas que muchas veces cuando se sienten enojados o afligidos esa ya es su oración. A veces el simple hecho de protestar ante Dios o de clamar al Señor es una oración y los Salmos en gran medida son eso".

El Libro de Job también describe muy bien la angustia y la introspección de cara a la adversidad, indica la Dra. Crew.

Pida que oren por usted y escuche lo que digan. Es posible derivar un fuerte sentido de ser amada del hecho de saber que otros rezan por usted. "Tengo la sensación muy palpable de estar cubierta de oraciones, y conforme adquiero fuerza me doy cuenta de que las oraciones de la gente son respondidas", comenta la Dra. Crew.

La mayoría de las religiones cuentan con oraciones especiales para curar el cuerpo y el

> ## EL PODER DE LA ORACIÓN
>
> Si usted piensa que rezar es algo que se hace a partir de un sentido de la impotencia cuando no queda otra cosa que hacer, que simplemente se trata de un acto autocomplaciente, subestima el poder de la oración. Diversos estudios, algunos de ellos lo bastante controlados como para considerarse científicos, sugieren que la oración puede tener impacto en el curso de una enfermedad.
>
> En un estudio que marcó un hito, se dividió de manera fortuita en dos grupos a los pacientes de una unidad de atención cardíaca. A los miembros de uno de estos grupos se les incluyó en lo que se llama una oración de intercesión, es decir, una oración que se reza para ayudar a otras personas, mientras que nadie rezó por los otros pacientes. Ni los pacientes ni el personal del hospital sabían a qué grupo pertenecía cada paciente.
>
> La gente que rezó lo hizo fuera del hospital y sólo utilizó el nombre de pila del paciente, su diagnóstico y su estado en general. Oraron porque se recuperara rápidamente y no sufriera complicaciones.
>
> Los pacientes por quienes se rezó padecieron menos insuficiencias cardíacas por congestión venosa (8 en comparación con 20), necesitaron menos antibióticos (3 en lugar de 17), sufrieron menos casos de neumonía (3 en lugar de 13) y

alma. En el catolicismo es la Unción de los Enfermos; en el judaísmo, el Mi Shebarakh.

"Rezar públicamente por una persona enferma tiene un doble efecto —explica la rabino Flam—. Está la oración que se ofrece en voz alta o en el interior, que brinda la esperanza de curar el cuerpo y el alma. Y existe la conexión que la comunidad establece en torno a la persona enferma. Se pronuncia el nombre de la persona y todo mundo se entera, de modo que también se producen visitas, comida y ofrecimientos de ayuda".

Haga un hábito de la meditación. Se ha demostrado que la meditación tiene la capaci-

menos paros cardíacos (3 en comparación con 14). Veintisiete de los pacientes por quienes se rezaba no se recuperaron satisfactoriamente, al igual que 44 de los demás.

Un estudio similar más reciente que se concentró en pacientes del SIDA observó que los mensajes curativos enviados por personas dedicadas a curar pertenecientes a tradiciones tanto religiosas como laicas disminuyeron la gravedad en la condición de los pacientes y mejoraron su estado de ánimo, de acuerdo con una de las medidas que se utilizó.

En lo que se refiere a la meditación, existe una sorprendente cantidad de pruebas documentales de su capacidad para reducir la presión arterial, aliviar el dolor y disminuir la ansiedad. En un estudio que se basó en personas que recibían tratamiento en el Centro Médico de la Universidad de Massachusetts en Amherst, las que meditaban usaban menos medicamentos contra el dolor y decían que era mucho menos probable que el dolor que sí sentían les impidiera hacer cosas, en comparación con quienes no meditaban. Quienes meditaban también afirmaron sentir menos ansiedad y depresión.

De acuerdo con otro estudio, a los pacientes de psoriasis que meditaban mientras se les sometía a un tratamiento con luz ultravioleta la piel se les limpió considerablemente más rápido que en el caso de quienes no meditaban.

dad de calmar y de centrar, de hacer más lenta la respiración y de bajar la presión sanguínea. A fin de realizar una meditación simple, sólo cierre los ojos y fíjese en su respiración, sugiere la rabino Abrams. Concéntrese en una frase corta, quizá en un verso de la Biblia o en alguna imagen o escena espiritual. "Sólo concéntrese y permítase permanecer en ese estado durante un rato —indica—. No tienen que ser horas. Aunque sólo lo haga por un minuto sentirá que se calma y muy pronto lo único que le hará falta será concentrarse en su respiración y comenzará a calmarse. Se convierte en un reflejo".

Empiece a tratar su cuerpo mejor.

Trátese de comer en exceso, de drogas o de alcohol, si usted tiene dificultades para superar los malos hábitos y las adicciones que contribuyen a sus problemas de salud, pida ayuda en una oración, recomienda la hermana Felicia. "Si algo pedimos en nuestra religión es fuerza. Y aunque creemos que Dios siempre está con nosotros, hacer la petición consuela de alguna manera".

Busque compañía y renovación espiritual. Muchas personas vuelven a asistir a la iglesia o a la sinagoga debido a una enfermedad o a otro tipo de crisis, incluso después de haberse ausentado durante muchos años. Y no hay nada de qué avergonzarse o apenarse, afirma la Dra. Crew. Diversos estudios han demostrado que las personas que asisten regularmente a servicios religiosos son más sanas y viven más tiempo.

"De hecho tal vez quiera buscar una iglesia que les brinde ayuda concreta a las personas que la necesitan, a quienes la están pasando mal —sugiere—. Averigüe con qué tipo de sistemas de apoyo cuentan para las personas que están viviendo una crisis. ¿Quién está disponible para asegurarles que son amados y se les cuida? ¿Se alienta a las personas a acercarse a los demás? ¿Están dispuestos a ayudar a menudo si se enteran de una situación o se les solicita su ayuda?"

Admita a los descorazonados en su corazón. "La gente que ayuda a los demás siempre parece opinar: 'Saco más de esto que las personas a quienes ayudo', y yo me siento igual —indica la hermana Felicia—. Me asombra lo que la gente es capaz de superar y pienso que obtenemos fuerza del hecho de mirar más allá de nosotros mismos para ayudar a los demás".

MAMÁ SIEMPRE DECÍA

¿Realmente me perjudicará la vista sentarme muy cerca de la televisión?

Las investigaciones científicas han demostrado que en esto mamá se equivocaba. Al estudiar el número de horas que los niños pasan frente a la televisión no se ha hallado ninguna asociación con problemas de la visión. Es cierto que la práctica de ver algo de cerca durante mucho tiempo, como ocurre al leer, se ha vinculado con la miopía. Sin embargo, la miopía nunca se ha relacionado con ver la televisión. Al parecer no importa sentarse cerquísima de esta.

Por el contrario, un buen número de personas se cansan de la vista —padecen fatiga visual o dolor alrededor de los ojos y arriba de ellos— al mirar una pantalla de computadora durante muchas horas. Y es posible que estos problemas aumenten cuando se envejezca y necesite anteojos (espejuelos) bifocales. La solución son unos anteojos especiales diseñados de manera específica para trabajar con la computadora. El cristal afecta la "visión media", es decir, la que se ubica a más o menos 24 pulgadas (61 cm) del ojo. Antaño les decíamos "anteojos para el piano". Se les recetaban a las señoras que tocaban el piano y necesitaban leer las partituras.

Información proporcionada por la experta
Karla Zadnik, O.D., Ph.D.
Profesora adjunta del Colegio de Optometría
Universidad Estatal de Ohio
Columbus

Mencione la palabra de la "M"

Es el elefante en el centro de la habitación del que nadie habla. A la vez que sentimos dolor y sufrimiento, también lloramos la eventualidad de nuestra propia muerte. Pero en lugar de pasarla por alto sería mejor reflexionar al respecto y llegar a algún tipo de entendimiento con ella, opinan los líderes espirituales.

Enfrente su mortalidad. ¿Tiene usted miedo a morir? La mayoría de la gente lo tiene y se resiste a pensar en ello, indica la Dra. Crew. "Sin embargo, no conozco nada que nos obligue a hacer frente a la mortalidad de manera más urgente que una enfermedad o un accidente grave. En esta situación la gente tiene que ponerse a pensar en cuáles son sus creencias y a asimilar el dolor de su propia muerte".

Invente su inmortalidad. Cualquiera que sea su concepto de lo que sigue después de morir, existen formas en que puede dejar una huella en el mundo, afirma la rabino Abrams. "Independientemente de que componga automóviles o sea una profesora universitaria, esfuércese de corazón por transmitir los conocimientos especiales que tiene; así aprovechará al máximo el don que se le ha dado. Bríndeselo a su familia, a sus amigos, a su comunidad, a cualquiera para el que pueda ser como una madre. Haga buenas obras y sepa que sus buenas obras vivirán aún cuando haya muerto, que el mundo será mejor porque usted vivió en él".

"La gente siente el impulso profundo de redimir una parte de su sufrimiento ayudando a otras personas —agrega la rabino Flam—. En lugar de permitir que su sufrimiento se caracterice por la desilusión y la destrucción, rescatan su experiencia, le encuentran un significado y reconstruyen su mundo al proporcionar consuelo, un sentido de la compasión, sabiduría y orientación a otros".

Construya un sistema de apoyo

Cuando Linda McCartney le habló por teléfono a su marido para decirle que la habían diagnosticado con cáncer de mama, él dejó lo que estaba haciendo y corrió a casa para estar con ella. Durante los siguientes 2½ años, mientras combatían su enfermedad, le brindó un apoyo y devoción sin límites. Incluso en los últimos momentos de Linda estuvo a su lado susurrándole palabras de amor y aliento.

Se trata de una historia hermosa y todas tenemos la esperanza de que, si alguna vez llegáramos a enfermarnos, nuestros seres queridos fueran tan leales y generosos como Paul McCartney. Desafortunadamente sabemos que la vida —y la gente— no siempre resulta como quisiéramos.

Una enfermedad a veces saca a relucir lo mejor de las personas, pero no siempre. "Realmente puede acercar a la gente, pero potencialmente también puede hacer reventar una relación", afirma Catherine Classen, Ph.D., psicóloga clínica en la Escuela de Medicina de la Universidad de Stanford.

Estar enfermas puede crearnos muchas necesidades y es posible que el desafío constante de satisfacerlas despierte sentimientos de rencor y de incompetencia en nuestro compañero. Es posible que un esposo acostumbrado a que lo atiendan en casa, por ejemplo, de repente se dé cuenta de que su nuevo papel de cuidador es demasiado para él.

"La enfermedad puede dar origen al estrés que por fin termina con una relación que ya estaba en dificultades —indica Mary K. Hughes, R.N., una especialista en enfermería clínica psiquiátrica del Centro M. D. Anderson para el Cáncer de la Universidad de Texas en Houston—. Los esposos *sí* llegan a irse. No siempre, desde luego, pero con suficiente frecuencia como para que no sea un suceso raro. Y cuando esto ocurre resulta devastador para la mujer".

Por otra parte, para una pareja que sobrevive a la enfermedad el desafío con frecuencia se convierte en un medio para obtener una nueva perspectiva sobre problemas triviales y para llegar a apreciarse y a valorarse mutuamente más que nunca. "El asunto radica en que ambas partes se traten con cariño y comprensión, estando conscientes de que cualquier enfermedad, ya sea aguda o crónica, es sumamente difícil de incorporar a una relación —indica Susan Brace, R.N., Ph.D., una psicóloga clínica que trabaja en Los Ángeles—. Ambas personas probablemente sientan que su vida ha cambiado y que no es justo: en efecto, la vida *sí* ha cambiado y *no* es justo".

Cuando la oportunidad llama

Lo que puede parecer particularmente injusto es que, aun cuando está enferma, la mujer con frecuencia sigue siendo la encargada del bienestar emocional de su familia, aunque sólo sea porque nadie más está dispuesto a asumir el papel. No obstante, lo que a primera vista parecerá una carga puede convertirse en una oportunidad para fortalecer las relaciones que más le importan si toma unas cuantas medidas sencillas.

Dé el don del tiempo. Evite que el rencor se acumule animando a los miembros de su familia a tomarse un tiempo solos, sugiere la Dra. Classen. "No digo que deban pedirle permiso, pero se sentirán menos culpables si usted les dice algo así como: 'Estaré bien aquí por un rato. ¿Por qué no vas al cine o te tomas un rato para ti?'".

Hable de su aprecio. No dé por sentado que su familia estará ahí. Dígales todos los días a cada uno de sus miembros cuánto los aprecia y valora, indica Mary Cerreto, Ph.D., asesora industrial y especialista en las relaciones en situación de enfermedad de Natick, Massachusetts. "Se nos olvida alabar o recompensar las cosas pequeñas que llegamos a dar por sentadas, y las personas que más hacen a veces son a quienes

---

Casos de la vida real
Le encanta hacer las cosas ella misma

April, de 45 años, se diría una mujer independiente. Cocina, hace la limpieza, se encarga de reparar su casa y crió sola a cuatro hijos, ya que su esposo trabajaba en la marina mercante y pasaba la mayor parte del tiempo en el mar. Cuando April enviudó hace 6 años entró a trabajar como cajera en una farmacia local, además de limpiar las oficinas de una empresa local de transportes los fines de semana. Entonces pasó lo de su seno. Todo empezó con un bulto en su seno derecho. Prácticamente de un día para otro se encontraba en el hospital recuperándose de una mastectomía. Sus hijos e hijas se presentaron enseguida con la intención de ayudarle. Ofrecieron cocinar, hacer la limpieza y apoyarla con dinero, pero le está costando trabajo aceptar estas muestras de cariño. De algún modo le da vergüenza no poder movilizarse por un tiempo, lo cual ha tenido la consecuencia de que se muestre irritable y malhumorada con todo mundo. Por mucho que sus hijos desean ayudarle, la forma en que los trata ha empezado a molestarlos, y ella lo sabe. Sin embargo, simplemente no lo puede evitar. ¿Qué debe hacer?

En algún nivel de sus emociones, April probablemente está convencida de no merecer ninguna ayuda y no quiere convertirse en una carga para los demás. De hecho, si su compañía no ha sido muy grata últimamente es muy posible que se deba a la circunstancia de que aceptar ayuda le crea sentimientos de culpabilidad.

Sin embargo, ¿por qué habría de sentirse indigna o culpable? Después de todo, casi con certeza les brindó mucho cariño a sus hijos cuando les hizo falta en el pasado y ahora

---

menos se les agradece". No dé por sentado que las personas que le ayudan saben que les está agradecida por lo que hacen. Dígaselo.

Sea explícita. Entre más claramente pueda expresar sus necesidades, más probabilidad hay de que sean satisfechas, opina la Dra. Classen. "Muchas mujeres comentan lo decepcionadas que se sienten por la respuesta de algún miembro en particular de la familia. Con frecuencia

están ansiosos por ayudarle a su vez. Al rechazarlos les está robando la oportunidad de demostrarle de forma concreta que la quieren y que valoran lo que les ha dado a lo largo de los años. Tal vez no se dé cuenta de la medida en que hacer las cosas sola la aísla de su familia.

Con toda seguridad April tiene algunas tareas o mandados que otra gente podría realizar para facilitarle la vida en estos momentos: salir a comprar diversas cosas, cortar el césped (pasto), limpiar la casa, incluso cocinar un poco. Al hacerles sugerencias específicas a sus hijos mantendría el control, para que a ellos no se les pase la mano tampoco y empiecen a dirigir su vida.

En lo que se refiere al dinero, si su orgullo no le permite aceptarlo abiertamente sus hijos pueden facilitarle la cosa ofreciéndole detalles como llenar el tanque de su carro o pagar los comestibles. Si sigue negándose, deben tener la sensibilidad de tomar su respuesta al pie de la letra.

April se beneficiaría de tomar las cosas con más calma. Tal vez haya días en que se sienta irritable por el dolor o el estrés de la enfermedad. Cuando así sea, ayudaría que simplemente se lo dijera a sus hijos. Y si les diera las gracias de manera sincera tanto April como las personas que la quieren se sentirían mucho mejor.

Información proporcionada por la experta
Mary Cerreto, Ph.D.
Asesora industrial y especialista en las relaciones
en situación de enfermedad
Natick, Massachusetts

deje las cosas en eso. "Reconocer los sentimientos sin seguir adelante es inútil —afirma la Dra. Cerreto—. En algún momento tendrá que decir: 'Muy bien, ¿y ahora qué hacemos con estos sentimientos?'".

A un hijo que se siente abandonado, por ejemplo, puede decirle algo como lo siguiente: "Ahora que tu papá ya no puede llevarte a los partidos de beisbol tan seguido como antes, me he dado cuenta de que te enojas conmigo con más frecuencia. Entiendo por qué. El que esté enferma realmente ha cambiado mucho tu vida. ¿Qué podemos hacer al respecto?".

O puede decirle esto a un esposo que se ha encerrado en sí mismo, dejando de comunicarse: "Últimamente has estado tan callado que no sé qué estás pensando. No sé si estás preocupado, pero sí que estás triste. Yo también lo estoy. ¿Qué podemos hacer para empezar a hablar de ello? Quiero ayudarte a entender lo que siento y vivo con esta enfermedad, para que no te preocupes tanto y para que podamos enfrentarla juntos".

Ayude a sus amigos a acercarse

Los amigos reaccionan a las enfermedades de la misma forma que a cualquier situación difícil. "Algunos darán un ejemplo maravilloso de lo que significa la amistad, y otros se sentirán impotentes y no querrán estar ahí", indica la Dra. Brace. Es posible que algunos amigos cercanos tengan una mayor presencia de ánimo incluso que los miembros de su familia en cuanto a lo que hay que hacer y cómo se siente usted. Otros querrán

estas mujeres tienen un deseo que no se atreven a pedir de manera explícita. Pero si no lo piden, no se les cumplirá. Por lo tanto tienen que expresar sus deseos y necesidades de manera muy clara".

Enfrente las emociones. A fin de mantener abiertas las líneas de comunicación y fuertes las relaciones, necesita hablar de las emociones que usted y sus familiares estén experimentando con respecto a su enfermedad. Sin embargo, no

Mamá siempre decía

¿Realmente me darán calambres si nado muy pronto después de comer?

Es cierto que existe una mayor probabilidad de que se presente una punzada en su costado, es decir, un calambre muscular en su diafragma, si realiza cualquier tipo de ejercicio vigoroso muy pronto después de haber comido en abundancia. Y un calambre puede dificultarle nadar, ya que probablemente sentirá ganas de enroscarse. Sin embargo, tal situación es más incómoda que peligrosa.

El calambre ocurre porque la sangre rica en oxígeno se aparta de los músculos y se concentra en los intestinos, a fin de ayudar con la digestión. Cuando los músculos carecen de oxígeno pueden sufrir calambres.

Por lo tanto, la vieja regla de aguardar una hora después de haber comido antes de dar vueltas vigorosas a la piscina (alberca), tal como nos lo imponían nuestras mamás, no es tan mala idea. Espere hasta sentirse cómoda y ya no tener el estómago lleno. Lo que sí puede hacer con toda confianza es meterse a la piscina sólo para refrescarse o para nadar lentamente. Esto no debería provocarle calambres, ni siquiera con la panza llena.

Información proporcionada por la experta
Jane Katz, Ed.D.
Profesora de Salud y Educación Física
Universidad de la Ciudad de Nueva York, Colegio
John Jay de Justicia Criminal
Campeona mundial de natación
Autora de un libro sobre la natación
como ejercicio

vez prefieran no hablar en lugar de arriesgarse a decir algo equivocado. Su ausencia no necesariamente significa que ya no la quieran. También es posible que usted se haya retraído durante una parte de su enfermedad a fin de proteger sus propios sentimientos. Sin embargo, una habitación vacía no le brindará consuelo.

Si realmente no quiere perder la amistad de alguien y piensa que una amiga en particular se ha distanciado por perturbación más que por temor, intente hablar por teléfono para derribar la barrera, sugiere Hughes. Y trate de utilizar el humor para romper con los embarazosos momentos iniciales. Cuente un chiste, ríanse juntas y luego diga algo así como: "Qué rico se siente reír. Hace mucho que no lo hacía".

Si usted se ha retraído por estar deprimida, sus amigos más cercanos deberían saberlo. La honestidad suya promoverá la confianza entre ustedes. Sin embargo, no es necesario que se lo diga a todas las personas que conoce. A los simples conocidos puede decirles: "No me sentía bien" y dejarlo en eso.

Ayude a sus amigos a ayudarle. Aunque usted no lo crea, la mayoría de las personas se sienten agradecidas si hay algo concreto que pueden hacer para demostrar que su amistad sigue en pie. Por lo tanto, si una amiga le dice: "¿Hay algo que pueda hacer por ti?", tome sus palabras al pie de la letra. Si le podría servir, pídale alguna ayuda sencilla: hacer un mandado, preparar una comida o simplemente ir a visitarla. "Estas pequeñas acciones restablecen el contacto con los amigos y les ayudan a sentirse útiles, que los

ayudar, pero tal vez se sientan incómodos y no estén seguros de cómo hacerlo. Usted podrá ayudar a sus amigos a apoyarla de la siguiente forma.

Tome la iniciativa. Hay diversas razones por las que los amigos no hablan por teléfono. Es posible que no soporten ver enfermo a alguien tan cercano, quizá carezcan de confianza en el valor de su compañía durante este tiempo o tal

necesita —afirma Hughes—. Les habrá hecho un favor tanto a ellos como a usted misma".

Asigne a un intermediario. A veces una amiga cercana puede convertirse en intermediaria entre usted y otras amistades, para organizar las visitas de la gente, restablecer el contacto con viejos amigos y comunicarse con las personas para decirles cómo va, indica la Dra. Brace.

Recurra a sus amigos para rehabilitarse. Utilice las visitas para estructurar su día. Por ejemplo, si el médico quiere que empiece a caminar para recuperar su fuerza, invite a una amiga a salir a caminar con usted, recomienda la Dra. Brace. No dependa simplemente de sus tres sesiones de terapia física a la semana.

Aprenda a compartir. Uno de los mejores recursos para tener a la mano es una persona que padezca la misma enfermedad que usted y a la que le esté yendo bien, opina la Dra. Cerrato. Tal vez logre encontrar a tal persona en un grupo de apoyo, el cual puede brindar comprensión, apoyo y compañía tanto a usted como a su familia. Compartir sus experiencias con otros mientras se recupera puede ayudarle a recobrar su fuerza y coraje.

PREGUNTAS Y RESPUESTAS

¿Por qué a la gente le daba miedo tocarme cuando estaba enferma, a pesar de que no tenía nada contagioso?

Mucha gente se preocupa por la posibilidad de adquirir o transferir gérmenes cuando se encuentran cerca de una persona enferma, aunque el peligro sea escaso. Están enterados de que algunos gérmenes se transmiten por medio del tacto, pero no saben lo suficiente como para determinar cuándo no hay mucha probabilidad de esto. Y algunas personas se preocupan por la reacción de la persona enferma en caso de tocarla. No quieren hacer nada que pueda interpretarse mal o provocar dolor.

Es más, con frecuencia no se dan cuenta de los beneficios que el ser tocado con cariño le aportan a un enfermo. La recompensa de amor y consuelo que se obtiene por medio del contacto físico con frecuencia supera los riesgos.

Al ir a visitar a una amiga enferma, lávese las manos antes de entrar en contacto directo con ella, sobre todo si se encuentra en un hospital y ha tocado los barandales (pasamanos) y las perillas (pomos) de las puertas. Luego trate de apretarle la mano con suavidad mientras conversan o coloque la mano sobre su hombro. Si su amiga le devuelve el apretón, sonríe o pone la mano encima de la suya, el contacto es bienvenido.

Información proporcionada por la experta
Charlotte Eliopoulos, R.N., Ph.D.
Especialista en enfermería geriátrica y de atención crónica holística
Autora de un libro sobre la integración de las terapias convencionales y alternativas

Arregle las cosas en la oficina

Cuando usted vuelva al lugar donde trabaja, sus compañeros reaccionarán de diferentes formas, de manera semejante a lo que pasó con sus amigos. Por lo tanto, tal vez tenga que hablar con las personas una por una. Algunos ni siquiera estarán enterados de su estado de salud: mejor para usted, afirma la Dra. Cerreto. "Si no quiere decirles qué pasó, sólo indique: 'Estuve enferma en el hospital, pero ahora me siento muy bien'". No obstante, en algunos casos es bueno tener cerca a una persona calmada y serena que sepa lo que usted sufre y pueda ayudarle si lo necesita.

Si su enfermedad le ha producido una discapacidad permanente debe ponerse en contacto con la oficina de personal de la empresa cuando regrese a trabajar. Por disposición federal, la Ley de los Estadounidenses con Discapacidades obliga a los empleadores que empleen a 15 o más personas a efectuar cambios razonables en el sitio de trabajo que permitan a los discapacitados llevar a cabo sus tareas, como lo sería proporcionar un área de labores con acceso para silla de ruedas.

Si la preocupa no poder recuperar su ritmo normal de trabajo enseguida, es posible que su empleador tenga que hacer algunos ajustes para acomodarla mientras tanto. Una vez más usted cuenta con derechos legales en este sentido.

Por otro lado, si en casa la miman es posible que volver a una situación en la que los demás no piensen en usted como enferma sea la mejor terapia que exista.

El don de la sabiduría

Cuando Dios le dijo a Salomón: "Pide lo que quieres que yo te otorgue", Salomón suplicó que le diera sabiduría. Si usted se ha recuperado de una enfermedad, o bien si sigue enferma pero ha aprendido a hacerle frente a la situación con éxito, ya recibió el mismo don, aunque no se haya dado cuenta de ello.

¿En qué sentido lo decimos? Por experiencia propia usted ahora sabe cosas que antes ni se imaginaba acerca de cómo superar una enfermedad. Está enterada de las necesidades, los temores y los deseos que el estar enfermo puede engendrar, y tiene la posibilidad de aplicar esta nueva sabiduría en el trato cotidiano con cualquiera que esté enfrentando un desafío a su salud. A continuación le daremos algunos ejemplos de cómo puede emplear dicha sabiduría con estas personas.

Haga constar lo obvio. La gente que está enferma o que ha estado enferma recientemente con frecuencia tiene problemas para hablar de lo que les pasa, indica la Dra. Classen. "Tal vez tengan miedo y traten de negarlo —afirma—. Quizá no quieran molestar a otra persona con sus preocupaciones o bien han observado que cuando en efecto tratan de hablar de estas no reciben la respuesta que buscaban, lo cual duele mucho, por lo que se cierran". Si una persona está deprimida es posible que se aísle aún más.

A fin de romper el hielo abórdela con franqueza. Simplemente dígale: "¿Qué sucede? Te ves triste —sugiere Hughes—. La otra persona sólo está esperando que alguien se fije de que no está como siempre, de que algo anda mal".

A las personas que han estado gravemente enfermas muchas veces les da miedo morir, sentirse mal siempre, no ponerse bien nunca o no saber qué seguirá. "El simple hecho de sacar estos sentimientos a la luz y hablar de ellos les resta algo de su poder", explica Hughes. No obstante, es posible que alguien deprimido también requiera medicamentos para lograr sacudirse algunas de estas sensaciones agobiantes.

Sea sumamente sincera. Los enfermos saben automáticamente cuál es su estado de salud, ya sea que el médico se lo diga o no, afirma la Dra. Brace. "Algunas personas dirán que les da miedo herir los sentimientos de alguien si son sinceros. No obstante, si es sincera por lo menos contará con un puente muy sólido hacia la otra persona; si le lastima los sentimientos podrá disculparse. Si no es sincera no dispondrá de ningún puente. Y los enfermos se sienten más aislados al no contar con este tipo de puentes. Lo que hace sentirse más aislada a la persona enferma es que el médico o sus familiares finjan frente a ella. Los enfermos no quieren que se les mienta".

Tiendas de productos naturales

Hemos creado la siguiente lista de tiendas de productos naturales en las que se habla español para ayudarle a conseguir las hierbas y suplementos mencionados en este libro. El hecho de que hayamos incluido un establecimiento específico no significa que lo estemos recomendando. Por supuesto que no hacemos mención de todas las tiendas que existen con empleados que hablan español; nuestra intención es que usted tenga un punto de partida para conseguir las hierbas y productos. Si usted no encuentra en esta lista una tienda que le quede cerca, puede escribir a algunos de estos lugares (señalados con un asterisco) para que le envíen los productos que desea por correo. También puede buscar una tienda en su zona consultando la guía telefónica local y buscar bajo el nombre de "productos naturales" o *"health food stores"*.

Arizona

Yerbería San Francisco
6403 N. 59th Avenue
Glendale, AZ 85301

Yerbería San Franciso
5233 S. Central Avenue
Phoenix, AZ 85040

Yerbería San Francisco
961 W. Ray Road
Chandler, AZ 85224

California

Capitol Drugs, Inc.
8578 Santa Monica Boulevard
West Hollywood, CA 90069

Buena Salud Centro Naturista
12824 Victory Boulevard
North Hollywood, CA 91606

El Centro Naturista
114 S. D Street
Madera, CA 93638

Cuevas Health Foods
429 S. Atlantic Boulevard
Los Angeles, CA 90022

Centro Naturista Vita Herbs
2119 W. 6th Street
Los Angeles, CA 90022

La Fuente de la Salud
757 S. Fetterly Avenue #204
Los Angeles, CA 90022

La Yerba Buena
4223 E. Tulare Avenue
Fresno, CA 93702

Consejería de Salud Productos Naturales
2558 Mission Street
San Francisco, CA 94110

Centro Naturista Vida Sana
1403 E. 4th Street
Long Beach, CA 90802

Centro Naturista
7860 Paramount Boulevard
Pico Rivera, CA 90660

Hierbas Naturales
420 E. 4th Street
Perris, CA 92570

Botánica y Yerbería
2027 Mission Avenue
Oceanside, CA 92054

Vida con Salud*
4348 Florence Avenue
Bell, CA 90201

Fuente de Salud
4441 Lennox Boulevard
Lennox, CA 90304

Franco's Naturista
14925 S. Vermont Avenue
Gardenia, CA

Centro de Nutrición Naturista
6111 Pacific Boulevard
Suite 201
Huntington Park, CA 90255

Casa Naturista
384 E. Orange Grove Boulevard
Pasadena, CA 91104

Centro de Salud Natural
111 W. Olive Drive #B
San Diego, CA 92173

Colorado

Tienda Naturista
3158 W. Alameda Avenue
Denver, CO 80219

Connecticut

Centro de Nutrición y Terapias Naturales
1764 Park Street
Hartford, CT 06105

Florida

Budget Pharmacy
3001 NW. 7th Street
Miami, FL 33125

Illinois

Vida Sana
4045 W. 26th Street
Chicago, IL 60623

Centro Naturista Nature's Herbs
2426 S. Laramie Avenue
Cicero, IL 60804

Maryland

Washington Homeopathic Products
494 del Rey Avenue
Bethesda, MD 20814

Massachusetts

Centro de Nutrición y Terapias
107 Essex Street
Lawrence, MA 01841

Centro de Nutrición y Terapias
1789 Washington Street
Boston, MA 02118

Nueva Jersey

Centro Naturista Sisana
28 B Broadway
Passaic, NJ 07055

Revé Health Food Store
839 Elizabeth Avenue
Elizabeth, NJ 07201

Be-Vi Natural Food Center
4005 Bergenline Avenue
Union City, NJ 07087

Centro de Salud Natural
92 Broadway
Newark, NJ 07104

Nueva York

Vida Natural*
79 Clinton Street
New York, NY 10002

Pennsilvania

Botánica Pititi
242 W. King Street
Lancaster, PA 17603

Botánica San Martín
3244 N. Front Street
Philadelphia, PA 19140

Puerto Rico

El Lucero de Puerto Rico
1160 Américo Miranda
San Juan, PR 00921

Natucentro
Av. Dos Palmas 2766
Levittown, PR 00949

Centro Naturista Las Américas
634 Andalucía
Puerto Nuevo, PR 00920

La Natura Health Food
Carretera 194
Fajardo Gardens
Fajardo, PR 00738

Natucentro
92 Calle Giralda
Marginal Residencial Sultana
Mayagüez, PR 00680

Nutricentro Health Food
965 de Infantería
Lajas, PR 00667

Natural Center
Yauco Plaza #30
Yauco, PR 00698

Centro Natural Cayey
54 Muñoz Rivera
Cayey, PR 00737

Texas

Hector's Health Company
4500 N. 10th Street
Suite 10
McAllen, TX 78504

Naturaleza y Nutrición
123 N. Marlborough Avenue
Dallas, TX 75208

Botánica del Barrio
3018 Guadalupe Street
San Antonio, TX 78207

Hierba Salud Internacional
9119 S. Gessner Drive
Houston, TX 77074

La Fe Curio and Herb Shop
1229 S. Staples Street
Hábeas Christi, TX 78404

El Paso Health Food Center
2700 Montana Avenue
El Paso, TX 79903

Glosario

Algunas de las hierbas y términos usados en este libro no son muy comunes o se conocen bajo distintos nombres en distintas partes de América Latina. Por lo tanto, hemos preparado este glosario para ayudarle. Esperamos que le sea útil.

Aceite de *canola*. Este aceite viene de la semilla de colza y es bajo en grasa saturada. Sinónimo: aceite de colza. En inglés: *canola oil*.

Agnocasto. Sinónimo: Sauzgatillo. En inglés: *Chasteberry*

Aguacate. Sinónimo: Palta. En inglés: *avocado*.

Ají. *Vea* **Pimiento.**

Albaricoque. Fruta originaria de la China cuyo color está entre un amarillo pálido y un naranja oscuro. Se parece al melocotón, pero es más pequeño. Sinónimos: chabacano, damasco. En inglés: *apricot*.

Aliño. Un tipo de salsa, muchas veces hecha a base de vinagre y algún tipo de aceite, que se les echa a las ensaladas para darles más sabor. Sinónimo: aderezo. En inglés: *salad dressing*.

Angélica china. Sinónimo: *Dang gui*. En inglés: *Chinese angelica*.

Arándano agrio. En inglés: *cranberry*.

Árnica. Sinónimo: Hierba santa, estornudadera. En inglés: *arnica*.

***Bagel*.** Un panecillo de origen judío que se hace con levadura. Tiene una consistencia densa y forma de rosca. Se prepara hervido y después horneado, lo que le da una textura crujiente.

Barbasco. En inglés: *wild yam*.

***Biscuit*.** Un tipo de panecillo muy popular en los EE.UU.

Bistec. Filete de carne de res sacado de la parte más gruesa del solomillo. Sinónimos: bife, churrasco, biftec. En inglés: *beefsteak* o *steak*.

***Brownie*.** Un pastel (vea la definición de éste en la página 461) cremoso de chocolate cortada en trozos cuadrados; a veces se rellena con frutos secos.

Cacahuate. Un tipo de fruto seco que proviene de una hierba leguminosa. Se come en varias formas, entre ellas crudas, tostadas o en forma de una crema. Sinónimos: cacahuete, maní. En inglés: *peanut*.

Cacerola. Una comida horneada en un recipiente hondo tipo cacerola. Sinónimo: guiso. En inglés: *casserole*. También puede ser un recipiente metálico de forma cilíndrica que se usa para cocinar. Por lo general, no es muy hondo y tiene un mango o unas asas. Sinónimo: cazuela. En inglés: *saucepan*.

Caléndula. Sinónimo: Maravilla. En inglés: *marigold*.

Camotes. Tubérculos cuyas cáscaras y pulpas tienen el mismo color amarillo-naranja. No se deben confundir con las batatas de Puerto Rico (llamadas "boniatos" en Cuba), que son tubérculos redondeados con una cáscara rosada y una pulpa blanca. Sinónimo: batata dulce. En inglés: *sweet potatoes*.

Cantidad Diaria Recomendada. Esta es la cantidad general recomendada de un nutriente dado, sea un mineral, una vitamina u otro elemento dietético. Las Cantidades Diarias, conocidas en inglés como *Daily Values* o por las siglas inglesas *DV*, fueron establecidas por el Departamento de Agricultura de los Estados Unidos y La Dirección de Alimentación y Fármacos de los Estados Unidos. Se encuentran en las etiquetas de la mayoría de los productos alimenticios preempaquetados en los Estados Unidos. Corresponden a las necesidades nutritivas de los adultos de 18 años y mayores. Si desea averiguar sobre las necesidades específicas de niños, consulte a su pediatra o a un nutriólogo.

Castaño de la India. En inglés: *horse chestnut*.

Champiñón. *Vea* Hongo.

Chícharos. Semillas verdes de una planta leguminosa eurasiática. Sinónimos: alverjas, arvejas, guisantes. En este libro hablamos de *petit pois*, lo que también son chícharos. Lo único que los distingue de los chícharos comunes es que se cosechan jóvenes para aprovechar su ligero sabor dulce que se pierde al madurar. En inglés: *peas*. En inglés a los *petit pois* se les llama *green peas*.

Chile. *Vea* **Pimiento**.

Cimifuga negra. Sinónimo: Cohosh negro. En inglés: *black cohosh*.

Consuelda. En inglés: *comfrey*.

Corazoncillo. Sinónimos: Hipérico, yerbaniz, hierba de San Juan. En inglés: *St. John's Wort*.

Cúrcuma. Sinónimo: Azafrán de las Indias. En inglés: *turmeric, curcuma*.

Diente de león. Sinónimo: Amargón. En inglés: *dandelion*.

Donut. Un pastelito en forma de rosca que se leuda con levadura o polvo de hornear. Se puede hornear pero normalmente se fríe. Hay muchas variedades de *donuts*; algunas se cubren con una capa de chocolate y otras se rellenan.

Ejotes. *Vea* **Habichuelas verdes**.

Equinacia. Sinónimos: Equinácea. En inglés: *echinacea*.

Espino. Sinónimos: Tejocote, espino albar, majuelo, marzoleto. En inglés: *hawthorn*.

Feta. Un queso griego hecho de leche de cabra. Es blanco, salado y muy desmenuzable.

Frijoles. Una de las variedades de plantas con frutos en vaina del género *Phaselous*. Vienen en muchos colores: rojos, negros, blancos, etcétera. Sinónimos: alubia, arvejas, caraotas, fasoles, fríjoles, habas, habichuelas, judías, porotos, trijoles. En inglés: *beans*.

Fruto seco. Alimento común que generalmente consiste en una semilla comestible encerrada en una cáscara. Entre los ejemplos más comunes de este alimento están las almendras, las avellanas, los cacahuates (maníes), los pistachos y las nueces. Aunque muchas personas utilizan el término "nueces" para referirse a los frutos secos en general, en realidad "nuez" significa un tipo común de fruto seco en particular.

Fudge. Un caramelo semiblando hecho de mantequilla, azúcar y varios saborizantes, entre ellos chocolate, vanilla y arce (*maple*).

Galletas y galletitas. Tanto "galletas" como "galletitas" se usan en Latinoamérica para referirse a dos tipos de comidas. El primer tipo es un barquillo delgado no dulce (en muchos casos es salado) hecho de trigo que se come como merienda o que acompaña una sopa. El segundo tipo es un tipo de pastel (vea la definición de esta en este glosario) plano y dulce que normalmente se come como postre o merienda. En este libro, usamos "galleta" para describir los barquillos salados y "galletita" para los pastelitos pequeños y dulces. En inglés, una galleta se llama *cracker* y una galletita se llama *cookie*.

Ginkgo. En inglés: *ginkgo*.

Ginseng. Esta hierba originaria de Asia se utiliza desde hace miles de años para combatir la fatiga y el estrés. En este libro se mencionan tres variedades distintas. La primera es el *ginseng* americano que los indios norteamericanos usaban para tratar dolores de cabeza y problemas menstruales. En inglés: *American ginseng*. La segunda variedad de esta planta es el *ginseng* asiático, coreano o chino. En inglés: *Korean ginseng*, *Chinese ginseng*. La tercera variedad —el *ginseng* siberiano o eleuterococo— en realidad no es pariente de las dos primeras sino la raíz de una planta con propiedades medicinales parecidas. En inglés: *Siberian ginseng*.

Gotu kola. Sinónimo: Centella asiática. En inglés: *gotu kola*.

Gugglu. Sinónimo: Gugulón. En inglés: *guggul*.

Haba. Frijol plano de color oscuro de origen mediterráneo que se consigue en las tiendas de productos naturales. En inglés: *fava bean*.

Habas blancas. Frijoles planos de color verde pálido originalmente cultivados en la ciudad de Lima en el Perú. Sinónimos: alubias, ejotes verdes chinos, frijoles de Lima, judías blancas, porotos blancos. En inglés: *lima beans*.

Habichuelas verdes Frijoles verdes, largos y delgados. Sinónimos: habichuelas tiernas y ejotes. En inglés: *green beans* o *string beans*.

Harina de trigo integral. En inglés: *whole wheat flour*. *Vea* **Integral**.

Hidraste. Sinónimos: Sello dorado, acónito americano, botón de oro. En inglés: *goldenseal*.

Hierbabuena. Sinónimo: Menta verde. En inglés: *Spearmint*.

Hinojo. En inglés: *fennel*.

Hongo. Variedad del *fungi* de la clase *Basidiomycetes*. Hay muchas variedades, entre ellas *shiitake*, que es japonesa, y el *Italian brown* de Italia. La variedad pequeña blanca se conoce como champiñón o seta. En inglés los hongos en general se llaman *mushrooms* y los champiñones se llaman *button mushrooms*.

Integral. Este término se refriere a la preparación de los cereales (granos) como arroz, maíz, avena, pan, etcétera. En su estado natural, los cereales tienen una capa exterior muy nutritiva que aporta fibra dietética, carbohidratos complejos, vitaminas B, vitamina E, hierro, cinc y otros minerales. No obstante, para que tengan una presentación más atractiva, muchos fabricantes les quitan las capas exteriores a los cereales. La mayoría de los nutriólogos y médicos recomiendan que comamos cereales integrales para aprovechar los nutrientes que aportan. Estos productos se consiguen en algunos supermercados y en las tiendas de productos naturales. Entre los productos integrales más comunes están el arroz integral (*brown rice*), pan integral (*whole-wheat bread* o *whole-grain bread*), y avena integral (*whole oats*).

Jengibre. En inglés: *ginger*.

Lavanda. Sinónimos: espliego, alhucema. En inglés: *lavender*.

Manzanilla. Sinónimos: Camomila, manzanilla alemana. En inglés: *chamomile, German chamomile*.

Matricaria. Sinónimo: Margaza. En inglés: *feverfew*.

Melaleuca. En inglés: *tea tree*.

Melocotón. Fruta originaria de la China que tiene un color amarillo rojizo y cuya piel es velluda. Sinónimo: durazno. En inglés: *peach*.

Merienda. En este libro, es una comida entre las comidas principales del día, sin importar ni lo que se come ni a la hora en que se come. Sinónimos: bocadillo, bocadito, refrigerio, tentempié. En inglés: *snack*.

Menta. En inglés: *peppermint*.

Mirtillo. En inglés: *bilberry*.

Nuez. Fruto seco que proviene de una de las variedades de los árboles del género *Juglans*. Las variedades más populares son la nuez inglesa y la nuez negra. Sinónimo: nuez de nogal. En inglés: *walnut*.

Palomitas de maíz. Granos de maíz cocinados en aceite o a presión hasta que formen bolas blancas. Sinónimos: rositas de maíz, rosetas de maíz, copos de maíz, cotufa, canguil. En inglés *popcorn*.

Pan árabe. Un pan plano originario del Medio Oriente que se prepara sin levadura. Sinónimo: pan de pita. En inglés: *pita bread*.

Parrilla. Esta rejilla de hierro fundido se usa para asar diversos alimentos sobre brasas o una fuente de calor de gas o eléctrica en toda Latinoamérica, particularmente en Argentina y Uruguay. En inglés: *grill*. También puede ser un utensilio de cocina usado para poner dulces hasta que se enfríen. Sinónimo: rejilla. En ingles: *rack*.

Pasionaria. Sinónimos: Pasiflora, hierba de la paloma. En inglés: *passion flower*.

Pastel. El significado de esta palabra varía según el país. En Puerto Rico, un pastel es un tipo de empanada servido durante las fiestas navideñas. En otros países, un pastel es una masa de hojaldre horneada que está rellena de frutas en conserva. No obstante, en este libro, un pastel es un postre horneado generalmente preparado con harina, mantequilla, edulcorante y huevos. Sinónimos: bizcocho, *cake*, panqué, queque, tarta. En inglés: *cake*.

Pastel blanco esponjoso. Un tipo de pastel (vea la definición de este arriba) ligero que se prepara sin levadura y con varios claros de huevo batidos. En inglés: *angel food cake*.

Pay. Una masa de hojaldre horneada que está rellena de frutas en conserva. Sinónimos: pai, pastel, tarta. En inglés: *pie*.

Pimiento. Fruto de las plantas *Capsicum*. Hay muchísimas variedades de esta hortaliza. Los que son picantes se conocen en México como chiles, y en otros países como pimientos o ajíes picantes. Por lo general, en este libro usamos "chiles" cuando se trata de las variedades picantes, como el habanero o el jalapeño, y "pimientos" cuando se trata de los pimientos rojos o verdes que tienen forma de campana, los cuales no son nada picantes. En muchas partes de México, a estos últimos se les llama pimientos morrones. En el Caribe, se conocen como ajíes rojos o verdes. En inglés, se llaman *bell peppers*.

Plátano amarillo. Fruta cuya cáscara es amarilla y que tiene un sabor dulce. Sinónimos: banana, banano, cambur y guineo. No lo confunda con el plátano verde (plátano macho), que si bien es su pariente, es una fruta distinta.

Prímula nocturna. Sinónimo: Primavera nocturna. En inglés: *evening primrose*.

Psyllium. Sinónimo: Zaragatona. En inglés: *Psyllium, blond psyllium, ispaghula*.

Regaliz. Sinónimo: Orozuz. En inglés: *licorice*.

Repollo. Una planta verde cuyas hojas se agrupan en forma compacta y que varía en cuanto a su color. Puede ser casi blanco, verde o rojo. Sinónimo: col. En inglés: *cabbage*.

Rusco. Sinónimo: Jusbarba. En inglés: *butcher's broom*.

Semilla de lino. Sinónimo: Linaza. En inglés: *flaxseed*.

Toronjil. Sinónimo: Melisa. En inglés: *lemon balm*.

Valeriana. En inglés: *Valerian*.

Índice de términos

Las referencias <u>subrayadas</u> indican que la materia del texto se encuentra dentro de las cajas.
Las referencias en letra en **negritas** representan ilustraciones.